Daisy Goodwin

# L'amante inglese di Sissi

traduzione di Alessandra di Luzio

SONZOGNO

Della stessa autrice
nel catalogo Sonzogno

*L'ereditiera americana*

Titolo originale: *The Fortune Hunter*

Copyright © 2014 Daisy Goodwin Productions

Copyright © 2014 by Sonzogno di Marsilio Editori® s.p.a. in Venezia

www.sonzognoeditori.it

Prima edizione: settembre 2014

ISBN 978-88-454-2587

# L'AMANTE INGLESE DI SISSI

# 1.

## Il serraglio di corte

*Luglio 1875*

La regina Vittoria era un gattino o un merluzzo? Charlotte ebbe un momento di esitazione. Il volto dal mento sfuggente della sovrana somigliava inequivocabilmente a quello dallo sguardo fisso e vitreo del pesce, ma in tal modo avrebbe dovuto attribuire al Principe Consorte le fattezze di un micio, visto che era l'ultimo animale ancora disponibile. Non era facile immaginarsi il principe Alberto con dei tratti felini, ma ormai la regina aveva già assunto nella sua immaginazione le sembianze di un merluzzo, un magnifico e grosso merluzzo. Fece un passo indietro e osservò la composizione nel suo insieme, ora che aveva rimpiazzato ciascun volto dei componenti della famiglia reale con una testa d'animale. Il Principe di Galles era un apprezzabile bassotto, e Charlotte pensò di aver reso giustizia all'atteggiamento contrito della principessa Alice, avendole attribuito un musino da vitello. Immerse il pennello in un calamaio di inchiostro indiano e cominciò a ombreggiare i contorni della sua creazione, sfumando i bordi delle teste d'animale con il resto dell'immagine. Più tardi, se fosse riuscita a farsi riportare a casa presto da Fred dopo il ballo, avrebbe fotografato la sua opera.

Sospirò e si stirò, allungando le braccia in alto con le dita intrecciate. Il sole stava tramontando oltre la fila di case bianche decorate a stucco, inondando la stanza d'un caldo bagliore.

Charlotte avrebbe realizzato il proprio serraglio di corte e l'avrebbe poi appeso alla parete del salottino nella residenza di Kevill. Con la giusta cornice, sarebbe passato inosservato allo sguardo casuale di qualunque osservatore alla stregua di un normale ritratto di famiglia. Solo i più attenti si sarebbero accorti del fatto che aveva trasformato la famiglia reale in uno zoo tutto marsine e crinoline. Probabilmente gli ospiti più inamidati avrebbero gridato allo scandalo, ma poiché nel salottino di Kevill di rado venivano presi in esame articoli differenti dagli abiti e dai merletti esibiti dalle signore in visita, Charlotte non ritenne necessario darsene grande preoccupazione. La vaga possibilità che qualcuno potesse notare la sua opera era sufficiente a renderle più accettabile la prospettiva di trascorrere interminabili pomeriggi a ricevere visite dalle signore sue conoscenti. Charlotte sperò in particolare che la moglie del vescovo spingesse il proprio sguardo oltre la punta di quel suo naso lungo e perennemente gocciolante, e che la visione del ritratto le risultasse talmente offensiva da convincerla a interrompere per sempre le sue visite di cortesia.

Il solo pensiero della moglie del vescovo, con quel suo modo di apostrofarla sempre come "povera fanciulla senza madre", bastò a far sì che una goccia di inchiostro cadesse su una delle balze di seta del suo abito. Era una gocciolina minuscola, ma la seta la assorbì talmente in fretta da trasformarla immediatamente in un'inequivocabile macchia. Charlotte s'innervosì per quella disattenzione. La chiazza era appena visibile, ma senza dubbio sua zia l'avrebbe notata immediatamente e avrebbe trasformato l'incidente in una sciagura di dimensioni epiche. "Che disgrazia!" avrebbe esclamato, facendo sventolare i nastri di pizzo del suo cappello da vedova. "Il tuo bel vestito completamente rovinato, e proprio la sera del ballo degli Spencer!" Non c'era niente di meglio per la zia Adelaide di un piccolo incidente domestico da trasformare in una tragedia degna di Sofocle. Si sarebbe sentita in diritto di far notare la macchiolina a chiunque avessero incontrato, incoraggiando altresì l'interlocutore a commentare la drammatica svolta del destino che aveva condotto alla rovina il magnifico abito di sua nipote. Charlotte era già abbastanza in ansia per la festa a cui avrebbe dovuto prender parte quella sera, non le occorreva certo l'ulteriore umiliazione di una scenata di sua zia.

Si fermò un istante a riflettere, poi prese la sua scatola di acquerelli. Forse c'era rimasto un po' di bianco porcellana. Impugnò un pennello pulito, lo inumidì in bocca e cominciò a ricoprire di colore la macchia. Il risultato non era perfetto, ma almeno la parte più scura si era attenuata. Con un po' di fortuna la serata sarebbe passata senza che sua zia se ne accorgesse. Stava per dare una seconda mano di colore quando sentì un bussare perentorio alla porta: suo fratello Fred, in alta uniforme, entrò nella stanza.

«Sei pronta? La zia Adelaide è già davanti alla carrozza che ci aspetta, e io vorrei arrivare presto all'Opera.»

Quando vide quello che stava facendo, si ammutolì per un istante. «Perché ti stai dipingendo il vestito?» chiese con un sorrisetto. «Cos'è, l'ultima moda? Adesso le fanciulle decorano a mano il proprio abito da sera?»

«Se fosse questa l'ultima moda io sarei l'ultima a saperlo. Ho rovesciato un po' d'inchiostro sul vestito e sto cercando di rimediare con la pittura.» Charlotte indicò a Fred la piccola chiazza. «Ecco! Come nuova.»

«Ma cosa combinavi con l'inchiostro se eri già vestita di tutto punto? Credevo che le ragazze avessero di meglio da fare prima di un ballo, come farsi acconciare i capelli o scegliere accuratamente i gioielli da indossare.»

«Se guardi bene, Fred, vedrai che i miei capelli sono perfettamente sistemati. Quanto ai gioielli, la zia Adelaide ritiene che i diamanti non si addicano a una debuttante, e dunque indosserà lei la collana della mamma. Volevo impiegare il mio tempo in modo utile mentre aspettavo che voialtri vi preparaste.»

Fred diede un'occhiata al serraglio di corte appoggiato sul tavolo da lavoro. Si avvicinò per osservarlo meglio, e scosse la testa.

«Sei davvero un tipo strambo, sorellina.»

«Ti piace?»

«Cosa? Certo che no. È un'opera davvero singolare, non v'è dubbio. Ma perché non ti dedichi mai a qualche attività più normale? Cantare, suonare il pianoforte, ricamare, cose del genere. È dannatamente strano che una ragazza di vent'anni stia sempre a trafficare con macchine fotografiche e agenti chimici. Devi stare attenta alla tua reputazione. Augusta è piuttosto preoccupata per te. Dice che quando saremo sposati sarà lei a prendere in mano la tua situazione e a introdurti in società come si deve. Secondo lei se si fanno le cose a modo potresti diventare una fanciulla di notevole successo.»

Charlotte sorrise. «Com'è gentile da parte sua.»

Fred la guardò con sospetto. I suoi occhi diventavano assai sporgenti quando si irritava. «Augusta potrebbe recarti immensi benefici. Dice che pervenire al giusto matrimonio è come condurre una nave in porto: è un'operazione che richiede una mano salda alla barra del timone.»

Charlotte pensò, ma non disse, che nonostante la sua grande abilità nell'arte della navigazione, Lady Augusta Crewe aveva dovuto frequentare gli eventi della mondanità londinese per ben quattro anni di fila prima di ottenere una proposta di matrimonio. Decise di cambiare argomento.

«Sei splendido stasera, Fred. Augusta sarà fiera di te.»

Distratto da quel complimento, Fred gonfiò il petto e si lisciò i galloni dorati della giacca.

«Mi sono servito dal sarto di Bay Middleton. A detta sua, chi lo prova non si rivolgerà più a nessun altro.»

«Bay Middleton è di certo un tipo esigente.»

«Sono l'ufficiale meglio vestito dell'intero Corpo di Guardia. Dipende tutto dal taglio. Ho dovuto fare tre prove per questo completo.»

«Soltanto tre? Io credo di averne fatte almeno dieci per questo abito. E poi guarda come ti sta bene, ti cade a pennello.»

«Anche il tuo vestito è perfetto. O almeno lo era prima che ti mettessi a pasticciare con l'inchiostro.» Le cinse le spalle con un braccio. «Quando io e Augusta saremo sposati, lei ti darà ottimi consigli. Credo che tu possa imparare tanto da lei. Ha sempre dei modi incantevoli, la mia Augusta.»

Charlotte non ne poteva più di sentir parlare della superiorità di Augusta Crewe. Anche ammesso che la sua futura cognata fosse davvero affascinante e generosa come la si dipingeva, forse un giorno si sarebbe stancata anche lei di sentirsi continuamente lodare da Fred. Augusta, in ogni caso, era una donna falsa e astuta, e la sua presenza costante nelle conversazioni tra fratello e sorella era per Charlotte solo fonte d'infinita irritazione.

Un colpo di tosse proveniente dal corridoio interruppe lo scambio di battute. Penge, il maggiordomo della zia Adelaide, li stava guardando con aria di rimprovero.

«La signora mi prega di rammentarvi che la carrozza attende già da quindici minuti.»

Fred assunse un tono solenne. «Affrettati, mia cara. Non c'è altro che tu possa fare per il vestito. Il capitano Hartopp non si accorgerà di niente.» Era già a metà dello scalone quando si voltò a guardarla. «E non devi preoccuparti di chi ti condurrà nelle danze. Hartopp ti chiederà i primi due balli, e anche Augusta ha promesso di trovarti qualche bel giovanotto adeguato al tuo rango.»

Charlotte non replicò, ma in cuor suo pensò che il suo più grande desiderio sarebbe stato ballare con qualche bel giovanotto non adeguato al suo rango. Nonostante la sollecitudine di Fred, non era affatto preoccupata di trovare dei cavalieri: fino a quel momento aveva preso parte a pochi balli, il suo *carnet* non era mai rimasto vuoto. I giovanotti dell'alta società, adeguati o meno che fossero, erano ben consapevoli del fatto che Charlotte, pur non essendo forse la più incantevole delle fanciulle in circolazione, era indubbiamente una delle più ricche, in quanto unica erede della fortuna dei Lennox, che sarebbe stata sua al compimento del venticinquesimo anno. Il denaro non aveva significato molto per lei, dal momento che era cresciuta in campagna, ma da quando si era stabilita a Londra Charlotte aveva orecchiato più volte l'espressione "l'ereditiera Lennox" mormorata nei salotti o semplicemente articolata sulle labbra di nuovi conoscenti che si passavano parola l'uno con l'altro. Aveva anche notato che queste parole appena sussurrate tendevano a innervosire Fred. I soldi erano soltanto di Charlotte – la madre di lei, precedente ereditiera Lennox, era la seconda moglie del loro defunto padre – ma Fred aveva un atteggiamento fin troppo assertivo quando si parlava dell'eredità della sorella, come se toccasse a lui deciderne il destino. Il testamento parlava chiaro: Charlotte non poteva sposarsi senza il consenso di suo fratello prima di aver raggiunto la maggiore età, e Fred si godeva i privilegi del suo ruolo con immensa soddisfazione. Alcuni suoi commilitoni nella

Guardia erano riusciti a metterlo in imbarazzo per il taglio non impeccabile di certi suoi abiti o per le sue scarse competenze in materia di vini pregiati, ma il disagio era immediatamente scomparso nel momento in cui era diventato il custode della fortuna dei Lennox, oltre che il fidanzato di Lady Augusta Crewe.

Non era dunque il timore di dover fare da tappezzeria alla sala da ballo che rendeva Charlotte riluttante a discendere lo scalone incurvato, facendola restare qualche centimetro indietro rispetto al fratello. Era probabilmente l'unica ragazza di Londra che inorridiva al pensiero di ritrovarsi il *carnet de bal* pieno di prenotazioni fino all'ultima riga. Era meglio restarsene seduta per un giro che volteggiare nella sala tra le braccia di qualche giovanotto paffuto e con le guance rosa che si dava un gran daffare per tentare di accaparrarsi il patrimonio dei Lennox. Amava la caccia? No. Silenzio. Era stata già presentata a corte? Non ancora. Pausa. Le piaceva il croquet? Certe volte rivelava di sua iniziativa di avere la passione della fotografia. Questa informazione veniva spesso ricevuta dai Percy e dai Clarence di turno con un'espressione allarmata, come se durante un esame qualcuno avesse posto loro un quesito sul quale non si erano preparati. Allora questi Algernon o Ralph le raccontavano la storia di quella volta in cui avevano posato per una fotografia, "perché la mamma ci teneva tanto, sapete", lamentandosi della lunga attesa davanti all'obiettivo: "Il fotografo voleva che restassi con la faccia paralizzata, altrimenti il ritratto sarebbe venuto sfocato". Erano rimasti soddisfatti del risultato? chiedeva allora lei, e i giovanotti si zittivano. A volte arrossivano sotto le folte basette. Ma lei insisteva, a dispetto del loro evidente imbarazzo: la fotografia restituiva l'immagine che avevano di loro stessi? A quel punto il giovanotto farfugliava qualcosa circa il fatto di non aver mai attribuito grande importanza al proprio aspetto fisico, ma che comunque la fotografia poteva considerarsi piuttosto fedele. Di solito dopo una simile conversazione il giovanotto non si prenotava per un altro ballo. Una volta, quando un ragazzo di più ampie vedute aveva chiesto a Charlotte se le sarebbe piaciuto fotografarlo, lei aveva replicato che era meglio di no poiché il risultato avrebbe potuto risultargli sgradito. E quello non aveva insistito oltre.

Giunta ormai all'ultimo gradino, Charlotte tentò di sistemarsi l'abito in modo tale che il ventaglio e la borsetta coprissero la macchiolina d'inchiostro. Ma era chiaro che si trattava di un'inutile preoccupazione, poiché la zia Adelaide era troppo presa da se stessa per pensare a sua nipote. Era in piedi nell'atrio e voltava nervosamente lo sguardo ora da una parte ora dall'altra quando un raggio di luce colpì i diamanti Lennox che esibiva attorno al collo. Sposata tardivamente con un baronetto privo di mezzi che l'aveva lasciata vedova a soli sei mesi dalle nozze, la zia Adelaide non aveva mai posseduto molti diamanti nella vita, e si stava godendo in pieno quello sfoggio di monili presi a prestito dalla nipote. Charlotte notò che la donna, nonostante avesse almeno quarant'anni, era assai più eccitata di lei per la serata cui avrebbero preso parte.

«Quegli orecchini di perle si abbinano magnificamente al tuo vestito, mia cara. Un giusto tocco ornamentale, ma senza ostentazione. Non sopporto quando le fanciulle si ricoprono di gioielli sfarzosi. Ti ricordi Selina Fortescue al ballo di Londonderry? Sembrava davvero volgare. Un vero peccato, con una carnagione giovane e fresca come la sua.» La zia Adelaide guardò Charlotte mentre pronunciava quelle parole, ma non poté resistere al riflesso scintillante della sua immagine e tornò a contemplarsi nello specchio.

Fred fece un colpo di tosse. «Mi sembra di notare, cara zia, che a differenza di Charlotte tu ti sia letteralmente ricoperta di gioielli. Sei certa che la collana dei Lennox sia proprio adatta all'occasione? I diamanti appartengono a Charlotte, dopotutto, e credo che avresti dovuto consultarmi, in qualità di suo tutore.»

Sotto il luccichio dei brillanti, Charlotte vide che la pelle di sua zia stava arrossandosi. La replica della ragazza fu rapida e sbrigativa.

«Suvvia, Fred. Non esagerare. Mi sentirei ridicola a indossare quella collana. Si addice di più a una donna adulta, e alla zia Adelaide sta proprio bene. Preferisco che la indossi lei anziché lasciare che resti anni e anni sepolta in una cassaforte.»

La zia Adelaide le lanciò un'occhiata di gratitudine. Fred prese i guanti e cominciò a indossarli un dito per volta, facendo schioccare ogni nocca via via che li infilava.

«Non credo sia un'esagerazione se esprimo la mia preoccupazione per un oggetto di gran valore che appartiene alla mia unica sorella. Tu forse avrai dimenticato la promessa che feci a nostro padre di prendermi cura di te, ma io la ricordo bene. Tutto quel che fai si ripercuote su di me. Non voglio che il tuo futuro marito mi accusi di aver tutelato i tuoi affari in modo maldestro.»

«Bene, non intendo sposare un uomo che si lamenta se presto una collana a un membro della mia famiglia. Pensavo di chiedere ad Augusta se volesse indossarla in occasione del vostro matrimonio, ma se la cosa non ti aggrada eviterò di farlo.»

Come Charlotte si aspettava, Fred decise di soprassedere.

«Augusta non me ne ha mai fatto menzione. Certamente sarà mia premura controllare che ne abbia grande cura, come sono certo che anche tu, cara zia, saprai fare stasera. Ora però dovremmo andare, o perderemo il primo atto.»

Charlotte rise fra sé e sé. Il vero motivo per cui Fred era in ansia non dipendeva dal fatto che la zia Adelaide indossasse i diamanti dei Lennox, ma che la sua futura sposa gliela vedesse al collo al ballo degli Spencer. Augusta aveva già progettato di indossare quei diamanti al matrimonio, e si sarebbe senz'altro risentita nel vedere il gioiello perdere di magnificenza a causa delle eccessive esibizioni in pubblico al collo di altre donne.

Mentre suo fratello la aiutava a salire in carrozza, si chiese come avrebbe realizzato il loro ritratto nuziale. Ci sarebbe stato quello ufficiale, ovviamente, con la sposa biancovestita e adornata di fiori d'arancio, seduta per non far apparire troppo basso lo sposo, con la collana di diamanti sfavillante attorno al suo collo non sufficientemente affusolato e Fred dietro di lei rigido e impettito. Ma nel ritratto non ufficiale Charlotte avrebbe trasformato Augusta, con il suo naso smussato e gli occhi troppo distanti, in un cane pechinese, mentre Fred, con il suo viso rubizzo e il mento sfuggente, sarebbe stato uno splendido tacchino. Non l'avrebbe appeso su una qualunque parete, naturalmente, neppure nell'angolo più nascosto del salottino di Kevill, ma avrebbe provato una certa soddisfazione rimirandolo in privato, intanto che Augusta si preoccupava della sua promozione in società. A meno che non trovasse un pretendente prima ancora che suo fratello convolasse a nozze, doveva affrontare la prospettiva di andare a vivere con i novelli sposi. La sistemazione che le aveva trovato presso la residenza di Lady Lisle poteva andar bene finché Fred era scapolo, ma una volta sposato avrebbe voluto prendere sua sorella a vivere con sé e sua moglie. La rendita di Fred ammontava a sole mille sterline l'anno, che non sarebbero state sufficienti a mantenere una dimora in città, ma in qualità di tutore di Charlotte lui sarebbe subentrato volentieri a Lady Lisle nella casa di Charles Street.

Qualcuno tamburellò le dita sul finestrino della carrozza. Charlotte guardò fuori e vide il faccione corredato da due folte basette del capitano Hartopp, soprannominato Chicken, "il Pollo", grande amico di Fred e devoto seguace della fortuna dei Lennox. Fred non caldeggiava la candidatura di Hartopp, poiché sperava che sua sorella potesse ambire a un titolo nobiliare, o almeno a un'alleanza con una famiglia antica e solida, ma la fortuna di Hartopp era quasi pari a quella di Charlotte, e dunque non voleva scartarlo completamente.

«Signorina Baird, sono così felice di avervi incontrata prima che vi metteste in viaggio. Volevo offrirvi questi fiori. Ho pensato che forse avreste gradito indossarli stasera al ballo.»

Le porse un bouquet di candidi boccioli di rosa attraverso il finestrino, e Charlotte lo ringraziò con quello che, almeno nelle intenzioni, doveva essere un sorriso raggiante.

«Vi ringrazio di cuore, capitano Hartopp. Davvero gentile da parte vostra.»

«È per me un piacere, signorina Baird.» Si sfiorò il cappello accennando un saluto a Fred e fece un inchino alla zia Adelaide. «Buona sera, Lady Lisle. Che magnifica collana. Sono i celebri diamanti Lennox, quelli che portate stasera?»

Adelaide Lisle esibì un sorrisetto. «Certo, è così. La cara Charlotte è stata così gentile da consentirmi di indossarli stasera. Spero di rendere loro giustizia.»

Hartopp fece una pausa che durò un istante di troppo, poi disse: «Non v'è alcun dubbio che ci riusciate, Lady Lisle.»

15

Charlotte vide il guizzo negli occhi di Hartopp mentre ammirava la collana, e pensò che vivere con Fred e Augusta sarebbe stato comunque preferibile al dover incrociare quello sguardo tutte le mattine davanti al tavolo della colazione. Non aveva ancora acquistato fotografie di mammiferi acquatici, ma quando l'avesse fatto il capitano Hartopp, nonostante il soprannome da volatile, avrebbe facilmente assunto le fattezze di un magnifico tricheco.

# 2.

## Una serata all'Opera

Il teatro dell'Opera era strapieno. Era l'ultima replica di Adelina Patti nei panni della *Sonnambula* prima che il grande soprano rientrasse a New York. I palchi erano colmi di spettatori, e ogni poltrona, dalla migliore alla più economica, era occupata. Bay Middleton occupava un posto in seconda fila, talmente vicino al palcoscenico da poter scorgere il fitto reticolo di venuzze azzurrognole che s'intrecciavano sul décolleté della diva e i rivoletti di sudore che scorrevano lungo le sue guance imbellettate.

Sebbene il suo sguardo fosse incollato alla scena, i sensi di Bay Middleton erano protesi verso un palco della prima fila. Percepiva la presenza di Blanche come se le fosse seduto accanto. Senza neppure voltarsi a guardare, sapeva che aveva le spalle nude e che due tremule ciocche bionde le sfioravano la nuca. Gli pareva quasi di sentire il profumo della colonia con cui si inumidiva le tempie. E comunque non si sarebbe voltato a guardarla. Non avrebbe dovuto esser lì quella sera, ed era perfettamente consapevole dell'errore che stava per commettere già mentre si allacciava i gemelli ai polsini della camicia e si sistemava le punte della cravatta bianca. L'indomani Blanche sarebbe partita, e dunque lui voleva starle vicino anche se non sopportava neppure l'idea di scambiare con lei un'occhiata.

La musica nutriva la sua malinconia. Non era là, come la maggior parte degli altri spettatori, soltanto per farsi vedere. Bay sentiva la musica dentro di sé. A volte gli si drizzavano i peli sulle braccia, come quando sapeva di stare per vincere una gara, o quando una donna lo guardava in un certo modo. Gli era capitato anche la prima volta che aveva visto Blanche Hozier. Lei aveva premuto il piede contro il suo, durante una cena, e lui aveva capito all'istante che non era accaduto per caso. Lo aveva guardato con le palpebre socchiuse, sfoderando un sorriso che aveva lasciato intravedere i suoi piccoli denti bianchi e la lingua. Era stato il primo di tanti bei momenti. Era ormai un anno che Blanche gli lanciava occhiate eloquenti quando si ritrovavano seduti alla stessa tavola o a volteggiare nello stesso salone da ballo. C'erano state altre donne prima di lei, naturalmente, ma se passava un solo giorno senza corteggiarla, quello per lui era un giorno sprecato.

Quel pomeriggio, mentre si ravviava i capelli davanti allo specchio riconducendo all'ordine le ciocche che solo qualche minuto prima erano sfuggite al suo controllo, Blanche non sorrideva affatto. Bay Middleton non si stupiva più di come riuscisse a cambiare espressione così rapidamente: solo un momento prima l'aveva preso per mano e condotto verso il divanetto, ora era lì in piedi a controllare che ogni capello fosse al suo posto. Era ancora accaldata, ma aveva ripreso il suo ruolo di padrona di casa nonché moglie del colonnello. Aveva catturato la sua occhiata allo specchio, e ostentando indifferenza nel tono gli aveva detto: «Domani vado a Combe.»

Lui non aveva replicato, poiché era chiaro che la decisione era stata già presa.

«Il colonnello è là, al lavoro sui progetti di drenaggio e canalizzazione, e siccome non v'è alcuna possibilità che torni lui a Londra, sarò io a raggiungerlo.» Si voltò verso Bay, inclinando leggermente il capo di lato. Uno dei suoi orecchini di diamanti catturò un raggio di luce, abbagliandolo.

Middleton soppesò per un attimo quelle parole. Poteva esserci un'unica ragione a farle lasciare Londra prima che finisse la stagione mondana. I suoi occhi scivolarono verso il punto in cui s'assottigliava il corpetto del suo abito.

Strizzò gli occhi. «Ne sei sicura?»

Blanche sollevò il mento. «Direi di sì.»

Lui si alzò in piedi e fece per avvicinarsi, ma lei incrociò le mani dinanzi a sé come fossero un cancello. Lui restò immobile.

«Un bambino? Oh, Blanche, sono davvero...» Ma lei lo interruppe, come se non tollerasse quella nota di emozione nella sua voce.

«Combe è un posto incantevole in questo periodo dell'anno. Isobel ha una brutta tosse, e credo che l'aria di campagna possa farle bene.»

Ora non v'era più traccia nella sua voce di quell'inflessione lievemente roca che gli era parsa così seducente: Lady Blanche Hozier, figlia di un conte e signora di Combe, aveva recuperato il suo tono imperioso e risoluto. Middleton cercò invano qualche traccia della passata tenerezza, ma lei era fredda come la lastra dello specchio alle sue spalle. Lui provò un misto di desolazione per il distacco imminente e irritazione per il modo sbrigativo in cui lo stava congedando.

«Mi scriverai.» Non era una domanda, ma Blanche scosse la testa.

«Niente lettere, finché non avrò avuto il bambino. Devo essere prudente. Se sarà un maschio...» Lui notò che si stava rigirando nervosamente l'anello nuziale attorno al dito.

«Mi mancherai, Blanche» le aveva detto, tendendole le mani. Ma lei si era fatta da parte, respingendolo come se d'un tratto fosse divenuto incandescente. Lui aveva stretto una mano a pugno e s'era colpito l'altra, avvilito e demoralizzato.

«Perché non me l'hai detto prima?» disse con gli occhi che guizzavano spostandosi verso il divanetto.

Blanche lo guardò, con le palpebre socchiuse che sembravano smentire il suo tono duro e spietato.

«Credo sia il caso che te ne vada, prima che torni la servitù. Hanno già visto troppo.»

Avrebbe voluto guastarle l'acconciatura e dare una scrollata a quella sua impassibilità di porcellana. Invece lasciò cadere le braccia e disse: «Sei certa che il bambino sia mio?»

A quella domanda, Blanche si fece da parte limitandosi a indicargli la porta. Lui, dopo aver preso guanti e cappello dalla sedia, se ne andò senza aggiungere altro.

Ora, mentre ascoltava Adelina Patti nel ruolo di Amina che cantava il suo amore per Elvino, Bay Middleton ripensava a quelle ultime parole e sentiva il sangue pulsargli nelle orecchie.

Avrebbe voluto alzare lo sguardo e farle capire che non intendeva offenderla, ma non osava voltare la testa. Sapeva quanto la decisione di ritirarsi in campagna fosse saggia e prudente, ma era rimasto ferito per il modo in cui lo aveva liquidato. Se solo ci fosse stata un'ombra di dispiacere sul suo volto, una traccia di tenerezza. E invece la loro relazione era terminata in modo improvviso, così come era iniziata. Aveva sempre avuto il sospetto di non essere stato il primo amante di Blanche, ma lei aveva costantemente mantenuto la massima discrezione a riguardo. Bay sapeva che il matrimonio con il colonnello Hozier non era felice. A dire il vero, c'era stato un momento in cui aveva pensato che Blanche desiderasse qualcosa di più di quei pomeriggi trascorsi insieme nel salottino azzurro, idea che provocava in lui orrore ed entusiasmo in egual misura. Ma quel momento era passato, lasciandogli soltanto un grande sollievo. Fuggire con Blanche avrebbe significato lasciare il reggimento, probabilmente anche il Paese. Dunque sapeva che non aveva alcun diritto di sentirsi addolorato. Eppure, un bambino... Gli tornò in mente ancora una volta quel pomeriggio, il modo in cui lei aveva rifiutato di guardarlo mentre se ne andava, come se lo avesse già cancellato dalla sua vita.

Quando ebbe terminato l'aria, la Patti inclinò la testa da un lato per ricevere gli applausi. Il palcoscenico fu subito sommerso dai fiori lanciati dai suoi ammiratori. Bay alzò lo sguardo verso la parte opposta del teatro rispetto al punto in cui si trovava il palco di Blanche e vide i suoi amici Fred Baird e Chicken Hartopp in un altro palco in compagnia di due signore. Una era la zia di Fred, mentre quella più giovane doveva essere la sorella. Probabilmente era compito di Lady Lisle portare fuori la ragazza, visto che aveva perso la madre da bambina. Prese il binocolo per osservare meglio la fanciulla, consapevole del fatto che forse Blanche se ne sarebbe accorta. Tuttavia non avrebbe provato alcun dolore, pensò Bay, a vedere che nutriva altri interessi.

La giovane Baird si era tirata indietro e il suo volto era in ombra. Tutto ciò che Bay poté vedere di lei fu una mano fasciata in un guanto di capretto che batteva dei colpetti con un ventaglio contro il lato del palco. Restò col binocolo puntato in quella direzione per qualche altro istante, in attesa di poter scorgere il suo viso, ma invano. Sembrava quasi volesse nascondersi al suo sguardo.

All'intervallo decise di andare al club a bere un brandy. Pensò che Blanche avrebbe visto dall'alto il suo posto vuoto. Ma quando raggiunse il corridoio sentì una mano sulla spalla.

«Middleton, cosa fate quaggiù?» Chicken Hartopp aveva un'aria raggiante. I suoi folti basettoni gli coprivano quasi l'intera faccia, ma la piccola porzione di pelle visibile appariva paonazza e accaldata. «Pensavo foste in un palco, vecchio mio, non in platea con la plebe. Non ho potuto fare a meno di notare una certa signora seduta giusto di fronte.» Chicken strizzò un occhio, in un goffo tentativo di ammiccare.

«Ho pensato di venire ad ascoltare un po' di musica, tanto per cambiare» replicò lui rapido. «Questa è l'ultima esibizione della Patti prima del rientro in America.»

«Siete un amante... anche dell'opera, eh?» Chicken cominciò a ridere della sua stessa facezia. Bay stava per andarsene, lasciandolo gongolare nella sua ilarità, ma in quel momento vide Fred Baird che gli veniva incontro.

«Middleton, mio caro amico, pensavo di avervi visto giù in platea. Perché non venite nel nostro palco? Vorrei farvi conoscere mia sorella.»

Bay stava per rifiutare, ma poi pensò alla visuale che avrebbe avuto dal palco dei Baird sul posto occupato da Blanche e dai suoi amici. E così seguì Fred e Hartopp lungo i corridoi color cremisi fino al palco.

«Zia Adelaide, tu conosci già il capitano Middleton. E questa è mia sorella Charlotte.»

Bay accennò un inchino a Lady Lisle, poi si voltò verso Charlotte Baird, che era minuta e pallida, per niente simile al fratello, che invece era grosso e colorito. Lei gli porse la mano, e lui posò le labbra sulla punta dei guanti. Bay avvertì un lieve tremore.

«Vi piace l'opera, signorina Baird? Sarà dura fare a meno della Patti, ora che torna a New York.» Bay stava dando le spalle al teatro. Fece un lievissimo movimento laterale, in modo tale da permettere a un eventuale osservatore di vedere che stava parlando con una signora. Charlotte Baird lo guardò. Non era alto quanto Hartopp o quanto suo fratello, eppure dovette sollevare il capo per rivolgersi a lui.

«Non ho potuto farmi un'idea precisa della musica. Né mio fratello né il capitano Hartopp hanno fatto un solo minuto di silenzio, da quando siamo qui» disse con un sorriso obliquo. «Forse potreste persuaderli voi a stare un po' zitti. Mi piacerebbe molto poter ascoltare l'opera, oltre che vederla.» Bay notò che aveva una manciata di lentiggini sul naso.

«Farò il possibile, signorina Baird, ma credo che neppure l'arcivescovo di Canterbury potrebbe mettere a tacere Chicken Hartopp.»

Charlotte lo guardò, e lui si accorse che gli occhi erano il dettaglio più definito del suo volto: erano grandi, contornati da lunghe ciglia nere. Nella penombra del palco non riuscì a capire di che colore fossero. Lei non distolse lo sguardo.

«Voi invece amate ascoltare la musica, capitano Middleton. È per questo che prendete posto in platea, vero?»

Quel sorrisetto obliquo era riapparso. Lui capì che Charlotte l'aveva già notato in precedenza. Pensò nuovamente a quanto fosse diversa dal fratello. Fred era un amabile provocatore che appariva per quel che era, mentre quella fanciulla aveva dentro di sé qualcosa che non emergeva a prima vista.

«Mi piace guardare da vicino i cantanti, signorina Baird: mi piace trovarmi nel bel mezzo delle situazioni.»

«È quello che vorrei anch'io, e invece sono qui, sopraffatta dalle distrazioni.» Agitò le mani verso i giovanotti che erano in piedi con sua zia e scrollò le spalle. La campanella segnalò la fine dell'intervallo.

«Piacere di avervi conosciuta, signorina Baird.» Bay diede un'occhiata rapida a Fred e a Chicken Hartopp e aggiunse: «E spero possiate godervi in santa pace il resto dell'opera.»

«Lo spero anch'io. Ma non starete pensando di tornare già al vostro posto, capitano Middleton? C'è una signora in blu che non vi ha staccato gli occhi di dosso negli ultimi minuti: ha l'aria di volervi dire qualcosa. Non volete sentire cosa ha da comunicarvi?» La voce di Charlotte Baird era morbida, ma in essa si sentiva anche una sfumatura tagliente. Bay non si voltò, allontanandosi invece verso la porta del palco.

«Non credo possa esserci niente di più importante del secondo atto, signorina Baird.» Fece un cenno col capo agli altri e se ne andò. E così si ritrovò, con sua stessa sorpresa, a riguadagnare la via della platea, consapevole del fatto che ora sarebbe stato osservato da due diverse postazioni. Pensò con soddisfazione a Blanche che l'aveva visto conversare con Charlotte dal lato opposto del teatro.

Il secondo atto fu peggiore del primo, e la musica non fu in grado di liberarlo dal vortice dei suoi pensieri. Mentre si sistemava nella poltrona gli arrivò un alito di profumo proveniente dalla gardenia che s'era infilato all'occhiello. Il fiore proveniva da una decorazione che aveva ordinato per Blanche perché l'indossasse quella sera. Avrebbe dovuto recapitare lui stesso la composizione quel pomeriggio, ma non era arrivata in tempo, ed era rimasta abbandonata sul tavolo dell'ingresso del suo appartamento, un monito silente – se mai ne avesse avuto bisogno – di quanto fossero cambiate le cose nelle ultime ore. Il suo primo impulso era stato quello di sbarazzarsene, di pestare quei fiori bianchi e carnosi e quelle foglie lucide fino a distruggere tutto, ma mentre si accingeva a farlo fu sopraffatto dal loro profumo. Quella fragranza dolce e intensa era l'effluvio di tutti i pomeriggi passati con Blanche nel suo salotto azzurro. Gli tornarono in mente i granelli di pulviscolo luminoso che si posavano sulla sua gola nuda come una cascata di paillette. Il profumo delle gardenie era inteso come la stessa Blanche, e i petali lisci e compatti come le sue spalle bianche. Mentre toccava quei petali, pensò che non aveva mai visto Blanche completamente nuda, e ora sapeva che non sarebbe mai più potuto accadere. Quel pensiero lo fece rabbrividire, e strinse il pugno attorno al fiore.

Era ancora intenzionato ad andare al club, ma poi uscendo aveva visto Fred Baird che faceva salire in carrozza sua sorella. Probabilmente andavano al ballo degli Spencer. Anche lui aveva ricevuto l'invito, ovviamente, avendo prestato servizio per il conte in qualità di *aide-de-camp* in Irlanda, ma aveva deciso di non andare. Non gli erano mai interessati i balli: c'era troppo rumore, e non riusciva neppure a sentire cosa dicevano le ragazze con le loro vocine sottili. Non che gli importasse molto. Le conversazioni con le debuttanti erano tutte uguali: preferiva il valzer o la polka? La corsa a ostacoli era molto pericolosa? Era mai stato in Svizzera d'estate? Era in piedi all'angolo della strada quando passò la carrozza dei Baird. Bay intravide il faccino di Charlotte che lo fissava dal finestrino. Si sfiorò il cappello in cenno di saluto e lei alzò la mano in risposta, ma non gli rivolse neppure un sorriso.

Lui ebbe un momento di esitazione prima di prendere la direzione della residenza degli Spencer. Ci sarebbe stata anche Blanche, oltre alla piccola Charlotte Baird. La fanciulla sarebbe stata ben felice di ballare con qualcuno che non fosse Chicken Hartopp. Bay sapeva che quest'ultimo era seriamente intenzionato a sposarla: era un'ereditiera, e come tutti gli uomini ricchi Hartopp desiderava diventarlo ancora di più. Dopo aver incontrato Charlotte, tuttavia, Bay si accorse che non gli piaceva l'idea di vederla sposata a quell'individuo. Qualunque fanciulla andasse all'Opera per ascoltare il bel canto non era la persona adatta per Hartopp, che era praticamente sordo alla musica. Si guardò attorno alla ricerca di una carrozza, ma poi decise di andare a piedi. Era una bella serata, e non sarebbe stato un problema presentarsi in lieve ritardo. Forse Blanche avrebbe fissato la porta chiedendosi se lui sarebbe arrivato.

# 3.

## Il ballo degli Spencer

Il ballo era al suo culmine. Era il momento in cui le donne, accaldate per le danze, avevano un bel colorito roseo, ma le loro acconciature non avevano ancora iniziato a franare, e le frange accuratamente arricciate non si erano ancora appiattite per via del calore. Gli ospiti, tutti in ritardo per dare a intendere di aver cenato presso residenze particolarmente rinomate prima del ballo, si erano alla fine degnati di fare la loro apparizione. Le sedute parlamentari sull'impresa del Canale di Suez si erano chiuse, e la sala da ballo pullulava di ministri e di membri del Parlamento. Era l'ultimo evento della stagione prima che la gente si ritirasse in campagna per l'estate, e quindi l'energia degli ospiti era alle stelle, poiché, qualunque fosse la meta a cui ambivano, quella era l'ultima occasione per raggiungerla: una promozione, un sodalizio, un marito, un'amante, un prestito o semplicemente dei succosi pettegolezzi da far circolare. Nessuno voleva perdersi la festa: non vi sarebbero state altre opportunità per rimpinzarsi di chiacchiere e intrighi che avrebbero reso gli aridi mesi estivi più sopportabili prima che l'alta società si rincontrasse l'autunno successivo.

Mentre Bay Middleton si faceva strada verso lo scalone che conduceva alla sala da ballo, vide che il conte Spencer, che tutti chiamavano "il Conte Rosso", era ancora ritto davanti alla porta per accogliere i suoi ospiti. L'ultima volta che Bay lo aveva visto in abito da gala era stato a Dublino, presso gli alloggi della residenza reale. Infatti Spencer era stato preposto della regina in Irlanda, e con quella sua altezza imponente e quella barba rossiccia si era prestato assai bene al ruolo. Ma poi i venti politici erano cambiati: i Whig erano stati espulsi dai Tory di Disraeli, e Spencer appariva leggermente meno fulgido. Il suo regno era sul terreno di caccia, non sotto i candelieri. Ma aveva delle figlie da sistemare e un partito ansioso di riprendere in mano il potere, e così non aveva potuto evitare quel ballo. Si occupava tuttavia della gestione della mondanità come se da un momento all'altro dovesse fuggire per dedicarsi a qualche passatempo più piacevole.

Spencer intravide Bay in fondo alle scale e gli rivolse la parola prima ancora che il valletto lo annunciasse.

«Middleton, mio caro. Sono davvero felice di vedervi qui stasera.» Gli diede una stretta di mano con la sua grossa zampa lentigginosa.

«Un'altra cosa rispetto a Dublino, eh?» aggiunse Spencer mentre un velo di nostalgia rabbuiava i suoi occhi azzurro pallido. «Comunque abbiamo delle Altezze Reali, stasera. Niente meno che la regina di Napoli. O ex regina, per essere più esatti. Piena di *grandeur*, come tutti i sovrani deposti, ma ancora piuttosto vivace.» Puntò un dito tozzo verso Bay. «Conto su di voi per intrattenerla. Parla un inglese perfetto, ma il modo in cui sospira tradisce la sua provenienza straniera. Credo che il re non le dia grandi soddisfazioni. Non dubito del fatto che voi riusciate a riportare un sorriso su quelle belle labbra, capitano.»

Bay sorrise. «Non credo che una regina abbia molto tempo da dedicare a un semplice capitano di cavalleria, signore. Ma sono al vostro servizio, come sempre.»

Spencer rise, cingendogli le spalle con un braccio.

«Bei tempi in Irlanda, eh, Middleton? Le migliori battute di caccia del mondo. Eppure... chissà? Disraeli non potrà durare per sempre, e poi torneremo noi, pronti a vendicarci.»

Spinse Bay verso la sala da ballo, dove l'orchestra stava suonando una polka.

«Eccola là, la regina Maria, l'eroina di Gaeta. Dicono che abbia preso il comando della guarnigione e che abbia combattuto contro Garibaldi e il Risorgimento mentre quel meschino di suo marito il re si rinchiudeva in camera da letto.» Spencer indicò una donna alta e scura di capelli, vestita di bianco, ritta in piedi davanti a un gruppo di uomini in uniforme.

«Sembra sia ancora al comando delle sue truppe.» Bay pensò che la regina aveva l'atteggiamento di chi stesse posando per un ritratto, con le mani incurvate a formare un ovale perfetto e la testa voltata lievemente perché tutti potessero ammirare il suo bel profilo e la lunga curva del suo collo. Indossava un piccolo diadema che risplendeva a contrasto con il colore scuro dei suoi capelli.

«Almeno lei si attiene al suo ruolo» commentò Spencer. «Non come la vedova di Windsor. E poi se la cava assai bene a cavallo. Ha preso parte alla caccia Pytchley l'anno scorso, e ha condotto i cani per l'intera battuta. Un giorno di Pytchley ti risarcisce anche per la perdita di un regno, non credete?» Ma Bay aveva distolto lo sguardo dalla regina incorniciata dai suoi ammiratori. Aveva visto la testa bionda di Blanche e non era riuscito a non seguirne le mosse mentre volteggiava sulla pista da ballo. Spencer intercettò il suo sguardo e si lasciò sfuggire un sospiro.

«Mi pare non mi stiate più ascoltando, Middleton. Bene, vi lascio ai vostri interessi, anche se non ne potrà venir fuori niente di buono. È giunta già da un pezzo l'ora che prendiate moglie. Se trovate la donna giusta, ne avrete grandi benefici.» Il conte si allontanò verso la sala da pranzo, lasciando Bay a fissare Blanche mentre volteggiava per la sala. Provava un certo sgomento nel vedere con quanta leggiadria stesse danzando quella sera. Stava per terminare il giro, e sapeva che se avesse voltato la testa lo avrebbe visto. Rimase lì, incapace di muoversi, e quando stavano per ritrovarsi faccia a faccia intravide uno sprazzo di bianco alla sua sinistra e voltò la testa. Era Charlotte Baird, minuta e poco vistosa, ma sicuramente una piacevole apparizione.

Si girò verso di lei. Era in piedi accanto alla zia e a un'altra dama, che Bay riconobbe essere Augusta Crewe, la fidanzata di Fred. Charlotte sembrava davvero esile accanto alle altre due donne. Middleton fece un inchino e le si accostò.

«Spero che ora possiate ascoltare la musica, signorina Baird.»

Lei annuì. Sembrava meno sicura di sé qui, nello scintillio

della sala da ballo, rispetto a come le era parsa nello spazio limitato del palco del Covent Garden.

«Già, ma questa musica non è fatta per essere ascoltata.» Fece un sorrisetto sghembo, e Bay vide che le sue dita stavano picchiettando nervosamente il ventaglio.

Lui fece un altro inchino e le chiese di concedergli un ballo. Ma prima che Charlotte potesse rispondere, intervenne Augusta: «Siete arrivato tardi, capitano Middleton. Il *carnet* della signorina Baird è già tutto pieno. Non è vero, mia cara?» Augusta lanciò un'occhiata ammiccante a Bay battendo le ciglia bionde.

Charlotte rise. «Oh, Augusta, bisogna che trovi un posto anche per il capitano Middleton. Non hai notato quanto sia magnifico Fred stasera? È opera del capitano Middleton, che lo ha mandato dal suo sarto. Merita che io gli esprima tutta la mia gratitudine, non credi?»

Augusta respirò forte dal naso. «Non posso dire di aver notato in lui qualcosa di diverso. Fred è sempre elegantissimo.»

«Tu lo aduli, come al solito. Capitano Middleton, vi concedo il prossimo ballo. Augusta, saresti così gentile da scusarmi con il capitano Hartopp?»

L'orchestra proruppe in un valzer. Bay porse la mano a Charlotte. Era stupito di quanto fosse piccola e leggera quella fanciulla. Gli arrivava a malapena alle spalle. Non come Blanche, che era praticamente alta quanto lui. Charlotte era troppo concentrata sui passi per guardarlo in viso. Lui si accorse che si stava mordendo le labbra per la concentrazione. La cinse stretta alla vita, e alla fine lei sollevò lo sguardo dicendogli: «Ballate molto bene.»

«Ho fatto molta pratica. In Irlanda non c'era granché da fare oltre che andare a caccia e alle feste da ballo.»

«Anche il capitano Hartopp era in Irlanda con voi, vero? Lui però non balla altrettanto bene.»

Bay sorrise. «È vero. Nessuno potrebbe mai dire che Chicken sia un grande ballerino. Ma a cavallo si difende bene, questo va detto.»

«Perché lo chiamate "Chicken", capitano Middleton? L'ho chiesto anche a Fred, ma non ha voluto rispondermi.»

«Se vostro fratello non ve l'ha detto, come sperate che ve lo riveli io?» Vide che si accigliò, e aggiunse: «Non siate adirata con me. È una triste storia, e sono troppo affezionato a Chicken per riferirla.»

«E invece non vi dispiace portargli via la ballerina da sotto il naso?»

Bay la guardò con aria sorpresa. Non si aspettava che la sorella di Fred fosse così spigliata.

«Oh, ma la decisione è stata vostra, non mia. Una volta che avete accettato il mio invito, non potevo certo scaricarvi.»

«Siete un vero cavaliere, capitano Middleton.» Sollevò lo sguardo, osservandolo attraverso le palpebre socchiuse. A Bay parve di vedere che aveva gli occhi tra il grigio e l'azzurro, quasi lo stesso colore del roano che aveva cavalcato in Irlanda l'estate scorsa. Non era bella, eppure era piacevole guardarla.

«Be', forse non volevate danzare tutta la serata con Chicken.»

«Leggete nel pensiero, capitano? Oltre a essere il più elegante tra gli ufficiali della Guardia?»

Bay rise. «Cosa vi fa dire questo, signorina Baird? Siete un'esperta di divise militari?»

«Niente affatto, ma mio fratello sì. Fred non è solito fare apprezzamenti sulle persone, e dunque tendo a fidarmi di lui. Mi spiace solo che stasera non indossiate la vostra uniforme perché così non posso ammirarne la perfezione.»

«Oh, direi che ce sono abbastanza qui stasera.» Bay aveva un tono sprezzante. Non amava l'usanza di esibire l'uniforme in ogni occasione sociale.

«La giacca elegante che indossate stasera è un buon esempio di come sia possibile avere buon gusto senza ostentarlo, capitano Middleton.»

Bay non poté fare a meno di lanciare un'occhiata rapida al suo frac impeccabile, con i polsini decorati da quattro bottoni. Charlotte sorrise, e lui prese a esaminare accuratamente il proprio abbigliamento. «Prendetevi pure gioco di me, ma io non mi vergogno del fatto che tengo molto al modo in cui mi presento.»

«Invidio la vostra attenzione ai dettagli. Fred mi rimprovera sempre perché dice che non provo sufficiente interesse per i vestiti. Vorrebbe vedermi sempre agghindata all'ultima moda, proprio come Augusta. Ma per me è davvero una noia insostenibile andare dalla sarta. Starmene là perfettamente immobile mentre qualcuno mi infila spilli da tutte le parti non è un'attività entusiasmante.»

«E cosa vi piace fare, signorina Baird?»

Charlotte non rispose immediatamente. Dopo un giro di pista, disse in tono esitante: «Mi piace fare fotografie.»

Bay non nascose la sua sorpresa. Come poteva quella strana fanciulla essere imparentata con il vecchio e tedioso Fred? «Davvero? Che genere di soggetti prediligete?»

«Oh, una gran quantità di cose: paesaggi, ritratti, animali... tutto ciò che mi pare possa formare una valida composizione.»

«Avete mai fotografato un cavallo?»

«Non ancora. Ne avete uno in mente?»

«Mi piacerebbe moltissimo avere una fotografia della mia Tipsy, la cavalla con cui vado a caccia. È una tale bellezza.»

«Cavallo e cavaliere potrebbe essere una combinazione interessante. Vi siete mai fatto fotografare, capitano Middleton?»

«Mai.»

«Nessuno vi ha mai chiesto di posare per una fotografia? Ciò mi stupisce.»

Bay stava per rispondere quando vide la testa bionda di Blanche e il suo viso candido a pochi centimetri dal suo. Perse l'equilibrio per un secondo e inciampò, poi udì un sospiro e un rumore debole, come di lacerazione.

«Signorina Baird, sono desolato... cosa ho mai fatto?» Bay abbassò lo sguardo e vide che aveva infilato il piede in una balza del suo abito, provocando un piccolo strappo nella seta bianca.

Per un attimo pensò che Charlotte potesse scoppiare in lacrime, e invece lei scosse la testa e disse: «Non importa. Ma forse è meglio che me lo faccia ricucire.»

Si ritirarono su un divanetto defilato e Middleton mandò a chiamare tramite un valletto una cameriera munita di ago e filo.

«A meno che non preferiate andare in un luogo più riservato, come la sala guardaroba.»

Lei gli lanciò un'occhiata di traverso. «Oh no, preferisco stare qui, così magari riesco a capire come sia potuto accadere che un ballerino provetto come voi abbia perso l'equilibrio.»

Lui fece un piccolo svolazzo con le mani. «Chiunque al vostro fianco rischierebbe di vacillare, signorina Baird.»

Charlotte non replicò immediatamente, preferendo soppesare con calma la sua affermazione, ma poi disse: «Non credo fosse quella la ragione, capitano Middleton.»

Bay era sul punto di protestare quando arrivò la cameriera e si mise subito a ricucire lo strappo nel vestito. Lui era in piedi davanti a Charlotte, e la teneva al riparo dagli sguardi degli altri ospiti. Quando la ragazza ebbe finito e il vestito fu di nuovo intero, le disse: «Suppongo non vogliate più ballare con me. Ma che ne dite se vi porto a cena?»

Charlotte scosse la testa. «L'ho già promesso al capitano Hartopp e non posso abbandonarlo di nuovo.»

«Questa è una bella seccatura. Almeno concedetemi l'onore di riaccompagnarvi da Lady Lisle.»

Le porse il braccio, ma lei ebbe un attimo di esitazione. Poi prese un fiore dal bouquet di rose che teneva appuntato al polso. Era un piccolo e candido bocciolo i cui petali ancora ben serrati erano screziati di rosa pallido.

«Avete perso il fiore che avevate all'occhiello, capitano. Non volete accettare quest'altro?»

Lui prese il fiore dalla mano tesa di Charlotte e se l'infilò nell'asola. Era più piccolo della gardenia che aveva perduto, e non pareva emanare alcun profumo.

«Siete molto gentile, signorina Baird.»

«Non direi. È solo che tendo a essere attenta ai dettagli.»

«Anche senza una macchina fotografica?»

Lei sorrise. «Una volta che si impara a guardare bene le cose, non si smette più.»

«Mi sento proprio nervoso al pensiero di lasciarvi immortalare le mie sembianze.»

«Ma io vedo solo quello che è presente nella realtà.»

Stava per chiederle cosa vedeva esattamente quando si accorse che Chicken Hartopp stava dirigendosi verso di loro.

«Eccovi qui, signorina Baird. Sono venuta a salvarvi da

Middleton. Spero non vi siate dimenticata che mi avevate promesso di lasciarvi condurre a cena.»

«Certo che no, capitano Hartopp. Stavo venendo giusto da voi.»

«Tutta colpa mia, Chicken. La signorina Baird mi stava fornendo un nuovo fiore per il mio occhiello.»

Hartopp guardò quel bocciolo bianco sul bavero e arrossì. Bay si accorse che qualcosa doveva averlo irritato. Charlotte si sentì a disagio per la situazione e appoggiò la mano sul braccio di Hartopp.

«Spero non ve la siate presa. Il capitano Middleton aveva bisogno di un fiore e io ho pensato bene di elargirgliene uno prendendolo dal bouquet che mi avevate regalato. Ce n'erano così tanti...»

«Certo che no» disse Hartopp, che chiaramente era molto seccato. «Dovremmo raggiungere la sala da pranzo prima che si sciolgano i sorbetti.»

Bay sapeva che era meschino da parte sua gioire dell'irritazione di Hartopp, ma non poté farne a meno. Del resto Hartopp e Fred Baird non avevano mai nascosto la loro sorpresa dinanzi al fatto che Middleton, nonostante la posizione sociale inferiore e le sostanze meno cospicue, non solo era più abile di entrambi a cavallo, ma aveva anche molto più successo con le donne.

Per quanto gratificante fosse stata l'umiliazione di Hartopp, Bay provò un piacere ancora più intenso a vedere che la piccola Charlotte Baird non aveva avuto scrupoli a dargli uno dei suoi fiori. Era evidente che la fanciulla lo apprezzava, e sebbene Bay fosse avvezzo a essere ammirato da donne più mature, era lusingato dal fatto che proprio quella ragazza aveva deciso di manifestare il suo interesse per lui. Non doveva certo essere un tipo facile da accontentare.

L'orchestra cominciò a suonare un brano sulle cui note una volta aveva danzato con Blanche. Non avevano ballato molte volte insieme, poiché lei era molto attenta alla sua reputazione in pubblico. Ecco perché Bay ricordava distintamente ogni singolo ballo che gli aveva concesso. Quella polka era stata suonata la sera del ballo di Londonderry. Erano da poco divenuti amanti, e la sensazione di poterla stringere tra le braccia in pubblico era stata per lui inebriante. Lei a stento l'aveva guardato in faccia, ma lui aveva notato dalle vene del collo che il sangue le pulsava all'impazzata. Si ritrovò a perlustrare con lo sguardo la sala da ballo alla ricerca di Blanche, chiedendosi se anche lei ricordasse quella precedente serata, ma non vide teste bionde tra le danzatrici. Forse era andata a cena, o forse era tornata a casa. Bay si stupì del fatto che poteva essersene andata senza che lui se ne accorgesse. Consultò l'orologio da taschino: era quasi mezzanotte. Era più tardi di quanto pensasse. Il tempo era volato.

Sentì un colpo di tosse alle sue spalle. Si voltò e vide un uomo in uniforme che non riconobbe.

«Capitano Middleton?» L'ufficiale parlava con un accento straniero, francese o forse italiano.

Bay annuì.

«Sono il conte Cagliari, un dignitario di Sua Maestà la regina di Napoli.» L'uomo lanciò un'occhiata al divanetto su cui era accomodata la sua sovrana.

Bay accennò un inchino. Cagliari era alto e biondo, col petto carico di decorazioni militari.

«Al vostro servizio.»

«Suppongo sappiate che Sua Maestà prenderà parte alla caccia Pytchley quest'inverno.»

Bay annuì. «Ho sentito dire che cavalca in modo eccellente.»

«Già, proprio così. Sua Maestà ha un temperamento davvero impavido. Ma è pur sempre una regina, e pertanto è necessario che vi sia qualcuno ad assisterla durante le battute. Non si può correre il rischio che cavalchi tra gente comune.»

Bay sorrise. «Non credo che i partecipanti alla Pytchley si possano propriamente definire persone comuni.»

Cagliari agitò la mano come a volersi scusare.

«Perdonatemi, signore. So bene che alla Pytchley prendono parte solo cacciatori altamente selezionati. Ma forse è proprio questo il punto. La regina, come sapete, è stata crudelmente allontanata dalla terra su cui regnava. E non le è concessa l'opportunità di comandare, di risplendere, cosa che il diritto di nascita e il casato avrebbero dovuto garantirle. Dunque è assai importante per lei elevarsi al di sopra degli altri, distinguersi tra la folla.» Cagliari fece una pausa, cercando le parole giuste per esprimersi, poi proseguì.

«La regina intende lasciare il proprio segno sulla caccia Pytchley, capitano Middleton. E per raggiungere tale scopo necessita di una guida, di qualcuno che la aiuti a riconquistare quella predominanza che le spetterebbe di diritto.»

«Il terreno di caccia non è una corte.»

«No davvero, e mi scuso se mi sono espresso in modo goffo. Non volevo affatto dire questo. È un luogo d'eccellenza, naturalmente, ma come sappiamo Sua Maestà è già una Diana. Tutto ciò di cui ha bisogno è qualche suggerimento da una persona come voi, affinché possa assurgere al ruolo che più le si confà, quello di regina del territorio di caccia.»

«Suggerimenti? Mi state chiedendo di farle da guida? Spianarle la strada? Dirle da che parte tira il vento? Aiutarla a risalire in sella se cade da cavallo?»

Cagliari s'illuminò in volto, senza cogliere l'ironia nel tono di Bay.

«Precisamente, capitano Middleton. Una guida. È proprio la parola che cercavo.»

Bay fece una pausa. Il conte non capiva l'assurdità della sua richiesta.

«Vi prego, dite a Sua Maestà che nonostante sia lusingato per l'onore che mi concede, sono spiacente di non poter esaudire la sua richiesta.»

«Capitano Middleton, non vi rendete conto di quanto sia conveniente per voi. La regina vi sarebbe estremamente grata...» Sollevò gli occhi al cielo, come a voler descrivere l'inestimabilità di quella gratitudine.

«Davvero, fareste meglio ad affidare la vostra sovrana a qualcuno che sappia compiacerla meglio di me. Perché non lo chiedete al capitano Hartopp? È quello laggiù, vicino l'orchestra, l'ufficiale alto con i basettoni. È un cavaliere eccellente, abile quasi quanto me, e non chiederebbe di meglio che poter scortare la regina di Napoli nella caccia Pytchley.»

Cagliari lanciò un'occhiata verso il punto indicato da Bay,

dove Hartopp era in piedi accanto a Charlotte. «Sono certo che sarebbe una guida eccellente, ma Sua Maestà ha chiesto espressamente di voi, capitano Middleton. Ha sentito molto parlare dei vostri innumerevoli talenti.»

«Sono lusingato, davvero, ma non mi sento di accettare. Declinerei l'invito anche se fosse la mia stessa regina a domandarmelo. Amo andare a caccia e non ho intenzione di rovinarmi uno dei più grandi piaceri della vita svolgendo la mansione di un maggiordomo di corte, benché ricoperto di tutti gli onori.»

Il conte Cagliari fece una faccia assai sorpresa, tanto che Bay temette di essersi spinto troppo oltre.

«Spero di non avervi offeso con la mia franchezza. Perdonatemi, ma come vedete non sono tagliato per la vita di corte.»

Il conte accennò un inchino. «Sua Maestà resterà alquanto delusa. Povera donna, ha già dovuto portare fin troppe croci.»

Bay batté una mano sulla spalla del conte. «Ditele che sono sgarbato e maleducato, e poco adatto a far compagnia a una regina. Sono certo che un uomo come voi sarà in grado di trasformare il mio diniego in una circostanza fortunata.»

Il conte fece un debole sorriso. «Farò del mio meglio, capitano Middleton.»

Bay lo vide che si faceva largo tra le coppie in pista per raggiungere l'ex regina. Era ora di andare. Mentre scendeva lo scalone sollevò lo sguardo e vide Charlotte Baird seguita da Hartopp che usciva dalla sala da pranzo del mezzanino. Si chiese se la fanciulla avrebbe abbassato lo sguardo verso di lui. Rimase lì fermo per un istante finché non si accorse che lei l'aveva localizzato. Charlotte gli elargì un piccolo sorriso e Bay si sfiorò la rosa che aveva all'occhiello. Poi Hartopp la prese per il braccio sospingendola rapidamente verso la sala da ballo.

# 4.

## Fotografia di gruppo

*Melton Hall, Leicestershire, gennaio 1876*

Le persone in posa sui gradini di Melton facevano qualche passettino sul posto nel tentativo di scaldarsi un po', mentre il loro fiato si condensava in piccole nuvole di vapore a contatto con l'aria fredda dell'inverno. Lady Lisle aveva un'aria decisamente infelice: il naso le era diventato rosso dal freddo, e non vedeva l'ora di trascorrere il resto della mattinata a scrivere lettere davanti al camino della biblioteca. Negli ultimi tempi si era diffusa l'abitudine di concludere qualsiasi evento mondano con una fotografia di gruppo, e quando Lady Crewe aveva scritto per invitare Adelaide e i suoi nipoti a trascorrere le festività natalizie e il Capodanno presso la residenza di Melton, nel Leicestershire, aveva esplicitamente chiesto a Charlotte di portare con sé il suo "armamentario". "Sarebbe meraviglioso poter conservare un ricordo di queste feste che passeremo insieme" aveva scritto Lady Crewe. "Quando Archie andò a Balmoral la scorsa estate, poté constatare che il salotto della residenza reale era pieno di fotografie".

Adelaide Lisle aveva riferito il messaggio con una certa riluttanza, considerato che disapprovava quella passione di Charlotte per la fotografia. Sua nipote aveva trasformato lo spogliatoio di Charles Street in una specie di tana alla quale nessuno poteva accedere senza prima suonare un campanello. Si era altresì lamentata con Charlotte per la quantità di tempo che trascorreva nella sua "camera oscura", ma lei aveva semplicemente cambiato argomento. Non c'era molto altro che Lady Lisle potesse fare. Come entrambe ben sapevano, era il denaro di Charlotte che sovvenzionava la casa di Mayfair, la carrozza, i due prestanti valletti in livrea che la accompagnavano quando andava a fare visita ad altre altolocate signore della città e lo champagne che amava servire ai suoi ospiti del giovedì pomeriggio. Charlotte non sarebbe mai stata così volgare da sottolinearlo, e comunque non ne sentiva il bisogno. Il marito di Adelaide Lisle era defunto lasciandole un titolo nobiliare ma non il denaro necessario a mantenerlo, e così Lady Lisle aveva condotto un'esistenza grama in una piccola casa di Salisbury, finché non era stata convocata da Fred perché si occupasse del debutto in società di sua sorella. Non era stato difficile lasciare la vita di privazioni che conduceva a Salisbury per le comodità di Charles Street e le mille attenzioni dei servitori in livrea. E così, benché a Adelaide Lisle non piacesse affatto starsene in piedi all'aperto in un freddo mattino di dicembre mentre sua nipote armeggiava dietro il panno verde che ricopriva la sua macchina fotografica, non era nelle condizioni di potersene lamentare.

La sessione di fotografia era stata fissata per quella mattina. Quando la stagione di caccia entrava nel vivo la casa si svuotava quasi completamente durante le ore del giorno. Tutti gli ospiti erano giunti alla residenza. Bay Middleton e Chicken Hartopp erano stati gli ultimi ad arrivare, accompagnati dai loro purosangue da caccia. Lady Lisle era rimasta piuttosto sorpresa del fatto che Middleton fosse stato invitato a Melton: soltanto un mese prima, al ballo degli Spencer, Augusta era stata assai decisa nel definirlo "inadatto" ad aspirare alla mano di Charlotte. Ma il fatto che fosse stato scartato come pretendente non lo rendeva certo inidoneo a prender parte alle battute di caccia che si susseguivano presso le grandi tenute del "triangolo d'oro" tra Quorn, Pytchley e Melton, i cui proprietari facevano il possibile per accaparrarsi i cacciatori più esperti. Fred aveva detto a Lady Lisle che Bay aveva già rifiutato cinque inviti, incluso quello degli Spencer che lo avrebbero voluto ospite ad Althorp, per poter essere presente a Melton.

Sotto i suoi panneggi di feltro verde Charlotte sbirciava attraverso l'obiettivo e contava le teste: quattro, cinque, sei... dov'era la settima? Si sfilò dal drappo e guardò il gruppo in posa. La padrona di casa Lady Crewe e sua zia dominavano la parte centrale della fotografia. Augusta, con le ciglia pallide e la bocca a punta, le pareva ora più un coniglio che un pechinese; mentre Fred, con il suo mento colorito e tirato indietro, continuava a sembrare un eccellente tacchino.

Gli uomini erano in piedi sul gradino più alto, cosa che rendeva ancora più evidente la differenza di statura tra di essi: l'imponente struttura di Chicken Hartopp sovrastava tutti. Charlotte si chiese se fosse il caso di chiedere agli altri di salire ancora di un gradino per rendere meno evidente il dislivello. Lord Crewe non era eccessivamente alto, e Bay Middleton aveva una figura piuttosto esile se lo si metteva accanto a Hartopp. Ma Middleton non c'era più.

«Cosa ne è stato del capitano Middleton?»

«Non preoccuparti, Fagottino, è solo andato a prendere qualcosa. Sarà subito di ritorno» rispose Fred.

«Ma erano già tutti pronti in posa. Non poteva aspettare un momento?» Charlotte detestava essere chiamata "Fagottino" da suo fratello in pubblico. Lui la chiamava così perché diceva che da bambina era sempre infagottata in panni e scialli di lana che non lasciavano intravedere neppure un centimetro del suo faccino. Tante volte lei gli aveva chiesto di chiamarla in un altro modo, ma più lei protestava più lui la apostrofava con quel buffo nomignolo.

«Insomma, non possiamo fare la fotografia senza di lui, mia cara Charlotte?» disse Lady Lisle. «Comincia a far freddo.»

«Mi rovinerebbe la composizione» replicò lei. Era proprio così. Voleva quattro uomini sul fondo per incorniciare le donne in posizione centrale. E poi non intendeva rinunciare al ritratto di Bay. Era curiosa di vedere che aspetto avrebbe avuto attraverso le lenti del suo obiettivo.

In quel preciso momento Middleton scese i gradini di corsa e si rimise a posto accanto a Hartopp.

«Perdonatemi, signorina Baird, ma avevo necessità di sistemarmi la cravatta. Ho pensato che mi voleste al mio meglio.»

Charlotte tornò a infilare la testa tra le pieghe del drappo. Vedeva il profilo di Bay capovolto sulla lastra, la sua testa quindici centimetri più in basso rispetto a quella di Chicken Hartopp. Aveva raccomandato a tutti, quando avesse sollevato la mano e strizzato la pompetta della lampadina, di restare perfettamente immobili almeno il tempo necessario a recitare in mente un Pater Noster. Quella preghiera aveva infatti la giusta lunghezza, e la concentrazione richiesta ai soggetti in posa per ricordare le parole avrebbe impedito loro di muoversi. La sua madrina, Lady Dunwoody, le aveva detto che scattare una fotografia a qualcuno significa portargli via un pezzettino dell'anima. «Dunque vuoi immortalarli in uno stato di grazia, vero, Charlotte?» *Nei secoli dei secoli, amen.* Charlotte si tirò fuori dal drappo e sorrise al gruppo ancora in posa dinanzi ai suoi occhi.

«Vi ringrazio per la vostra pazienza. Spero che il risultato sia di vostro gradimento.»

Tutti i presenti cominciarono a muoversi. Erano rigidi e impacciati, dopo quei lunghi minuti di immobilità. Bay fu il primo a rompere le righe, scendendo giù a balzi dal gradino su cui si trovava.

«Posso aiutarvi a riporre la vostra attrezzatura?»

«È molto gentile da parte vostra. Spero non vi dispiaccia aspettare mentre smonto la macchina.»

Bay Middleton rimase a osservare con grande attenzione le mosse di Charlotte, che stava rimuovendo la lastra impressionata dalla macchina e la stava infilando in una valigetta di cuoio.

«Avete un'attrezzatura formidabile, signorina Baird. Quando mi avete detto che vi interessavate di fotografia non immaginavo che foste già così esperta.»

Charlotte sorrise. «Oh, non è vero. Ma mi diverte molto. Mi lusinga che ricordiate la nostra conversazione.»

«Certo che la ricordo. Non mi capita spesso di incontrare fanciulle che preferiscono di gran lunga starsene in piedi dietro il drappo di una macchina fotografica piuttosto che in posa davanti a una sarta per le prove d'un vestito nuovo.»

«Già. Suppongo di far parte di un'esigua minoranza. Augusta, per esempio, trova la mia passione alquanto incomprensibile. Ieri non ha apprezzato affatto che mi ritirassi per lavorare alle mie stampe proprio nel mezzo di una conversazione sul suo corredo nuziale.»

Bay rise di gusto, mettendo in mostra i suoi denti bianchi. Charlotte constatò con gioia che era un tipo davvero simpatico, proprio come se lo ricordava dal ballo degli Spencer. Perfino attraverso l'obiettivo aveva avuto modo di riscontrare quanto apparisse più vigoroso rispetto a suo fratello o a Hartopp. C'era in lui una freschezza che rendeva la sua presenza più leggiadra di quanto non lo fosse quella della maggior parte dei giovanotti che conosceva, con le loro movenze pesanti e i folti basettoni arricciolati. Indossava un completo di colore verde scuro. La giacca aveva un insolito taglio diagonale sul davanti, con elaborati bottoni d'osso. Charlotte riconobbe quello stile, che era ispirato alle divise degli studenti universitari. Gliene aveva parlato Fred: «È l'ultima moda, al club sono tutti vestiti così.» Non era un modo di vestire che si addiceva al fisico di Fred, dal momento che accentuava il suo busto tondo e tozzo come un barile, mentre sulle fattezze slanciate di Bay risultava audace ed elegante, ma affatto assurdo. Provò un certo sollievo nel constatare che Bay non si era fatto crescere i basettoni che erano tanto in voga in quel periodo. Charlotte aveva trascorso numerose serate concentrata nello sforzo di non fissare una briciola di pane o una pagliuzza di tabacco rimaste attaccate ai rigogliosi peli facciali del suo compagno di ballo. Una volta aveva interrotto Fred nel bel mezzo di una sua predica sul modo in cui sarebbe opportuno che le donne si comportassero poiché aveva notato un frammento piuttosto grosso di formaggio impigliato nei suoi favoriti. Bay, al contrario, si limitava a sfoggiare un paio di baffi puliti e ordinati, scelta che Charlotte senz'altro approvava.

«Ecco, lasciate fare a me. Tratterò ogni cosa con la massima cura.» Le prese di mano il treppiedi e cominciò a richiudere con grande destrezza le gambe telescopiche dell'attrezzo. «Spero non abbiate dimenticato la vostra promessa, signorina Baird.»

«Quale promessa?»

«Quella di fotografare Tipsy, il mio cavallo.»

«Non credo di essere abbastanza abile da scattare una fotografia a un cavallo da solo, ma forse se ci fosse anche il cavaliere a governarlo potrei provarci. Dovrete però restare perfettamente immobili.»

«Non sarà un problema per Tipsy: è un cavallo molto serio. Il problema, piuttosto, sarà far stare fermo me.»

Charlotte sorrise. Afferrò la macchina e la valigetta con le lastre e si avviò verso la casa. Mentre si dirigevano verso la stanza che un tempo era stata adibita a cameretta dei bambini – messale a disposizione da Lady Crewe perché la usasse come laboratorio fotografico – dovettero attraversare il salone centrale, immerso nella penombra. Sebbene la residenza di Melton risalisse all'età di re Giacomo I, i successivi ammodernamenti le avevano conferito uno stile prettamente gotico: tutte le finestre della sala erano state rimpiazzate da vetrate colorate che riproducevano scene del ciclo arturiano, tanto che il viso di Bay appariva screziato di giallo, d'azzurro e di rosso via via che passava sotto le finestre che immortalavano le gesta della Dama del Lago, di Sir Galahad e di Lancillotto e Ginevra.

«Andrete a caccia lunedì, signorina Baird?» domandò Bay mentre la seguiva su per la stretta scala che conduceva al laboratorio. Lui portava il treppiedi, un valletto era stato incaricato di trasferire il corpo centrale della macchina e infine Charlotte teneva la valigetta con le lastre.

«Io non vado a caccia, capitano Middleton, ma sarò presente alla partenza. Intendo scattare qualche fotografia.»

Bay rise. «Non sono certo che troverete qualcuno disposto a star fermo per il tempo necessario a recitare un Pater Noster.»

Appoggiò il cavalletto al suolo.

«Come mai non cacciate? Potreste essere un'amazzone eccellente, e Fred possiede una stalla di tutto rispetto.»

Charlotte ripose con cura la lastra nel vassoio di sviluppo. Cominciò a parlare a voce molto bassa, poiché non voleva che le circostanze della sua vita rendessero cupa quella conversazione.

«Mia madre era la seconda moglie di mio padre. Lui l'aveva sposata quando Fred aveva sette anni. Mia madre era molto giovane, molto ricca e, ho ragione di credere, alquanto irrequieta. Morì in un incidente di caccia quando io avevo solo quattro anni. Mio padre decise che sua figlia non avrebbe mai corso lo stesso pericolo.» Il silenzio fu interrotto dal rumore del valletto che appoggiava la pesante macchina fotografica.

Bay prese la parola. «Credo che al suo posto mi sarei comportato allo stesso modo.» La guardò, poi accennò con la mano a tutti gli aggeggi fotografici sparsi per la stanza.

«Comunque avete qualcos'altro per tenervi indaffarata. Non sapevo che occorressero così tante cose per fare delle fotografie.»

«Oh, ma questa è solo una parte. A casa ne ho molte altre.»

Bay prese una cartella di cartoncino marrone dentro cui Charlotte teneva i suoi lavori.

«Posso?»

«Certamente. Ma devo avvisarvi: il mio entusiasmo supera di gran lunga la mia esperienza.»

Bay cominciò a passare in rassegna le fotografie. «Mi sembrano di altissima qualità. Molto bello questo ritratto di Fred e Augusta, siete riuscita a farla apparire addirittura benevola.»

Charlotte rise. «Sì, quella è stata una dura prova. Le avevo promesso che l'avrei fatta apparire regale come la Principessa di Galles.»

Bay ridacchiò, poi riprese a sfogliare le fotografie, ma poco dopo s'interruppe e si lasciò sfuggire un'esclamazione.

«Ma questa è magnifica.» Aveva preso in mano l'immagine del serraglio di corte. Charlotte aveva fotografato il suo collage originale e l'aveva inserito in una cornice ovale. «La regina con la faccia di merluzzo... la somiglianza è straordinaria. E Bertie è davvero un magnifico cane bassotto. Siete una piccola impertinente, signorina Baird.»

«Può darsi. Fred dice che sono un tipo strano.»

Bay osservò più da vicino il ritratto di famiglia con fattezze animali. «Be', a giudicare da questa composizione, direi che ha proprio ragione.»

Si guardò attorno e rise quando vide lo sguardo di delusione di Charlotte.

«Ma molto meglio essere un tipo strano anziché un tipo "alla moda" come Augusta. Io, per esempio, sono un collezionista di porcellane, e poi, come ben sapete, amo ascoltare l'opera invece che chiacchierarci sopra o sonnecchiare. Gli ufficiali miei colleghi considerano queste mie caratteristiche assai peculiari, ma vado fiero delle mie eccentricità. Nonostante la mia ammirazione per Chicken Hartopp, non vorrei mai somigliare a lui, e credo che voi pensiate lo stesso di Lady Augusta.»

«Non riuscirete a strapparmi commenti poco lusinghieri nei

confronti della mia futura cognata» protestò Charlotte. «Sono un'orfana. Sarà lei la mia famiglia.»

«Avete tutta la mia commiserazione.» Bay sorrise. «Ditemi, signorina Baird, se doveste assemblare una composizione simile a questa con la fotografia di gruppo che avete scattato questa mattina, che animale scegliereste per rimpiazzare la mia testa?»

Charlotte inclinò il capo da un lato. «Oh, la domanda è davvero indiscreta. Se rispondo con sincerità rischio di offendervi, e se invece vi adulo penserete che sia una sciocca fanciulla in cerca di consenso.»

«Vi prometto che nulla di ciò che direte potrà recarmi offesa. E abbiamo già stabilito che non correte il pericolo di passare per una ragazza sciocca.»

«Be', in tal caso... vediamo...» Charlotte socchiuse gli occhi atteggiando un'espressione di deliberato scherno. Dal primo momento in cui aveva posato il suo sguardo su Bay Middleton era stata certa dell'animale a cui l'avrebbe associato.

«Direi che sareste qualcosa di esotico, ma non un animale selvaggio. Un predatore che si procaccia il suo cibo. Non c'è da fidarsi di voi se ci sono polli o anatre nei dintorni, ma siete capace di intrattenere e far divertire un bel gruppo di cacciatori per tutto il giorno. Vi trasformerei in una volpe, capitano Middleton. Spero di non avervi offeso.»

«Al contrario. Provo una grande simpatia per le volpi. Grazie a loro ho trascorso alcune delle giornate più emozionanti della mia vita.»

Il gong chiamò gli ospiti a tavola.

«Dobbiamo andare, capitano Middleton. Lady Crewe non tollera ritardi. E Augusta si starà chiedendo come mai ci siamo trattenuti quassù così tanto tempo.»

«Posso dirle che vi stavo corteggiando, signorina Baird?»

«Mi state dunque corteggiando, capitano Middleton? Grazie per avermelo fatto sapere.»

# 5.

## Easton Neston

La mattina in cui era previsto che arrivasse l'imperatrice aveva iniziato a piovere, e così la servitù aspettava all'interno. Il primo suono che udirono fu il rumore delle ruote sull'acciottolato; il secondo fu un grido inquietante, perforante. La capocameriera fu la prima ad andare alla finestra.

«Sta scendendo dalla carrozza! Ha qualcosa sulla spalla. È una scimmia. Ha una scimmietta addomesticata.»

«Creaturine dispettose e maleodoranti» disse la signora Cross, governante della residenza. «L'ultima padrona per cui ho lavorato ne aveva ricevuta una in dono. Per fortuna campò solo un paio di settimane. E nessuno ne sentì la mancanza, credetemi.»

Wilmot, il maggiordomo, ordinò ai domestici di mettersi tutti in riga per l'accoglienza. La capocameriera prese posto accanto alla signora Cross. Le stava talmente vicina da sentirla mentre salmodiava tra sé e sé. Sembrava stesse recitando una specie di litania. La signora Cross era di fede protestante, e non era affatto contenta di stare a servizio da una padrona cattolica, fosse pure un'imperatrice. Aveva quasi rassegnato le dimissioni quando era giunta da Vienna una lettera in cui si chiedeva che venisse allestita una stanza affinché vi potesse essere celebrata la messa. Alla fine aveva deciso di non licenziarsi, consapevole del fatto che una lettera di encomio sulle sue prestazioni da parte di un regnante, di fede cattolica o protestante che fosse, le sarebbe stata assai utile. Tuttavia, aveva assegnato alla celebrazione di quella funzione la stanza più fredda e piena di spifferi dell'intera ala nord.

Furono spalancati i cancelli, e alla luce grigia del mattino la cameriera vide la sagoma di una donna che avanzava su per gli scalini. Era alta, e sovrastava di qualche centimetro l'uomo che le reggeva l'ombrello sopra la testa. Mentre era ritta sulla soglia il mantello di pelliccia le scivolò dalle spalle. La cameriera restò sbalordita nel constatare come fosse snella la sua figura: la signora Cross le aveva detto che quella donna era già nonna, ma aveva un vitino da ragazzina. La domestica tirò istintivamente indietro il proprio stomaco.

L'imperatrice camminava ora verso di loro. L'uomo con l'ombrello, benché non indossasse una livrea, sembrava uno dei servitori del seguito. Quando giunse dinanzi a lei, la governante si profuse in un inchino sorprendentemente aggraziato. La cameriera tentò di imitarla, tenendo gli occhi bassi, così come le avevano insegnato. «Non devi mai incrociare i loro sguardi, Patience» le aveva detto la signora Cross. «Le altezze reali possono essere insidiose.» Ma l'imperatrice si stava fermando proprio davanti a lei, e sarebbe stato scortese non renderle omaggio in alcun modo. Sollevò lo sguardo verso il volto velato dell'imperatrice, che le rivolse la parola con voce sommessa, lievemente accentata. «Come ti chiami?»

La giovane cameriera tentò di rispondere, ma non riusciva a produrre alcun suono. La signora Cross le venne in aiuto. «Si chiama Patience, Maestà. È la nostra capocameriera.»

«Che incantevole volto inglese. Sono certa che mi piacerà stare qui.» Quando l'imperatrice si allontanò la domestica percepì la sua scia, un odore di violette misto a brandy.

Si udì un altro strepito quando la scimmia, che era rimasta a spiare acquattata sulla soglia, si mise a correre per l'intera sala dirigendosi verso l'imperatrice. Lei sembrò non far caso alla confusione, e proseguì lungo la linea dei domestici. Patience vide che l'animale si era fermato proprio davanti alla signora Cross, e lo fissò con occhi colmi d'orrore mentre si accucciava e urinava sulla gonna della governante. La signora Cross emise un gemito. Sembrava il rumore di una porta dai cardini arrugginiti che scricchiolava spinta dal vento. L'imperatrice si guardò attorno proprio mentre la governante tentava di scalciare via la bestiola. Dopo un momento di silenzio la scimmia riprese a strepitare, con strilli ancora più acuti che riecheggiavano tra le colonne dell'atrio d'ingresso. La cameriera notò che le spalle dell'imperatrice erano scosse da un sussulto, e capì che stava ridendo. La scimmia si dondolava avanti e indietro, seduta sui suoi lombi. La signora Cross borbottò qualcosa tra i denti. Patience vide l'imperatrice che allungava una mano verso la scimmia gesticolando e pronunciando alcune frasi in tedesco, dopodiché l'ometto che teneva l'ombrello tirò su la bestiola e la portò fuori dalla casa. Appena ebbe voltato le spalle alla sua padrona, la cameriera notò che lo sguardo di disapprovazione che gli si leggeva in volto era simile a quello della signora Cross.

L'imperatrice si sedette davanti al fuoco nel salone centrale. La scimmia era stata confinata nelle stalle, mentre il suo cane preferito era accucciato ai suoi piedi. La sala era enorme, con soffitti alti come quelli di una cattedrale. Elisabetta d'Austria pareva lievemente irritata. Tutti credevano che ciò dipendesse dal fatto che viveva in palazzi talmente sontuosi che era difficile accontentarla quando la si ospitava altrove. In verità avrebbe preferito un alloggio dove non le tornasse continuamente l'eco delle proprie parole. Eppure era una casa magnifica, e per di più si trovava nel cuore delle migliori riserve di caccia inglesi.

Il barone Nopsca, il suo ciambellano, entrò nella stanza con l'aria preoccupata.

«Il conte Spencer è arrivato, Maestà. Gli ho riferito che eravate indisposta per via del viaggio, ma lui è parso assai ansioso di porgervi i suoi omaggi.»

Elisabetta sorrise. «Ma io non sono affatto stanca, Nopsca. Fatelo entrare.»

Il conte, come l'imperatrice notò immediatamente, non le baciò la mano. Quando furono presentati si limitò a eseguire un goffo inchino, niente a che vedere con le contorsioni sincopate di un nobile viennese. Era molto alto, e aveva i capelli d'un rosso acceso che mai prima di allora l'imperatrice aveva visto in testa a un uomo. Cercò di non fissarlo.

«Spero che Sua Maestà sia soddisfatta della casa in cui sarà ospitata.»

46

«Non si tratta neppure di una casa. Noi in Austria lo definiremmo un palazzo. Perfino le stalle sono magnifiche.» Sorrise, e il conte arrossì in risposta.

«Io le considero la parte più importante di una residenza. Quando ho fatto rinnovare Althorp mi sono preoccupato per prima cosa delle stalle, di modo che i cavalli potessero tornare al più presto alle loro comodità. La contessa non fu entusiasta della mia decisione: avrebbe preferito risistemare prima il piano delle cucine, visto che il cibo arrivava freddo finché non veniva servito nella sala da pranzo, ma io le spiegai che non aveva senso mangiare se non si poteva andare a caccia.»

«Sono certa che diventeremo grandi amici, Lord Spencer. Come voi, anch'io preferisco di gran lunga andare a caccia piuttosto che mangiare.» Elisabetta sfiorò brevemente il braccio del conte e osservò la sua carnagione colorirsi fino a diventare d'un rosso scarlatto. Il suo imbarazzo le dava soddisfazione, poiché creava un delizioso contrasto con le maniere perfettamente controllate dei viennesi.

«Non vedo l'ora di partire per la prima battuta. Dovrete insegnarmi però tutta la terminologia che usate qui per la caccia. Non voglio fare brutte figure.»

Il conte la interruppe con galanteria. «Oh, sono certo che Sua Maestà non corre alcun rischio. Ho sentito dire che siete un'amazzone provetta.»

«E io ho sentito parlare di quanto siano aggressivi gli inglesi sul territorio di caccia.» Lo guardò con gli occhi socchiusi, battendo le palpebre. Il conte estrasse dalla tasca un fazzoletto e si tamponò la fronte, imperlata di sudore nonostante la temperatura della stanza fosse decisamente bassa.

«A che ora si parte domani? Non vorrei far tardi proprio il primo giorno.»

Il conte si irrigidì. «Domani, Maestà? Ma domani è domenica!» Era nuovamente divenuto paonazzo, al punto che Elisabetta si chiese se stesse per avere un colpo apoplettico.

«Domenica?» chiese. «Immagino che tutti frequentino le funzioni religiose, prima di ogni altra cosa.» Ma Spencer scosse la testa.

«Niente caccia nel giorno del Signore. Anche se siamo tutti cacciatori, alla Chiesa non sta bene che si vada a caccia la domenica.»

L'imperatrice inarcò un sopracciglio. «Non credevo che gli inglesi fossero così religiosi. Nel mio Paese si caccia tutti i giorni. Anzi, la domenica è uno dei giorni migliori. Sono tutti più svegli e attenti.» Posò nuovamente la sua mano su quella del conte.

«Sono sicura, Lord Spencer, che se ne parlaste con... il pastore... è così che lo chiamate qui? potreste convincerlo a chiudere un occhio sulle normali consuetudini. Ho fatto un così lungo viaggio, e desidererei tanto andare a caccia già domani.»

Il barone Nopsca, in piedi dietro alla sedia dell'imperatrice, si fece più attento alla conversazione. Il suo inglese non era perfetto, ma aveva notato nel tono di voce della sua padrona una nota di insistenza mista ad ardore, e sapeva che se non otteneva quello che voleva ci sarebbero state gravi ripercussioni.

Il conte strabuzzò gli occhi sporgenti di colore celeste chiaro. «Temo che non sia possibile, Maestà. Neppure alla regina Vittoria in persona sarebbe concesso uscire a caccia nel giorno del Signore.»

Nopsca notò allarmato la perfetta immobilità della testa dell'imperatrice. Era stato sciocco a prendere posto alle sue spalle invece di collocarsi di fronte a lei. La sua padrona non era abituata a ricevere dinieghi, e lui paventava le conseguenze. In silenzio pregò che si ricordasse di essere ospite in quel Paese. Non poteva aspettarsi che ogni sua richiesta fosse assecondata, proprio come a casa. Il suo lavoro consisteva principalmente nell'evitare qualunque imbarazzo all'imperatrice e alla Corona, e sapeva che avrebbe perso il suo impiego se non fosse riuscito a evitare che Sua Altezza infrangesse la legge. Ma perché quel nobile inglese si esprimeva in modo così brusco? Nopsca sapeva che in simili circostanze bisognava distrarre l'imperatrice dai suoi propositi, mentre un rifiuto perentorio sarebbe stato visto come una pura provocazione.

Trattenne il respiro quando l'imperatrice replicò: «Ma io credevo che Vittoria in questo Paese fosse anche il capo della Chiesa!» Poi fece una pausa. «Tuttavia non vorrei mai infrangere le vostre strane leggi inglesi. Dovrò aspettare fino a lunedì...» concluse ridendo. Non era una risata calorosa, ma Nopsca esalò un sonoro sospiro di sollievo. Con suo grande imbarazzo, l'imperatrice si voltò a guardarlo, vide quanto appariva confortato e a quel punto rise di gusto.

«Vi preoccupate troppo, Nopsca.»

Il conte Spencer si schiarì la gola. «Maestà, avrete bisogno di una guida lunedì. Qualcuno che possa condurvi attraverso la campagna. Vent'anni fa avrei assunto personalmente l'incarico, ma non sono più quello di una volta. Vorrei suggerire pertanto di farvi accompagnare da un mio ufficiale, il capitano Middleton. Non c'è nessuno che cavalchi come lui in tutta l'Inghilterra, e conosce queste zone come il palmo della sua mano. Anche meglio, se possibile.»

Elisabetta inclinò la testa, con gli occhi scuri stretti fino a diventare due fessure. «Qualcuno che mi conduca? Non andrò mica a caccia da sola. Il principe Liechtenstein e il conte Esterházy sono venuti con me da Vienna. Sono entrambi eccellenti cavalieri. Credo che siano in grado di offrirmi tutta l'assistenza che mi occorre.»

Il conte osservò i suoi stivali, come se volesse specchiarsi nel cuoio lucido delle punte. Evidentemente trovò in quel riflesso il coraggio necessario per rispondere prontamente: «Con i miei rispetti, Maestà, benché padroneggino l'arte del cavalcare, ho idea che non abbiano mai partecipato a una caccia come la Pytchley. Suggerirei che vi avvaleste del capitano Middleton affinché possa esservi risparmiato anche il minimo imbarazzo dovuto alla scarsa familiarità con il terreno, o con alcune delle nostre consuetudini in materia di caccia. Middleton conosce ogni fosso e ogni recinto da qui a Towcester. Ho fatto il suo nome perché sono certo che Sua Maestà intenda mettersi alla testa della muta.»

Elisabetta ponderò quelle parole. «È una persona discreta, questo capitano? Lo mandereste a caccia con la regina?»

«Senza alcun dubbio, Maestà. Non appartiene certo ai ranghi più alti della società, ma è un cavaliere imbattibile. E mi sentirei tranquillo se sapessi che è al vostro fianco. La vostra presenza qui ci rende un grandissimo onore. Ma in quanto Maestro della Pytchley, la vostra sicurezza è sotto la mia responsabilità.»

Elisabetta sorrise. Immaginò che questo capitano Middleton sarebbe stato incaricato principalmente di riferire su tutte le sue attività. Ma se era vero che cavalcava in modo eccellente, almeno le sarebbe stato di qualche utilità.

«Non vorrei mai darvi preoccupazioni, Lord Spencer, e dunque accetto la vostra guida. Ma desidero che sia informato del fatto che non sono una bambola di porcellana che necessita di protezione. Sono qui perché voglio unirmi alla celebre caccia Pytchley. Spero di non restarne delusa.»

Il conte prese il cappello e i guanti dalla sedia su cui erano appoggiati. «Non potrà mai accadere.»

Elisabetta tese la mano e questa volta il conte si chinò per baciarla. I suoi baffi cespugliosi le fecero il solletico. Con grande sorpresa dell'imperatrice, Lord Spencer si voltò e uscì dalla stanza. Nessuno gli aveva detto quanto fosse disdicevole voltare le spalle a un monarca? Udì Nopsca alle sue spalle borbottare qualcosa. Immaginò che stesse pensando la stessa cosa. A Vienna un simile comportamento sarebbe stato inconcepibile. Un suddito si sarebbe fatto tagliare la gola piuttosto che compiere un atto così grave di lesa maestà. Ma Elisabetta pensò, con un improvviso moto di allegria, che quella non era Vienna. Per un istante era fuggita via da quelle pastoie di buone maniere e servilismo, da quei cortigiani che si profondevano in ossequi in pubblico per poi sputare veleno nel momento stesso in cui voltava loro le spalle.

«Credo che dovremmo abituarci alle abitudini inglesi, Nopsca» commentò.

# 6.

## Clementine

Quella sera Lady Crewe esitò per un istante prima di annunciare chi avrebbe accompagnato Charlotte a tavola.

La giovane Baird era una strana creatura, sempre intenta a trafficare con quella macchina fotografica, ma dopo il matrimonio con Fred sarebbe diventata per Augusta una persona di famiglia. Lady Crewe un tempo aveva sperato in un matrimonio più sfolgorante per la sua unica figlia, ma adesso provava solo sollievo al pensiero di avere un genero. I Baird erano una famiglia rispettabile, anche se non la più ambita. Ma Augusta aveva ormai ventiquattro anni, e non poteva più permettersi di andare troppo per il sottile. Edith Crewe guardò Charlotte, che era in piedi accanto ad Augusta. Non era certo una bellezza, ma il suo denaro la rendeva senz'altro molto attraente. Era ingiusto che tutte le ricchezze della povera Dora Lennox dovessero confluire nelle mani di sua figlia. Fred era di sicuro benestante, ma la fortuna dei Lennox avrebbe fatto una bella differenza per la posizione futura di Augusta. Lui riceveva allo stato attuale benefici da quel patrimonio, ma quando Charlotte si fosse sposata, tutto sarebbe cambiato. Era evidente che entrambi gli amici di Fred erano interessati a lei. Hartopp era il più adatto: non c'erano dicerie su suoi presunti legami con donne sposate, ma Lady Crewe teneva per il capitano Middleton, forse perché era ancora irritata dal fatto che la ricerca di marito per Augusta era andata a vuoto per ben quattro anni di fila prima che si raggiungessero gli accordi per un fidanzamento.

Mentre Lady Crewe annunciava la sua decisione, Bay sentì come un sospiro nelle vicinanze del suo orecchio sinistro. Chicken Hartopp non aveva un'aria felice. Il giovane capì immediatamente dal sorriso sul volto di Charlotte che aveva scelto proprio lui.

Le offrì il braccio.

«La stampa è venuta bene, capitano Middleton» disse.

«Ne ero certo, signorina Baird. Voi dovete essere una persona assai competente.»

Lei lo guardò sorpresa. «Competente... non è una parola che viene attribuita spesso alle ragazze della mia età. In genere veniamo definite "dotate".»

«Ma è una parola che evoca l'eleganza, o qualcosa di ornamentale. Voi invece siete pratica di macchine fotografiche e agenti chimici, un passatempo davvero singolare per una fanciulla» disse Bay.

«A dire il vero, capitano Middleton, ci sono molte donne dotate di talento per la fotografia. La mia madrina, Lady Dunwoody, ha avuto l'onore di vedere i suoi lavori esposti alla Royal Photographic Society.»

«Non vi adirate. Volevo solo farvi un complimento. Io preferirei di gran lunga essere competente piuttosto che "dotato".»

Charlotte fece una pausa, indecisa su quanto mostrarsi offesa. Un valletto le scostò la sedia per farla accomodare. Stava per replicare al capitano Middleton quando sentì che Fred la stava chiamando.

«Fagottino mio, ti ricordi di chi è il quadro con i fagiani che abbiamo nella biblioteca di Kevill? È uguale identico a quel dipinto laggiù nell'angolo.»

Charlotte cercò di mantenere la calma nonostante fosse infastidita dal solito nomignolo. «Greuze, mi pare. Nostro padre lo acquistò in Italia.»

Bay le si fece vicino e non perse l'occasione di domandarle: «Fagottino? Perché mai Fred vi chiama così?»

«Non ne ho idea» disse Charlotte. «Detesto quell'appellativo.» Lanciò un'occhiataccia al fratello, che stava cercando di fare una buona impressione sul futuro suocero mostrandogli la sua collezione di quadri.

«Che peccato. Invece a me piace molto il mio soprannome.

Molto meglio di John. Bay, ovvero cavallo baio, deriva dal vincitore del Grand National. Siamo dello stesso colore, evidentemente. Ma purtroppo le nostre somiglianze finiscono qui.»

«Purtroppo?»

«Non ho vinto io il Grand National, signorina Baird.» Bay chinò il capo.

«Oh, sarebbe questo il vostro desiderio?» Charlotte rimase sorpresa dinanzi a quell'aspirazione così ben definita. Non le era parso un uomo capace di compiere sforzi per raggiungere qualsivoglia scopo.

«Ma certo.» Si voltò a guardarla.

«E vi riuscirete?»

«Lo spero. Potrei avere una possibilità quest'anno. Dipende tutto dal cavallo, e Tipsy è davvero competitiva.»

«Oh, già. La famosa Tipsy.»

«Spero non stiate prendendovi gioco di me, signorina Baird.» La guardò con insolita serietà. «Voi non andate a cavallo, dunque non posso biasimarvi per la vostra ignoranza, ma credetemi quando vi dico che i cavalli sono creature straordinarie. Se trovate quella giusta, come è stato per me con Tipsy, è come scoprire l'altra metà della propria anima. Lei mi comprende meglio di quanto abbia mai fatto una donna. E so che non mi abbandonerà mai.» Afferrò il calice di vino e lo vuotò con un sorso.

«Forse non avete trovato la donna giusta, capitano Middleton» replicò Charlotte. Ma poi si accorse di quanto quelle parole sarebbero potute risultare sfrontate, e aggiunse, con una punta di rossore nelle guance: «Credo ci siano diversi esemplari della mia specie in grado di provare sentimenti elevati come quelli che vi dimostra il vostro cavallo, anche se poi non sono di grande utilità sul terreno di caccia.»

Bay sorrise. «Avete ragione. Ma forse io sono più abile a scegliere un cavallo che una donna. Con un cavallo sai sempre dove potrai arrivare, mentre con le donne ci si ferma all'apparenza. Quando vai a cavallo diventi tutt'uno con l'animale, ne percepisci anche lo spirito, mentre una donna... be', non credo di aver mai incontrato una donna che dice ciò che pensa.»

«Non dimentichiamo però che i cavalli, perfino i più straordinari come la vostra Tipsy, non parlano. Chissà quante piccole innocenti bugie o mezze verità vi racconterebbe la vostra Tipsy se sapesse parlare. O forse preferireste una donna che non parla affatto, limitandosi a guardarvi con muta ammirazione? Una donna sempre pronta a obbedire ai vostri ordini? Credo che siate nel Paese sbagliato. Dovreste trasferirvi a Costantinopoli: forse nell'harem del sultano potreste trovare la donna adatta alle vostre esigenze.»

«Se pensassi che avete ragione mi precipiterei senz'altro laggiù, ma ho idea che lo stesso sultano faccia fatica a trovare una donna che dice ciò che pensa.»

«Temo che voi siate un inguaribile misogino, capitano Middleton, e che qualunque cosa io dica non riuscirò a farvi cambiare idea.»

«È probabile, signorina Baird. Ma vi prego, non smettete di provarci. Trovo assai gradevoli i vostri tentativi.»

Il valletto portò via le stoviglie del consommé e Charlotte si voltò verso il fratello minore di Augusta, seduto dall'altra parte. Aveva gli occhi tondi e l'aria seria, e stava cominciando a raccontarle dei suoi studi presso il Keble College, dove era un fervente seguace del movimento di Oxford. Quando il soufflé lasciò spazio al *turbot*, Charlotte tornò a voltarsi verso Bay, ma lui era impegnato in una conversazione con i commensali suoi dirimpettai. Era perfettamente immobile. Charlotte pensò che era la prima volta che lo vedeva realmente fermo.

Lady Crewe stava parlando con Fred.

«Non finirò mai di stupirmi per i nomi che gente perfettamente sensata sceglie di dare ai propri figli. Vi ricordate quando tutti chiamavano le bambine Aurora per via dell'Aurora Leigh della Browning? E questa mattina ho ricevuto una lettera da Stella Airlie in cui mi dice che Blanche Hozier ha chiamato la sua bimba appena nata Clementine. Insomma, ma che razza di nome è? Sembra quasi una medicina. Dovete promettermi, Fred, che tu e Augusta sceglierete nomi inglesi dignitosi che tutti siano capaci di pronunciare. Non c'è niente di peggio che un nome dal suono straniero.»

Fred annuiva con entusiasmo, rosso in volto. Charlotte vide

che quella conversazione lo metteva a disagio. La madre di Fred si chiamava Leonie.

Stava per dirlo al capitano Middleton, poiché aveva la sensazione che le avrebbe volentieri dato una mano a prendere in giro il fratello, ma aveva una posa così rigida che se lo avesse sfiorato forse sarebbe trasalito. L'unica parte del corpo che si muoveva era un muscolo della palpebra, scosso da un lieve fremito.

Per un attimo Charlotte si sedette in silenzio, ma poi, sentendosi gli occhi della zia puntati addosso, capì che doveva dire qualcosa. Lei la rimproverava sempre per la scarsa capacità di conversare, ed era solita ripeterle che un uomo vuole essere messo a suo agio dalla conversazione femminile, senza ammazzarsi di fatica. E che il compito di una fanciulla è quello di rendergli facile l'approccio al dialogo. Charlotte era rimasta sbalordita da quel consiglio, poiché per sua esperienza la maggior parte degli uomini preferiva ascoltare il suono della propria voce. Tuttavia si rivolse al capitano Middleton e gli domandò: «Cosa ne pensate, capitano? A mio avviso Clementine è un nome assai grazioso.»

Con sua grande sorpresa, Chicken Hartopp, che era seduto dritto di fronte a loro, raccolse la battuta.

«Già, cosa ne pensate, Middleton?» Il tono della sua voce era talmente alto che tutto il tavolo si zittì.

Bay restò un attimo in silenzio, poi sorrise.

«Non è un nome che avrei scelto, ma in realtà mi sento competente soltanto in materia di cavalli.» Poi si rivolse a Charlotte. «Cosa ne dite, signorina Baird?»

Lei ebbe la sensazione di avere tutta l'attenzione di Chicken Hartopp, di Lady Crewe e di sua zia puntata addosso, e che Middleton stesse facendo una gran fatica ad assumere un'espressione sorridente. Fece un profondo respiro e disse: «Immagino la questione stia in questi termini: il nome che si porta può essere considerato di per sé una profezia? A me è stato dato un nome piuttosto comune, ma lo preferisco di gran lunga al nomignolo con cui mi chiama mio fratello. Forse anche voi provate la stessa sensazione, capitano Hartopp, quando vi chiamano Chicken?» Vide che il sorriso di Bay si era lievemente ammorbidito. Incoraggiata da quel segnale, benché un po' a disagio per aver stuzzicato Hartopp, proseguì.

«Quando andate alle corse, scommettete con maggiore fiducia su un cavallo che si chiama Broccolo oppure su uno che si chiama Pegaso? Vi darebbe affidamento un farmaco prescritto da un medico che si chiama Doloris?»

Il capitano Hartopp stava per rispondere quando Lady Crewe intervenne: «C'è un becchino giù al villaggio che si chiama Kassamort. Mi chiedo se abbia mai contemplato di svolgere una professione diversa da quella che svolge. Devo ricordarmi di domandarglielo.» La conversazione slittò su una cameriera che rispondeva al nome di Strofinia, su un giudice chiamato Patible e di un tal Mac Bistoory, chirurgo di professione. Charlotte capì che la tensione, da qualunque cosa fosse stata causata, si era oramai stemperata.

Si voltò verso Middleton, che era tornato ad accasciarsi sulla sedia.

«Ho sentito dire che abbiamo delle teste coronate quest'anno alla Pytchley.»

Middleton rise. «Se vi riferite alla regina di Napoli, la sua testa non lo è più. Gli italiani l'hanno detronizzata.»

«Eppure mi piacerebbe poterla fotografare. Il mio repertorio non si è mai spinto più in alto di un conte. Una regina, benché deposta, sarebbe un bel colpo. Mi aiuterete, capitano Middleton?»

Lui lanciò un'occhiata oltre la tavola prima di rispondere, soffermandosi per un attimo sul viso rubizzo di Chicken Hartopp. «Per voi, signorina Baird, farei qualsiasi cosa, perfino rendermi simpatico a una delle donne più vanesie d'Europa.»

«Ma è davvero così sgradevole? Credevo che in generale venisse reputata piuttosto attraente.»

Chicken Hartopp s'inclinò lievemente in avanti, con la postura di chi volesse rivelare una confidenza. «La regina di Napoli ha un debole per Middleton. Avrebbe voluto che le facesse da guida nella battuta di caccia. Io di certo non avrei rifiutato l'incarico, ma immagino che voi siate un tipo a dir poco selettivo, non è vero, Middleton?»

Sporgendosi in avanti, Hartopp aveva spruzzato qualche impercettibile gocciolina di saliva che aveva sfiorato una guancia di Charlotte. Lei si ritrasse, con gesto involontario, incollando le spalle allo schienale della sedia.

«Non mi piace l'idea di obbedire ai comandi e ai capricci di una donna, neppure se si tratta di una regina. Ci sono altre cose che voglio fare.» Middleton rise. «Mi rendo conto che queste mie parole mi fanno apparire assai poco galante.»

«È vero, capitano Middleton.» Charlotte stava per dire che se non altro lui era sincero, quando Hartopp s'inclinò ancora in avanti. «C'era un tempo, caro Middleton, in cui non chiedevate di meglio che obbedire ai comandi e ai capricci di una donna.» Il commento provocò un momento di silenzio a tavola nel brusio indistinto della conversazione.

Lady Crewe tossicchiò e si schiarì la gola. «Non ho potuto fare a meno di sentire che avete menzionato la regina di Napoli, capitano Middleton. Lo sapevate che sua sorella, l'imperatrice d'Austria, si è stabilita a Easton Neston, nella tenuta di Lord Hesketh, per la stagione di caccia? Prenderà parte alla Pytchley. Credo che abbia portato con sé dieci cavalli.»

«Non solo cavalli» aggiunse Lady Lisle. Lady Spencer mi ha detto che dovunque vada porta con sé una scimmietta ammaestrata, una mucca da latte e una muta di cani. Hanno dovuto apportare numerose modifiche a Easton Neston. Pare che una delle stanze da letto sia stata trasformata in palestra.»

«Una palestra? Cosa mai dovrà farci, con una palestra?» Lady Crewe era sbalordita.

«L'imperatrice è talmente orgogliosa della sua figura snella che si dedica a esercizi ginnici ogni giorno» rispose Lady Augusta. «Ho letto sull'*Illustrated London News* che ha preso lezioni da un artista del circo, e ha imparato a far saltare i suoi cavalli dentro cerchi di fuoco.»

«Come fai a credere a simili sciocchezze, Augusta cara?» replicò sua madre. «Le imperatrici non si dedicano alle arti circensi, neppure quelle straniere. Si racconta qualunque frottola, pur di vendere un giornale. Ma devo dire che non vedo l'ora di incontrarla. Dicono che sia la donna più bella d'Europa.»

Lady Crewe si alzò da tavola e invitò le altre dame a seguirla.

Quando Middleton si levò per scostare la sedia di Charlotte, la sua mano le sfiorò una spalla nuda. Lei percepì il calore del suo tocco e lo guardò con aria sorpresa.

«Scusate la mia goffaggine, signorina Baird» le disse in tono costernato. Ma Charlotte ebbe la sensazione che non fosse affatto dispiaciuto. La stava guardando negli occhi, e lei non distolse lo sguardo. Non voleva apparire codarda. Alla fine lui rise. «Guardatemi. Sono delicato quanto un garzone di stalla. Mi permetterete ugualmente di accompagnarvi alla porta, signorina Baird?» Protese il braccio con ostentata deferenza. Charlotte vi appoggiò la punta delle dita, e insieme si avviarono verso la porta. Mentre saliva la scala verso il salottino, sentiva ancora il tocco della sua mano sulla spalla. Sulla clavicola, per l'esattezza.

# 7.

## I capelli dell'imperatrice

La spazzola, incappata in un nodo, si bloccò. L'imperatrice aveva una massa formidabile di capelli che le scendeva fino alle ginocchia. Per lavarli occorrevano una dozzina di uova e un'intera bottiglia di brandy. Ed erano talmente pesanti che la pettinatrice vedeva chiaramente il sollievo che si dipingeva in volto alla sua padrona quando alla sera le toglieva via tutti i fermagli disfacendole l'acconciatura. Era come portare sempre a spasso un bambino abbarbicato alla nuca. A volte il fardello era talmente insostenibile che l'imperatrice, quando si stendeva a letto, si faceva legare i capelli al soffitto con dei nastri per alleviarne il peso.

La pettinatrice fece un passo indietro, per rimirare la chioma della sua padrona finalmente lisciata e composta.

«Volete che ve li tiri su, Maestà?»

Elisabetta inclinò la testa da un lato e le sorrise nello specchio. «No, stanotte voglio che mi scaldino un po'.»

L'imperatrice si alzò e scosse i capelli come se fossero un mantello. La domestica fece un profondo inchino e si congedò, come sempre, con la frase «Mi prostro umilmente ai piedi di Sua Maestà.»

«Grazie. Ora puoi andare.» La pettinatrice imperiale si allontanò dalla stanza, come richiedevano i protocolli, senza voltare le spalle alla padrona. Il suo passo era lievemente esitante, dal momento che non conosceva ancora bene il percorso.

Elisabetta tornò a sedersi davanti allo specchio. Si accorse che era spuntata una nuova ruga sotto l'occhio sinistro. Era una di quelle rughe che sua madre avrebbe definito "d'espressione". «Non dimenticate mai» era solita dire a Elisabetta e alle sue sorelle «che ogni sorriso lascia un solco sul vostro volto, bambine mie.» Ogni volta che lo diceva, le ragazze si facevano improvvisamente serie e per un minuto restavano immobili come bambole di porcellana, ma poi inevitabilmente una di loro cominciava a ridacchiare e lei, sospirando, aggiungeva: «I vostri visi sono il vostro futuro, ricordatelo sempre.» Sua madre aveva perfettamente ragione. Era stato proprio il suo faccino di quindicenne a cambiare completamente le cose a Bad Ischl. Era stata inviata a corte per via di un ripensamento. Doveva accompagnare la sorella maggiore Helena, che era stata scelta dalla loro zia perché convolasse a nozze con suo figlio l'imperatore. Ma Franz aveva visto Sissi, il diminutivo con cui tutti la chiamavano in famiglia, e da allora non c'erano state altre possibili candidate per il titolo d'imperatrice. Per la prima e ultima volta nella sua vita, aveva agito d'impulso. Aveva scelto lei, Sissi la timida, e non la più esperta Helena, che era capace di dire sempre la cosa giusta al momento giusto, e che appariva regale anche quando dormiva.

Ma era davvero ingiusto che le fosse venuta una ruga d'espressione per le troppe risate. Non aveva avuto molte ragioni per sorridere. Elisabetta sentì grattare alla porta, e percepì l'odore della scimmietta ancor prima che balzasse nella stanza.

L'imperatrice pensò all'espressione della governante quando aveva visto la macchia scura che si stava spandendo sulla sua gonna. Sapeva che era crudele da parte sua ridere di lei, ma era stato un sollievo per lei vedere qualcosa di spontaneo in quella casa in cui erano tutti così rigidi e impettiti. Quella macchia era un buon segno. Forse, pensò, avrebbe potuto essere felice lì. Si lisciò la pelle attorno agli occhi con la punta delle dita. Le rughe sarebbero arrivare comunque. Forse era meglio trovare qualcosa per cui ridere.

Qualcuno bussò alla porta. La contessa Festetics, la sua esile dama di compagnia ungherese, entrò nella camera. Il suo capo liscissimo e lievemente chinato la faceva sembrare simile a una foca che fendeva le onde. La contessa recava una lettera.

«Maestà.» Fece un inchinò e porse la busta a Elisabetta.

"Mia cara Sissi, spero che tu sia arrivata sana e salva, e che la residenza sia di tuo gusto...".

Era una lettera di Maria. Elisabetta sentì il suo volto contrarsi. Delle sue quattro sorelle, Maria era quella più vicina a lei d'età. Da bambine erano molto unite, ma dopo il matrimonio imperiale il loro rapporto era cambiato, insieme a tante altre cose. Helena aveva accettato con dignità la rinuncia alla possibilità di diventare imperatrice, mentre Maria era allora troppo giovane per nascondere la sua invidia. Le cose erano migliorate quando aveva sposato il re di Napoli, ma il suo regno era durato pochissimo prima che scoppiasse la Rivoluzione. E adesso era una regina in esilio, sposata con un uomo che a stento riusciva a sopportare, e senza il conforto di un figlio.

La lettera proseguiva così: "Ho affrontato diverse difficoltà in questi ultimi mesi. Quando penso alla vita agiata di Napoli, che mi sembrava così normale... Per non parlare delle piccole umiliazioni che a volte devo patire. L'altro giorno alla duchessa di Savoia è stata data la precedenza mentre ci spostavamo dalla tavola al salotto". La lettera continuava con un catalogo di inconvenienti e offese che Maria era stata costretta a subire. Alla fine c'era un *post scriptum* che recitava: "Ora che sei qui, mia cara Sissi, sono certa che tutti i miei problemi si risolveranno. Spero solo che una parte della tua gloria imperiale possa riflettersi su di me".

Elisabetta depose la lettera di Maria. Quella missiva l'aveva messa di malumore. Sapeva che sua sorella cercava solo solidarietà e comprensione, ma la reazione era stata invece di irritazione. Perché mai doveva sentirsi in colpa per il solo fatto di indossare ancora una corona?

La contessa Festetics stava dicendo qualcosa in ungherese sulla cena dell'indomani. L'imperatrice si sentì risollevata quando replicò nella stessa lingua: «Dite al conte Esterházy e al principe Liechtenstein che mia sorella sarà nostra ospite domani a cena.» I suoi fidi cavalieri sarebbero stati abilissimi nel prendersi cura di Maria. Max e Felix erano sempre galanti, e assai prestanti. Ovviamente sarebbe stata sempre lei l'oggetto della loro più intensa adorazione, ma Sissi non avrebbe obiettato se avessero dedicato le loro attenzioni anche a Maria. Doveva averne ricevu-

61

te davvero poche, in quell'ultimo periodo. A giudicare dalle maniere goffe del conte Spencer, gli uomini inglesi non avevano idea di come si corteggiasse una donna. La sua vita era divenuta assai più piacevole ora che Max e Felix avevano assunto il ruolo di "cavalier servente" ed erano a sua completa disposizione. Il fatto che fossero inseparabili evitava la possibilità che potesse scoppiare qualsivoglia scandalo sulla loro esagerata devozione nei confronti dell'imperatrice. L'imperatore Franz Joseph si era concesso su di loro una rara battuta di spirito: «Li chiamerò "la duplice monarchia". Un austriaco e un ungherese soggiogati insieme al servizio di una più alta causa.»

Elisabetta guardò l'orologio. Erano da poco passate le dieci. A quell'ora suo marito sedeva nei suoi appartamenti e passava in rassegna i documenti di Stato esaminandoli con la lente d'ingrandimento.

All'inizio del loro matrimonio provava una grande gelosia nei confronti di quelle pile di scartoffie. Erano sempre là, lo aspettavano alle cinque del mattino ed erano ancora là a mezzanotte quando lui andava a letto. Quando aveva osato lamentarsene, lui l'aveva guardata come se non capisse in quale lingua stesse parlando. «Io sono l'imperatore. E questo è il mio lavoro.» Lei si era risentita, allora, per quel commento così severo, ma col tempo aveva capito che anche se il Paese non richiedeva che lui approvasse ogni singolo incarico o che firmasse ogni singolo documento relativo alla gestione del vasto impero, Franz non poteva svegliarsi al mattino o andare a letto la sera senza la montagna di responsabilità racchiuse in quelle carte. Una volta si risentì molto per la quantità di tempo passata a scartabellare tra i documenti del demanio forestale dei Carpazi. In quel momento ripensò con gratitudine ai cumuli di carte tenuti insieme da nastri rossi: finché teneva il capo chino sui documenti del suo impero, non poteva sollevare lo sguardo e rimproverarla perché lo lasciava sempre solo.

Ripensò allo studio di suo marito. Un luogo davvero spartano, per un imperatore della casa asburgica. Franz dormiva tutte le notti sul suo lettino da campo. L'unico tocco di vivacità era il ritratto di Winterhalter appeso al muro dietro alla sua scrivania, quello che raffigurava lei che raccoglieva in un nodo la grande massa dei suoi capelli. Non era il preferito tra i suoi ritratti, ma Franz lo adorava. Forse aveva finito per amarlo più della donna in carne e ossa. Nel ritratto, almeno, lei gli sorrideva.

Sissi prese la penna e cominciò a scrivere. Di sicuro le riusciva facile indirizzare una lettera affettuosa al marito, visto che si trovavano a distanza di sicurezza, in due diversi Paesi. A tale distanza l'inflessibile routine di Franz pareva quasi darle conforto anziché irritazione. Le piaceva l'idea di sapere sempre dove si trovava e cosa stava facendo a qualunque ora del giorno. Ma era di gran lunga preferibile conoscere la scansione delle sue giornate che vederle con i propri occhi in tutta la loro quotidiana monotonia.

Quando era già quasi alla conclusione della lettera, Sissi provò un moto di tenerezza nei confronti dell'imperatore. Pensò che se lui fosse stato lì con lei, gli avrebbe appoggiato per un momento la testa sul petto e avrebbe sentito il calore della sua mano che le stringeva le spalle. Un momento solo, tuttavia, sarebbe stato più che sufficiente.

Franz non aveva opposto alcuna obiezione quando lei aveva chiesto di poter fare un viaggio in Inghilterra. Anzi, ne era stato entusiasta: le aveva raddoppiato la rendita e le aveva messo a disposizione il treno imperiale per trasportare i suoi cavalli. Sissi si chiese addirittura se volesse sbarazzarsi di lei, e il pensiero la cruccciò. Ma poi lo allontanò dalla mente: Franz non avrebbe mai ammesso neppure a se stesso che c'era qualcosa di insoddisfacente nel loro matrimonio.

Appose la sua firma aggiungendo il consueto svolazzo e sigillò la lettera. Compiuto il suo dovere, si fece sistemare a letto dalla fida Festetics. Di lì a due giorni sarebbe cominciata la caccia.

# 8.

## La serra delle orchidee

L'indomani era domenica. A Melton c'era sempre stata una cappella privata, sin da quando la residenza era stata costruita, all'inizio del Seicento. L'edificio originale era d'una semplicità austera, quasi luterana. Ma l'entusiasmo di Lord Crewe per lo stile gotico si era esteso a ogni propaggine della casa, e l'architetto, un discepolo di Pugin – non si sarebbe potuto definirlo altrimenti – aveva trasformato la cappella in un tributo policromo alla devozione del più rigoroso anglicanesimo. Le semplici finestre a lanternino erano state rimpiazzate da un profluvio di vetrate colorate raffiguranti scene dall'Arca di Noè, dal momento che Lord Crewe aveva sempre desiderato un serraglio. Il rivestimento in pietra era stato rimosso e sostituito da una moderna piastrellatura a tasselli con colorazione a cera calda, che riprendeva il disegno della pavimentazione della cattedrale di Chartres. Ogni panca aveva un fregio dorato a fiore cruciforme, e il soffitto era decorato con travi riccamente dipinte, con doccioni lignei che spuntavano da ogni punta. Lord Crewe, che si era arricchito in modo consistente grazie all'espansione delle ferrovie, non aveva badato a spese. Molti suoi ospiti, a detta dello stesso padrone di casa, avevano paragonato la sua abitazione al Keble College di Oxford o addirittura al palazzo del Parlamento.

Ma gli splendori goticheggianti di Melton non erano apprezzati da tutti. Ogni volta che Lady Augusta si chinava su un inginocchiatoio la cui tappezzeria riproduceva il miracolo di Cana, le tornava in mente che il lusso sfrenato di quella cappella aveva contribuito enormemente a impoverire la sua dote. In quanto figlia di un conte, Augusta si era fatta l'idea, sin da bambina, che avrebbe contratto un matrimonio favoloso. Dalla sua prima apparizione in società aveva accettato le attenzioni di diversi figli cadetti, ma si era sempre risparmiata pensando che le sarebbe toccato in sorte un primogenito. Con sua grande sorpresa e costernazione, tuttavia, aveva constatato che nessuno dei nomi presenti nel compendio del Burke, nel quale venivano meticolosamente elencati tutti i pari del regno con tanto di descrizione del loro lignaggio, compariva mai nel suo *carnet de bal*. Alla fine della prima estate in società, aveva danzato soltanto con un paio di baronetti, era andata a cena con il figlio minore di un visconte e aveva fatto una passeggiata attorno al conservatorio di Syon Park accompagnata dal nipote di un duca, ma nessuno di loro si era mai spinto oltre. Durante la seconda stagione in società aveva nutrito grandi speranze nei confronti di un nobile irlandese, che aveva dimostrato un certo interesse per lei, almeno fino al momento in cui una rivolta degli affittuari l'aveva richiamato in patria. La speranza di rivederlo l'anno successivo era sfumata quando aveva saputo che si era fidanzato con una delle sorelle Drummond, la cui dote ammontava alla considerevole cifra di cinquantamila sterline. E così, quando contemplava il mosaico di oro e lapislazzuli della Vergine Maria che sovrastava l'altare, Augusta non poteva fare a meno di pensare che se la cappella fosse rimasta così com'era, spoglia e disadorna, ora lei sarebbe stata Lady Clonraghty.

Fred aveva presentato la sua proposta di matrimonio nel corso della quarta stagione in società, quando ormai Augusta stava cominciando a chiedersi se avrebbe fatto la fine della povera principessa Beatrice, condannata a restare nubile e a vivere per sempre nella casa paterna. La prima volta, ovviamente, aveva rifiutato la proposta: era indispensabile fargli capire che avrebbe dovuto faticare per conquistare i suoi favori, e poi non si era ancora rassegnata all'idea di rinunciare a un titolo nobiliare. Ma Fred era talmente emozionato al pensiero di ottenere una sposa aristocratica che aveva cominciato a darle la caccia ballo dopo ballo, invitandola in continuazione, nei limiti del decoro, e premurandosi di procurarle direttamente dalle sale da pranzo quei gelatini di pesca che la facevano letteralmente impazzire. Sebbene Fred non fosse né aristocratico né particolarmente attraente, la sua posizione era più che rispettabile, e laddove il suo viso e la figura potevano risultare manchevoli, lo splendore dell'uniforme della Guardia contribuiva egregiamente a sopperire ai suoi difetti. Kevill, la proprietà dei Baird nella zona dei Border scozzesi, non aveva la magnificenza di Melton, ma grazie ai romanzi di Walter Scott la sua collocazione e l'antica torre fortificata erano divenute di gran moda. La società dei Border non era così altolocata da restare indifferente all'importanza di una Crewe. Non era il matrimonio che aveva sognato, ma era sicuramente meglio diventare la padrona di Kevill piuttosto che fare l'angelo del focolare di qualche possedimento rurale. Fred aveva una proprietà di ventimila acri e una rendita di diecimila sterline all'anno. Sperava che sarebbero state sufficienti a prendere una casa in città per la stagione, poiché Augusta, nonostante la fervida ammirazione per Walter Scott, non voleva marcire sulle colline scozzesi per sempre, come la Sposa di Lochinvar.

Peccato che la fortuna dei Lennox avrebbe lasciato la famiglia quando Charlotte si fosse sposata. Fred aveva confessato ad Augusta di essere riuscito a conservare una somma consistente dopo la morte di suo padre vivendo a spese della parte di eredità di sua sorella. La casa in Charles Street e la ristrutturazione di Kevill erano state finanziate dal denaro dei Lennox, affinché l'ereditiera potesse vivere secondo uno stile adeguato al suo rango. Ovviamente tutto sarebbe proseguito finché non avesse preso marito, ma Augusta era certa che Charlotte, nonostante le sue eccentricità, non sarebbe rimasta nubile a lungo. Hartopp stava chiaramente dedicandole molta attenzione, anche se ad Augusta non era sfuggito lo sguardo sul viso di Charlotte quando Bay l'aveva portata a cena. Middleton era avvenente, e aveva notato che danzava in modo eccellente, anche se di fatto non era mai stata invitata a ballare da lui. Eppure Bay non era l'uomo giusto, e solo una ragazza ingenua e priva di esperienza come Charlotte poteva non accorgersene.

Augusta pensò, e non per la prima volta, quanto fosse fortunata Charlotte a poter contare sui suoi consigli. Come sarebbe stato facile per l'ereditiera lasciarsi persuadere dalle parole lusinghiere e dai piedi agili di un qualunque Bay Middleton senza la guida di Augusta, rischiando di perdere di vista l'eccellente combinazione matrimoniale che un giorno le sarebbe toccata in sorte. Non che ci fosse fretta. Le prospettive di Charlotte sarebbero migliorate in modo consistente se avesse trascorso una stagione o due sotto la sua tutela.

Augusta non era l'unico membro della congregazione dei fedeli la cui attenzione non era del tutto assorbita dalle parole del giovane curato, che stava snocciolando un accorato sermone sul tema dell'amor fraterno. Percy, il fratello minore di Augusta, era un fervente trattariano, e dagli elaborati paramenti del prete e dalla sua scelta delle citazioni, avrebbe potuto dire che condivideva le sue stesse opinioni. Lord Crewe stava ammirando, come faceva tutte le volte, la processione di leoni, elefanti e zebre che percorrevano la rampa di accesso all'Arca. Accanto a lui, sua moglie si stava domandando se Lady Spencer avrebbe dato un ricevimento per l'imperatrice d'Austria. Non poteva non provare una forte curiosità a riguardo.

Nella panca retrostante, Lady Lisle stava pensando al pranzo.

Fred invece stava contemplando l'idea di seguire i suggerimenti del suo sarto, che gli aveva consigliato di farsi fare una giubba con le spalline all'americana, come dettava l'ultima moda. Accanto a lui Charlotte stava cercando di decidere se la sensazione di prurito che provava alla nuca significava che Bay era seduto nella fila dietro alla sua.

Era proprio così. Bay non si era svegliato con l'intenzione di partecipare alla funzione, ma quando vide Hartopp in marsina che prendeva il suo libro di preghiere, capì che forse anche lui avrebbe tratto qualche giovamento se avesse comunicato con l'Onnipotente. Decise che si sarebbe seduto esattamente dietro Charlotte Baird e che avrebbe cantato con quanto fiato aveva in gola. Si chiese se lei si sarebbe voltata. Ma non lo fece.

In fondo alla cappella, la servitù si godeva qualche momento di riposo. Si erano alzati all'alba per accendere tutti i caminetti, quindi l'idea di starsene mezz'ora seduti ad ascoltare quanto fosse importante la carità cristiana era per loro un vero dono del cielo.

Dopo la funzione la servitù sparì. Lord Crewe andò nella stanza dei fucili. Lady Crewe e Lady Lisle presero una carrozza per andare a far visita a un ammalato. L'onorevole Percy restò indietro per scambiare due parole con il vicario a proposito di una recente acquisizione, un dipinto raffigurante la traslazione di san Giuseppe. Augusta e Fred andarono a vedere se il lago era gelato. Le domestiche si alzarono in piedi, con un gran cigolio di ginocchia, e aspettarono che Charlotte, Bay e Chicken Hartopp lasciassero la cappella.

Charlotte camminava velocemente. Non intendeva restarsene lì a indugiare, ma se qualcuno decideva di intercettare il suo cammino non era certo colpa sua. Salì su per i gradini che collegavano la cappella al resto della casa. Erano quattordici, e quando era ormai arrivata al tredicesimo sentì la sua voce.

«Signorina Baird, credo che sia giunto il momento.»

Lei si fermò e voltò la testa. «Il momento per cosa?» chiese, pur conoscendo la risposta.

Middleton affrettò il passo salendo i gradini due per volta, probabilmente per lasciarsi indietro Hartopp. Quando la raggiunse, le disse: «Non vi sarete dimenticata della povera Tipsy? È tutta la mattina che si fa bella per voi.»

Charlotte rise. «Dubito che il mio ritratto possa mai renderle giustizia, ma tenterò di fotografarvi insieme se promettete di tenerla ferma.»

«Splendido.» Si voltò verso Hartopp, ritto sulla scala a qualche passo di distanza, visibilmente sconcertato da quello scambio di battute.

«Chicken, amico mio, perché non aiutate la signorina Baird con la sua apparecchiatura fotografica mentre io vado a prendere Tipsy?»

Hartopp esitò, ma quando Charlotte glielo ripeté pregandolo di farle quella gentilezza lui non poté fare altro che obbedire.

Mentre si inerpicavano su per la scala che conduceva alla vecchia stanza dei giochi, Hartopp disse: «Middleton è davvero sfrontato se pretende che possiate fotografare il suo cavallo. In verità dedica a quella bestia un'attenzione spropositata.»

«Oh, che importa. E comunque la mia intenzione era ritrarre il capitano Middleton, e ho idea che come soggetto fotografico riesca a comportarsi a modo solo se è presente il suo cavallo.»

Entrarono nella stanza, e Hartopp vide sul tavolo la stampa della fotografia di gruppo che Charlotte aveva scattato il giorno prima. La osservò accuratamente, e notò che Bay era l'unico che sorrideva. Hartopp si irritò.

«Middleton sembra assai compiaciuto in questa fotografia.»

Charlotte, che era davanti allo scaffale con le lastre fotografiche, si voltò. «Non sono tanti quelli che riuscirebbero a sorridere in una foto del genere. A restare immobili qualunque espressione, anche la più spontanea, si trasforma in una posa forzata.» Portò una delle lastre alla finestra per esaminarla.

Hartopp non rispose immediatamente. Restò fermo a esaminare l'immagine, mentre una vampata di calore gli saliva al volto. Si lisciò le basette. Il petto gli si gonfiava sotto il respiro concitato, mentre i bottoni della giubba tiravano le asole. Alla fine parlò, con una voce che sgorgava come un rapido borbottio.

«Signorina Baird... posso chiamarvi Charlotte? Dovete esservi accorta che negli ultimi mesi sono divenuto un vostro fervido ammiratore. La mia ammirazione è ora talmente grande da spingermi a fare un passo che, per quanto possa apparirvi prematuro, giunge alla fine di una lunga e ponderata riflessione, e che in questo momento sento di non poter rimandare oltre. Vedete, mi trovo in una fase della mia vita in cui sento la necessità di sistemarmi, e non c'è altra fanciulla al mondo con cui desidererei...»

Hartopp s'interruppe bruscamente quando Charlotte, che non aveva sentito una sola parola del suo discorso, si lasciò sfuggire un urletto di eccitazione. «Oh, guardate! Il capitano Middleton sta convincendo il suo cavallo a stare in equilibrio sulle zampe posteriori! Di sicuro cadrà di sella!» Charlotte teneva il viso incollato alla finestra.

Hartopp sospirò e si schiarì la gola, preparandosi a cominciare daccapo. «Signorina Baird... posso chiamarvi Charlotte?»

Charlotte, che stava prendendo la macchina fotografica e le lastre, lo interruppe: «Suvvia, capitano Hartopp, è meglio se ci sbrighiamo. Temo che se non scendiamo in fretta il capitano Middleton rischierà di rompersi l'osso del collo.»

«Oh, non succederà mai» disse Hartopp in tono di rimpianto. Ma Charlotte non lo sentì e gli mise il treppiedi in mano.

Davanti alla casa, Bay stava pavoneggiandosi in groppa a Tipsy come se si trovasse sulla pista di un circo. Vedeva le facce delle cameriere incollate alle finestre, e non poté resistere alla tentazione di balzare in piedi sulla sella mentre l'animale procedeva al piccolo galoppo in circolo. Poi si chinò in avanti, si afferrò al bordo della sella e si mise in verticale sulle mani. Fece altri due giri prima di raggiungere la posizione eretta. Dall'interno gli giungeva un rumore ovattato di applausi, e così fece un inchino al suo pubblico.

«Oh, speravo che rimaneste ancora un po' in quella posizione. Sarebbe venuta una fotografia deliziosa.» Charlotte era in piedi sui gradini davanti alla casa e sistemava l'attrezzatura, affiancata da un Hartopp dall'espressione burrascosa.

«Ho esagerato, non volevo dare spettacolo. Non volevo screditare la reputazione di Tipsy con le mie acrobazie.» Bay saltò al suolo e lisciò il collo alla sua cavalla.

Charlotte fece segno al capitano Hartopp di appoggiare il cavalletto nel posto in cui le faceva più comodo. «Sistemate bene quel piede, ecco. Vi ringrazio infinitamente, ora sono pronta a rendere giustizia a questo straordinario cavallo.»

«Se non vi occorre più il mio aiuto, vogliate scusarmi, avrei della corrispondenza da sbrigare.» Hartopp non attese la risposta di Charlotte prima di avviarsi verso la casa.

Bay fece un gesto con il suo frustino verso la figura che si stava allontanando.

«Cosa avete fatto a Hartopp, signorina Baird? Ha una faccia da funerale. Per caso vi ha proposto di diventare la signora Hartopp e voi lo avete rifiutato con sdegno con la vostra risata argentina? Non credevo foste così priva di sentimenti. Dovreste temperare i vostri rifiuti con qualche complimento per placare l'orgoglio maschile, sapete. Povero Chicken, ha proprio abbassato la cresta.»

«Non dite assurdità. Il capitano Hartopp aveva senz'altro qualcosa di più importante da fare che guardarvi mentre v'impennavate sul vostro cavallo.»

«Be', se lo dite voi. Ma secondo me aveva l'aria dell'innamorato respinto.»

Charlotte esitò. Bay stava scherzando, ovviamente, eppure l'irritazione di Hartopp era tangibile. Non avendolo mai incoraggiato in alcun modo, Charlotte non si sentiva affatto in colpa per i suoi sentimenti.

«Dunque, credete di poter convincere Tipsy a restare immobile?»

«Certamente. Che posa vi piacerebbe?»

Charlotte li guardò. In un primo momento si era immaginata Bay in sella alla sua cavalla, ma osservandoli insieme e analizzando il modo in cui la guardava, decise che era quella l'immagine che voleva catturare.

«Perché non restate lì fermi in piedi, con la mano sulla briglia?» S'infilò sotto il telo e guardò l'immagine capovolta. Spostò di qualche centimetro la macchina, in modo da centrare l'inquadratura. Poi tornò allo scoperto e disse: «Ricordate, quando alzerò la mano vorrei che rimaneste immobili per il tempo necessario a recitare un Pater Noster. Se voi o Tipsy doveste muovervi, l'immagine sarà sfocata.»

«Saremo fermi come statue. Vero, Tipsy?»

Charlotte alzò lo sguardo verso il cielo e vide una processione di nuvole scure che sfilavano verso il debole sole invernale. Doveva sbrigarsi a scattare la foto, prima che la luce diminuisse. Sparì nuovamente sotto il panno, si mise in posizione e sollevò il braccio.

Era arrivata a "Rimetti a noi i nostri debiti" quando la voce di Fred fece irruzione spezzando il filo dei suoi pensieri.

«Oh, che scena incantevole, il caro Fagottino che fotografa Middleton insieme all'amore della sua vita.»

Charlotte sperò che Bay non si muovesse: altri dieci secondi e la foto sarebbe stata perfetta. "Ma liberaci...".

«L'amore di Bay Middleton sarebbe dunque un cavallo? Questa sì che è una sorpresa.» La voce di Augusta le arrivò alle spalle.

Charlotte era determinata a non perdere la sua concentrazione. "... dal male. Amen". Ebbe la sensazione che Bay avesse avuto un sussulto. Venne fuori dal telo e vide la coppia di fidanzati giusto dietro di sé. Si rivolse a Fred.

«Davvero, Fred... Quante volte ti ho pregato di non disturbarmi mentre cerco di scattare una fotografia? Non ti piacerebbe affatto se mi mettessi a parlare mentre tu stai puntando una pistola.»

«È tutta un'altra cosa, Fagottino. Sparare è una faccenda seria.»

«Perché, la fotografia non lo è? Bene, perché non provi tu a farne una? Potresti scoprire che è leggermente più complicato rispetto a puntare un fucile contro un uccello e premere il grilletto.»

Fred fece un passo verso di lei. «Davvero? A me sembra che tu non debba far altro che puntare l'obiettivo verso il tuo soggetto e aprire l'otturatore. Cosa c'è di tanto difficile?»

La voce di Bay interruppe la conversazione con tono scherzosamente lamentoso. «Possiamo muoverci, signorina Baird? Tipsy sta diventando un po' irrequieta. È l'ora della pappa alle stalle, e non vorrebbe perdere la sua dose di avena.»

«È stata una modella eccellente, non ha mosso un solo muscolo» replicò Charlotte.

«È terribilmente vanitosa, non voleva venire male in fotografia.» Bay saltò in sella a Tipsy e, con un colpetto di tallone, la spronò verso le stalle.

Charlotte rimase in cima ai gradini con Fred e Augusta. Ci fu una piccola pausa, poi Fred disse: «Tu e Middleton sembrate grandi amici.»

«Lo trovo divertente.»

«Be', divertente è di sicuro... è celebre per essere un tipo simpatico nonché un gran ballerino, ma devo metterti in guardia, Fagottino, sul fatto che viene considerato un rubacuori.» Fred sussurrò la parola "rubacuori" come se in qualche modo volesse renderla meno aggressiva.

«Credo che tu abbia dimenticato di annoverare, caro fratello, nella lista dei complimenti, che il capitano Middleton è l'ufficiale meglio vestito nel corpo della Guardia. Ti ha poi dato il nome del suo sarto?» domandò Charlotte.

«Non vedo cosa c'entri questo» replicò Fred in tono altezzoso. «Sto semplicemente cercando di farti capire che bisogna frequentarlo con cautela. Mi piace quell'uomo, è un ufficiale come me e la sua destrezza in materia di equitazione è insuperabile, ma non è il tipo giusto.»

Charlotte richiuse il treppiedi con uno schiocco secco.

«Giusto per cosa?» chiese.

«Per te, ovviamente!» urlò Fred.

«Quindi mi stai dicendo che Middleton va benissimo per te, per il conte Spencer e per la regina di Napoli, ma non è adatto a me. Faccio fatica a seguirti, Fred.» Charlotte si sentì avvampare le guance.

Fred stava per rispondere, ma Augusta gli appoggiò la mano sul braccio. «Mio caro Fred, perché non porti queste apparecchiature di sopra? Vorrei mostrare a tua sorella la nuova serra delle orchidee prima di pranzo.»

Fratello e sorella obbedirono con pari riluttanza. Fred aveva molto altro da dire a Charlotte su quanto Bay Middleton fosse poco consigliabile, e Charlotte non aveva nessuna voglia di ammirare orchidee, ma nessuno dei due trovò modo di eludere la richiesta di Augusta. Charlotte diede il cavalletto e la macchina fotografica a Fred, tenendo solo la lastra che aveva appena estratto dall'apparecchio. Non si fidava di lui: temeva che l'avrebbe fatta cadere in terra. Augusta la prese sottobraccio e la condusse verso il giardino cintato da alte mura in cui era stata costruita la serra delle orchidee.

«Oserei dire che non avevate mai visto una serra di orchidee prima d'ora in una residenza privata. A papà è venuta l'idea dopo una visita a Kew Gardens. Ha una tale passione per le piante esotiche che non ha avuto pace finché non è riuscito a crearsi il proprio orchidarium.»

Attraversarono l'orto ricoperto di brina, dove s'intravedeva una serra piena di cavoli anneriti e asparagi, e si diressero verso il padiglione circolare adiacente alla parete esposta a sud.

Augusta aprì la porta ed entrambe ebbero un sussulto per via dell'aria calda e umida della serra. Un ciuffo di orchidee sfiorò la guancia di Charlotte. Scansandolo ebbe modo di notare la fredda consistenza cerea dei petali e la completa mancanza di profumo.

«Ti piacciono le orchidee, Charlotte? La collezione di mio padre è famosa. Qui ci sono esemplari che vengono da molto lontano, addirittura dal regno di Sarawak.»

«Santo cielo! Ho solo una vaga idea di dove sia il regno di Sarawak. Credo si trovi a una distanza inimmaginabile.»

«Sì, è un luogo remoto per noi ma non per mio padre, che non ha badato a spese per scegliere gli articoli più pregiati.» Augusta era inequivocabilmente amareggiata.

Ci fu una pausa. Charlotte decise, osservando meglio i fiori, che Lord Crewe avrebbe sicuramente potuto spendere il suo denaro in modo migliore. Non provava grande interesse per le contorsioni floreali che la circondavano tutt'intorno. Le orchidee le sembravano dei monarchi in esilio, la cui magnificenza risultava incongrua a contrasto con la nuova località che era stata loro riservata.

Augusta raccolse un fiore rosa e cominciò a carezzarne i petali penduli con il pollice della sua mano guantata.

«Dal momento che un giorno diventeremo sorelle, Charlotte, e poiché tu non hai più una madre, sento il dovere di darti qualche consiglio.»

«È molto gentile da parte tua, Augusta, ma dimentichi la zia Adelaide. Lei è molto giudiziosa.»

«Può darsi. Ma Lady Lisle è stata lontana dalla società londinese per diversi anni. È sicuramente una accompagnatrice deliziosa, ma i suoi consigli in certe questioni rischiano di essere un po' arrugginiti. È fuori dai giochi, e non è del tutto consapevole dei potenziali pericoli che puoi incontrare lungo la strada.»

«Quali pericoli?» chiese Charlotte.

«Sarà molto più facile quando verrai a vivere con noi. Io sarò sempre a portata di mano per farti da guida. Ho molta più esperienza in queste faccende.»

«Ma hai solo quattro anni più di me.»

«Solo tre, a dire il vero. Ma quei tre anni mi hanno fatto capire quanto siano insidiose le trappole che ti circondano ovunque. So quanto è facile finire in un territorio insidioso.»

Charlotte sorrise. «Di quali insidie stai parlando? Stai forse per confessarmi qualche indiscrezione? Ma Fred ne è a conoscenza?»

Ci fu un lieve scoppiettio. Augusta aveva schiacciato il rigonfiamento rosato del labbro inferiore dell'orchidea.

«Parlo di te, Charlotte, e sono certa che tu abbia capito. Mi riferisco al capitano Middleton.»

«Dovresti trattare meglio le orchidee di tuo padre. Era uno splendido esemplare, finché non hai cominciato a giocherellare con i suoi petali» disse Charlotte.

Augusta sospirò. Parlava lentamente e con un tono assai paziente. «Fred si è espresso forse in modo un po' sgarbato prima, ma devi capire che voleva solo cercare di proteggerti.»

«Proteggermi da cosa? Ho ballato con Middleton una volta, sono stata seduta a cena accanto a lui e l'ho fotografato due volte. Non mi ha corteggiata affatto. Anzi, il fulcro della nostra conversazione è stato il suo cavallo. Piuttosto deludente, se mi dici che si tratta di un pericoloso rubacuori.»

«Il capitano Middleton gode di una cattiva reputazione. Pare sia stato in amicizia con una donna sposata. In intima amicizia. È stata menzionata ieri sera a cena: Blanche Hozier. Avrai notato come ha reagito Middleton quando mia madre ha fatto il suo nome. Credo che la relazione sia stata troncata, ma non è questo il punto.»

«Ma io non sono una donna sposata, e anche Middleton è privo di legami. I nostri incontri si svolgono alla luce del sole, e finora non si è mai parlato di matrimonio. Non so niente di Blanche Hozier, ma se il comportamento del capitano Middleton è stato così sconveniente allora mi stupisce che possa essere ospitato qui a Melton.» Charlotte sollevò il mento con aria di sfida.

Augusta lanciò a Charlotte un'occhiata indulgente, come fosse una sorella maggiore.

«Oh, cara, era proprio ciò che temevo. Stai prendendo le sue parti, e questo succede perché ha depredato le tue emozioni. Hai così poca esperienza di uomini, e quando un giovanotto dalle buone maniere come il capitano Middleton si rende gradevole ai tuoi occhi, c'è rischio che riesca a travolgere tutte le tue difese. Ti fai l'idea, ovviamente, che provi interesse nei tuoi confronti. Ma caro innocente Fagottino, qui abbiamo a che fare con un uomo che ha avuto una relazione con una donna sposata. Perché mai dovrebbe essere attratto da una fanciulla inesperta e semplice, se non per il fatto che tu sei un'ereditiera dalla fortuna considerevole? Temo che il capitano Middleton, il quale proviene – mi par di capire – da una famiglia assai modesta, sia un cacciatore di dote.»

Charlotte avrebbe tanto desiderato prendere un'orchidea di Sarawak e infilarla in uno degli occhi azzurri e sporgenti della futura cognata, ma mantenne il controllo limitandosi a figurarsela come un pechinese in sovrappeso con un parasole in mano.

«Un cacciatore di dote? Non riesco proprio a capire, Augusta, cosa renda il capitano Middleton diverso dagli altri. Stai forse dicendo che il capitano Hartopp non è interessato al mio denaro? O che tu e Fred sareste felicissimi di vedermi sposata con un poveraccio? Forse il capitano Middleton punta solo alla mia fortuna, ma se così fosse allora sarebbe assai più abile degli altri nel non darlo a vedere.»

Augusta, che stava sicuramente pensando ai diamanti dei Lennox e a come l'avrebbero fatta sfavillare il giorno delle nozze, appoggiò una mano sul braccio di Charlotte con fare conciliatorio.

«Non dobbiamo bisticciare, Charlotte. Non intendevo ferirti. Tutte le ragazze hanno il diritto di lasciarsi corteggiare. Ti chiedo solo di tenere sempre bene a mente che Bay Middleton potrà essere un fantastico compagno di ballo e un incantevole soggetto fotografico, ma non lo si può prendere in considerazione per progetti più seri. Non voglio che tu ti comprometta. Con le sostanze che possiedi, potresti sposare un uomo di elevato spessore, un uomo la cui posizione potrebbe darti un ruolo nella vita. Ho grandi progetti per te, e vorrei introdurti in società la prossima stagione. Se prima che finisca l'anno non sarai una futura contessa o addirittura una futura marchesa, resterò assai delusa.»

Charlotte provò un senso di improvvisa stanchezza. Non poteva sperare di far capire ad Augusta che la delusione sarebbe stata inevitabile. Quella conversazione, infatti, l'aveva almeno convinta di una cosa: non avrebbe mai sposato un uomo che le fosse stato procacciato dalla sua futura cognata.

«Sei stata molto generosa con i tuoi consigli, e credo che non avresti potuto spendere parole più appropriate per una ragazza alla ricerca di un matrimonio sfolgorante. Ora scusami, però, ma devo riportare questa lastra in casa, perché temo che l'umidità della serra possa compromettere il risultato.»

Augusta sorrise, rivelando la sua pronunciata arcata dentale superiore. «Certo. So quanto tieni al tuo passatempo. Volevo solo avere questo tête-à-tête prima che tu scattassi altre fotografie al capitano Middleton.»

Charlotte era già sulla soglia, impaziente di inalare l'aria fredda dell'inverno.

Non era sua intenzione dirigersi verso casa passando dalle stalle, ma per qualche ragione a lei stessa oscura si ritrovò ad attraversare il cortile. Era l'unica parte di Melton a cui non era stata data una patina goticheggiante. Lord Crewe aveva pensato di rimpiazzare l'orologio della stalla con un campanile decorato da statue girevoli, ma il suo architetto non era mai riuscito a completare il progetto.

La stagione della caccia stava per cominciare, e tutti i vani erano occupati. Charlotte cercò il manto grigio di Tipsy, ma c'erano così tanti cavalli che non riuscì a individuarla. Era ormai arrivata quasi al lato opposto del cortile quando vide Bay. Era chino e stava legando un nastro da caccia attorno alla zampa del suo cavallo. Si era tolto la giubba e si era arrotolato le maniche della camicia al gomito, rivelando braccia muscolose e chiare di carnagione, ricoperte di lentiggini. Charlotte lo guardò per un istante mentre stringeva il nastro, poi accarezzò la sua bestia, che sbuffava e pestava gli zoccoli al suolo visibilmente infastidita. Ma quando Bay sussurrò qualcosa all'orecchio dell'animale lasciandogli leccare l'interno della sua mano, si placò.

Charlotte sperò che lui si guardasse attorno. Alla fine voltò la testa e la vide, con l'astuccio della lastra fotografica stretto in mano. Si affrettò ad andarle incontro, raggiungendola sotto l'arcata centrale della stalla.

«Non ditemi che avete già fatto? Siete qui per mostrare a Tipsy il risultato?»

Charlotte scosse la testa. «Per quanto i tempi richiesti dal procedimento di stampa si siano molto ridotti rispetto al passato, non si tratta di un'operazione veloce. Avrete la vostra stampa entro sera, se non avrò altre distrazioni. Mi trovo qui per sfuggire ad Augusta. Mi ha dato consigli da sorella maggiore, e credo sia meglio riceverne a piccole dosi.»

Bay si passò una mano tra i capelli e Charlotte notò che aveva gli avambracci madidi di sudore.

«A che proposito vi dispensava consigli?» domandò lui. Charlotte non rispose immediatamente. Allora lui aggiunse: «Dal modo in cui arrossite immagino vi stesse dando qualche consiglio su di me. Giusto?»

Charlotte abbassò lo sguardo e calciò un ciuffo di paglia con il piede. «È molto preoccupata per il mio futuro.»

«Lasciatemi indovinare: Lady Augusta ritiene che il vostro futuro non debba contemplare persone poco raccomandabili come Bay Middleton.»

«Non credo che abbia usato parole così esplicite. Mi pare che abbia detto che non siete "la persona adatta".»

Bay rise allargando le braccia. «E voi cosa dite, signorina Baird? Siete d'accordo con Lady Augusta? Credete che debba essere tenuto alla larga?»

Charlotte sollevò lo sguardo per incontrare il suo. «Assai di rado le mie opinioni coincidono con quelle di Augusta.»

«Sia ringraziato il cielo! Ma per certi versi ha ragione. Io non sono la persona adatta. Non sono ricco, e benché sia un gentiluomo non troverete il mio nome nell'elenco del Debrett. Non sono il tipo d'uomo che piace alle mamme.»

Charlotte lo interruppe. «L'unico vantaggio nel non avere una madre consiste proprio in questo: si impara a sviluppare un'opinione personale sulla gente che si incontra.»

«E voi avete imparato?»

«Direi di sì.»

Restarono entrambi in silenzio per un istante, poi ripresero a conversare. Charlotte disse che doveva rientrare a cambiarsi, e Bay replicò: «Sono davvero felice che vi troviate a Melton. È dal ballo degli Spencer che desideravo rivedervi. Se non altro per fare ammenda. Con la mia goffaggine vi ho rovinato un vestito. Spero che mi abbiate perdonato per quell'episodio.»

«Io vi ho perdonato, ma la mia sarta non ancora» rispose Charlotte in tono allegro. Vedendo l'espressione dipinta sul volto di Bay, abbassò la voce e aggiunse: «Quella sera eravate altrove con i vostri pensieri, capitano Middleton: qualcosa doveva avervi fatto perdere l'equilibrio.»

Bay si passò ancora le dita tra i capelli e Charlotte si accorse, con grande sorpresa, che era nervoso.

«Avete ragione. Ero distratto. Ma devo dirvi, signorina Baird, che non lo sono più.» Il suo sguardo era fermo. Charlotte strinse con forza la lastra che teneva tra le mani. Abbozzando un sorriso, replicò: «Oh, la mia sarta sarà risollevata.»

Bay non ricambiò il sorriso. «È stata una fortuna per me incontrarvi quella sera. Non potete capire quanto. È proprio vero, avevo perso il mio equilibrio, ma ora l'ho ritrovato.»

Charlotte si senti avvampare in volto. «Non capisco in che modo posso esservi stata d'aiuto, ma sono contenta comunque.»

«Davvero? Voi siete l'unica persona che può aiutarmi. Mi piacerebbe potervi offrire qualcosa in cambio.»

Charlotte avrebbe voluto dirgli che aveva avuto già tanto da lui: il conforto di una possibile scelta, la speranza di un futuro migliore di quello che aveva fino ad allora sperato, ma non trovò le parole. Guardò le sue braccia e vide che i peli, di colore rossiccio, si erano rizzati. Avrebbe voluto sfiorarli. Era la prima volta che provava il desiderio di toccare un uomo. Quasi involontariamente, fece un passo verso di lui, che fece il gesto di sollevare le braccia, come a volerla cingere, ma in quell'istante si udì uno scalpiccio di zoccoli dietro di loro, ed entrambi si ritrassero. Uno stalliere in livrea azzurra si fermò di scatto quando vide Bay e smontò di sella.

«Capitano Middleton? Ho una lettera per voi da parte del conte. Dice che devo attendere una vostra risposta.»

Lo stalliere estrasse una lettera dalla tasca della sua borsa da sella e gliela porse.

Bay ruppe il sigillo e lesse rapidamente la missiva. Lievemente accigliato, s'infilò le mani nelle tasche e trovò una moneta.

«Devi aver corso come il vento per essere arrivato qui così presto. Il conte dice che ha scritto questa lettera a mezzogiorno ed è solo l'una e un quarto. Riferisci al tuo padrone che sarò ad Althorp questo pomeriggio, ma viaggerò all'andatura che ritengo più opportuna. Non intendo sfinire il mio cavallo per causa sua.» Lanciò la moneta al ragazzo.

«Sissignore. Vi ringrazio, signore.»

Bay tornò a guardare Charlotte e scosse la testa. «Ci hanno brutalmente interrotti, signorina Baird. Il conte Spencer, responsabile del nostro primo incontro, ora ci allontana l'uno dall'altra. Dice di avere una questione della massima urgenza da discutere con me. Non credo che sia poi così urgente, ma dal momento che il conte è il mio comandante in capo, e che usufruisco del suo patrocinio, non ho altra scelta: devo andare.»

Charlotte provò un misto di dispiacere e sollievo. Sapeva che Middleton era stato sul punto di dire qualcosa di rilevante, che avrebbe reso più serio il suo blando corteggiamento. Le sarebbe piaciuto affrontare quella conversazione, ma al tempo stesso l'idea la terrorizzava. Stava accadendo tutto così in fretta. Non voleva neppure prendere in considerazione le opinioni di Augusta su Bay, ma voleva più tempo per osservarlo direttamente. Scosse la testa e disse: «Non abbiamo alcuna fretta, capitano Middleton. Non credete? Non ci costa nulla aspettare qualche ora.»

«Certamente possiamo attendere. Per voi posso trasformarmi nel più paziente degli uomini, anche se questo è contrario alla mia natura.»

Charlotte rise. «Non siete impegnato in una corsa, capitano. Sarò ancora qui quando sarete di ritorno. E magari se riesco a sfuggire alle signore sarò anche pronta a mostrarvi la fotografia.»

L'orologio della stalla batté la mezz'ora, facendoli sobbalzare entrambi. Charlotte fu la prima a reagire.

«Santo cielo, devo correre a cambiarmi, e lo stesso vale per voi.

Se arriviamo entrambi in ritardo per pranzo, temo che Augusta vi faccia arrestare per rapimento.» Si voltò e si avviò oltre l'arcata.

Bay la seguì e le sfiorò un braccio con la mano. «Signorina Baird... Charlotte... non ho ragione a sentirmi fortunato per avervi incontrata?»

Charlotte sorrise. «Forse siamo fortunati tutti e due, non credete?»

# 9.

## Una fanciulla ben guarnita

Middleton trovò il conte nelle stalle di Althorp che esaminava una bella giumenta dal manto castano. Dal momento che era stato Bay a procurargli quell'esemplare, era felice di convenire con Spencer che si trattava di una vera bellezza, anche se non poteva credere di essere stato convocato per osservare un cavallo che conosceva meglio di quanto non lo conoscesse il suo padrone. Spencer spezzò una carota e la offrì all'animale nel palmo della mano. Il cavallo sbuffò riempiendo la stalla con il vapore del suo fiato. Poi, battendo una mano sulla spalla di Middleton, il conte disse: «Mi scuso per avervi convocato qui di domenica, Middleton. È una questione della massima urgenza.»

«Così mi è parso dalla vostra lettera. Ma non ho avuto altri indizi per capire di cosa potesse trattarsi» replicò Bay.

«Una faccenda troppo delicata per potervi far cenno per iscritto, Middleton. E poi certe cose vanno spiegate da uomo a uomo.»

«Comincio a preoccuparmi» disse Bay accennando un sorriso.

«Non c'è niente di cui preoccuparsi. Si tratta di una questione di piacere che assume però la forma di un dovere.» Il conte prese Bay sotto braccio e cominciò a percorrere il cortile, fermandosi brevemente davanti a ogni cavallo.» «Non so se avete saputo, ma Easton Neston è stata messa a disposizione dell'imperatrice d'Austria.»

«Lady Crewe mi aveva accennato qualcosa ieri sera a cena.»

«Sono stato ieri a porgere i miei omaggi all'imperatrice. Una donna straordinaria, perfettamente a suo agio nel suo ruolo, se capite cosa intendo. Non sono nuovo alla regalità, ma lei è una donna davvero impressionante. Un'Elena di Troia dei nostri tempi...»

«Credevo che l'imperatrice fosse già nonna.»

«Non lo direste mai, Middleton. È snella come una fanciulla e ha un incarnato pressoché perfetto. Non posso dirlo in presenza della contessa, ovviamente, ma credo sia la donna più bella che abbia mai visto in vita mia.»

Bay rise. «Mi sembra che abbia fatto davvero colpo su di voi, signore. Mi avete convocato qui affinché io sia il vostro Cupido?»

«Ah, se solo...» Il conte scosse la testa. «È quel genere di donna che tutti gli uomini si voltano a guardare. Dovreste vedere la sua acconciatura, Middleton: si erge alta sul capo come una corona. E che profilo!» Il conte si ammutolì per un istante, sopraffatto dall'ammirazione.

Bay, che cominciava a provare una certa impazienza, estrasse dal taschino il suo orologio. Erano le tre e tre quarti. Se il conte non veniva presto al dunque, sarebbe rientrato a Melton al calare della sera.

«Mi avete fatto venire una grande curiosità. Spero mi capiti l'occasione di poter vedere l'imperatrice in carne e ossa.»

«Proprio così, Middleton. Ecco perché vi ho mandato a chiamare. L'imperatrice è venuta qui esclusivamente per la caccia. Domani prenderà parte alla Pytchley.»

«Non vedo l'ora di poter constatare con i miei occhi quanto l'imperatrice sia incantevole» replicò Bay con una punta d'irritazione nella voce, «ma continuo a non capire come mai mi abbiate fatto venire qui.»

«Smettetela d'interrompermi e ve lo dirò» tagliò corto il conte. «L'imperatrice ha bisogno di una guida, e sebbene mi piacerebbe molto potermi mettere direttamente al suo servizio, sono troppo vecchio per starle al passo. E c'è una sola persona a cui posso affidare un simile incarico» concluse puntando il suo dito grassoccio contro Bay.

Middleton rimase per un attimo in silenzio, poi scosse la testa. «Sono lusingato, naturalmente, che vogliate affidarmi una simile responsabilità, ma temo di dover rifiutare. Sapete bene che ho rifiutato di far da guida alla regina di Napoli. E perché mai dovrei invece assecondare l'imperatrice? Ci sarà sicuramente qualcuno che non vede l'ora di mettersi al servizio della casa reale austriaca. Hartopp, per esempio, farebbe salti di gioia al pensiero di far da balia a un membro di una famiglia reale.» Cercò di conservare un tono scherzoso, ma non riuscì a mascherare fino in fondo l'irritazione per quella richiesta così invadente.

Spencer ignorò la replica di Bay, sfoderando un sorriso indulgente come quello che si adopera quando si parla con i bambini.

«C'è una bella differenza tra un'ex regina di un principato italiano e la moglie dell'imperatore del paese più grande d'Europa, Middleton. Rifiutare la richiesta della regina, al di là della scarsa galanteria che avete dimostrato, era una faccenda che riguardava voi solo. Ma se vi dico che dovete occuparvi dell'imperatrice d'Austria...» Il conte si fermò davanti a una graziosa giumenta grigia e le scostò le gengive per esaminarle la dentatura. «... Non siete certo nella posizione di poter declinare.» Soddisfatto dal controllo effettuato, il conte si spostò alla stalla successiva.

Bay non proferì parola. Sebbene non avesse lavorato più al servizio di Spencer dopo il rientro dall'Irlanda, il conte provvedeva al suo patrocinio e sostentamento. Se Disraeli avesse perso la fiducia del Parlamento nei due mesi a venire, come tutti prevedevano, Spencer sarebbe tornato al governo. Bay non ambiva a una carica ufficiale, ma sapeva che una posizione in politica gli avrebbe reso più facile approfondire il suo interesse nei confronti di Charlotte Baird. Nella sua condizione di capitano di cavalleria privo di sostanze a mezza paga, non era certo un buon partito, ma se Spencer gli avesse elargito un mandato avrebbe avuto uno stipendio e qualche pretesa di diventare uno scapolo promettente. Sebbene dunque non avesse alcuna voglia di fare da guida all'imperatrice, c'era pur sempre la consolazione di quell'incarico che Spencer gli avrebbe un giorno offerto, per il quale sia Chicken Hartopp sia Fred Baird avrebbero fatto qualunque cosa.

«Come dovrei comportarmi con un'imperatrice? In che modo potrei mai prendermi cura di lei?» Middleton guardò il viso rubizzo del suo superiore, sul quale era ancora stampato quel sorrisetto carico d'indulgenza, e si rese conto che non c'era nulla che avrebbe potuto dire per modificare i propri desideri o l'ordine che gli era stato impartito. Chinò il capo e disse a voce bassa: «Naturalmente obbedisco, visto che siete voi a chiedermelo. Ma avrei preferito non ricevere un simile ordine.» Diede un colpetto alla parete della stalla col palmo della mano e la cavalla sbuffò soddisfatta.

«Non preoccupatevi, Middleton, non ci saranno cancelli da aprire. L'imperatrice è un'eccellente cavallerizza. E quanto al prendersi cura di lei, sono certo che non avrete alcuna difficoltà a renderla felice, considerata la vostra esperienza» disse il conte con una strizzata d'occhio. «È davvero importante che sia felice, Middleton. I rapporti con l'Austria sono delicati in questo momento, ed è necessario che si conservi nostra alleata contro la Prussia. Dunque, qualunque sforzo farete per consolidare il sodalizio anglo-austriaco sarà apprezzato dal ministero degli Esteri. Giunge voce da Berlino che Bismarck si è infuriato quando ha saputo che l'imperatrice era qui, e se il vecchio Ottone si irrita per noi è sempre una bella notizia.»

«Farò del mio meglio, come è ovvio, ma voi più di ogni altro sapete quanto siano scarse le mie abilità diplomatiche» disse Bay.

«Credo che persino voi siate in grado di rendervi apprezzabile agli occhi di una bella donna. Inoltre, sebbene l'imperatrice abbia portato con sé i propri cavalli, ho l'impressione che gliene occorrano altri, e chi meglio di voi può aiutarla in una simile ricerca?» Spencer cominciò a ridacchiare, in modo sempre più scomposto.

«Dunque... a caval donato... non si guarda in bocca, vecchio mio.» Quando ebbe finito di ridere per la sua stessa battuta, riprese il suo normale tono di voce e aggiunse: «Vi va di bere qualcosa con me, giusto per tenere il freddo a debita distanza? Se passiamo dalle cucine arriveremo in biblioteca senza che le donne di casa ci infastidiscano.»

Bay esitò. Aveva voglia di bere, ma stava venendo buio, e non voleva lanciare al galoppo il suo cavallo proprio alla vigilia dell'apertura della stagione di caccia.

«Vorrei rientrare a Melton prima di sera.»

«Peccato. Mi par di capire che abbiate anche delle ragioni personali, eh, Middleton?»

Il conte ammiccò nuovamente. «Mia moglie dice che la giovane Baird si trova a Melton, al momento.»

Bay lo guardò sorpreso.

«Una fanciulla assai graziosa. Conoscevo sua madre. Una eccellente cavallerizza. Ma totalmente incauta. Avrebbe saltato qualsiasi ostacolo. Il marito tentò di farla desistere, ma lei non sentiva ragione. Non posso dire di essere rimasto sorpreso quando giunse la notizia che s'era rotta l'osso del collo. Lasciò l'intera fortuna dei Lennox alla figlia, e così la signorina Baird è davvero... ben guarnita. Vi poteva andare molto peggio, eh, Middleton? È il tipo di moglie giusta che ogni uomo vorrebbe al suo fianco, se vuole vincere il Grand National.»

Middleton non rispose. Era imbarazzato dal tono fin troppo diretto che aveva usato il conte. Gli uomini e le donne della generazione di Spencer non consideravano disdicevole parlare di matrimoni come fossero transazioni commerciali, mentre invece lui lo trovava di cattivo gusto. L'ultima cosa che avrebbe voluto era essere considerato un cacciatore di dote. Charlotte Baird gli piaceva moltissimo. Apprezzava quel suo modo di ricordare ogni singola parola si fossero scambiati, o quella sua postura con la testa leggermente inclinata di lato. Era vero che un anno prima non avrebbe mai potuto sposarla, ma ora era un altro uomo. Desiderava un posto tranquillo che avrebbe potuto chiamare casa. S'immaginava Charlotte che lo attendeva in salotto, concentrata su uno dei suoi album di fotografie ma con l'orecchio teso a sentire i suoi passi su per le scale. Tuttavia c'era il problema del denaro. Disse a se stesso che la prima volta che aveva incontrato Charlotte non sapeva che fosse un'ereditiera, e che comunque la cosa non gli era venuta in mente prima di un giorno o due più tardi, quando Hartopp lo aveva preso in disparte al circolo e gli aveva parlato della fortuna di cui disponeva quella fanciulla, aggiungendo che reclamava un diritto di precedenza rispetto alla possibilità di accaparrarsela. «Ero a un passo dal conquistarla, Middleton. A un passo. E poi arrivi tu e le fai girare la testa. Lasciala in pace, Bay. È una brava ragazza, e io la voglio sposare.» Bay aveva provato dispiacere per lui. Gli era bastato un solo ballo con Charlotte per capire che non sarebbe mai diventata la signora Hartopp. Ma poiché Chicken era ricco, nessuno lo avrebbe accusato di volerla sposare per denaro, anche se Bay sapeva bene che Hartopp era attratto dal denaro di Charlotte tanto quanto lo era dalle altre sue doti.

«È ora che vi sistemiate, Middleton. Dovreste trovarvi una moglie tutta per voi.» Spencer enfatizzò le ultime parole. Bay avrebbe voluto sferrare un pugno in quella faccia bovina e sorridente, ma optò per un contegno da vero gentiluomo.

«La signorina Baird è senz'altro una fanciulla incantevole.»

«Incantevole e ricca. Una combinazione eccezionale.» Il conte sollevò un braccio ma Bay schivò l'inevitabile colpetto che stava per dargli in mezzo alle scapole, facendo un passo indietro e domandando allo stalliere con un cenno di portargli il cavallo davanti alla postazione di partenza. «Scriverò dunque all'imperatrice, e le dirò che sarà affidata alle vostre abili mani.» Il conte ammiccò. «Non ci sono mani più abili delle vostre nel maneggiare cavalli e donne, a giudicare da quanto si dice in giro.»

Middleton sollevò lo sguardo. Un raggio basso di sole stava facendo capolino in quel cielo invernale grigio e gonfio di nuvole.

«Potrebbe nevicare. Spero che l'imperatrice sia pronta ad affrontare le difficoltà cui andremo incontro.»

# 10.

## Sorelle regnanti

Il biglietto del conte Spencer venne recapitato all'imperatrice dopo cena. Il barone Nopsca lo portò personalmente nel salottino, sapendo che la sua padrona avrebbe voluto leggerlo quella sera stessa. Il ciambellano sperò con tutto il cuore che la missiva non recasse brutte notizie riguardo all'organizzazione della prima giornata di caccia. Sua Maestà era oltremodo impaziente di prender parte a una battuta di caccia in territorio inglese, e non amava le delusioni. Mentre varcava la soglia del salotto, si rese conto con terrore che aveva dimenticato di indossare i guanti. Si domandò se fosse il caso di tornare indietro per metterseli, ma era troppo tardi: l'imperatrice l'aveva visto. Era seduta accanto a sua sorella, la regina Maria, sul sofà davanti al focolare. Suo cognato il re, il principe Liechtenstein e il conte Esterházy erano in piedi davanti alla mensola del camino. La contessa Festetics era seduta in un angolo a cucire.

Nopsca mise il biglietto nella mano tesa dell'imperatrice più in fretta che poté, per evitare che si accorgesse delle sue mani nude. Lei lo ringraziò in tedesco prima di aprire la busta, poi aggiunse, in inglese: «È da parte del tuo amico il conte Spencer, Maria. Dice che mi ha trovato una guida per la caccia di domani. È il capitano Middleton. Lo conosci?»

Sua sorella avvampò in viso. «Sì, ne ho sentito parlare.»

«Non capisco perché mai debba avere una guida. Ma il conte ha insistito tanto... Dice che in tutta l'Inghilterra non vi è nessuno che sappia cavalcare meglio di Middleton.»

«Solo il più abile d'Inghilterra potrebbe tenervi dietro, Maestà» commentò il conte Esterházy.

«Oh, smettetela di adularmi, Max» rise l'imperatrice. «Sono certa che le dame inglesi galoppano rapide come il vento.» Poi, rivolgendosi alla sorella, proseguì: «Cosa dici, Maria? Credi che io riesca a tenere il passo?»

«Non so perché tu me lo chieda, Sissi. Sai bene che sei sempre tu a condurre.»

Se l'imperatrice percepì il tono d'amarezza nella voce della sorella, non lo diede a vedere. Poi continuò: «Hai incontrato questo famoso capitano Middleton lo scorso anno, quando partecipasti alla caccia?»

«Sì. Cavalca abilmente, questo è certo, ma dubito che le sue maniere possano essere di tuo gradimento» replicò Maria.

Sissi appoggiò una mano su quella della sorella. «Mia cara, è forse stato scortese con te? Dovrò fargli una bella lavata di capo. In ogni caso sono stufa delle buone maniere. I cari Felix e Max sono sempre talmente deliziosi che un po' di villania sarà per me un interessante diversivo.»

L'imperatrice si alzò in piedi e si diresse verso le finestre. Le tende erano accostate, ma lei ne tirò una e guardò il panorama notturno che le si parò dinanzi.

«Sta nevicando.» Poi si voltò, e chiese alla sorella: «La caccia si terrà ugualmente?»

«Te lo posso garantire. Gli inglesi non sopportano di essere privati del loro passatempo preferito. E poi saranno tutti presenti domani, se non altro per vedere te» disse Maria.

«Ma io sono qui in incognito. Viaggio sotto falso nome, per tutti sarò la contessa Hohenembs. Quindi non ci sarà nessuna imperatrice alla Pytchley domani.» Elisabetta assunse una postura impettita, e si sentì avvampare in volto. «Questa doveva essere una visita privata. Non intendo trasformarmi in un fenomeno da baraccone.»

Il conte Esterházy e il principe Liechtenstein si scambiarono un'occhiata, cogliendo una nota familiare nella voce dell'imperatrice. La contessa Festetics sollevò gli occhi dal suo lavoro. Esterházy fu il primo a parlare.

«Maestà, domani sarete in compagnia delle persone che più vi aggradano: gente che padroneggia l'arte dell'equitazione e il cui unico desiderio è trascorrere insieme una buona giornata di caccia. Forse ci potrà essere qualche imbarazzo ad avere un'altezza reale tra i compagni di battuta, ma ho idea che sarà soprattutto il vostro cavallo ad attrarre l'attenzione.»

Elisabetta fissò il conte per un istante, poi il suo volto si rasserenò, mentre il labbro s'increspava in una specie di sorriso.

«Ma quale cavallo? Temo che nessuna delle mie bestie sia avvezza a saltare le siepi inglesi.»

Gli uomini raccolsero questo nuovo spunto di conversazione e cominciarono a discutere estesamente dei meriti dei cavalli dell'imperatrice. La contessa Festetics riprese a cucire.

Elisabetta tornò a sedersi accanto alla sorella.

«Non vorrai biasimare gli inglesi perché desiderano prendersi cura di te, Sissi» intervenne Maria. «La loro regina si è chiusa in isolamento da quando è rimasta vedova. E poi sei su tutti i giornali, nonostante il tentativo di viaggiare in incognito. Tutti vogliono vedere "la donna più bella d'Europa".» Maria abbozzò un sorriso.

«Ma io non ne posso più di offrirmi allo sguardo della gente. Puoi immaginare come ci si sente a sapere che tutti ti guardano in continuazione?» Elisabetta parlava in modo concitato, sopraffatta com'era dall'emozione, ma il tono della sua voce restava basso. Cercò solidarietà negli occhi di sua sorella, ma il volto di Maria non lasciava trapelare alcuna espressione.

Ci fu una breve pausa, poi la ex regina di Napoli disse: «Ci sono cose peggiori nella vita che offrirsi allo sguardo degli ammiratori, mia cara Sissi.»

# 11.

## Nitrato d'argento

La neve cominciò a cadere non appena Bay ebbe raggiunto Melton. Mentre aspettava che qualcuno arrivasse ad aprirgli il cancello, restò a guardare i fiocchi che scendevano e si posavano sull'acciottolato davanti alla casa del custode, le cui finestre erano ben illuminate. All'interno poté scorgere una donna che dava da mangiare a un bambino accomodato su un seggiolone di legno, mentre il marito si godeva la scena. Il piccolo rideva e cercava di toccarle la guancia ogni volta che lei tirava su il cucchiaio. Era riuscito a schizzare una discreta quantità di porridge in faccia alla mamma, e Bay rimase a guardare il custode che, con un gesto di grande tenerezza, ripuliva il viso della moglie.

Tipsy si lasciò andare a un nitrito d'impazienza, attirando l'attenzione del custode, che uscì ad aprire il cancello nel giro di pochi secondi.

«Scusate se vi ho fatto attendere, signore. Volete che vi faccia luce fino a casa?» Aveva in mano una lanterna.

Bay si sentiva inspiegabilmente in colpa per aver disturbato la pace domestica di quella famigliola. Si frugò nelle tasche e trovò una moneta, che allungò al custode. «Non c'è bisogno che tu esca in una serata come questa. Prendo io la lanterna.»

Il custode era ben contento. «Se siete sicuro, signore. Vi ringrazio molto.»

Alla solita andatura Bay avrebbe coperto la distanza dall'alloggio del custode alla residenza in pochi minuti, ma la neve e la lanterna rallentavano il suo passo. Sentiva i fiocchi di neve che gli si depositavano sulle ciglia e sui baffi. Charlotte avrebbe riso, se lo avesse visto in quel momento. Ma non gli sarebbe dispiaciuto essere canzonato da lei. Quando Blanche Hozier si prendeva gioco di lui per qualche incespico del linguaggio o per la sua goffaggine in società, egli percepiva il disprezzo che si celava sotto il suo sorriso. Charlotte invece era diversa, e se era vero che a volte lo provocava, era altrettanto vero che non v'era ombra di derisione nella sua risata.

Il bambino nella casa del custode gli aveva fatto venire in mente Clementine, la figlia che non aveva mai visto. Non riusciva a immaginare Blanche – la bionda, immacolata Blanche – che dava la pappa a un bimbo con un cucchiaio sporcandosi la faccia di porridge. Invece riusciva facilmente a immaginare Charlotte con un pargoletto tra le braccia.

Tipsy fece un sobbalzo, interrompendo bruscamente il sogno a occhi aperti di Bay. La neve stava distendendo una coltre di silenzio sul paesaggio, e non v'era altra luce all'infuori del bagliore guizzante della lanterna. Poi sentì i rintocchi dell'orologio della stalla che battevano le sette. Se si affrettava sarebbe riuscito a vedere Charlotte prima di cena. Dimenticando le sue preoccupazioni circa i rischi della neve, spronò Tipsy a un'andatura più sostenuta.

Il gong che invitava gli ospiti a cambiarsi d'abito per la cena stava suonando proprio mentre Bay entrava in casa. Sapeva che avrebbe dovuto togliersi i vestiti bagnati, ma pensò che c'era una possibilità di trovare Charlotte ancora nel suo studio. Non era quel genere di ragazza che impiegava più del necessario a cambiarsi d'abito. Balzò su per le scale salendole due gradini alla volta, pregando di non incontrare nessuno.

Era arrivato al primo pianerottolo quando udì una voce.

«Capitano Middleton, dove siete stato con questo tempaccio? Dovete esservi congelato.» Lady Crewe era ritta in piedi dall'altro lato del pianerottolo.

Bay si morse un labbro. L'ultima cosa che avrebbe voluto era restare incastrato in una conversazione con la padrona di casa. Nel modo più gentile che gli riuscì, rispose: «Sono dovuto andare fino ad Althorp. Il conte aveva urgenza di parlarmi.»

«Dev'essersi trattato di una questione importante se vi ha fatto fare tutta quella strada, e per giunta di domenica.» Lady Crewe storse il naso. Era una donna che teneva molto all'osservanza delle feste religiose.

Bay sapeva che se avesse detto a Lady Crewe cosa gli aveva chiesto il conte, non l'avrebbe più lasciato andare. Pertanto, scosse la testa e disse: «Mi dispiace dovervi dire che il conte non è un fervido credente. Pensate che in Irlanda alle volte dedicavamo la domenica a recite di teatro amatoriale.»

Lady Crewe sospirò, e Bay scosse la testa.

«Potete immaginare i miei sentimenti, Lady Crewe. Ora, vogliate scusarmi.»

Senza attendere una risposta, si diresse rapidamente in direzione della vecchia stanza dei giochi, sperando che Lady Crewe non facesse caso al fatto che la sua camera da letto si trovava in realtà dalla parte opposta.

Bay tirò un respiro di sollievo quando vide la luce filtrare sotto la porta della stanza. Entrò e vide Charlotte in piedi, che gli dava le spalle. Indossava un abito elegante di seta bianca profilato di velluto verde sopra il quale s'era infilata un grembiulone di tela marrone.

Stava esaminando una stampa. Bay notò che aveva tutte le mani ricoperte di macchie scure. Quando le fu accanto, Charlotte si lasciò sfuggire un gridolino di sorpresa, a cui seguì un ampio sorriso.

«Capitano Middleton! Siete arrivato giusto in tempo!»

«Ne sono felice.»

Cercò di sbirciare la stampa, ma lei gliela tenne celata, dicendo: «Promettete che sarete sincero. Non mi offenderò se non vi piace.»

«Dite sul serio?»

«Be', forse potrei essere un po' irritata, ma solo un po'.» Lentamente, Charlotte gli mostrò la fotografia.

Bay non si era mai visto ritratto in una foto prima d'allora. Rimase deluso nel constatare che era meno alto e meno prestante di come si immaginava. Nella stampa, la sua testa era alla stessa altezza di quella di Tipsy, e l'animale sembrava rannicchiarsi sulla sua spalla. Lo stretto legame tra cavallo e cavaliere era assai evidente. Erano indubbiamente due membri di un'unica squadra.

«Mia cara signorina Baird... Charlotte... Posso chiamarvi Charlotte? Non potete immaginare quanta gioia io provi nel vedere questa immagine.» Bay batté le palpebre. «Tipsy è magnifica.»

«E che pensate di voi stesso?» chiese Charlotte.

Lui scrollò le spalle. «C'è qualcuno a cui piacciono i propri ritratti?»

«Non potete immaginare quanto. Pensate che Fred restò talmente soddisfatto della *carte de visite* che aveva fatto da Gaillevant che ne ordinò tre dozzine e le inviò a tutti i suoi amici.»

«Ne vorrei una sola copia, ma vi prometto che la conserverò per sempre come un autentico tesoro.» Bay prese una delle mani di Charlotte tra le sue e sfiorò una macchiolina scura sull'indice.

Charlotte arrossì. «È il nitrato d'argento che uso sulle lastre. Non riesco a mandarlo via. Dovrò indossare un paio di guanti prima di scendere a cena.»

«Non per me, cara Charlotte. Queste macchie sulle vostre mani sono come i calli che mi vengono a cavalcare. Sono il prezzo che paghiamo per poter fare ciò che più ci piace.» Accarezzò il suo palmo con un dito. La mano di Charlotte ebbe un lieve fremito.

«Non credo che Augusta sarebbe d'accordo.»

«Non mi importa neanche un po' di ciò che pensa Augusta, o sua madre, o chiunque altro. E a voi importa?»

Le strinse la mano. Lei non la tirò indietro.

«No, non credo.» Le gote di Charlotte s'infiammarono di rosso.

Bay le si accostò al viso e le baciò una guancia.

«Vi ho fatta arrossire. Potrete mai perdonarmi?» disse, e intanto le baciò l'altra guancia.

«Credo di sì» rispose Charlotte in tono sommesso.

Bay si chinò in avanti e la baciò ancora, questa volta sulla bocca. Sentì il corpo di lei che diventava soffice a contatto con il suo, mentre le labbra si schiudevano e le mani gli si stringevano attorno alle braccia. Nell'aria il profumo dell'acqua di rose si mescolava all'odore pungente di agenti chimici. Avrebbe voluto stringerla a sé, abbracciarla completamente.

Un forte scricchiolio della scala, seguito dal rumore d'un respiro affannoso, li interruppe.

Bay e Charlotte stavano esaminando la stampa quando Fred si affacciò sulla soglia.

«Fagottino, volevo solo...» poi vide Bay. «Oh, salve, Middleton.» Poi, notando che Bay era in abito da equitazione, aggiunse: «Non è il caso di cambiarvi per la cena?»

«Stavo proprio per farlo. Ma non ho resistito alla tentazione di vedere Tipsy in fotografia.» Bay indicò la stampa sul tavolo.

«Posso suggerirvi di affrettarvi? Lady Crewe non gradisce che la si faccia aspettare.» Fred si lisciò il bavero della marsina, strofinando le unghie contro i risvolti in raso.

«Fare aspettare una signora non è certo cosa educata.» Bay fece un piccolo inchino a Charlotte. «Vi ringrazio, signorina Baird, per la fotografia. Vi ringrazio per tutto quanto.»

Quando Bay ebbe lasciato la stanza, Fred si voltò verso Charlotte.

«Sono rimasto sorpreso nel trovarti qui sola con Middleton. Conosci la sua reputazione.»

«Oh, certo. Augusta è stata assai meticolosa nel mettermene a parte» replicò Charlotte.

«Allora due sono i casi: o sei sciocca, oppure te la stai andando a cercare. Una fanciulla non è mai abbastanza prudente quando si tratta di proteggere il suo buon nome. Quello che ora ti sembra un innocente corteggiamento, potrebbe avere un impatto di un certo rilievo sul tuo futuro.»

Charlotte sorrise. «Lo spero proprio. Il capitano Middleton mi piace moltissimo. Se mi chiede di sposarlo, non esiterò ad accettare.»

«Certo che presenterà la sua proposta. Sei una ragazza estremamente facoltosa. Ma è fuori discussione l'idea di sposarlo. Non puoi farlo senza il mio consenso, e io non ho alcuna intenzione di concedertelo.» Fred salì in punta di piedi per dare maggiore enfasi alle sue parole.

«Questo vale solo per i prossimi nove mesi, tre settimane e quattro giorni. Ovvero fino al mio ventunesimo compleanno. Poi potrò sposare chi più mi piace.»

Fred tornò sui talloni. «Dimentichi che sarò il curatore dei tuoi beni per altri quattro anni.»

«Oh, non l'ho dimenticato, ma non m'interessa il denaro. Posso aspettare.»

Fred mostrò i denti, nel tentativo di sorridere. «Tu puoi aspettare. Ma che mi dici di Middleton?» Indicò il ritratto di Bay e Tipsy. «È un uomo dai gusti costosi.»

Charlotte non disse nulla. Stava contemplando la fotografia.

Suo fratello proseguì. «Suvvia, Fagottino, non litighiamo. Non voglio far la parte del tiranno.»

Charlotte sollevò lo sguardo verso di lui. «E smettila di chiamarmi Fagottino. Il mio nome è Charlotte.» Slacciò i nastri del suo grembiule e lo ripiegò con cura, poi prese la borsetta ricamata e ne estrasse un paio di guantini di pizzo, che s'infilò sulle mani finché tutte le macchie di nitrato non furono coperte.

«Avanti, Fred. Non vorrai far aspettare Lady Crewe.»

«Capisci quello che sto dicendo, Charlotte?» proruppe lui afferrando la sorella per un braccio.

«Certo che capisco. E ti prometto che penserò alle cose che mi hai detto.»

«Brava la mia sorellina.»

«Ma non prometto di obbedirti. Quello toccherà ad Augusta quando sarà tua moglie.»

Charlotte fu l'unica a sorridere quando entrambi contemplarono la possibilità che Augusta potesse essere una moglie obbediente.

# 12.

## *Greensleeves*

Era evidente, dal modo in cui erano stati sistemati i posti a tavola, che Augusta aveva parlato con sua madre. Charlotte venne accompagnata dall'onorevole Percy e sistemata al capo opposto rispetto a Bay Middleton.

Non fu una cena vivace. Lady Crewe tendeva in generale a limitare la conversazione ad argomenti acconci alle festività domenicali. Ma dopo una portata di pesce trascorsa nel silenzio quasi assoluto, non poté più tenere a freno la sua curiosità.

«Avete visto Laetitia Spencer ad Althorp questo pomeriggio, capitano Middleton? Aveva avuto un brutto raffreddore prima di Natale e spero che ora si sia ristabilita. Stavo pensando di andare a farle visita questa settimana.»

«Non ho visto la contessa, Lady Crewe. Il conte e io ci siamo incontrati alle stalle.»

«Alle stalle? Cosa mai ci faceva laggiù di domenica?» domandò Lady Crewe.

«Ho idea che il conte visiti le stalle tutti i giorni. Avevamo alcuni affari da discutere» disse Bay nel tono più neutro che gli riuscì di assumere.

Ma Lady Crewe non si accontentò della risposta, e riprese: «Quali affari potevano essere così urgenti da dover richiedere la vostra presenza immediata ad Althorp?»

Giunti a quel punto, l'intera tavolata aveva smesso di simulare una cordiale conversazione e dodici teste si voltarono verso Bay.

«Il conte mi ha assegnato un incarico.» Fece una pausa, e vedendo che il sopracciglio di Lady Crewe era rimasto sollevato nell'attesa, aggiunse: «... di natura confidenziale.»

Lord Crewe bofonchiò. «Mi è giunta voce che quell'austriaca prenderà parte alla Pytchley domani. Mi verrebbe da pensare che Spencer vi abbia incaricato di farle da guida.» Lord Crewe era sempre sbrigativo quando c'erano di mezzo dei cattolici, e l'imperatrice d'Austria non costituiva un'eccezione. «È così, Middleton?»

Bay chinò il capo. «Mentirei se sostenessi il contrario, Lord Crewe.»

Ci fu un momento di silenzio intanto che i commensali digerivano quella rivelazione insieme al *turbot à la crème*.

Hartopp fu il primo a parlare, tentando – senza riuscirvi completamente – di ripulire da qualunque sfumatura d'invidia il tono della sua voce. «Una richiesta dell'ultim'ora, visto che la caccia si apre domani. Credete che abbia eliminato qualcun altro?»

«È molto probabile» rispose Bay.

«Sciocchezze» intervenne Lord Crewe. «Middleton è insuperabile a cavallo. Spencer avrà avuto la richiesta di ingaggiare il migliore di tutta l'Inghilterra, e così è stato. Le mie più vive congratulazioni. È un grande onore far da guida a un'imperatrice, benché forestiera.»

«È di sicuro una bella responsabilità» replicò Bay.

«Dev'essere tremendamente eccitante» disse Lady Lisle. «Ma spero che parli un po' d'inglese, a meno che voi non parliate il tedesco, capitano.»

«Ovvio che non parla tedesco!» grugnì Fred. «Ma di sicuro troverete il modo di farvi capire, eh, Middleton?»

«Credo che l'imperatrice parli la nostra lingua in modo eccellente» replicò Bay in tono calmo. «Ma non mi aspetto che la conversazione sia vivace. Il mio lavoro consiste nel farle da guida durante la caccia, e non ci sarà molto tempo per discorrere.»

«Che conversiate o meno, noi signore ci aspettiamo un resoconto dettagliato sull'imperatrice, capitano Middleton» disse Augusta. «Nell'*Illustrated London News* dicono che abbia preso lezioni di equitazione da un artista del circo, e che sia stata vista saltare dentro un cerchio di fuoco.»

«Se dovessi vederla saltare in un cerchio di fuoco domani nel corso della Pytchley di sicuro lo ricorderò in ogni dettaglio, Lady Augusta» disse Bay.

Per fortuna arrivarono i valletti a servire il salmì di fagiano, e così il trillo della risata di Charlotte fu sovrastato dal frastuono dei cucchiai da portata che battevano contro i vassoi d'argento.

Lady Crewe stava ancora pensando all'imperatrice. «Mi chiedo se prenderà parte anche alle cene. Di sicuro Laetitia Spencer non perderà l'occasione di mettersi in mostra. Ma sarebbe un peccato se l'imperatrice non avesse l'opportunità di far visita ad alcune tra le famiglie più importanti della contea. Althorp è magnifica, ma così fuori moda. Sarebbe davvero una disdetta se tornasse in Austria senza poter vedere i migliori esempi di stile moderno.» Alzò lo sguardo verso il soffitto, caratterizzato dalla volta a costoloni tipica dell'architettura gotica, e sormontato da rosoni screziati di rosso e d'oro, e osservò con grande soddisfazione il fregio di Sir Galahad che va alla ricerca del Sacro Graal.

«Dovete fare in modo di dirle, capitano Middleton, che Easton Neston e Althorp sono dimore piuttosto antiquate. Se vuole vedere una casa di campagna di foggia sopraffina, deve venire qui a Melton.»

«Se segue la Pytchley la vedremo martedì» disse Lord Crewe, «dal momento che è proprio qui il ritrovo.»

«Ma certo! Capitano Middleton, dovete dire all'imperatrice che sarei onorata di poterla ospitare nella residenza di Melton. Non troverebbe mai una simile dimora, in Austria.» Lady Crewe si chinò in avanti mentre pronunciava quelle parole, e guardò Bay dritto negli occhi costringendolo così a rispondere.

«Se me lo chiede sarà un piacere comunicarle il vostro invito, Lady Crewe. Ma temo che non avremo molte opportunità di parlare di architettura. E poi non è detto che l'imperatrice mi trovi simpatico. Può darsi anche che martedì io abbia già perso il mio incarico.» Bay concluse con un sorriso.

«Sciocchezze, Middleton. Sappiamo tutti quanto siete abile con il gentil sesso.» Fred Baird lanciò un'occhiata ad Augusta.

Lord Crewe sollevò lo sguardo dal suo fagiano e lasciò cadere la forchetta con un gran rumore.

«Middleton, non devi incoraggiare quella donna a venire in

questa casa. Se proprio insiste non potremo impedirglielo, ma non voglio ritrovarmi i reali di quel casato straniero che girano a loro piacimento per la mia residenza. Ne deriverebbero solo guai. Non verrà certo da sola, e in men che non si dica ci ritroveremmo la casa piena zeppa di austriaci.»

«Ma George... sarebbe un onore ricevere l'imperatrice» protestò Lady Crewe.

«No, l'unico onore sarebbe ricevere la *nostra* regina a Melton. Non c'è confronto» ribadì Lord Crewe, con la faccia che diventava sempre più rossa.

Adelaide Lisle, che detestava che si dicessero cose sgradevoli, si rivolse al suo ospite con il più smagliante dei sorrisi. «Adesso dovete raccontarmi tutto del meraviglioso fregio di questa sala da pranzo. Sono tremendamente ignorante in fatto di leggende e tradizioni, e non riesco proprio a immaginare chi possa essere quel bel cavaliere con i riccioli biondi. L'unico cavaliere di cui conosco il nome è Lancillotto, e solo perché ho un cugino che si chiama così. Ma questo giovanotto non gli assomiglia neanche un po'.»

Mentre Lady Lisle concludeva la frase e Lord Crewe cominciava a dipanare il filo delle leggende arturiane, gli altri commensali ripresero a discorrere tra loro, evitando tacitamente di far tornare il discorso sull'imperatrice d'Austria.

Gli uomini non si attardarono a lungo sui loro bicchierini di porto. Fred e Hartopp capirono che era meglio non menzionare l'imperatrice davanti al loro ospite, eppure era l'unico argomento di cui avrebbero voluto parlare. Sebbene entrambi, se interrogati, si sarebbero dichiarati amici di Bay Middleton, nondimeno ritenevano l'avvicinamento del loro compagno ad ambienti così esclusivi una profonda ingiustizia. All'epoca in cui erano *aide-de-camp* al servizio del conte Spencer in Irlanda, tutti e tre sgomitavano quotidianamente per rendere più prestigiosa la loro posizione. Per Fred e Hartopp era comprensibile che Bay fosse stato scelto come guida per l'imperatrice, essendo straordinariamente dotato nell'arte dell'equitazione, ma ritenevano profondamente ingiusto che il puro talento dovesse avere la precedenza sul loro più alto lignaggio e sulla raffinata educazione che avevano ricevuto. Come avrebbe mai fatto un uomo come Bay a cogliere le sfumature del protocollo imperiale? Era figlio di un ufficiale caduto nella guerra di Crimea, ma sua madre aveva sposato in seconde nozze un mercante di carbone della contea di Durham. Restava poi il dubbio che Bay fosse stato preferito ad altri perché era abile con le donne così come lo era con i cavalli. Fred contemplava questa possibilità con meno convinzione rispetto a Hartopp. Era ancora dell'idea che il corteggiamento di Lady Augusta fosse andato a buon fine grazie alle sue doti di seduttore piuttosto che per la crescente disperazione della fanciulla. E così quando Bay si alzò dopo aver bevuto un solo bicchiere di porto, nessuno protestò.

Nel salottino delle signore, al contrario, la conversazione era incontenibile. Augusta, che aveva colto lo sguardo di sorpresa sul volto di Charlotte quando Bay aveva riferito dell'incarico che aveva accettato, non perse tempo a domandarle cosa pensava dell'ascesa di Bay Middleton negli ambienti imperiali, oppure, per dirlo con le sue stesse parole, del suo nuovo ruolo di "stalliere dell'imperatrice".

«Oh, una guida e uno stalliere sarebbero la stessa cosa? Credevo che i ruoli fossero alquanto diversi. Io non vado a cavallo, ma mi sembra che gli stallieri si occupino delle bestie mentre le guide pensano a chi le cavalca» disse Charlotte.

«È un grande onore per il capitano Middleton» disse Augusta. «Indubbiamente eccelle nell'equitazione, ma mi sorprende che il conte Spencer lo abbia ritenuto adatto a fare da scorta a un'altezza reale, sia pure di un Paese straniero.»

«Cosa volete dire, Augusta?» domandò Lady Lisle. «Il capitano Middleton sembra un giovanotto assai gradevole. Quale obiezione potrebbe mai esservi?»

«Credo che per alcuni Bay Middleton sia fin troppo gradevole» replicò Augusta. Poi, abbassando la voce, aggiunse: «Alcuni mariti forse preferirebbero che fosse un po' meno affascinante.»

«Augusta!» la sgridò sua madre. «Non dovresti dire certe cose, e per di più di domenica! Posso ricordarti che il capitano Middleton è nostro ospite? E sono del tutto certa che il conte Spencer sappia cosa sta facendo. Ora forse vorrai suonarci qualcosa, anziché diffondere altre calunnie.»

Augusta, resasi conto del fatto che sua madre avrebbe difeso Middleton fino a che ci fosse stata la benché minima possibilità di essere presentata all'imperatrice, prese posto al pianoforte e offrì alle signore presenti la sua versione vagamente aggressiva di un notturno di Chopin.

Quando arrivarono gli uomini, passò a Beethoven. Fred si diresse dritto verso il piano. Bay si avvicinò al divano su cui era seduta Charlotte e rimase in piedi alle sue spalle. Chinandosi su di lei, le bisbigliò in un orecchio: «Sto cercando di ricordarmi dov'è che siamo stati interrotti.»

Charlotte si voltò a guardarlo e cercò di assumere un'aria inespressiva, come se stessero parlando del tempo. «Mi sembra che tu stessi ammirando la fotografia che ti ritraeva con Tipsy.»

«Come ben sai Tipsy è la luce dei miei occhi, ma non era lei l'oggetto della mia ammirazione. Dunque, dove eravamo rimasti esattamente?»

«Credo che tu stessi per raccontarmi del tuo nuovo incarico di guida di caccia per l'imperatrice d'Austria.»

«Perché mai avrei dovuto sprecare un prezioso momento del nostro tête-à-tête per parlare di una questione così poco interessante? Mi stanno chiedendo di fare la balia a cavallo, di correre dietro a un'altezza reale e di accertarmi che non s'infanghi troppo il completo da equitazione, o che non venga calpestata dalla muta dei cani» disse Bay appoggiando la mano sullo schienale del divano. Le sue dita erano talmente vicine alle spalle nude di Charlotte che lei sentì un brivido.

«Puoi sminuire quanto vuoi il tuo incarico, ma devi essere onorato di essere stato scelto. Fred di sicuro la pensa così.» Charlotte guardò suo fratello, in piedi accanto al pianoforte. «Era diventato verde dall'invidia quando hai dato il tuo annuncio. Fred non chiederebbe altro che trovarsi a esaudire ogni capriccio di un'imperatrice.»

«Se vuoi che rinunci al mio incarico da bambinaia per cederlo a tuo fratello, non hai che da chiedermelo. Ne sarei immensamente felice.»

Charlotte rabbrividì nuovamente, nella piena consapevolezza di quelle dita che ora le sfioravano furtivamente le spalle. «Credo che anche Fred si veda costretto ad ammettere che non potrà mai eguagliarti a cavallo. Inoltre in questo momento farei di tutto pur di vederlo contrariato.»

«Ti ha forse impartito una lezione sui capitani di cavalleria inaffidabili?» domandò Bay.

«Ci ha tenuto a ricordarmi che non posso fare niente senza il suo consenso. Che significa il consenso di Augusta, ovviamente. Non sono sicura che Fred sia capace di pensare con la sua testa.»

«Povero Fred. Sta per iniziare una vita di schiavitù.»

«Oh, a lui non dispiacerà. Essere sposato con la figlia di un Lord sarà per lui una sufficiente soddisfazione.»

Bay le sfiorò le vertebre della nuca, e Charlotte sospirò.

«Sei sicura di non ricordare di cosa stavamo parlando prima che arrivasse Fred? Forse questo ti aiuterà a rammentare.» Si chinò su di lei e le soffiò lievemente nell'orecchio. «Era una conversazione così piacevole.»

Charlotte affondò le unghie nella tappezzeria del divano. «Forse ricordo qualcosa. Non è il genere di conversazione che mi capita di affrontare spesso, dopotutto.»

«Ogni conversazione è differente, ma nessuna è gradevole come quella che si può fare con te.» Fece scorrere le unghie lungo l'incavo alla base del collo e fu gratificato dal notare che Charlotte si inarcò come un gatto. Il movimento improvviso fu notato da Augusta, che non era travolta dalla musica al punto da perdere di vista ciò che succedeva in quel divano. Era ora di intervenire.

Smise di suonare e disse ad alta voce: «Ora tocca a qualcun altro. Charlotte, ti andrebbe di suonarci qualcosa?»

Charlotte scosse la testa. «Oh, ma io sono una musicista assai scadente in confronto a te. Farai un torto agli ospiti qui presenti se mi chiederai di suonare.»

«Sciocchezze, Charlotte. Non c'è niente che non vada nel tuo modo di suonare. Forse hai solo bisogno di fare un po' più di pratica. Vogliamo tutti ascoltarti. Non è così, capitano Middleton?» domandò Augusta in modo enfatico.

«Forse potrei offrire anch'io un po' d'intrattenimento. Non so suonare, ma amo cantare.» Poi si rivolse a Charlotte. «Sapete suonare *Maud*?»

«Sì, se non farete caso a qualche nota sbagliata.»

«La perfezione è noiosa. Cominciamo?» Tese la mano a Charlotte. «Dedichiamo questa canzone a Lady Crewe.»

Lady Crewe annuì e sorrise, mentre Augusta, resasi conto di essere stata buggerata, lasciò il suo posto al piano e si mise in piedi accanto al suo fidanzato. Quando Bay le passò di fianco, disse: «Non avevo idea delle vostre doti canore, capitano Middleton.»

«Sono figlio unico, e siccome mia madre era molto appassionata di musica non ho avuto altra scelta. Quanto alla mia abilità, vi pregherei di tenere in sospeso il giudizio.»

Charlotte si sedette alla tastiera, con Bay in piedi alle sue spalle. Quando lei iniziò l'introduzione, lui appoggiò la mano sul pianoforte, sfiorandole le spalle nel passaggio. Lei si lasciò immediatamente sfuggire una nota sbagliata. Lui la guardò con un sorriso.

*Vieni in giardino, Maud,*
*il nero pipistrello è volato nella notte,*
*vieni in giardino, Maud,*
*sono qui da solo alle porte.*

La sua voce era potente e sincera, con un caldo timbro baritonale che eliminava ogni sfumatura di sensualità dalle parole di Tennyson. Quando lei aveva qualche esitazione nell'accompagnamento lui rallentava, in modo da non perdere mai il passo. Quando arrivò il verso "E il pianeta dell'Amore è alto in cielo", Bay le lanciò un'occhiata eloquente. La canzone era evidentemente rivolta a Charlotte. Sull'ultimo verso, quando la melodia saliva di un'ottava e il testo recitava "Vieni, amor mio, mio tesoro", lui la fissò negli occhi e sostenne lo sguardo fino all'ultimo accordo. Ci fu un attimo di silenzio, interrotto da Lady Lisle che prese ad asciugarsi gli occhi con un fazzoletto.

«Era una delle canzoni preferite del mio defunto marito. Ma non credo di averla mai sentita cantare con tanto sentimento. Vi ringrazio, capitano Middleton, per aver risvegliato in me sì dolci ricordi.»

Bay accennò un inchino. «È stato un piacere.»

«Volete cantare qualcos'altro?»

Bay guardò Charlotte, che annuì.

«Suonatemi un accordo in sol minore.»

Charlotte eseguì, e Bay iniziò a cantare:

*Ahimè, amor mio, tu mi fai torto,*
*a rifiutar così il mio cuore.*
*Io t'amo da sì tanto, e la tua compagnia*
*è per me delizia e conforto.*

Charlotte riconobbe il motivo e cominciò ad accompagnarlo con schietto fervore. Era la celebre canzone popolare *Greensleeves*, "maniche verdi".

Quando arrivò al coro, Bay indicò i nastri di velluto verde che abbellivano le maniche a sbuffo dell'abito di Charlotte. Terminata la canzone, prese la mano di Charlotte e la baciò.

«Vi ringrazio per aver suonato così bene.»

«Mi avete incoraggiato a suonare meglio di quanto non faccia di solito.»

«Non credo che sia possibile, signorina Baird.»

Lo scambio di battute fu interrotto da Augusta. «Di sicuro farete una bella serenata all'imperatrice domani, capitano Middleton. È viennese, e sappiamo quanto gli austriaci amino la musica.»

Bay non perse l'occasione per rispondere a tono. «Credo che abbiate un'idea esagerata di quale sia il ruolo di una guida di caccia, Lady Augusta. Non sono neppure sicuro di scambiare qualche parola con l'imperatrice, figuriamoci se avrò modo di cantare per lei. Sono una guida, una bandierina da seguire, non un poeta trovatore.»

Augusta incrociò le braccia e non replicò.

Lady Lisle si alzò in piedi, con uno sventolio delle piume sul suo cappello vedovile.

«È stata una serata davvero piacevole, ma io sono pronta per ritirarmi. Charlotte, mia cara, mi terresti la candela mentre vado su per le scale? Sai quanto diventa malfermo il mio passo la sera.»

«Certamente, zia» rispose Charlotte.

Si avviarono verso la porta, una dietro l'altra. Tutti gli uomini si alzarono e fecero il gesto di aprire la porta, ma Bay vi giunse per primo. Quando Charlotte passò, lui le sfiorò un gomito. «La questione rimane aperta» le sussurrò.

Nella sua camera da letto Charlotte accostò la candela al lungo specchio basculante ed esaminò il proprio volto. Non aveva un bel viso, ne era consapevole, ma Bay l'aveva baciata ugualmente. Per un attimo si chiese se avesse baciato lei o il patrimonio dei Lennox, ma poi scacciò via quel pensiero. Se Bay era un cacciatore di dote, era assai abile a mascherare la sua cupidigia.

La porta si aprì e Grace, la cameriera, entrò in stanza. Charlotte non aveva una cameriera personale, poiché la ragazza francese che si occupava di lei a Londra aveva rassegnato le dimissioni dopo un incidente con il nitrato d'argento e dei nastri di pizzo. Ma Charlotte non sentiva la sua mancanza. Aveva sempre detestato il modo in cui Mademoiselle Solange sospirava ogni volta che doveva spazzolarle i capelli.

«Avrei dovuto essere qui ad aspettarvi, signorina» disse Grace. Charlotte si lasciò sfuggire un gemito quando la cameriera allentò le stringhe del corsetto. «Ma siamo rimasti tutti nell'atrio ad ascoltare la musica e ho perso la cognizione del tempo. Era il capitano Middleton che cantava? Che giovanotto simpatico! Prima faceva delle acrobazie con il cavallo... stava in verticale sulla testa, cose del genere. Ci ha fatti morire dal ridere! Fa sembrare tutto così facile.»

«Già» assentì Charlotte. «Proprio così.»

Si guardò nuovamente nello specchio. Ora, con la camicia da notte e i capelli sciolti, si sentiva più attraente.

«Grace?»

«Sì?»

«Pensi di potermi acconciare i capelli in un altro modo, domani? Forse con qualche ricciolo che scende ai lati? Credi che mi starebbe bene?»

«Lasciate fare a me, signorina. Farò in modo che il capitano Middleton abbia occhi solo per voi.»

# 13.

## Un incarnato perfetto

A una quindicina di chilometri di distanza, in una camera da letto molto più grande, la contessa Festetics stava adagiando fettine di vitello crudo sul viso della sua padrona.

Sissi si era guardata allo specchio prima di andare a letto e aveva deciso che la sua carnagione era smorta. Questo era inaccettabile, dal momento che voleva apparire radiosa in occasione della sua prima battuta di caccia in Inghilterra. Tutti l'avrebbero osservata, ne era consapevole, per valutare se fosse all'altezza della sua reputazione. La sua figura era ancora snella, e il girovita non era cresciuto d'un millimetro dai tempi del suo matrimonio. Sapeva che, vista da lontano e a cavallo, avrebbe avuto un aspetto smagliante, proprio come la gente si aspettava che fosse.

Avrebbe indossato un velo, naturalmente, con il completo da equitazione, ma a un certo punto se lo sarebbe sollevato. Sissi non avrebbe tollerato un'espressione di delusione sul volto dei presenti se fossero stati costretti a sostituire l'ideale di bellezza fiabesca depositato nella loro immaginazione con la realtà sfiorita che appariva davanti ai loro occhi. Aveva sperato che la sua visita in Inghilterra passasse inosservata, e che la sua vera identità fosse nota solo a poche persone fidate. Ma era stata una pura illusione. Le leggende sulla bella imperatrice con i capelli lunghi fino alle caviglie avrebbe fatto vendere troppi giornali perché la sua identità restasse segreta. Lungo la strada per Easton Neston l'imperatrice aveva trascorso una notte al Claridge. Durante quelle ore si era sparsa la voce del suo soggiorno in albergo, e quando l'indomani mattina si era apprestata a partire aveva trovato una piccola folla assiepata dietro la porta per vedere l'imperatrice d'Austria. Aveva dato un'occhiata a quel mare di volti, prevalentemente femminili, e aveva notato nei loro sguardi quel misto di attesa e delusione che per lei era così duro da sopportare. Una giovinetta in prima fila le aveva offerto un mazzo di violette e Sissi, vedendo con quanta disperazione avrebbe voluto essere scelta tra tutte, l'aveva accettato con un sorriso. Mentre entrava in carrozza, aveva sentito una voce che diceva: «Anch'io pensavo che fosse incantevole, ma hai visto che denti?»

Sissi sapeva che non avrebbe mai potuto conservare nella realtà l'immagine della principessa da fiaba con le stelle nei capelli, così come appariva nel ritratto di Winterhalter, un'immagine capace di vendere qualsiasi prodotto a Vienna, dai cioccolatini ai medicinali contro l'indigestione, ma non riusciva a non provarci. La bellezza era il suo dono, la sua arma e la sua forza, e lei temeva il giorno in cui sarebbe sfumata.

C'era qualcosa che poteva fare, come per esempio restare snella. Amava il rigore degli esercizi del mattino, il dolore alle braccia quando si sollevava sugli anelli. Ma per conservare un girovita di quarantotto centimetri aveva dovuto rinunciare al rigoglio giovanile del suo viso. C'erano giorni in cui, quando si trovava a passare per caso davanti a uno specchio, vi scorgeva una scarna donna di mezz'età che le restituiva lo sguardo. Festetics l'aveva trovata in lacrime dopo uno di questi momenti e le aveva raccontato del modo in cui la principessa Karolyi sua nonna si teneva a regime per conservare la sua bellezza, considerato che a ottant'anni aveva la pelle morbida e liscia come quella di un neonato. Il vitello doveva essere fresco e tagliato sottile, e se lo si adoperava una volta alla settimana l'incarnato sarebbe rimasto luminoso per sempre.

Dopo aver ricoperto il viso dell'imperatrice con la carne cruda, fatta eccezione per gli occhi, il naso e la bocca, la contessa Festetics estrasse una maschera di cuoio dalla sua custodia e gliela applicò con grande delicatezza. Legò i nastri che la fissavano alla nuca, in modo tale che la sua padrona avrebbe potuto muovere la testa di notte senza che le fettine di vitello scivolassero via. La maschera era anche una protezione necessaria contro i cani dell'imperatrice, che una volta avevano scambiato quel trattamento di bellezza per uno spuntino serale.

Certe volte la contessa si pentiva di aver rivelato alla sua padrona il segreto dell'incarnato perfetto. Era una storia di famiglia, che di sicuro aveva subito modifiche passando di bocca in bocca, e che era stata tirata fuori dai suoi ricordi nel tentativo disperato di lenire le lacrime di Sissi. Sapeva da dieci anni di esperienza che l'unica cosa da fare quando la sua padrona si struggeva in preda all'autodenigrazione era distrarla nel modo più rapido possibile. Pertanto aveva trasformato i ricordi confusi delle guance soffici e profumate di sua nonna nell'elisir dell'eterna giovinezza. Sissi aveva insistito perché si procurasse immediatamente del vitello, e il giorno dopo aveva dichiarato che il trattamento era davvero miracoloso. La contessa Festetics non era sicura quanto la sua padrona dell'efficacia del vitello, ma da tempo aveva capito che Sissi aveva la necessità di credere sempre in qualcosa, vero o falso che fosse. Se si era convinta che la carne cruda avrebbe ridato freschezza al suo viso, allora non c'era ragione di disilluderla.

«Domani indosserò il mio completo verde, probabilmente.» La voce dell'imperatrice era ovattata dallo strato di carne e dalla maschera di cuoio.

«Una scelta eccellente, Maestà. Avete un'aria così fresca quando lo indossate, e il colore si addice alla perfezione ai vostri capelli.»

«Mi raccomando, di' alla servitù che quando torno voglio trovare pronto un bagno molto caldo. Sono settimane che non vado a caccia, e temo che mi si irrigidiscano le giunture.»

«Ho già dato l'ordine, Maestà.»

«Ti ringrazio, Festy. Sarei perduta senza di te.» L'imperatrice le fece un cenno tentando di ridere.

«Sono certa che i Lord inglesi resteranno senza fiato quando vi vedranno domani. Ho potuto osservare delle immagini della loro regina: è una donnina piccola e tonda come uno *Zwetschkenknödel*!»

Sissi scosse la testa. «Oh, di sicuro un tempo sarà stata anche

109

lei giovane e snella. Quanti figli ha avuto? Suo marito deve averla trovata attraente.»

«O forse era austriaco e aveva un debole per gli *Zwetschken-knödel*» disse seccamente la contessa.

«Immagino che se una regina lo è per diritto di discendenza, può anche non curarsi del proprio aspetto fisico.»

«Forse gli inglesi non sanno che una sovrana può essere anche bella. È per questo che domani resteranno abbagliati da voi. Ma credo che sia ora di dormire, Maestà. Sapete che il vitello fa effetto solo se riposate come si deve.»

«Non vedi l'ora di andare a letto, vero? Va', presto. Ma svegliami per tempo domattina. Voglio che i miei capelli siano perfetti.»

«Certo, Maestà.»

Guardando l'imperatrice un'ultima volta prima di chiudere la porta della camera da letto, la contessa Festetics si chiese cosa avrebbe pensato il mondo dell'Elena di Troia della modernità se l'avesse vista in quel momento, con una maschera di cuoio sul viso, il sangue di vitello che le colava lungo il collo e i capelli legati al soffitto in due lunghe corde. Ma nessuno all'infuori di lei avrebbe mai visto quell'immagine: era il loro segreto.

# 14.

## I diamanti dei Lennox

Le tre cameriere erano sedute sul divanetto della vecchia stanza dei bambini. Avevano un'aria preoccupata, e cercavano di nascondere le mani rovinate dai lavori domestici sotto i loro grembiuli oppure torcendole in grembo. Charlotte avrebbe voluto dire loro di stare tranquille, e che non sarebbe stato per lei un problema vedere quelle mani così come la realtà della loro condizione le aveva ridotte, tutte piene di arrossamenti e screpolature. Ma capì che era meglio tacere al riguardo.

Aspettò che si fossero sistemate e poi disse: «Quando sollevo la mano, dovrete fare un respiro profondo e poi pronunciare tutte insieme "ciondolo" quando espirate.»

La cameriera sulla sinistra, la più graziosa delle tre, si lasciò sfuggire qualche risatina.

Charlotte sospirò. «So che vi sembra una bizzarria bella e buona, ma quella parola darà alle vostre labbra la forma giusta per la fotografia che vorrei ottenere. Guardate cosa succede se lo dico io.» Fece un passo in avanti, spostandosi dall'apparecchio fotografico, e articolò la parola esagerando la curvatura della bocca nella sillaba finale, ottenendo così una perfetta espressione imbronciata.

«Ciondolo... ciondolo... ciondolo...» Le cameriere tentarono di pronunciare la parola, ma gli scoppi d'ilarità impedivano loro di farlo seriamente, e alla fine tutte e tre erano squassate dalle risate.

Charlotte si avvicinò alla finestra per mascherare la sua impazienza. Si chiese quando sarebbe tornato il gruppo della caccia.

Avrebbe voluto uscire quella mattina per fotografare la partenza, ma c'era troppa neve. Si voltò verso le cameriere e batté le mani.

«Siete pronte? Ho solo mezz'ora, e se non scatto la foto adesso non farò più in tempo.»

Le cameriere colsero il tono di rimprovero nella sua voce. Si misero a sedere con le schiene ben erette e tentarono di ricomporsi. Charlotte le guardò attraverso il mirino, quindi chiese a Grace, la più carina, di stare nel mezzo e sistemò le altre due di profilo. Di tanto in tanto una o l'altra si lasciava sfuggire un fremito, residuo della risata che aveva dovuto soffocare. Charlotte aspettò ancora un istante e alzò la mano.

«Ciondolo» sospirarono le cameriere. Charlotte trattenne il fiato. Sarebbero rimaste ferme per un intero minuto? Venticinque, ventisei... e intanto la cameriera sulla destra stava diventando rossa dallo sforzo di non ridere. Cinquantuno, cinquantadue... a Grace stava spuntando una lacrima. Cinquantanove, sessanta. Abbassò la mano e le ragazze si lasciarono andare a uno scoppio d'ilarità generale che quasi le sconquassò.

«Vi ringrazio, ragazze, potete tornare al lavoro.» Avrebbe voluto fotografarle in diverse pose, ma capì che non sarebbe stato facile farle star ferme per il tempo necessario.

«Ce la farete vedere la fotografia, signorina?»

«Devo prima stamparla. Tornate domani e ve la mostrerò.»

Le ragazze uscirono chiacchierando allegramente, mentre la scia delle loro voci riecheggiava nella tromba della scala di servizio.

Charlotte guardò l'orologio sul camino. Dieci minuti alle cinque. Doveva scendere in salotto per il tè, ma non aveva voglia di partecipare alla conversazione, che sarebbe stata tutta incentrata sul matrimonio imminente di Fred e Augusta. La data era stata fissata per marzo, e Lady Crewe si lagnava con chiunque l'ascoltasse che il corredo non sarebbe mai stato pronto in tempo. Charlotte sapeva che avrebbe dovuto interessarsi almeno un po' ai preparativi, ma non le riusciva proprio di prestare attenzione alle chiacchiere infinite su quale fosse il posto migliore per acquistare del pizzo *valencienne*.

Grace tornò sporgendosi oltre la porta. «Lady Crewe chiede se volete che vi sia mandato su del tè, signorina.»

Charlotte sospirò: quel messaggio significava che la sua assenza era stata notata e disapprovata. Non le restava che scendere. In un'altra occasione avrebbe potuto accusare un'emicrania, ma poi avrebbe dovuto perdere la cena con Bay.

«Grazie, Grace. Di' a sua signoria che scendo immediatamente.»

Bay non era ancora tornato quando suonò la campana che esortava a cambiarsi d'abito. Charlotte indugiò nell'atrio fino all'ultimo momento possibile, ma non c'era traccia di lui. Fred e Chicken Hartopp erano rientrati durante il tè. Charlotte aveva aspettato che il fratello finisse di raccontare quanto fosse profonda la neve, poi gli aveva chiesto: «Il capitano Middleton non era con voi?» Lui le aveva risposto, tra fragorose risate: «Santo cielo, no! Non l'abbiamo visto per tutto il giorno. Era troppo impegnato con l'imperatrice, o forse dovrei chiamarla contessa Hohenembs.» Chiaramente Fred non era stato presentato alla compagnia imperiale, e di questo reputava Middleton responsabile. Charlotte allora aveva deciso di non insistere oltre.

Si era rivolta quindi a Chicken Hartopp. «Com'è l'imperatrice? È davvero bella come dicono?»

Lui, scuotendo il capo, le aveva risposto: «Difficile a dirsi. Era sempre circondata dagli uomini del suo seguito. Dovevano essere almeno sei. Austriaci o di quelle parti. Poteva organizzarsi una caccia privata, con tutta quella gente a disposizione.»

«Chissà perché ha voluto Middleton» aveva detto Fred.

«Di sicuro gli austriaci sanno come si salta un ostacolo inglese. Anche loro se la cavano, a cavallo.»

Augusta a quel punto si era inserita nella conversazione. «Forse la fama di Middleton è arrivata fino a Vienna. O forse dovrei dire la sua reputazione?» Mentre pronunciava quelle parole aveva lanciato a Charlotte un'occhiata penetrante, ma a quel punto Lady Crewe si era alzata in piedi e il gruppetto si era sciolto.

*

Charlotte temeva che il suo guardaroba non fosse adeguato per il soggiorno a Melton. Aveva pensato che tre abiti da sera potessero bastare, ma comprese il suo errore quando vide che Augusta indossava un vestito diverso ogni sera. Era indecisa tra quello di *moire* azzurro, quello di seta rosa o quello bianco profilato di verde. Optò per il rosa. In realtà avrebbe voluto mettersi quello bianco e verde da cui Middleton aveva preso ispirazione, la sera prima, per cantare *Greensleeves*, ma sapeva che Augusta l'avrebbe notato e le avrebbe fatto qualche appunto. L'abito rosa era molto grazioso, e il corpetto era strettissimo, come voleva la moda di quella stagione.

«Ecco, signorina, cosa ne pensate?» Grace appoggiò il ferro arriccia-capelli e invitò Charlotte a guardare nello specchio il risultato del suo lavoro. Charlotte di solito portava i capelli tirati indietro e raccolti in un semplice chignon, e così ebbe un sussulto quando si vide riflessa. La ragazza aveva sistemato i capelli in un'acconciatura alta sulla testa, lasciando dei riccioli liberi che le pendevano sulle spalle e altri ciuffi arricciati che le incorniciavano la fronte.

«Vi piace, signorina?» domandò Grace ansiosa.

«Faccio fatica a riconoscermi» disse Charlotte. Era vero, sembrava proprio un'altra persona. Sapeva che non sarebbe mai stata bella, ma per una volta fu soddisfatta dell'immagine che le restituiva lo specchio. Quell'acconciatura le ammorbidiva i lineamenti affilati del volto. La frangetta arricciata metteva in risalto i suoi occhi, che quella sera erano quasi verdi. I capelli, d'una sfumatura di castano indefinito, erano diventati insolitamente luminosi e la bocca, troppo carnosa per il gusto corrente, per una volta non appariva eccessivamente grande per il suo viso minuto. Un tempo avrebbe avuto bisogno di tutto il suo coraggio per scendere di sotto e affrontare l'attento esame di tutte le altre donne dalle pettinature perfette, ma da quando aveva incontrato Bay quegli sguardi le pesavano molto meno.

«Credo che al capitano Middleton piacerà molto» disse Grace. «Ha l'aria di essere un uomo che nota questi dettagli nelle donne.»

«Già, proprio così.»

Charlotte pensò che quella sera Bay le avrebbe fatto la proposta di matrimonio. Non l'avrebbe baciata a quel modo il giorno prima se non avesse avuto intenzioni serie. Non poteva credere che lei fosse quel genere di ragazza da baciare senza conseguenze. Eppure a una parte di lei piaceva l'idea che lui potesse trovarla un po' avventata, e abbastanza disinvolta da accettare le sue effusioni senza problemi. Era stato il suo primo bacio, ma sperava che Bay non se ne fosse accorto. E se le avesse fatto la proposta, cosa avrebbe risposto? Pensò agli ammonimenti ricevuti da Fred e Augusta su quanto inadatto fosse a diventare un buon marito. Bay Middleton non era l'abbinamento che avevano in mente per il patrimonio dei Lennox, ma Charlotte aveva il sospetto che sarebbero stati realmente felici solo se lei fosse morta zitella lasciando la fortuna intatta ai loro piccoli Fred e alle loro piccole Auguste. Qualunque cosa avessero obiettato, Charlotte era convinta del fatto che Bay l'amava per quello che era, e sebbene non avesse altri termini di paragone, sentiva che l'impulso di baciarla gli era scaturito dal cuore. Da parte sua, sapeva che non avrebbe desiderato altro che baciarlo ancora.

Infilò gli orecchini di perle e controllò l'effetto allo specchio. Erano graziosi, ma non strabilianti. Per rendere onore alla nuova pettinatura, doveva indossare qualcosa di più appariscente.

«Grace, potresti chiedere a mia zia lo scrigno dei miei gioielli?»

Avrebbe indossato i diamanti dei Lennox quella sera. Non si era mai sentita all'altezza della loro magnificenza prima di allora, ma quella sera sentì che poteva metterli. Forse non l'intera parure. Sarebbero bastati gli orecchini a ottenere l'effetto che desiderava. Aveva portato i gioielli con sé a Melton affinché Augusta potesse provarli con l'abito da sposa, ma non c'era niente di male a ricordare al mondo a chi appartenevano i diamanti.

Grace tornò con lo scrigno, accompagnata da Lady Lisle, che cominciò a parlare nell'istante stesso in cui entrò nella stanza.

«Charlotte cara, quando la ragazza mi ha detto che volevi i diamanti ho pensato di accertarmi che non avesse capito male. Pensi davvero di indossarli? Sei sicura che sia una buona idea? Sono dei gioielli piuttosto impegnativi per una ragazza della tua età.»

Charlotte sorrise. «Non preoccuparti, non intendo agghindarmi come un albero di Natale. Pensavo di mettere solo gli orecchini e forse la spilla. E se dovessi sembrare ridicola, be', spero che nessuno vorrà giudicarmi così duramente.»

Aprì lo scrigno e fu gratificata dal fulgido splendore dei gioielli. Charlotte non ricordava quasi niente di sua madre, ma s'era immaginata che una volta l'avesse baciata prima di andare a un ballo e che lei fosse rimasta stordita dalle gemme sfolgoranti che le adornavano le braccia e il collo.

Gli orecchini erano a forma di lacrima, con una pietra centrale più grande circondata da diamantini più piccoli. Quando Charlotte li avvicinò alle orecchie, emanarono un bagliore sfavillante alla luce della candela.

Grace sorrise a Charlotte nello specchio.

«Sono splendidi, signorina.»

Lady Lisle, invece, pareva preoccupata.

«Mi chiedo se sia saggio metterli stasera, Charlotte. Temo che Augusta possa considerarti indelicata. Dopotutto il povero Fred non sarà mai in grado di farle avere gioielli come questi.»

«Mi sono già offerta di prestarle i diamanti per il giorno delle nozze. Non credo che possa aversene a male se per una sera indosso i miei orecchini» disse Charlotte in tono deciso. Lady Lisle tornò sui suoi passi, come faceva ogni volta al primo segno di resistenza.

«Probabilmente hai ragione, mia cara. Dopotutto i gioielli sono tuoi, quindi perché mai non dovresti indossarli?»

Diede un'occhiata più approfondita alla nipote soffermandosi sulla nuova acconciatura, sui diamanti e sulla luce che brillava nei suoi occhi grigio-verdi.

«Devo ammettere che stasera sei un vero splendore.»

«Grazie, zia. Grace ha fatto miracoli con i miei capelli.»

«La pettinatura è fantastica, ma c'è qualcos'altro. Saranno gli orecchini. Ricorderò sempre quando li indossava la tua povera madre. Stasera vedo chiaramente quanto le somigli.»

«Ma lei era una donna straordinaria. Io non ho neppure la metà della sua bellezza» obiettò Charlotte.

«Sciocchezze, mia cara. Non so da dove ti venga quest'idea. Sei molto simile a tua madre. Non solo nei lineamenti, ma nel modo in cui inclini la testa, nel modo in cui parli. Sarebbe davvero fiera di te se potesse vederti in questo momento.» Lady Lisle era una donna assai gentile. Charlotte era talmente padrona delle sue emozioni che tendeva facilmente a dimenticare la sua condizione di orfana.

«Quanto avrei voluto avere una sua fotografia. Papà gliene aveva fatta fare una sul letto di morte, ma non ho mai potuto vederla. C'è il ritratto a Kevill, è vero, ma non è la stessa cosa.»

«Ho un disegno di tua madre fatto a penna e inchiostro che risale al periodo immediatamente successivo al matrimonio. Te lo troverò. Non è una fotografia, ma ricordo che a lei piaceva molto» disse Lady Lisle.

Charlotte si avvicinò alla zia e la baciò sulla guancia. «Mi faresti davvero felice.»

Charlotte e Adelaide Lisle furono gli ultimi ospiti a raggiungere il gruppo, radunato sotto gli affreschi arturiani del salone centrale. Le sedie erano state disegnate da Pugin in persona, ma erano talmente sovrabbondanti negli intarsi e nelle decorazioni e così scomode che tutti preferivano stare in piedi. Augusta e Fred erano vicino al camino e sfogliavano un numero dell'*Illustrated London News*. Il fratello di Augusta, l'onorevole Percy, stava parlando con il parroco locale. Lord Crewe stava spiegando il significato dell'affresco a un Hartopp piuttosto indifferente, mentre Lady Crewe era seduta sull'unica sedia imbottita presente nella stanza. Non c'era traccia di Bay. Quando si avvicinarono al gruppo, Charlotte notò un guizzo negli occhi di Augusta, che si erano immediatamente posati sulla nuova acconciatura e sugli orecchini di diamanti. Fred lanciò un'occhiata di stupore, come se non capisse bene cos'avesse di diverso sua sorella, ma poi Augusta gli sussurrò qualcosa all'orecchio e il suo volto si rabbuiò. Per una volta Charlotte fu grata al capitano Hartopp per i suoi tentativi di corteggiarla. Egli, infatti, pareva aver recuperato il buonumore, come se il giorno prima non fosse successo niente. Era entusiasta di una vignetta che aveva letto sul *Punch*, anche se nel raccontarla era riuscito a deprivarla di gran parte della sua carica umoristica. Ma Charlotte sorrise ugualmente e annuì, come se si trattasse della storiella più divertente che avesse mai sentito.

Augusta, tuttavia, non era tipo da lasciarsi distrarre.

«Santo cielo, Charlotte. Stasera sei un vero splendore. C'è forse un'occasione speciale? Mi sento così sciatta, in confronto a te» le disse atteggiando le labbra a un sorriso tirato.

«La tua cameriera, Grace, è stata davvero abile con i miei capelli. Ti sono grata per avermela prestata.» Il sorriso di Charlotte si abbinava alla perfezione con quello di Augusta.

«È davvero in gamba quando si tratta di infilare forcine. È incredibile l'effetto che si può ottenere con un piccolo artificio» proseguì Augusta. «Quanto agli orecchini, invece, hai fatto tutto da sola. La loro luce è accecante.»

«Appartenevano a mia madre.»

Hartopp, che aveva ascoltato questo scambio di battute senza comprenderne il senso, s'inserì nella conversazione, felice di aver colto un appiglio. «I famosi diamanti dei Lennox, eh? Un peccato tenerli chiusi in uno scrigno.»

«La penso esattamente come voi, capitano Hartopp. A che serve possedere gioielli così belli se poi non li si indossano?» replicò Charlotte.

Augusta stava per ribattere a sua volta, ma in quel momento si udì il gong della cena. Non essendoci ancora alcun segno della presenza di Bay, Charlotte appoggiò la mano al braccio robusto di Chicken.

Mentre sfilavano ordinatamente verso la sala da pranzo, Charlotte si sentì sfiorare la spalla. Lo riconobbe, era il suo tocco.

«Sono contento di sapere che in mia assenza c'è Chicken che si prende cura di voi» disse Bay. Aveva l'aria accaldata, come se fosse sceso da cavallo in quel preciso istante. In realtà indossava un completo da sera.

«Devo andare a scusarmi con Lady Crewe. Sono tremendamente in ritardo.» Si diresse verso la sala da pranzo e Charlotte sentì una piccola scintilla di eccitazione. Bay era tornato e l'aveva reclamata.

Sollevò lo sguardo verso il capitano Hartopp e sorrise. «Sapete, capitano Hartopp, credo che dobbiate raccontarmi un'altra volta la vostra storiella. Siete davvero irresistibile.»

*

Bay fu sistemato a tavola accanto ad Augusta. Charlotte si rese conto che la sua posizione a Melton si era elevata da quando era diventato la guida di caccia dell'imperatrice d'Austria.

Augusta poteva anche disapprovarlo, ma non resisteva al fascino che emanava per via delle sue frequentazioni imperiali. Charlotte sentì che cercava di strappargli qualche racconto sull'imperatrice, ma lui era ben contento di avere il coltello dalla parte del manico e si limitò a esaltare le glorie della Pytchley. Alla fine Augusta si spazientì e lo incalzò: «Capitano Middleton, non voglio conoscere altri dettagli sui cani e sulle prede. Voglio solo sapere se è bella come dicono.»

Bay, simulando un'aria stupita, domandò: «A chi vi riferite, Lady Augusta?»

Augusta appoggiò le spalle allo schienale della sedia, visibilmente seccata. «L'imperatrice, naturalmente. A chi altri dovrei riferirmi? È davvero la donna più graziosa d'Europa?»

Bay fece una pausa, e Charlotte cercò di trattenere un sorriso. Le piaceva vedere Augusta sulle spine.

«Sapete» disse lui, «non sono in grado di darvi una risposta.»

La forchetta di Augusta cadde rumorosamente nel piatto. «Capitano Middleton, credevo che aveste passato l'intera giornata al suo fianco. Di sicuro vi sarete fatto un'idea del suo aspetto. Oppure una guida precede di una tale distanza da non vedere neppure per un istante la persona che sta accompagnando?»

Hartopp, che al pari di Charlotte stava seguendo quello scambio di battute, esclamò dal capo opposto del tavolo: «Suvvia, Middleton. Siete un grande esperto in materia di bellezza femminile. Di sicuro vi sarete fatto un'opinione.»

Bay si lisciò la punta dei baffi, tenendoli tutti in attesa. «L'imperatrice di sicuro sa come si sta in sella. Non credo di aver mai visto una donna così abile. Oggi è stata dura incedere nella neve, ma lei è rimasta dietro di me per tutto il tempo. Ha saltato ogni steccato, compresi i cancelli. Sarebbe stata un eccellente ufficiale di cavalleria.» Rivolse un sorriso a Charlotte, seduta al capo opposto.

Ma Augusta non si arrese. Le informazioni erano moneta corrente nel suo mondo, e lei era decisa a incassare il dovuto.

Intercettò il sorriso che Bay aveva rivolto a Charlotte, e così domandò: «Charlotte, ti prego, puoi aiutarmi a convincere il capitano Middleton a esprimere qualche opinione sull'aspetto dell'imperatrice?»

Charlotte esitò. La sua curiosità non era inferiore a quella di Augusta, ma non voleva schierarsi contro Bay.

«Spero di vedere l'imperatrice con i miei occhi domani. Vorrei scattare qualche fotografia al raduno di partenza, e mi piacerebbe moltissimo poter avere una sua immagine.»

Bay vuotò il bicchiere. «Temo che possiate restare delusa. La ragione per cui non posso darvi un'opinione sull'aspetto dell'imperatrice è che ha indossato per tutto il tempo un velo davanti al volto. Se l'è tolto brevemente solo alla fine della giornata, quando ormai era troppo buio per vederla.»

Hartopp rise, e disse: «Mi dispiace, Middleton, ma non ci accontentiamo della vostra risposta. Un uomo come voi riesce sempre a capire com'è fatta una donna, che indossi il velo o meno. Voi e io sappiamo bene che la bellezza si riconosce a naso.»

«Dite sul serio?» replicò Bay. «Non ho individuato nessun odore particolare nell'imperatrice, e gli unici aromi erano quelli che si sprigionavano dalla campagna. Posso solo dirvi che è piuttosto alta e di figura molto snella. Inoltre sembra avere un'enorme quantità di capelli di colore scuro. Ha un bel portamento e parla a bassa voce. Certe volte facevo fatica a udire le sue parole.»

«Alta, snella e con un bel portamento» ripeté Augusta. «Sembra che ne siate rimasto affascinato, capitano Middleton.»

«Avete tratto le vostre conclusioni, Lady Augusta» replicò Bay. «Io ho solo cercato di rispondere alle vostre domande.»

Charlotte s'inserì velocemente nella conversazione: «E come si esprime l'imperatrice? Ha un accento forte?»

«No, affatto. Sono rimasto sorpreso dal modo in cui parla la nostra lingua. È in assoluto la più disinvolta del suo entourage. Ma a dire il vero non c'è stata molta conversazione. L'imperatrice prende la caccia molto sul serio.»

«Allora è proprio la vostra anima gemella» disse Hartopp. Bay sorrise in risposta, ma Charlotte vide la sua mano stringersi attorno al manico del coltello. Lady Crewe sbraitò qualcosa con la sua voce lamentosa dalla parte opposta del tavolo. «Voglio sapere tutto dell'imperatrice, capitano Middleton.»

«È alta, snella e ha tanti capelli, mamma» disse Augusta. «Parla la nostra lingua senza accento ed è un'eccellente cavallerizza.»

«Sì, sì... ma ha un aspetto esotico? Ho sempre idea che le donne straniere abbiano un'aria così misteriosa» disse Lady Crewe.

«C'è senz'altro qualcosa di misterioso in lei, Lady Crewe» disse Middleton, «ma quanto al fatto che sia esotica o meno, non saprei. Non conosco altre imperatrici a cui paragonarla.»

La conversazione perse d'interesse per Lady Crewe, e così i commensali cambiarono argomento.

Quando le signore si ritirarono, Charlotte indugiò nel salone centrale il più a lungo possibile prima di raggiungere le altre in salotto. Fortunatamente per lei, Lady Crewe aveva insistito nel cominciare una partita di bridge, e così poté ritirarsi in un angolo della stanza dietro a un'enorme palma in vaso. Passò una ventina di minuti in preda all'ansia, spostando lo sguardo dalla porta al riflesso della sua immagine distorta restituita dal vaso in ottone che conteneva la palma. Ogni volta che spostava la testa da un lato all'altro, vedeva gli orecchini emanare bagliori.

La partita stava per finire. Da un momento all'altro Augusta sarebbe stata liberata dal tavolo da gioco e Charlotte sarebbe stata costretta a parlare con lei. Alla fine gli uomini entrarono in salotto, e Bay localizzò Charlotte nascosta dietro la palma.

«Cosa fai qui?» le domandò.

«Volevo un po' d'ombra» disse lei.

Bay rise. Ci fu una piccola pausa, ma poi Charlotte decise di porre fine a quel silenzio.

«Che ne pensi dei miei capelli? Spero sia valsa la pena perderci tanto tempo. Di solito mi vesto in pochi minuti, ma quest'acconciatura ha richiesto quasi un'ora.» Poi spostò la testa da un lato e dall'altro.

Bay inclinò il capo e socchiuse gli occhi, come se stesse ammirando un bel dipinto. «Credo che tu sia incantevole, ma del resto lo sei sempre, sia che i tuoi capelli scendano acconciati in morbidi boccoli e che dalle orecchie ti pendano dei diamanti, sia che tu

121

indossi un grembiule e che le tue mani siano ricoperte di macchie. Per me non fa alcuna differenza.»

Charlotte era lusingata da quelle parole, ma anche un po' seccata. Dopotutto aveva avuto delle noie per colpa sua.

Bay sembrò leggerle nel pensiero, e disse: «Detto questo, credo che i tuoi boccoli e i tuoi diamanti siano deliziosi.» Poi esitò. «Charlotte» riprese dopo un attimo. Lei provò un brivido a sentirsi chiamare per nome. «Vorrei che potessimo andare in un luogo tranquillo per parlare in privato. Sento lo sguardo di Augusta che mi perfora la nuca.»

Charlotte lo guardò. «C'è qualcosa di particolare di cui vuoi parlarmi, Bay?» La sua voce tremò lievemente mentre pronunciava quelle parole.

«Credo che tu abbia capito – o comunque lo spero – che devo parlarti di una cosa in particolare. Ma in primo luogo devo dirtene alcune altre che riguardano la mia situazione. Io non sono ricco. Il mio patrigno mi concede una rendita perché è un uomo generoso e adorava mia madre, ma alla sua morte il denaro andrà ai suoi figli. Ho il mio salario da ufficiale e i profitti che ricavo dalla vendita dei cavalli. Se non altro non ho debiti, e vivo dignitosamente la mia vita da scapolo, ma non dispongo di molti mezzi. Al contrario, tu sei un'ereditiera. Stasera ti vedo riflessa nei tuoi diamanti e questo mi fa pensare che forse la distanza tra noi due è troppo grande.» Si fermò e guardò il pavimento.

Charlotte si affrettò a replicare. «È vero, io posseggo dei diamanti. Ma tu hai Tipsy, futura vincitrice del Grand National. Difficile dire quale sia il tesoro più prezioso.»

Bay sollevò lo sguardo e rise. «Sono d'accordo con te, ovviamente, ma mi chiedo se il resto del mondo la pensi come noi.»

Charlotte cominciò a sfilarsi uno dei suoi guantini da sera. «Guarda questa mano. Osserva le macchie. Credi davvero che a me interessi il parere del resto del mondo?»

Bay le prese la mano nuda e stava per portarsela alle labbra quando la voce aristocratica di Augusta giunse a infrangere quel momento.

«Oh, cielo... ho interrotto qualcosa?»

Bay strinse forte la mano di Charlotte prima di lasciarla andare.

«In effetti la signorina Baird e io stavamo discutendo una questione della massima importanza per entrambi. Ma trattandosi di una conversazione privata avremmo dovuto intraprenderla in un luogo dove nessuno ci avrebbe interrotti.»

Ammiccò a Charlotte, poi, voltandosi verso Augusta, disse: «E così siete interessata all'imperatrice, vero? Bene, la cosa che mi ha più colpito in lei è stata la sua semplicità. Qualità assai rara in una donna del suo rango.»

Gli occhi di Augusta guizzarono quando ebbe questa nuova informazione. Si lasciò distrarre, ed era proprio ciò che Bay sperava. In tal modo non colse l'insolenza implicita di quella osservazione.

«Davvero? Ho saputo da Fred che invece sua sorella, la ex regina di Napoli, richiede un protocollo molto particolare. Quando lui le fu presentato, per poco non fece un'orribile gaffe: si era dimenticato che doveva allontanarsi dal suo cospetto senza mai darle le spalle, anche se si trovavano in una sala da ballo! Il ciambellano lo raggiunse più tardi per fargli una ramanzina.»

«Povero Fred» disse Charlotte. «Chissà quanto sarà rimasto mortificato.»

«Mortificato per cosa?» intervenne suo fratello, che si era appena unito al gruppo.

«Del tuo contrattempo con l'odiosa regina di Napoli» disse Augusta.

Fred sembrava in imbarazzo. «Non era mia intenzione offenderla. Non credevo che la faccenda del camminare all'indietro dovesse valere anche per una sala da ballo... piuttosto pericoloso, direi.»

«Bene, immagino che l'imperatrice non si aspetti certe attenzioni, domani» disse Bay.

«Credete di riuscire a presentarmi a lei?» chiese Fred, incapace di dissimulare la sua impazienza.

«Se se ne presenta l'opportunità. Ma ricordatevi che sono solo una guida.»

«Forse domani, quando la caccia arriva qui a Melton, si potrebbe creare l'occasione?» il tono di voce di Augusta era quasi implorante.

«Farò del mio meglio» concluse Bay.

Ci fu un tramestio generale e un movimento di sedie dalla parte opposta del salottino all'annuncio di Lady Crewe di voler andare a letto. Augusta fece per seguirla e, rivolgendosi a Charlotte, disse: «Dobbiamo ritirarci. Mia madre non resiste fino a tarda sera.»

Bay fece un inchino ad Augusta. Voltandosi verso Charlotte, disse: «Dovremo finire la nostra conversazione domani.»

«Non vedo l'ora.» Charlotte scosse lievemente la testa, con uno sfavillio di diamanti.

«Lo stesso vale per me, signorina Baird, credetemi.»

# 15.

## La zampa anteriore sinistra

Dopo che le signore furono accompagnate alla porta, Fred si rivolse a Chicken e a Bay proponendo una partita a biliardo.

Bay scosse la testa. «Non stasera. Voglio controllare che Tipsy sia in forma.» Si congedò prima che gli altri due potessero protestare.

La temperatura era calata e Bay rabbrividì quando fu all'esterno. Allo stesso tempo però sentiva che quel freddo l'avrebbe aiutato a schiarirsi le idee. Era furioso per l'interruzione di Augusta, che era arrivata proprio nel momento più delicato della conversazione con Charlotte. Erano quasi giunti al dunque, ma la sua proposta avrebbe dovuto attendere fino all'indomani. Non che la cosa lo preoccupasse – i sentimenti di Charlotte difficilmente sarebbero mutati nel giro di una notte – ma si sarebbe sentito più tranquillo se la questione fosse già stata sistemata.

A dire il vero non era stato del tutto sincero quando aveva detto ad Augusta di non essere riuscito a farsi un'opinione sull'aspetto fisico dell'imperatrice. Non sarebbe stato in grado di dire se fosse bella o meno, ma l'idea che s'era fatto di lei non aveva niente a che fare con il suo volto. Eppure sarebbe stato capace di disegnare una figura dettagliata dell'imperatrice a cavallo come se l'avesse di fronte, con la schiena diritta e la testa inclinata da un lato.

La giornata era iniziata male. Quando Spencer lo aveva presentato all'imperatrice, lei si era limitata a fargli un breve cenno del capo e poi aveva immediatamente ripreso la sua conversazione con due uomini che, a giudicare dal colore e dal taglio dei completi da caccia, dovevano essere austriaci come lei. Quei due cortigiani non avevano fatto nulla per includere Middleton nel loro gruppo. Evidentemente lo avevano scambiato per una specie di valletto. E così Bay, con suo grande imbarazzo, si era ritrovato a gironzolare un po' in disparte rispetto alla compagnia imperiale, in attesa che fosse dato il via alla caccia. Quando alla fine era arrivato il suono del corno e la muta aveva preso ad agitarsi, Middleton si era tenuto a distanza dall'imperatrice e dai suoi attendenti, precedendola di qualche metro. Lei non gli aveva rivolto neppure uno sguardo, né dato mostra di accorgersi della sua presenza, e quando Bay aveva lanciato un'occhiata verso i campi scintillanti di neve punteggiati di neri rovi, aveva maledetto Spencer tra sé e sé per aver rovinato un glorioso giorno di caccia. Non aveva alcuna voglia di assumere il ruolo dello stalliere di talento.

I segugi avevano sentito l'odore e si dirigevano a velocità sostenuta verso un boschetto ceduo. Tra la muta e la preda c'era una siepe alta almeno tre metri. I cani avevano trovato un passaggio alla base del cespuglio e stavano scavando per attraversarlo, uno per volta, lanciando alti guaiti di eccitazione. Il capocaccia si era fermato, avendo evidentemente deciso che l'ostacolo era troppo alto per poter essere saltato, e stava seguendo la siepe alla ricerca di un varco. Bay aveva visto che il resto della compagnia lo stava seguendo verso la parte opposta del campo, dove ci sarebbe stato un cancello. I segugi erano passati tutti dall'altra parte, e Bay li aveva sentiti strepitare. Sarebbero giunti al boschetto prima che qualunque cacciatore fosse riuscito a passare nel campo adiacente. Si stavano mettendo tutti ordinatamente in fila dietro il cancello, in attesa del proprio turno per poter saltare lo steccato.

Bay aveva esitato un momento, mentre i suoi pensieri andavano al conte Spencer e alla rete di doveri in cui era intrappolato, e aveva sentito Tipsy che fremeva sotto il suo peso. Si era sentito rinfrancare nello spirito e aveva premuto forte i talloni contro i fianchi dell'animale, lanciandosi dritto contro la siepe. Per un attimo aveva pensato che Tipsy potesse rifiutarsi, ma poi invece aveva caricato il salto e si erano ritrovati dall'altra parte della siepe. Per un soffio erano riusciti a non finire nel cumulo di neve ammonticchiata oltre l'ostacolo. Il cuore gli batteva forte in petto mentre rallentava, fino a che non aveva raggiunto un'andatura moderata incedendo nella neve fresca. Era questo che amava della caccia: precedere la stessa muta di cani, senza altra preoccupazione che quella di andare avanti. Sentiva i latrati dei segugi nel folto della macchia, e mentre era fermo in sella per vedere che direzione avessero preso, aveva colto un rapido movimento con la coda dell'occhio. Aveva voltato la testa, lievemente seccato del fatto che qualcun altro avesse osato saltare la siepe, e con suo grande stupore aveva visto la figura isolata dell'imperatrice che lo seguiva a pochi metri di distanza. Era ritta sulla sua cavalcatura, e appariva perfettamente curata e agghindata, così come l'aveva vista all'inizio della giornata, con la sua figura elegante che si stagliava nitida contro la neve. Quella siepe era stata una dura sfida persino per Bay, e invece l'imperatrice l'aveva saltata a cuor leggero e in totale indipendenza, senza curarsi del suo seguito.

Bay non aveva creduto al conte Spencer quando gli aveva detto che l'imperatrice era un'eccellente amazzone. Pensava che fosse una di quelle esagerazioni che a volte si adoperano quando si parla di una persona d'alto rango. Spencer non l'aveva affatto sopravvalutata: l'abilità dell'imperatrice era quasi pari alla sua. Non gli venivano in mente molti uomini che avrebbero osato saltare quella siepe, tanto meno avrebbe pensato di poter vedere una donna accingersi a una simile impresa. Aveva alzato il suo frustino in segno di ammirazione e l'aveva guardata, rendendosi immediatamente conto del fatto che forse stava infrangendo qualche protocollo di corte. Ma aveva sentito il bisogno di farle sapere che in quel momento la considerava pari a lui.

Bay non aveva atteso una reazione da parte dell'imperatrice, visto che stavano arrivando gli altri cacciatori al galoppo. Era riuscito a distinguere le giacche verdi del contingente austriaco e aveva spronato Tipsy a inoltrarsi nel boschetto. Addentrandosi nella macchia, non aveva avuto bisogno di voltarsi per capire che l'imperatrice era dietro di lui.

Era stata presente all'uccisione della preda. Bay era rimasto sorpreso nel vedere che l'imperatrice aveva assistito al momento in cui la volpe veniva dilaniata dai cani senza neppure un fremito. Solo quando il capocaccia le aveva offerto la coda dell'animale, lei ebbe un sussulto e gli fece segno con la mano di allontanarsi.

Sulla via del ritorno, Bay aveva notato che l'imperatrice seguiva lui piuttosto che i membri della sua scorta. La luce cominciava a scemare, e così aveva lasciato che Tipsy trottasse lentamente. Stava pensando al fatto che la sua cavalla fosse pronta per il Grand National in primavera quando l'imperatrice lo aveva chiamato. «Capitano Middleton.» Lui si voltò, sorpreso e compiaciuto del fatto che si fosse ricordata il suo nome.

«Credo che il vostro cavallo zoppichi lievemente alla zampa anteriore sinistra.» Lui stava cavalcando subito davanti a lei, e quindi all'inizio non l'aveva sentita parlare. Lei aveva dovuto attirare la sua attenzione picchiettandogli sul braccio il ventaglio di cuoio che pendeva dal pomello della sua sella. La voce era bassa e calma, pressoché priva di accento. Era la precisione del suo discorso a tradire la provenienza straniera: non aveva la parlata strascicata di una nobildonna inglese d'alto rango. Bay aveva abbassato lo sguardo verso la zampa di Tipsy, ma non aveva visto niente di strano.

«Darò un'occhiata quando avremo raggiunto gli altri, Maestà.»

Lei aveva battuto il ventaglio contro la sella. «Non credo che possa attendere, capitano.»

Lui aveva percepito una sfumatura imperiosa nella sua voce, aveva tirato Tipsy da un lato ed era smontato per poter osservare meglio la zampa. L'imperatrice aveva ragione: c'era un sassolino incastrato nello zoccolo che stava facendo zoppicare la cavalla. Lui non se n'era accorto. Eliminò la pietra con il suo coltello da taschino. La punta del fettone dello zoccolo di Tipsy era rossa e infiammata. Se fosse andato ancora avanti, Tipsy avrebbe zoppicato per settimane, e le possibilità di vincere l'ambito trofeo sarebbero sfumate. Era costernato per non essersene accorto prima. Mise giù la zampa e quando rialzò lo sguardo vide che l'imperatrice aveva scostato il velo e lo stava osservando.

«C'era qualcosa nello zoccolo?» La sua carnagione appariva chiara sotto quella luce ormai scarsa. Era riuscito solo a intravedere i suoi lineamenti: sopracciglia scure, naso dritto, zigomi alti, qualche ruga attorno agli occhi.

Aveva disteso il palmo della mano verso di lei e le aveva mostrato cosa aveva estratto dallo zoccolo di Tipsy. Lei si era sporta in avanti e aveva sfiorato la piccola pietra con la punta del ventaglio. «È stato un bene che l'abbiate rimossa, capitano Middleton. Sarebbe un peccato se un così bel cavallo dovesse zoppicare proprio all'inizio della stagione di caccia.»

«Sono in debito con Vostra Maestà, poiché ammetto di non essermi accorto del problema.»

«Sono cresciuta con i cavalli, capitano Middleton. Mio padre non era molto interessato alla cultura ma ha insegnato a tutte noi ad andare a cavallo.»

«È stato un ottimo maestro, se posso permettermi.»

L'imperatrice lo aveva guardato e aveva accennato un sorriso, senza mostrare i denti.

«Se fossimo in Austria non sarebbe considerata cosa opportuna che voi mi rivolgeste la parola in modo così diretto, ma non siamo in Austria. Immagino che voi non siate in grado di esibire sedici quarti di nobiltà nel vostro albero genealogico.» Middleton aveva scosso la testa. Cosa avrebbe mai detto se avesse saputo quanto umili fossero state le sue origini?

«Dunque non potreste far parte del seguito imperiale, capitano Middleton.» Il viso dell'imperatrice s'era fatto serio.

Middleton era tornato in sella. Ora erano alla stessa altezza, e l'imperatrice aveva sorriso nuovamente, mentre sulla guancia le era apparsa una fossetta. «Ma questa è una delle ragioni per cui preferisco venire qui a praticare questa attività» aveva detto, riprendendo a cavalcare.

# 16.

## Il ventaglio di cuoio

Charlotte fu svegliata da un rumore pari al frastuono di mille piatti che sbattevano contro un pavimento di pietra. Impiegò qualche momento prima di rendersi conto che erano gli strepiti dei cani da caccia. Quando si riversarono nella stalla, i loro guaiti riecheggiarono contro i muri di pietra, creando una cacofonia che rendeva impossibile il sonno.

Restò a letto ad ascoltare tutti i rumori della casa che riprendeva vita: il baccano delle sguattere con i loro secchi di carbone, lo scalpiccio del garzone che sistemava gli stivali tirati a lucido davanti alle camere da letto, il viavai di domestici e valletti che spazzolavano e inamidavano i completi da caccia. Le cameriere parlottavano concitatamente della caccia e della possibilità di vedere l'imperatrice mentre accendevano i caminetti. «La cuoca dice che i capelli le scendono fino alle caviglie.»

Charlotte di solito si nascondeva negli anfratti più reconditi della casa quando c'era una battuta di caccia nella sua residenza di Kevill: sviluppava fotografie nella camera oscura oppure si rinchiudeva nello stanzino della biancheria, dove si divertiva a esaminare le lenzuola che erano appartenute al corredo di sua madre. Su ogni singolo pezzo erano ricamate le iniziali DAB – Dora Alice Baird – insieme alla piccola civetta che aveva scelto come simbolo distintivo. La seconda signora Baird non aveva avuto il tempo, nel corso della sua breve vita, di lasciare molte tracce della propria personalità nella casa di Kevill: era troppo occupata a organizzare feste e gite a cavallo. E così Charlotte possedeva ben pochi ricordi di sua madre oltre allo scrigno dei gioielli e a una quantità di lenzuola irlandesi che diminuiva progressivamente. Charlotte passava dunque in rassegna quelle lenzuola alla ricerca di piccoli strappi che un alluce ignaro, incastrandovisi, avrebbe trasformato in strappi non più rimediabili. Trovare il filo tirato prima che si sfilacciasse l'intero tessuto era un lavoro che dava grande soddisfazione. Era il suo modo personale di preservare la memoria della madre.

In quello stanzino fresco e profumato di amido Charlotte si sentiva al sicuro, e così poteva lasciarsi andare al ricordo dell'ultima volta in cui aveva visto sua madre. L'aveva aspettata a metà pianerottolo per mostrarle la sua nuova bambola, che aveva battezzato dipingendole una croce rossa sulla fronte di porcellana. Alla fine Dora Baird era scesa dalle scale, con il completo da equitazione appoggiato su un braccio. Charlotte ricordava bene i risvolti di pizzo della sua calzamaglia e le borchie lucide degli stivali. Ogni dettaglio della tenuta da cavallerizza di sua madre restava sempre fresco nella memoria di Charlotte, ma non il suo viso. Aveva riso quando lei le aveva mostrato la bambola battezzata. «Sei una bambina davvero solenne, mia piccola Lottie.»

Charlotte allora le aveva affondato il visino tra le braccia e aveva sentito il tessuto ruvido di quel completo da cavallo sfregarle le guance e le mani. Poi c'era stato il rumore del frustino che batteva contro la ringhiera mentre scendeva l'ultima rampa della scalinata, allontanandosi da lei per sempre. Sua madre si era sposata a diciotto anni ed era morta a ventitré. Il suo cavallo non era riuscito a saltare uno steccato e Dora Baird, nata Lennox, era stata sbalzata di testa in un fossato, rompendosi l'osso del collo. Avevano riportato a casa il suo corpo sopra un letto di rami e foglie, coperto dalla giacca di uno dei cacciatori. Charlotte aveva assistito alla scena dalla finestra della stanza dei bambini, chiedendosi cosa fosse quella macchia rosa che gli uomini stavano portando così lentamente attraverso i campi, ma poi la sua balia l'aveva trovata e l'aveva tirata via da quella finestra.

Dopo l'incidente il padre di Charlotte dichiarò che non sarebbe mai più andato a caccia. Ma gli inverni sono interminabili nella zona dei Border, e i divertimenti così scarsi che l'astinenza dalle attività venatorie che si era voluto imporre durò solo fino al Natale seguente. Ma su una cosa la sua volontà non vacillò: la sua unica figlia non avrebbe mai seguito le orme della madre. Il pony era stato rimosso dalle stalle, e la piccola Charlotte veniva mandata a giocare nella stanza dei bambini ogni qualvolta Kevill venisse scelta come base per una battuta di caccia. Fu solo quando la sua madrina Lady Dunwoody le regalò l'apparecchio fotografico e le insegnò a usarlo che Charlotte riuscì a dare un senso alle sue lunghe giornate invernali.

Ma non c'era modo, quella mattina, di sfuggire al passaggio della caccia. Naturalmente avrebbe potuto accusare un'emicrania e restarsene nella sua stanza fino a che i cacciatori non fossero partiti, ma voleva vedere Bay. Se fossero convolati a nozze, non avrebbe potuto rinchiudersi nello stanzino della biancheria da novembre ad aprile. Inoltre, voleva vedere l'imperatrice.

Charlotte era curiosa di vedere se fosse bella come tutti dicevano. Aveva visto sull'*Illustrated London News* un suo ritratto ad acquaforte ispirato da uno dei dipinti di Winterhalter, dove appariva romantica e piena di sentimento, con i lunghi capelli tempestati di stelle scintillanti. Ma quell'immagine doveva risalire almeno a una decina d'anni prima, a giudicare dalla foggia della crinolina. Sissi era ancora così bella, dopo due lustri? Bay non era stato molto loquace la sera prima a cena, quando gli era stata rivolta quella domanda. Charlotte lo aveva apprezzato molto per il suo atteggiamento schivo, non essendosi abbassato al livello di Augusta e non avendo dunque risposto alle sue domande. In materia di bellezza femminile gli uomini non sempre potevano considerarsi testimoni affidabili. Charlotte sapeva bene che a volte si apriva un abisso tra le caratteristiche che un uomo poteva trovare attraenti in una signora e il tipo di bellezza in grado di sottostare a uno scrupoloso scrutinio da parte di un'altra donna. L'obiettivo della macchina fotografica era altrettanto impietoso. Le donne "tutte mossette e chiffon", per usare le parole di sua zia, non venivano riprodotte in modo lusinghiero sulla lastra fotografica. Tutto l'armamentario convenzionale del fascino femminile – l'aria imbronciata, il batter di ciglia, i palpiti in petto –

veniva annientato dal lungo tempo di esposizione richiesto dalla fotografia. Non era facile fissare un obiettivo per un intero minuto senza vacillare, e Charlotte aveva avuto modo di constatare che l'impresa era più ardua per le donne che per gli uomini. Sebbene i nuovi apparecchi prevedessero tempi di esposizione più ridotti, le donne che necessitavano di rapidi giochi di destrezza per abbagliare i loro ammiratori risultavano sempre deludenti, una volta immortalate in fotografia.

Dopo colazione Charlotte salì nella vecchia stanza dei bambini per prendere la sua apparecchiatura. Guardò nuovamente la fotografia di Bay con Tipsy. I suoi occhi azzurri sembravano quasi accendere di luce la stampa. Più tardi, pensò, avrebbe ritoccato lo sfondo in modo tale che non ci fosse nulla a distrarre l'occhio dell'osservatore oltre alle due figure di uomo e cavallo.

Percorrendo il salone centrale con la sua attrezzatura, per poco non si scontrò con un domestico che teneva in mano un vassoio d'argento carico di "bicchieri della staffa", le coppe di liquore scaldato che venivano offerte ai cacciatori in partenza. Quando aprì la porta e vide quella massa informe di chiazze rosse, nere e marroni punteggiate d'argento, con i cavalli che sbuffavano e nitrivano producendo un odore di eccitazione animale, restò quasi paralizzata. Il giorno in cui sua madre era partita per l'ultima volta in sella al suo grigio preferito, Charlotte aveva percepito la stessa identica combinazione di luci, colori e rumori. Avrebbe voluto ritirarsi nella fresca oscurità della casa e far finta che non stesse accadendo niente.

«Bicchiere della staffa, signorina?» Il domestico le porse il vassoio. Charlotte accettò una coppa d'argento e bevve un sorso del liquore fumante. Credeva fosse una sorta di vino speziato, ma era più forte di qualunque cosa avesse mai bevuto. Quel sorso le bruciò la gola come fuoco liquido, andando a dissolvere le farfalle che le si agitavano nello stomaco. Un cavallo nitrì in lontananza, e Charlotte buttò giù un altro sorso.

Quando la figura di Bay fece la sua comparsa in fondo al parco con Chicken Hartopp, il bicchiere era ormai vuoto. Charlotte non riusciva a scorgere chiaramente il volto di Bay, ma ebbe la sensazione che stesse sorridendo mentre saltava il muretto che separava il parco dal giardino.

Fece un respiro profondo e uscì sulla terrazza.

Bay frenò il suo cavallo davanti a lei. Dal suo punto di osservazione, riusciva a guardarlo negli occhi. Lui si sfiorò la punta del cappello in segno di saluto.

«Niente gioielli stamane, Charlotte?»

«Credo che i diamanti di primo mattino siano estremamente volgari.» Charlotte arricciò le labbra come a voler imitare Augusta. Bay rise e si sporse verso di lei.

«Quanto avrei desiderato poter cavalcare al tuo fianco stamattina. È una giornata fantastica per la caccia. Una giornata perfetta.»

«A meno che tu non sia una volpe, ovviamente» ribatté Charlotte.

Bay restò sorpreso dal tono di quelle parole.

«A me invece piacerebbe avere la tua compagnia mentre lavoro nella camera oscura.» Il bicchiere della staffa aveva permesso a Charlotte di dire esattamente quello che le passava per la testa.

«Sarei felice di poter passare la giornata con te nella camera oscura. Ma temo che a Tipsy non farebbe piacere. Guardala, sta morendo dalla voglia di uscire a caccia.»

«E tu hai un'imperatrice di cui occuparti.»

«Tipsy mi aiuterà.» Bay agitò la mano come se volesse scacciar via l'immagine dell'imperatrice.

«È già arrivata? Vorrei proprio vederla. Mi piacerebbe scattarle una fotografia. Mi sto specializzando in ritratti di cavalli e cavalieri.»

«L'imperatrice non è qui, anche se credo stia arrivando da Easton Neston. Non possiamo cominciare senza di lei, ovviamente.»

«Ovviamente. E io che credevo che la puntualità fosse una virtù dei principi» disse Charlotte.

«Non delle imperatrici, sembrerebbe. I segugi hanno già fiutato la preda due volte, da stamattina. Oramai stanno per impazzire dalla smania. Sono ansiosi di partire, perché sanno che è una giornata perfetta per la caccia.» Quando si voltò a guardare i cavalli e i cani, Bay lanciò un'esclamazione di saluto a un uomo attempato con la faccia arrossata dai lunghi anni di cavalcate e liquori forti, in sella a un cavallo dal lucido manto castano.

«Buon giorno, colonnello Postlethwaite. Come sta oggi Salamandra?»

Il colonnello si fermò, mentre s'allungava a cercare con lo sguardo Bay. Quando si voltò nella loro direzione, Charlotte notò che i suoi occhi erano coperti d'una patina lattiginosa.

«Siete voi, Middleton? Non riuscivo a vedervi. Salamandra sta benissimo. Vale tutto il denaro che vi ho dato per averla.»

Bay rise. «La ricomprerei in qualunque momento, e alla stessa cifra.»

Il colonnello diede una pacca affettuosa alla cavalla. «Non potrei più separarmi da te, cara la mia ragazza, eh?» Sollevò lo sguardo e Charlotte vide che stava cercando Bay, che era a pochi passi di distanza. Quell'uomo era quasi cieco.

«Quaggiù, colonnello» disse Bay. «Posso presentarvi la signorina Baird?» Postlethwaite guardò nella direzione opposta.

«Signorina Baird, il colonnello Postlethwaite, decano della Pytchley, un vero maestro nell'arte dell'equitazione.»

Charlotte annuì ma poi, pur rendendosi conto dell'inutilità di quel gesto, disse alzando il più possibile il tono di voce: «Molto piacere, colonnello Postlethwaite.»

«È un onore, signorina Baird.»

Bay parlò in fretta. «La traccia è piuttosto forte. Ho idea che sarà una giornata memorabile. Potrete offrire la testa della preda alla vostra Salamandra.»

«Oh, è proprio ciò che vorrei fare, Middleton.» Il colonnello affondò i talloni nei fianchi della sua bestia e sparì tra la folla.

Charlotte guardò Bay. «Riesce a vedere qualcosa?»

«Pochissimo. Ma Salamandra è un ottimo cavallo. Sarà lei a guidarlo.»

«Non è pericoloso?» chiese Charlotte.

Bay stava quasi per scoppiare a ridere, ma poi pensò bene di non farlo e rispose gentilmente: «Postlethwaite non crede che sia pericoloso, Charlotte. È tutta la vita che va a caccia da queste parti. Non è il pericolo che lo spaventa, ma il giorno in cui non potrà più montare a cavallo.»

Charlotte sentì che gli occhi le si riempirono improvvisamente di lacrime. Che sciocco, quel povero vecchio cieco. Abbassò lo sguardo verso la macchina fotografica e cominciò a giocherellare con l'otturatore nel tentativo di nascondere le proprie emozioni. In quel momento ci fu un grido e un diffuso mormorio si levò tra la folla. Charlotte capì che stava arrivando l'imperatrice con il suo seguito poiché tutti i convenuti, tranne Postlethwaite, si voltarono verso di lei. Attorniata dai suoi attendenti, stava scendendo al piccolo galoppo giù dalla collina che conduceva alla casa.

Non ci poteva essere composizione migliore, pensò Charlotte. Se solo non si muovessero così in fretta, potrei scattare una magnifica fotografia. L'imperatrice indossava un completo da equitazione verde scuro, e la sua figura era snella ed eretta sul suo roano rossiccio. Accanto a lei c'erano due cavalieri in giacca verde chiaro e speroni d'argento, e dietro di loro un garzone di stalla. Charlotte vide che l'imperatrice cavalcava come se fosse incollata al cavallo: non sobbalzò né si sbilanciò di un millimetro quando il cavallo cominciò la discesa. Non appena il quartetto imperiale ebbe oltrepassato il muretto di recinzione che Bay aveva scavalcato poco prima, si udì un sospiro di eccitazione provenire dalla folla. Gli attendenti si chinarono in avanti per parare il colpo, mentre lei restò perfettamente immobile in sella, seduta all'amazzone, come se volasse all'unisono con la sua cavalcatura.

«Finalmente» disse Bay. Affondò i talloni nei fianchi di Tipsy e dopo un breve cenno di saluto a Charlotte partì al trotto verso il drappello imperiale.

L'imperatrice si era fermata nel mezzo del cortile anteriore, sempre attorniata dal suo seguito. Stava parlando con il conte Spencer, col volto sollevato per via dell'altissima statura del suo ospite. Si era tolta il velo, e Charlotte poté scorgere i suoi lineamenti minuti e affilati che creavano uno stridente contrasto con l'immensa massa di capelli acconciati dietro la nuca. Gli altri partecipanti si tenevano a rispettosa distanza dal piccolo corteo imperiale. Charlotte pensò che quello fosse il momento giusto per scattare la fotografia. Aveva preso con sé una lastra con un nuovo tipo di emulsione che richiedeva tempi di esposizione più rapidi. Lady Dunwoody le aveva detto che alla luce del sole dava buoni risultati. Infilò la testa sotto il panno e posizionò l'apparecchio in modo tale da inquadrare il soggetto al centro dell'immagine. Provava una strana sensazione a scattare una fotografia senza che il soggetto ne fosse a conoscenza, ma Charlotte sapeva che probabilmente non avrebbe avuto occasioni migliori di quella. Regolò il mirino finché l'imperatrice non andò a occupare il riquadro più alto della lastra, circa un terzo dell'ampiezza totale: una lieve asimmetria, pensò, contribuiva sempre a migliorare l'effetto. Strizzò l'interruttore della lampada, sentì il rimbombo ovattato e cominciò a intonare il Pater Noster. Arrivata a "dacci oggi il nostro pane quotidiano" decise che l'esposizione sarebbe stata sufficiente, quindi rilasciò la lampada e uscì dal suo sudario. L'imperatrice stava ancora parlando con il conte Spencer, ma aveva voltato lievemente il cavallo, e dunque ora l'intero suo volto era visibile. Da dove si trovava Charlotte vide che aveva lineamenti regolari, un naso dritto, occhi scuri e sopracciglia folte e arcuate. Era bella? Charlotte non riusciva a capirlo, ma c'era un'intensità nello sguardo di quella donna parecchi anni più vecchia di lei che la sorprese. Ebbe l'impressione che l'imperatrice fosse piena di emozione, e quasi le parve di scorgere dei fremiti che le scuotevano le membra. Si chiese cosa potesse mai averle detto il Conte Rosso per produrre un simile effetto. Ma lei doveva catturare quel momento. Cercando di fare in fretta, inserì una nuova lastra nell'apparecchio e diede un'occhiata alla composizione attraverso la lente dell'obiettivo. Spostò di qualche millimetro la macchina verso destra e strizzò nuovamente la pompetta della lampada. Per sicurezza, recitò la preghiera fino al verso successivo rispetto alla precedente esposizione.

Finita la fotografia si raddrizzò e osservò la scena che aveva appena immortalato, notando due cose: la prima era che l'imperatrice teneva dinanzi al volto un oggetto che pareva simile a un ventaglio; la seconda era che esattamente dietro al conte Spencer c'era Bay Middleton. Il ventaglio era ampio e sgraziato, e non era lì per ragioni decorative o per la ventilazione: fungeva da scudo.

Sebbene fosse una giornata fredda, Charlotte si sentì avvampare dall'umiliazione come fosse una marea rovente che le ustionava il viso e il collo. Si sentì come se qualcuno l'avesse appena schiaffeggiata. Fissò Bay, nel tentativo di catturare il suo sguardo. Avrebbe potuto facilmente spiegare all'imperatrice che lei era una fotografa dilettante che non avrebbe certo voluto mancarle di rispetto, ma Bay non sembrò accorgersi di lei, preso com'era dal volto che si celava dietro il ventaglio.

# 17.

## Il colonnello Postlethwaite

L'imperatrice stava parlando con il conte Spencer quando Bay si avviò per raggiungerla. Via via che si avvicinava, scorgeva sempre più chiaramente il suo profilo, poiché il velo era sollevato. Il giorno prima era riuscito a vedere il suo viso soltanto nella penombra argentea del crepuscolo, mentre ora si offriva al suo sguardo sotto i raggi d'un intenso sole invernale. L'imperatrice aveva lineamenti assai decisi: le sopracciglia scure contrastavano fortemente con la carnagione bianchissima, i capelli color mogano erano messi in risalto dal completo da equitazione verde, il rosso delle labbra si accendeva di riflessi a confronto con il candore del collo. Doveva essersi accorta del calore del suo sguardo, perché voltò immediatamente la testa verso di lui. Subito dopo, tuttavia, doveva aver visto qualcosa che l'aveva fatta accigliare, poiché la bocca s'era contratta in una smorfia. Cominciò a frugare nella piccola sacca attaccata alla sella con movimenti bruschi e concitati e ne estrasse un oggetto che a prima vista sembrava un corto bastone. L'imperatrice diede un colpetto di polso e Bay vide che si trattava di un ventaglio di pregiato cuoio color marrone. Lo sollevò davanti al viso, nascondendosi completamente alla vista. Bay si sporse oltre quello schermo per capire da cosa si stesse proteggendo, e in quel momento vide l'esile figura di Charlotte accanto alla sua macchina fotografica, con la lampada al magnesio stretta in una mano. Alle spalle di Spencer c'erano i due attendenti dell'imperatrice che s'irrigidirono scambiandosi un'occhiata preoccupata.

In quel momento l'imperatrice si accorse di lui.

«Capitano Middleton» l'apostrofò agitando il ventaglio con gesto di stizza. «Questo è troppo. Non c'è alcun posto dove si possa stare al sicuro.»

Il conte Spencer, allarmato da quelle parole, intervenne prontamente: «Maestà, posso assicurarvi che la Vostra persona non subirà alcuna minaccia nel corso della Pytchley.»

«Temo che vi sbagliate. C'è qualcuno là che mi sta scattando delle fotografie, conte Spencer.» Non alzò la voce, ma Bay pensò che la bassa intensità del suo tono fosse segno di un'ira ancora più accesa.

«Mi sono unita a questa caccia in veste privata, e non voglio diventarne la preda. Credevo di potermi sentire al sicuro qui, e invece mi rendo conto di essere come al solito un'attrazione da circo, un souvenir da conquistare, o da vendere ai giornali.»

Il conte si guardò intorno sbalordito, ma poi vide Charlotte sulla terrazza, che si affannava a smontare e rimuovere la sua attrezzatura.

«Oh... ma è solo la giovane Baird. È un'ospite qui a Melton, e sono certo che non intendeva recarvi alcun danno. Ci sono tante fanciulle che si dilettano di fotografia, oggigiorno. In passato si dedicavano al disegno e alla pittura, ma... bisogna stare al passo coi tempi. Non è così, Middleton?»

Il conte voltò la sua testa massiccia verso Bay con un inequivocabile sguardo nei suoi occhi cerulei: Charlotte Baird era responsabilità sua, e siccome era stata lei a causare scompiglio toccava a lui porvi rimedio.

L'imperatrice aveva sollevato il mento, e Bay pensò che quella postura la rendeva incredibilmente attraente. Non capiva perché fosse così infuriata, ma gli piaceva il modo in cui la stizza esaltava la bellezza dei suoi lineamenti. Non poteva fare a meno di vedere la donna che traspariva sotto la scorza dell'imperatrice, con quel vitino stretto, quella massa enorme di capelli e quei suoi occhi scuri e indecifrabili. Sul labbro superiore dell'imperatrice c'era un piccolo neo, unica macchia in quella pelle chiarissima. Avrebbe voluto toccarla. Ma poi un guizzo del ventaglio gli ricordò che quella donna era anche una monarca. Ebbe un momento di esitazione: sapeva che avrebbe dovuto sostenere Charlotte, ma l'imperatrice non avrebbe gradito che prendesse le difese di un'altra donna.

«Se solo potessimo davvero muoverci al passo coi tempi» disse lui con un sorriso, nella speranza che la sua interlocutrice facesse altrettanto. «Letteralmente, intendo. Mi piacerebbe davvero che si potesse immortalare la meraviglia della mia Tipsy al galoppo.» Lei lo guardò dritto in faccia, chiaramente sorpresa dallo smorzarsi improvviso della sua rabbia. Per un istante Bay pensò che l'avrebbe rimproverato, ma poi vide che i suoi lineamenti si stavano distendendo e la postura delle spalle si faceva meno rigida. «Ho una splendida fotografia che mi ritrae con Tipsy. Immaginate che meraviglia se la si potesse vedere mentre corre come il vento?»

«Se ciò è possibile nell'immaginazione, capitano Middleton, allora sono certa che un giorno potrebbe diventare realtà.» L'imperatrice abbassò lentamente il ventaglio e gli angoli della sua bocca si sollevarono lievemente come ad abbozzare un sorriso. Spencer si lasciò sfuggire un profondo sospiro e i due attendenti austriaci si rilassarono. Bay vide che i cortigiani avevano appena annoverato la sua presenza, degnandolo di considerazione per la prima volta.

Stava per rispondere all'imperatrice quando un alto guaito si levò dalla muta dei cani, che avevano fiutato la traccia. La guardò, e lei sollevò il frustino, facendogli cenno di precederla. Bay tirò le briglie e si accodò agli altri cacciatori che si avviavano lungo il vialetto. Ai cancelli, quando l'imperatrice l'ebbe superato, Bay si voltò verso la terrazza, ma Charlotte era già andata via.

La giornata era tersa e luminosa, e lo strato sottile di neve crocchiava sotto gli zoccoli dei cavalli. I cani avevano individuato la traccia su per una collina sormontata da un piccolo tempio greco, posizionato in modo tale da poter essere visto facilmente dal salottino della casa. Mentre lo oltrepassava al piccolo galoppo, Bay vide che era dedicato a Diana cacciatrice: la statua della dea era raffigurata con l'arco teso tra le mani. L'educazione ai classici che aveva ricevuto in gioventù era stata alquanto sommaria, ma Bay riconobbe facilmente l'effigie di Diana, poiché nutriva un interesse specifico per le divinità che proteggevano la caccia. Conosceva la storia di Diana e Atteone, il cacciatore che era stato trasformato in preda per aver sbirciato la dea al bagno. Spencer possedeva un dipinto ad Althorp nel quale Atteone sorprende Diana nuda circondata dalle sue ancelle e dedita alle abluzioni. Quando Bay l'aveva visto aveva pensato che la figura opulenta della dea avrebbe necessitato di un cavallo di una certa stazza. Quella statua, invece, era snella, con il corpo flessuoso che pareva avvitarsi su se stesso mentre la dea prendeva la mira. A'veva l'aria di una donna che non poteva mancare il colpo. C'era qualcosa nella limpidezza del suo profilo che gli risultava familiare. Si voltò per darvi un'altra occhiata, e proprio allora l'imperatrice gli si parò sul lato sinistro: la somiglianza tra le forme esili della statua e la sagoma leggiadra e al tempo stesso decisa dell'imperatrice era inequivocabile. Alzò il frustino per indicare quell'immagine alla sovrana, ma lei era già passata oltre, seguendo i cani.

Stavano procedendo ad andatura sostenuta. A Bay piaceva iniziare la giornata con un po' di movimento, soprattutto quando la muta si disperdeva e anche i cacciatori si separavano, prendendo strade diverse a seconda dell'abilità e dell'audacia. Bay non doveva dimostrare niente a nessuno, eppure gli piaceva ritrovarsi in testa al gruppo. C'erano molte circostanze nelle quali doveva tenere a freno i suoi istinti, ma sul terreno di caccia non v'era deferenza né ordine, a esclusione di quello della natura. Perfino l'imperatrice, che lo sovrastava da tutti i punti di vista, doveva seguire il suo comando.

I cani s'erano fermati nei pressi di un ruscello. Avevano perso la traccia. Il capocaccia li stava esortando a superare il corso d'acqua, ma erano confusi e riluttanti a immergersi nei gelidi flutti. Bay si guardò attorno alla ricerca di un guado. Il torrente era troppo largo per poterlo superare con un salto, e non voleva inzupparsi d'acqua sin dal primo mattino, se non era strettamente necessario. A un centinaio di metri di distanza il fiumiciattolo curvava. Bay spronò Tipsy verso quel punto per controllare se fosse più agevole. L'imperatrice lo seguì, e lo stesso fece, con sua grande sorpresa, il colonnello Postlethwaite. Bay non si capacitava del fatto che il colonnello fosse andato dietro all'imperatrice: quell'uomo era quasi cieco, eppure era riuscito a individuare la donna più bella di quella battuta di caccia. Il colonnello era stato uno dei tanti ammiratori di Skittles, la celebre cortigiana che aveva preso parte alla caccia Quorn negli anni Sessanta. Era rimasta famosa per la foggia attillata dei suoi completi da equitazione, che secondo alcuni si faceva addirittura cucire addosso indossandoli sulla nuda pelle, e dal modo selvaggio in cui cavalcava. Si mormorava in giro che avesse un debole per il colonnello, al punto da perdonargli persino d'essere privo di mezzi.

Dal baccano dei cani fu chiaro che alcuni di essi avevano varcato il fiume e avevano ritrovato la traccia sull'altra sponda. Nel punto in cui era Bay il corso appariva leggermente più stretto, e l'argine offriva un declivio sabbioso. Avrebbe potuto sia tentare il salto che scegliere il percorso a guado, più sicuro ma nel quale si sarebbe inzuppato d'acqua. Bay non esitò, spronando Tipsy a prendere la rincorsa. Il salto riuscì alla perfezione, con grande sollievo di Bay. L'imperatrice atterrò subito dopo, seguita immediatamente dal colonnello Postlethwaite, il cui volto rubizzo s'era acceso di un sorriso raggiante.

Uno degli attendenti austriaci che scortavano l'imperatrice stava tentando di raggiungerla ed era sul punto di saltare il ruscello. Bay vide il cavallo che inciampava e si sforzò di non sorridere mentre l'uomo cadeva di testa. L'acqua non era profonda e l'uomo riuscì a trascinarsi verso l'argine, ma la scena restava alquanto comica: era bagnato fino al midollo, con i galloni dorati della giacca inzaccherati di fango e le braghe trasparenti.

Bay sentì una sorta di risata e si voltò verso l'imperatrice, in preda a uno scoppio convulso d'ilarità. Si scambiarono un'occhiata, e lei alzò le spalle.

«Esterházy ha frenato il cavallo. Avrebbe dovuto seguire con coraggio le sue convinzioni. Se stai per saltare, devi farlo in modo deciso. Non c'è tempo per i ripensamenti» disse, seguendo il colonnello Postlethwaite, che sembrava trascinato da un filo invisibile lungo il tragitto dei cani.

Bay indugiò per qualche istante mentre il povero Esterházy cercava di recuperare la sua cavalcatura, poi voltò il cavallo verso la pista indicata dai cani.

I segugi si stavano sparpagliando in una formazione ad arco. Bay restava sempre stupito dal fatto che le volpi si rifiutavano di correre con traiettoria diritta. Gli innumerevoli inseguimenti in circolo e i continui cambi di direzione erano gli elementi che rendevano così affascinante la caccia. Non c'era logica in essa, né ordine. Le ferrovie che ricoprivano da qualche tempo gran parte della campagna inglese potevano procedere lungo inesorabili linee parallele per sempre, ma le volpi non si sarebbero mai attenute all'orario dei treni. Bay amava profondamente la concitazione casuale delle giornate di caccia, la frenesia d'una corsa al galoppo seguita da momenti di pausa in cui i cani cercavano la traccia. Tutti gli altri giorni si basavano su una scansione ordinata fatta di pasti, cambi d'abito e altri piaceri ritualizzati, ma sul terreno di caccia niente era prevedibile. Non c'era mai una giornata uguale a un'altra. A Londra, durante la stagione in società, Bay sapeva quasi al minuto dove sarebbe stato in qualunque momento della giornata e in qualunque giorno della settimana. Il campo di battaglia doveva essere altrettanto imprevedibile, ma Bay era un soldato che non aveva mai fatto la guerra. La Pax Britannica aveva fatto sì che i territori di caccia divenissero il suo campo di battaglia.

Il resto dei partecipanti si stava avvicinando. Il gruppo si era assottigliato nel corso della giornata. Gli attendenti imperiali erano tornati a casa quando avevano capito che bisognava tenersi al passo con l'imperatrice. Bay vide Spencer che trainava la parte mediana della linea, con il cavallo sudato e incrostato di fango. Spencer era assai esperto negli sport a cavallo, ma la sua stazza imponente gli impediva di porsi alla testa del gruppo. Bay si voltò e vide l'imperatrice che l'aveva superato nuovamente. Stava galoppando verso uno steccato non troppo amichevole, con il colonnello Postlethwaite sempre alle calcagna. Bay sentì una contrazione allo stomaco quando capì che l'imperatrice stava per saltare una staccionata di fronte alla quale lui stesso avrebbe forse esitato. Lanciò un grido d'allarme e conficcò gli speroni nei fianchi di Tipsy, sperando di raggiungerla. Ma l'imperatrice non l'aveva sentito. Bay si fermò a guardarla mentre allentava le redini del suo cavallo consentendogli di spiccare il salto. Era riuscita a superarlo senza problemi, ma era atterrata sana e salva? Bay non riusciva a vedere dall'altra parte del recinto. E così incitò a sua volta Tipsy a saltare. La cavalla ebbe un fremito mentre spiccava il balzo oltre l'asse più alta dello steccato. Una volta atterrato, Bay sollevò lo sguardo e vide il cavallo dell'imperatrice, da solo. Sentì la bocca prosciugarsi in un istante.

Poi udì il terribile e inequivocabile strepito di un animale in agonia, e voltando la testa vide Salamandra, la giumenta castana che aveva venduto a Postlethwaite, riversa al suolo, col corpo del suo padrone imprigionato sotto le sue zampe. L'imperatrice stava cercando di calmare la bestia, ma aveva una zampa spezzata ed era in preda alle convulsioni. Vide la testa di Postlethwaite inclinata all'indietro in una posizione innaturale. Le strida della cavalla divennero terribili. Bay smontò di sella e si avvicinò all'imperatrice. Lei era perfettamente immobile, e aveva già sollevato il braccio.

Da principio a Bay sembrò di vedere che l'oggetto stretto in mano fosse il ventaglio di cuoio, ma poi si accorse che si trattava di una rivoltella. Lentamente e deliberatamente, con la mano ben salda, mirò in mezzo agli occhi della bestia ferita e sparò. Gli strepiti cessarono e il corpo di Salamandra smise di sussultare. Bay si lasciò sfuggire un gemito, e l'imperatrice si voltò, con gli occhi scuri che ardevano nel candore del suo volto.

«L'Angelo della Morte è sempre al nostro fianco» disse, facendosi il segno della croce, con la pistola ancora stretta in mano.

Bay girò attorno al corpo della bestia e si avvicinò al colonnello. Gli occhi lattiginosi erano fissi al cielo, e la bocca era aperta in una smorfia grottesca. Bay si inginocchiò e chiuse le palpebre al vecchio amico. Cercò di liberare il corpo dal peso dell'animale, ma la carcassa era troppo pesante. Notò che la cravatta di Postlethwaite era fermata da una spilla d'oro a forma di ferro di cavallo. Gli tornò in mente che solo quella mattina l'aveva visto giocherellare con quella spilla, e gli occhi gli si riempirono di lacrime. Postlethwaite era stato un uomo galante, e probabilmente era morto nel modo in cui egli stesso avrebbe desiderato, eppure Bay fu sopraffatto dalla desolazione quando abbassò lo sguardo verso i due corpi privi di vita. Si frugò le tasche alla ricerca di un fazzoletto, ma trovò solo la sua fiaschetta. Si asciugò le lacrime con la ruvida lana della manica e bevve un sorso di liquore. Il brandy gli bruciò la gola facendolo tossire, ma almeno lo aiutava a controllare il pianto.

Si sentì sfiorare il braccio.

«Sono desolata, capitano Middleton. Era un vostro amico?» L'imperatrice gli porse un pezzetto di stoffa orlato di pizzo, e lui capì che gli stava offrendo il suo fazzoletto. La pistola era scomparsa.

«Era il Maestro della Pytchley. Gli avevo venduto io il cavallo...» Bay non riusciva quasi a parlare. Accettò il fazzoletto e si asciugò gli occhi. Profumava di lavanda.

«Credo che morire in questo modo sia una benedizione, non credete? Un balzo nell'aldilà.» L'imperatrice lo guardò negli occhi e Bay vide che aveva delle pagliuzze dorate nelle iridi scure.

Annuì. «Era inevitabile che cadesse. Povero vecchio, era quasi cieco. Non sarebbe dovuto uscire oggi.»

«Forse ha scelto il modo in cui andarsene.» Lei non aveva distolto lo sguardo, costringendolo a restituirlo.

«È un vero peccato che però anche...» Bay indicò la carcassa di Salamandra, ma tenne i suoi occhi fissi in quelli dell'imperatrice.

«No, no. Dovete pensare che è stata una morte gloriosa. È morto da uomo libero.»

Bay sentiva il clamore provenire dal campo oltre lo steccato. Nel giro di qualche istante sarebbero stati circondati. Lei lo stava ancora fissando. Lui pensava alla cieca galanteria di Postlethwaite, che si era scagliato oltre il recinto senza considerare le conseguenze. Le prese la mano e gliela baciò.

L'imperatrice non la ritirò immediatamente. Fu Bay invece a farsi indietro, come se fosse frastornato per il suo stesso gesto.

Stava per scusarsi, ma lei parlò per prima. «Soltanto quando vado a caccia mi sento libera. Forse è lo stesso per voi, capitano Middleton?» La sua voce era calda e suadente, ma l'imperatrice non sorrideva.

«Mi sono preso troppa libertà, Maestà. Vogliate perdonarmi, ero fuori di me.»

Si aspettava un rimprovero, e invece lei si limitò a inclinare la testa da un lato.

«Non scusatevi, capitano. Stavate offrendo un tributo al vostro amico, suppongo.» E poi sorrise.

Bay si sforzò di restituirle il sorriso. Aveva perfettamente ragione: era stata l'audacia incauta di Postlethwaite a ispirarlo.

«Credo che il colonnello avrebbe baciato entrambe le vostre mani» aggiunse Bay.

Elisabetta rise. Nonostante le piccole rughe che le si incresparono attorno agli occhi, sembrava molto più giovane. Bay si accorse che non era né sorpresa né indignata dal suo gesto.

«Dunque sono stata fortunata. E adesso, capitano Middleton, potete aiutarmi a tornare in sella?»

Bay unì le mani e si chinò in avanti affinché lei potesse usarle come staffa. Mentre si tirava su il completo da equitazione, Bay vide che non portava una sottogonna. E quando appoggiò lo stivale sui suoi palmi intrecciati, notò che indossava dei pantaloni attillati di camoscio sotto il vestito. Quello sguardo non era stato casuale. Bay sentì un tremito nelle mani, e poi l'imperatrice fu di nuovo in sella. Nell'istante stesso in cui poté guardarlo dall'alto della sua cavalcatura, recuperò completamente la sua compostezza regale.

«Vi ringrazio» gli disse annuendo con gentilezza, come si fa con un domestico.

# 18.

## La proposta

I cacciatori erano arrivati sul luogo dell'incidente insieme a Spencer. Il conte prese in mano la situazione e chinò il capo per un istante. «Chi c'è sotto il cavallo?» domandò a Bay.

«Postlethwaite. Si è spezzato l'osso del collo» replicò lui.

«Avete sparato voi al cavallo?»

«La zampa era spezzata.» Bay era riluttante ad ammettere che fosse stata l'imperatrice a dare il *coup de grâce* a Salamandra.

«Un grande amico, il caro Postlethwaite» disse il conte. «Peccato anche per il cavallo.»

Bay aiutò gli stallieri a divellere il cancello dai suoi cardini. L'ignara causa della morte di Postlethwaite sarebbe servita da barella per il suo corpo. Furono necessari cinque uomini per liberarlo dalla carcassa del suo cavallo. Bay gli incrociò le mani sul petto e gli mise accanto il suo frustino dal manico d'argento. Uno dei cacciatori suonò una lugubre nota con il suo corno, mentre gli stallieri sollevavano quel catafalco improvvisato avviandosi verso i campi.

Quel che restava del gruppo di caccia si diresse verso Melton. Bay raggiunse l'imperatrice, ma lei si abbassò il velo sul viso e cavalcò in silenzio. Quando raggiunsero la residenza, il conte Esterházy, che si era cambiato d'abito, le andò incontro e insieme procedettero verso Easton Neston. L'imperatrice non si congedò da Middleton, ma quando prese il vialetto si voltò e alzò una mano facendogli un cenno.

Bay rimase a guardare Elisabetta che si allontanava finché non sparì alla vista. Mentre tirava le briglie di Tipsy per condurla al cortile delle stalle, sentì tutta la tensione salirgli in corpo. Aveva male alla mascella, come se nelle ultime due ore l'avesse tenuta sempre serrata. Smontato di sella, sentì un lieve tremito nelle gambe. Rimase immobile per un istante e si appoggiò contro il muro del cortile, quindi tentò di recuperare l'equilibrio premendo bene i piedi a terra. Chiuse gli occhi, nell'attesa che il tremito cessasse. Era stato troppo avventato con l'imperatrice, ispirato dall'audacia del povero Postlethwaite.

Bay aprì gli occhi e vide Charlotte in piedi davanti a lui, col viso stravolto dallo sgomento. Gli appoggiò una mano candida sul braccio.

«Oh, Bay, mi dispiace.»

Lui cercò di assumere il contegno più appropriato.

«Povero vecchio Postlethwaite. Comunque è stata una bella uscita di scena. Davvero un bel modo per andarsene.»

Un'ombra di sorpresa attraversò il volto di Charlotte. «Il colonnello Postlethwaite è morto?»

«È caduto saltando, e il cavallo gli è finito addosso. È stata una morte rapida.»

Il gruppo che trasportava il corpo di Postlethwaite sarebbe arrivato di lì a poco. Bay prese Charlotte per il braccio e la condusse fuori dalle stalle, verso il parco. Non era il caso che rimanesse a guardare i miseri resti del colonnello che venivano portati dentro casa. Il braccio di Charlotte tremava. Camminarono in silenzio in direzione del panorama che terminava con il tempio dedicato a Diana. Quando raggiunsero il muretto, Bay fece per aprire il cancelletto di vimini, ma Charlotte lo fermò.

«Eri presente quando il colonnello è caduto?» domandò.

«Non ho assistito all'incidente. Ero dall'altra parte dello steccato, ma sono arrivato subito dopo. È morto sul colpo.» Bay cercò di risultare rassicurante, ricordando che la madre di Charlotte era morta in circostanze simili. «Con quel genere di cadute ci si spegne all'istante.»

«E l'imperatrice? C'era anche lei?» chiese Charlotte.

Bay fece una pausa. Pensò al momento in cui aveva puntato la pistola alla testa di Salamandra e al comportamento che lui ebbe in seguito a quell'episodio.

«Postlethwaite era con noi alla testa del gruppo. L'imperatrice era arrivata prima di me.»

Bay vide, con grande sorpresa, che Charlotte aveva gli occhi colmi di lacrime.

«Cosa c'è? Non starai certo piangendo per il vecchio Postlethwaite, che hai incontrato una volta sola e che è morto per sua scelta?» Le prese la piccola mano tra le sue. «Non piangere per lui, Charlotte. È morto con il sorriso sulle labbra.»

Lei scosse la testa, come a voler mandar via le lacrime. Poi sollevò il capo e lo fissò dritto negli occhi.

«Domani l'imperatrice verrà di nuovo a caccia con te?»

Bay la guardò. Non capiva la domanda, o forse l'ansia che trapelava da essa. Non poteva certo sapere del suo comportamento folle con l'imperatrice.

«Sì. Spencer mi ha chiesto di farle da guida per l'intera durata dell'evento.»

A quella risposta, Charlotte parve rilassarsi. Bay si frugò le tasche alla ricerca di qualcosa per asciugarle gli occhi e tirò fuori un fazzoletto con il quale le tamponò le guance bagnate. Gli ci volle un momento per rendersi conto di averle dato il fazzoletto che l'imperatrice gli aveva offerto dinanzi alla salma di Postlethwaite. Si chiese se Charlotte l'avrebbe notato, ma era troppo turbata per accorgersene.

Lei proseguì. «Sai, credevo che fosse in collera con me. Per la fotografia. Aveva tirato su il ventaglio. E poi ti ho visto vicino a lei, ed ero preoccupata che si fosse infuriata con te a causa mia.»

Bay ripensò alla brusca impennata del capo dietro il ventaglio di cuoio, e al colorito delle sue guance.

«Ho temuto di aver provocato danni alla tua reputazione» proseguì Charlotte.

Bay ebbe un momento di esitazione. Non poteva ammettere di non aver fatto cenno alla relazione che c'era tra loro, di non aver detto nulla in sua difesa, limitandosi a cambiare argomento. Charlotte si aspettava di più da lui, e a lui piaceva l'idea di se stesso che vedeva riflessa nei suoi occhi. Avrebbe voluto essere quella persona, non l'uomo che aveva baciato la mano all'imperatrice d'Austria davanti al cadavere di un amico.

«Mia cara, credi forse che il legame che c'è tra noi possa recare un tale danno?» replicò lui, e a riprova delle sue parole la baciò sulla bocca. Le labbra di Charlotte erano secche e leggermente salate per via delle lacrime. Il suo fremito fu così gratificante che Bay la baciò un'altra volta, cingendole la vita e stringendola a sé. Era troppo tardi per tirarsi indietro. Voleva spiccare il salto, senza ripensamenti.

«Attendo con infinita trepidazione il giorno in cui sarai mia moglie» le sussurrò in un orecchio. «Voglio sposarti. Al più presto.»

Lui la sentì sciogliersi tra le sue braccia, e lei lo baciò, rendendo esplicita la sua risposta.

Charlotte infine lo allontanò per poterlo guardare negli occhi, e gli sfiorò una guancia con la mano.

«Bay, immagino tu sappia che non posso sposarmi senza il consenso di Fred, almeno non prima di compiere ventun anni.»

«Glielo domanderò stasera.»

«E lui ti farà una predica sulle virtù di un lungo fidanzamento. Lui e Augusta sono già fidanzati da un anno.»

Bay percepì un sentore di lavanda misto a un alito di paura. «So che ci sono buone ragioni per aspettare, ma sono davvero importanti?» Lui avrebbe voluto baciare i pochi centimetri di collo che il suo abito austero lasciava visibili, coprendo con i suoi baci le chiazze rosse che vi si stavano formando.

«Temo che il denaro sia sempre importante. Fred è il mio tutore e al momento gode di una consistente rendita proveniente dalla mia eredità. Quando mi sposerò lui perderà quel denaro, e non è smanioso che ciò accada.» Bay non stava ascoltando, concentrato com'era su quelle vampate di rossore. Si chinò nuovamente su di lei, ma questa volta sentì una mano contro il petto che lo bloccava.

«Non posso sposarti subito, anche se lo vorrei moltissimo. Quindi dobbiamo essere prudenti.» Cercò di sorridere mentre pronunciava quelle parole.

«Prudenti?» ripeté Bay afferrando quella mano oppositiva e appoggiando le labbra su quei centimetri di collo scoperti. Charlotte si sentì percorrere da un brivido e per un momento sembrò cedere, ma poi s'irrigidì nuovamente e lo scansò con convinzione.

Ma lui non le lasciava la mano. Fissandola negli occhi, vide il suo visino preoccupato avvampare dall'emozione, mentre le lacrime erano sul punto di sgorgare.

«Ti sembro un uomo prudente? Temo tu mi abbia confuso con qualcun altro.»

Lei abbozzò un sorriso, ma il tono della sua voce tradiva ansia e preoccupazione.

«Charlotte, io sono un tipo... instabile.» Le strinse forte la mano, facendole quasi male.

Lo sguardo che si dipinse sul volto di Charlotte lo fece pentire di aver usato quelle parole.»

«Non mi riferisco ai sentimenti che provo per te. Parlo di me stesso. Vorrei trovare stabilità.»

Mentre parlava Bay si rese conto che sistemarsi in campagna con Charlotte era la cosa che più desiderava al mondo.

«Fuggiamo via insieme, Charlotte. Potremmo vivere con la mia rendita, almeno all'inizio. Se vendo i miei cavalli avremo denaro sufficiente per vivere dignitosamente.»

Charlotte capì perché lui stesso si era definito instabile. Ripensò a quella cena in cui era stata menzionata la bambina di Blanche Hozier. Ma non capiva come mai avesse tanta fretta.

«Vorresti vendere i tuoi cavalli? Compresa Tipsy? Rinunceresti alla possibilità di vincere il Grand National per fuggire con me? Bene, sono lusingata oltremisura, ma sei sicuro che un simile sacrificio sia necessario? Compirò i ventun anni in autunno, sono certa che potremo attendere otto o nove mesi prima di sposarci. Non c'è ragione di comportarci come due fuggitivi. Fred potrà non essere contento del mio matrimonio, ma quando avrò raggiunto la maggiore età non c'è nulla che possa fare per fermarmi. Non vedo ragioni pressanti che ci spingano a scappare come ladri nella notte, quando potremmo sposarci rispettabilmente in meno di un anno.»

Bay arretrò. «Hai ragione, è insensato da parte mia chiederti di rinunciare al corredo e agli abiti raffinati del matrimonio. So quanto significhino certe cose per una donna. Eppure, Charlotte, io vorrei che ci sposassimo subito.»

Lei lo fissò dritto negli occhi. «Ma perché? Non m'importa nulla dei fasti nuziali, ma mi preoccupo della famiglia a cui rinuncio. Fred può essere pomposo fino a rendersi insopportabile, certe volte, soprattutto da quando si è fidanzato con Augusta. Tuttavia, mi piacerebbe che sia lui ad accompagnarmi all'altare.» Fece una pausa, cercando di capire cosa stesse pensando. «Cos'è che ti rende così disperato da spingerti a fuggire via? I miei sentimenti in settembre saranno identici a quelli che provo ora. Non cambierò idea.»

Bay sospirò. Sapeva di aver sbagliato tutto. L'unica ragione per quella fretta era la sua stessa incostanza. Non poteva dire a Charlotte che temeva che fosse il suo cuore a non tener fede al proposito.

«Perdonami, mia cara. Non sono in me. La morte del colonnello Postlethwaite è stato un duro colpo per me. Mi ha fatto pensare che dobbiamo afferrare al volo la felicità, prima che ci sfugga dalle mani.»

Charlotte lo baciò sulla guancia.

«Siamo abbastanza giovani da poter rischiare di attendere qualche mese. Nel frattempo tu dovrai comportarti in modo gentile con Augusta. Se arriva a pensare che tu sia un marito desiderabile per me, difficilmente Fred negherà il suo consenso. Non potresti presentarla all'imperatrice? Hai notato come è più benevola con te ora che accompagni a caccia una sovrana imperiale?» Gli sfiorò il viso, seguendo il contorno dei baffi con la punta delle dita.

Bay annuì.

«Prometto di sposarti non appena le circostanze ce lo consentiranno» disse Charlotte con un sorriso. «E non dovrai vendere Tipsy o deludere l'imperatrice. Credo che sarebbe assai dispiaciuta se dovesse perderti.»

# 19.

## La convocazione

L'invito arrivò dopo cena. Le signore si erano ritirate per la notte, e solo un gruppetto di uomini si era trattenuto nella sala del biliardo. La stanza, come il resto di Melton, era stata arredata in stile gotico, con un enorme lampadario di ferro battuto appeso sul tavolo che proiettava sul biliardo una luce soffusa da cattedrale. Ogni stecca aveva la propria nicchia in legno intagliata, ed erano tutte disposte in fila lungo la parete, come seggi troncati di un coro.

La partita stava volgendo al termine. Hartopp era in vantaggio, e la sua faccia era rubizza sotto le folte basette. Bay e Fred cercavano invano di raggiungerlo, ma erano rassegnati alla sconfitta. Gli uomini avevano quasi finito il brandy a loro disposizione sul vassoio, e Hartopp stava per chiederne dell'altro, quando Fred lo fermò.

«Non è il caso di chiedere i rinforzi, Chicken. Non voglio che si facciano una cattiva impressione di noi.» Per scusarsi di quell'intromissione vuotò la caraffa nel bicchiere di Chicken.

«Al vincitore, le spoglie!»

I tre uomini stavano brindando al trionfo di Hartopp quando la porta si aprì. Bay, Fred e Hartopp si voltarono allarmati – i loro brindisi erano stati alquanto rumorosi – ma la figura sulla soglia non era un maggiordomo in collera, bensì un ragazzino che recava una lettera.

«Scusate, signori. Ho un messaggio importante.» Il ragazzo, che non aveva più di undici anni, appariva distrutto dall'importanza della sua missione. Era la prima volta che si spingeva oltre la porta rivestita di panno verde. Di solito puliva gli stivali nel retrocucina, ma quando lo stalliere di Easton Neston era arrivato con la missiva, il maggiordomo non aveva ritenuto opportuno rivestirsi e recapitarlo personalmente, visto che era indirizzato a uno dei giovani, e così aveva mandato il garzone. Il messaggio era arrivato già da una buona mezz'ora ma il ragazzo, che non conosceva bene le sale ricreative, si era perso in vari meandri bui e riecheggianti prima di trovare la sala del biliardo.

«E per chi è il messaggio?» chiese Fred Baird tendendo la mano.

Il ragazzo sollevò il capo con aria pensosa. Quella corsa frenetica attraverso le sale immerse nel buio gli aveva fatto dimenticare il nome del destinatario che il maggiordomo gli aveva indicato. Porse la lettera a Fred, evitando di rispondere. Quest'ultimo, che era di ottimo umore per aver bevuto gran parte del brandy presente nella caraffa, replicò in tono scherzoso: «Quale delle tre grazie qui presenti ha la fortuna di ricevere la preziosa mela fatata?» E poi concluse ridendo immoderatamente della sua stessa facezia.

Il ragazzo non capì la battuta di spirito, ma riconobbe il tipico tono di voce alterato dall'alcol e si guardò bene dal rispondere. Rimase lì in piedi, muto, con la lettera ancora stretta tra le mani.

«Sono certo che tu sappia riconoscere le lettere: c'è una M che sta per il Magnifico Middleton? O una C che sta per il Carismatico Chicken? O una B che sta per il Benevolo Baird dei Border?»

Il ragazzo scosse la testa e anche Fred, dal capo opposto del tavolo da biliardo, fece altrettanto per imitarlo. Aveva una faccia spettrale sotto quella luce verdognola del lampadario, e il ragazzo cominciò a tremare dalla paura. Sapeva di cosa erano capaci gli uomini quando avevano bevuto qualche bicchiere di troppo. Avrebbe voluto trovarsi nel suo retrocucina, davanti al fuoco, a tirare gli stivali a lucido fino a che non si specchiava sulla loro superficie di cuoio.

«Avanti, ragazzo, non farci stare col fiato sospeso. Chi tra noi è il fortunato?»

Il garzone non aprì bocca. La scritta sulla busta era per lui solo uno scarabocchio, poiché non sapeva leggere.

«A casa mia» intervenne Baird rivolgendosi a Chicken, «quando si rivolge la parola a uno sguattero ci si aspetta che egli risponda. Non che se ne resti muto e acquattato come un cane rognoso.»

Bay, che fino a quel momento non aveva dedicato molta attenzione agli sproloqui alcolici di Baird, percepì la sottile nota di crudeltà nella sua voce e si voltò verso il ragazzo. Vedendo che la mano con cui stringeva la busta era tutta un tremito, appoggiò il bicchiere e girò attorno al tavolo da biliardo per andargli vicino.

«Fermatevi, Middleton. Ho fatto una domanda al ragazzo ed esigo una risposta.»

Fred aveva cambiato tono: non era più scherzoso, bensì decisamente aggressivo. A Bay era già capitato di vedere Baird in Irlanda incattivirsi dopo un bicchiere di troppo fino ad assumere atteggiamenti tipici dell'ubriachezza molesta. Bay si avvicinò al garzone fino a toccargli una spalla e sentì che il terrore gli aveva irrigidito le membra. Gli prese la lettera di mano, trovò in tasca uno scellino e glielo mise nel palmo ancora tremante, ripiegandogli poi le dita affinché la moneta rimanesse ben stretta. Il ragazzo rimase impietrito per un ultimo istante, poi se la diede a gambe, lasciando quella sala più in fretta che poté.

«Piccolo maledetto insolente. E voi, Middleton, perché vi siete impicciato? Avevo fatto una domanda al ragazzo e aspettavo una risposta.» Fred stava quasi urlando.

Bay vide che sulla busta c'era scritto il suo nome, poi la voltò, e quando vide l'aquila a due teste impressa sulla ceralacca nera del sigillo s'infilò la lettera nella tasca del panciotto.

«Probabilmente il ragazzo non sapeva leggere, ed era troppo spaventato per ammetterlo. Ma non avete visto come tremava? Comunque, per rispondere alla vostra domanda, la lettera è indirizzata a me.»

La rabbia di Baird era salita alle stelle. Essendogli stato impedito di sfogarsi sul povero lustrastivali, si scagliò contro Middleton.

«E chi vi manda una lettera nel cuore della notte? Una delle signore vostre amiche? Forse l'imperatrice in persona. Voi che ne dite, Chicken?» Hartopp emise un sibilo sotto i baffi che probabilmente voleva essere una risata.

Bay sorrise. «Magari è un creditore.» Si diresse verso la porta.

«E ora, signori, vi auguro la buona notte.» Ma Baird non intendeva dargliela vinta.

«Mostratemi la lettera, Middleton. Chi mi dice che non sia indirizzata a me o a Chicken?»

«Eppure, vi assicuro, è per me.» Bay mise la mano sul pomello della porta.

«Allora perché non volete mostrarcela? Avete forse qualcosa da nascondere? Non volete farci sapere che ricevete *billets-doux* a notte fonda?»

Bay sapeva che l'unica cosa da fare era girare la maniglia e abbandonare la stanza. Sapeva che quando Fred era in preda a uno dei suoi deliri alcolici non c'era niente da fare finché non avesse smaltito la sbornia. Ma esitò per un istante, e in quel momento Fred, con malferma alacrità, lo raggiunse con un balzo e lo afferrò per le spalle.

«Voglio vedere quella lettera.» E la estrasse con aria trionfante dal taschino di Bay.

Questi rimase perfettamente immobile. Fred cominciò a rigirarla tra le mani esaminandola con cura. «Guardate qui, Hartopp. C'è un elegante sigillo nero. Mi par di capire che venga dall'imperatrice. Devo proprio riconoscerlo, Bay, non avete perso tempo a conquistare la puledra. Gran bella donna.» Fred tracciò le curve dell'imperatrice con un gesto della mano e si rivolse a Hartopp, che ripeté lo stesso gesto, sopraffatto anch'egli dall'ubriachezza. «Davvero graziosa.»

«Datemi quella lettera, Baird» disse Bay tentando di restare calmo.

«Perché mai? Siete preoccupato che io possa riferire a Charlotte della vostra corrispondenza imperiale? Credete che possa rovinarvi il corteggiamento?»

Fred agitò la lettera davanti al volto di Bay, con gli occhi accesi da un furore malvagio.

«L'alta opinione che ha di voi potrebbe crollare se sapesse che ricevete lettere dall'imperatrice a quest'ora della notte.» Bay sentiva il tanfo del brandy nell'alito di Baird.

«Mi lusingate, Baird. La lettera contiene senz'altro qualche informazione sul ritrovo di domani. L'imperatrice non mi tiene in considerazione maggiore rispetto ai suoi cavalli. Anzi, mi stima assai meno, essendo invece estremamente dedita ai suoi animali.»

Parlava con tono sicuro, ma un'ombra di dubbio gli offuscava la mente. E se l'imperatrice avesse fatto riferimento al gesto audace che aveva compiuto quel pomeriggio? Forse la lettera annunciava che l'imperatrice rinunciava alla sua assistenza come guida di caccia. Aveva il cuore in gola. Fece per strappare la lettera di mano a Baird, ma lui fu più rapido e schizzò dalla parte opposta della stanza.

«Bene, credo che qui sia in gioco il bene di mia sorella, Middleton. E per questo ritengo necessario appurare se dite o meno la verità.» Baird afferrò una stecca e cominciò a usarla come tagliacarte.

«Non toccate quella lettera, Fred.» Il tono di Bay era ora assai deciso.

Ma Fred non l'ascoltò. Con un colpetto di stecca ruppe il sigillo ed estrasse impaziente la lettera dalla busta, mentre Bay lo fissava impietrito. Sapeva che non vi sarebbe stato niente di compromettente nella lettera, eppure il senso di colpa lo paralizzava. L'imperatrice l'aveva turbato profondamente, eppure appena tornato a casa aveva chiesto a Charlotte di sposarlo. Se la lettera conteneva qualche indiscrezione, non poteva che biasimare se stesso. In quel momento si sentiva privo di personalità.

Baird gettò la lettera sul tavolo da biliardo, guardandola volteggiare mentre atterrava sul panno verde.

«È il ciambellano dell'imperatrice, vi invita formalmente a cena per domani sera.» Fred fece una pausa, come per riflettere sull'informazione che aveva appena appreso.

«Bene, comincia la vostra ascesa nel bel mondo. Prima vi tratta come il suo stalliere, e il momento dopo vi invita a cena» commentò Fred.

Bay percepiva chiaramente l'invidia nel tono di Baird. Solo allora capì che a quest'ultimo non era mai passato per la mente che vi potesse essere qualcosa tra lui e l'imperatrice. Era stato solo un momento di scherno indotto dall'ubriachezza. Ma ora Fred era risentito, e non perché l'onore di sua sorella fosse stato offeso, ma perché a lui non era toccata la fortuna di essere scelto dall'imperatrice. Certo, avrebbe avuto per suocero un conte, ma nessuno lo aveva invitato a cenare con un'imperatrice. Cosa aveva fatto Middleton per meritare un simile onore? Bay riusciva a individuare i pensieri di Baird che trasparivano dall'espressione del suo volto paonazzo. Cercò di assumere un'aria indifferente. Aveva provato una inspiegabile fitta di piacere al pensiero di quell'invito: dopotutto, non lo aveva incolpato del delitto di *lèse-majesté*. Ma c'era un'altra parte di lui che sapeva che quella cena avrebbe decretato l'inizio di qualcosa. Quel pomeriggio Sissi aveva visto l'uomo che si celava sotto l'uniforme del capitano Middleton, così come lui aveva visto nell'imperatrice d'Austria una donna, con la pistola stretta in mano.

Non era tanto un invito quanto piuttosto una convocazione. Bay sapeva che sarebbe stato meglio non andare. Ripensò alle labbra secche e allo stesso tempo morbide di Charlotte, e al suo dispiacere al pensiero di aver creato problemi al conte Spencer.

«Non posso certo rifiutare l'invito» disse a voce alta, senza quasi rendersene conto. Se ne accorse quando ormai le parole erano sgorgate dalla sua bocca, e in quel momento vide che la rabbia di Fred si era trasformata in stupore.

«Non potete certo rifiutare? E perché mai dovreste? L'imperatrice d'Austria, che è anche regina d'Ungheria, vi invita a cena e voi vi chiedete se sia il caso di accettare?» Fred si rivolse a Hartopp e, con voce in falsetto, tenendosi un'immaginaria sottana con la mano, aggiunse: «Mio caro capitano Hartopp, sono l'imperatrice d'Austria. Mi fareste l'onore di allietare la mia cena con la gentile concessione della vostra presenza?»

Hartopp, che pareva sollevato al pensiero che il litigio tra Bay e Fred si fosse ricomposto, prese la sua stecca.

«Ecco, sarebbe bello, Maestà, ma ho promesso alla regina d'Inghilterra che sarei stato suo ospite stasera, e domani ho un appuntamento con la regina Eugenia. È l'ex imperatrice di Francia, sapete. Potrei accettare il vostro cortese invito per la prossima settimana. Potrebbe andare?»

«Ma lo sapete che sono la donna più bella d'Europa?» obiettò Baird, simulando un tono offeso.

Hartopp lo squadrò da cima a fondo con un'occhiata lasciva e rispose: «Già, sarà anche vero, ma le altre si sono fatte avanti prima, e dovrete aspettare il vostro turno.»

Bay si costrinse a sorridere. Era felice del cambiamento d'umore di Baird. Ovviamente avrebbe accettato. Nessuno rifiutava un invito proveniente da una casa reale. Forse se avesse ricevuto una convocazione formale avrebbe potuto rispondere che l'onore era troppo grande per una persona di basso rango quale lui era, ma data la situazione sarebbe stato impossibile declinare. Baird e Hartopp l'avrebbero considerato un gesto di boria e avrebbero cominciato a interrogarsi sul perché di quel diniego.

Raccolse la lettera e se la rinfilò nel taschino.

«Sapete di cosa abbiamo bisogno, amici? Di un altro bicchiere. Ho una fiaschetta di brandy nella mia stanza. Dovremmo renderle onore.»

Mentre si avviavano barcollando verso l'ala dove si trovavano le loro stanze, Bay comprese quanto fosse imbarazzante la sua situazione. Se solo Charlotte avesse acconsentito a sposarlo immediatamente. Ma lei aveva rifiutato, e lui non poteva biasimarla. Non poteva rivelarle la vera ragione della propria urgenza, e così avevano deciso di aspettare che finisse la stagione di caccia per dare l'annuncio del loro fidanzamento. Charlotte era stata chiara al riguardo: «Se andiamo ora da Fred, lui si sentirà incline al rifiuto, avendo ricevuto innumerevoli avvertimenti su quanto tu sia inadatto a diventare mio marito. Ma se aspettiamo che finisca la stagione, allora chissà... magari l'imperatrice ti avrà concesso un ducato in Austria, e allora non avrà ragione per obiettare alle nozze se non per pura invidia. E se non darà il suo consenso, allora ti sposerò in settembre, quando avrò raggiunto la maggiore età e nessuno potrà impedirmelo. Certo, non potrò toccare la mia eredità senza l'autorizzazione del tutore fino ai venticinque anni, ma sono certa che ce la caveremo. Sarà assai più facile se non vi saranno sgradevoli intralci.»

Bay sapeva che il progetto di Charlotte era il modo più ragionevole di affrontare la questione. Una delle cose che più gli piacevano in quella fanciulla era la sua personalità decisa. Eppure avrebbe voluto metterla in sella e galoppare con lei nella notte verso Gretna Green, dove si sarebbero sposati in segreto. Sarebbe stata una follia, ma dagli esiti irrevocabili. Sarebbe scoppiato uno scandalo e lui sarebbe stato considerato un cacciatore di dote e un farabutto, ma questo avrebbe contato poco perché intanto sarebbe stato sposato a Charlotte. E invece aveva ricevuto un invito dall'imperatrice che non avrebbe potuto rifiutare, anche volendo.

Mentre saliva le scale intravide il suo volto riflesso in uno specchio, e quando si voltò per guardare meglio, la candela che teneva in mano gli inondò di luce i lineamenti dal basso, proiettando strane ombre che gli fecero brillare gli occhi e i denti. Pareva un demonio. Bay non aveva mai pensato prima di quel momento di essere una persona cattiva, ma ora si chiese che genere d'uomo fosse realmente: il diavolo intravisto allo specchio oppure il giovanotto dall'aria perbene della fotografia di Charlotte?

Ma prima che potesse decidere, Chicken Hartopp gli arrivò alle spalle e disse: «State ammirando la vostra figura attraente, capitano Bay Middleton, il celebre idolo delle donne?»

«Se c'è qualcosa che mi rende celebre, spero sia la mia maestria nell'equitazione» disse Bay in tono inespressivo.

Chicken scosse la sua grossa testa. «Chiunque può imparare a cavalcare, ma non sono molti quelli che riescono a irretire le donne come sapete far voi. Ma come fate, Bay? Come mai non si accorgono di quanto siete insignificante e superficiale?»

«Forse è proprio questo che mi rende attraente ai loro occhi» replicò.

# 20.

## L'invito

La stanza era così buia quando Charlotte si svegliò che pensò fosse ancora notte fonda. Ma poi la porta si aprì e la cameriera entrò con l'attrezzatura per accendere il fuoco. La ragazza si avvolse nello scialle e andò alla finestra. La collina era screziata dall'incipiente luce dell'alba, che tingeva di rosa perlaceo il tempio di Diana. Charlotte si portò la mano davanti alle labbra sfiorandosi laddove Bay il giorno prima l'aveva baciata.

Era andata a letto subito dopo cena, accusando un'emicrania. Una parte di lei, la meno nobile, avrebbe voluto sedersi nel salottino accanto a Bay, esaltata al pensiero che quel famoso rubacuori le avesse chiesto di sposarlo, nonostante le sue dita macchiate. Ma sapeva che sarebbe stato un trionfo di breve durata, perché se Augusta avesse sospettato la verità si sarebbe giunti proprio alla conclusione che Charlotte stava cercando di evitare.

Era un peccato, tuttavia, che Bay non avesse mai tentato un approccio con Augusta. Se solo la sua futura cognata avesse potuto etichettare Bay come un qualunque cicisbeo con il quale si era divertita e che aveva poi respinto, allora avrebbe tollerato assai più di buon grado il suo interesse per Charlotte. L'unico modo che Bay aveva per riabilitare la sua reputazione era attraverso l'imperatrice. Se fosse riuscito a convincere Elisabetta d'Austria a concedere qualche attenzione ad Augusta, allora tutto sarebbe diventato possibile.

E così evitò di incrociare lo sguardo di Bay a cena, limitandosi a lanciargli qualche occhiata furtiva mentre le signore si ritiravano, occhiata a cui lui replicò col più smagliante dei sorrisi.

Le ci vollero almeno dieci minuti, dopo che si fu rintanata nella sua stanza, per spegnere l'ardore che le aveva fatto avvampare le guance.

La cameriera aveva acceso il fuoco. La legna fresca crepitava e scricchiolava nel camino. Una scintilla schizzò sul tappeto e il tizzone restò acceso finché la domestica non lo estinse pestandolo con lo stivale. Un'altra scintilla finì ancora sul tappeto, e la stanza fu invasa dall'odore di lana bruciata. Il fumo acre scosse Charlotte dai suoi sogni a occhi aperti.

Affondò il viso nel catino di acqua gelata. La cameriera protestò. «Signorina... stavo andando a prendere un po' di acqua calda, non pensavo vi sareste alzata così presto.»

Charlotte rabbrividì. «A volte l'acqua fredda è proprio quel che serve.»

Dal corridoio arrivarono rumori e risate, poi si udì una voce. «Devono essere i cacciatori, signorina Baird. Oggi il raduno è a Graystock, a più di trenta chilometri.»

Charlotte guardò dalla finestra: l'alba screziata di rosa era stata spazzata via da nuvoloni neri carichi di pioggia.

«C'è parecchia strada da fare, sotto la pioggia.»

A colazione trovò una lettera ad attenderla. Era da parte della sua madrina, Lady Dunwoody. Stava preparando una mostra alla Royal Photographic Society che si sarebbe tenuta in marzo.

*È un grande onore, e allo stesso tempo un'impresa ardua. La regina in persona inaugurerà la mostra, e sarà un evento straordinario perché come ben sai si fa vedere di rado in questo periodo. Ma il principe consorte era un appassionato di fotografia. Mi chiedevo, mia cara Charlotte, se volessi aiutarmi nella preparazione delle stampe da esibire. Tu sei senza ombra di dubbio la mia allieva più dotata, e hai un occhio davvero attento. Mi piacerebbe aggiungere qualche tuo lavoro nella mostra.*

*Ovviamente potresti essere riluttante a lasciare Melton se certe voci riguardo un'intesa che ci sarebbe tra te e un certo giovanotto sono veritiere, ma considera che difficilmente potrai vivere un'esperienza simile quando sarai una donna sposata.*

Celia Dunwoody era la cugina di sua madre. Aveva sposato un facoltoso baronetto, Sir Alured Dunwoody, di parecchio più anziano di lei, e aveva usato il suo denaro e la sua influenza per allestire un atelier nella sua casa di Holland Park. I giovedì di Celia Dunwoody erano celebri in quanto luogo di ritrovo per artisti e mecenati dell'alta società. Negli ultimi anni Celia aveva cominciato con la fotografia, e le sue intense composizioni piene di fanciulle agghindate come schiave turche o come personaggi degli Idilli arturiani di Tennyson suscitavano grande ammirazione nel suo circolo, e siccome in esso erano ammesse solo persone di gusto, la sua reputazione era assicurata. Era vero che alcuni dei suoi ospiti preferivano i giovedì di una volta, quando non c'erano ancora le fotografie da visionare, ma data la generosità dei suoi rinfreschi e l'alto rango dei finanziatori che invitava, questi pensieri erano spesso esplicitati soltanto nella riservatezza di una carrozza, al ritorno.

Lady Dunwoody si era offerta di prendere con sé Charlotte a Londra, ma a Fred non andava a genio l'idea di vedere sua sorella inserita nell'ambiente di Holland Park. Aveva sentito troppe storie sul conto degli "artisti" che frequentavano quei famosi giovedì. E così il debutto di Charlotte era stato affidato alla zia paterna, Lady Lisle, le cui ambizioni artistiche non si spingevano oltre qualche tentativo di dipingere ad acquarello la cattedrale e i suoi dintorni. Charlotte avrebbe preferito di gran lunga vivere con la sua madrina a Holland Park, dove avrebbe potuto passare l'intera giornata nell'atelier o nella camera oscura anziché trascinarsi da un ballo all'altro con Lady Lisle, ma ovviamente nessuno l'aveva consultata.

Charlotte sapeva che Augusta, benché seduta al capo opposto del tavolo, la stava osservando in attesa del momento migliore per piombarle addosso. Augusta non aveva ricevuto posta quella mattina. Non le piaceva l'idea di sentirsi meno importante dell'insignificante futura cognata, sia pure per un istante. Erano sole nella sala della colazione: gli uomini erano andati a caccia e le signore più anziane erano andate a far visita alla moglie di uno dei nobili di zona che ospitava la caccia sul suo territorio e che aveva appena messo al mondo il suo decimo figlio. Il parto era stato difficile, e i dettagli non erano stati reputati acconci alle orecchie delle fanciulle più giovani.

Charlotte teneva la testa bassa e rileggeva attentamente la lettera, nella speranza che Augusta la lasciasse in pace. Ma dopo un paio di minuti ella proruppe, con la sua parlata strascicata: «Sembra che tu abbia ricevuto una lettera assai soddisfacente. Devi averla letta almeno cinque volte.»

Charlotte sollevò lo sguardo, e capì che non c'era via di scampo.

«È di Lady Dunwoody. Prenderà parte a una mostra collettiva alla Royal Photographic Society e mi ha chiesto di andare a Londra ad aiutarla a preparare le stampe.»

«La Royal Photographic Society? Non sapevo che esistesse niente di simile. Cosa ci sarà, tra breve, la Royal Society dei dirigibili?» Augusta abbozzò un sorrisetto.

«La regina e il suo compianto consorte erano appassionati di fotografia. La mostra sarà inaugurata da Vittoria in persona.»

«Be', spero che Lady Dunwoody non resterà delusa dal tuo rifiuto.» Il sorriso di Augusta si bloccò nella parte bassa del volto, senza raggiungere gli occhi.

Charlotte restò in silenzio. Fino ad allora non aveva preso neppure in considerazione l'idea di andarci. Ma improvvisamente vide le sei settimane che sarebbero seguite dipanarsi nella sua mente, tra le continue lamentele di suo fratello e la perfidia di Augusta. Bay era l'unica ragione che la spingeva a rimanere, ma non si sarebbe fermato ancora per molto in quella casa. Lui e Hartopp avevano affittato un alloggio da caccia a Rutland per il resto della stagione. E avendo stabilito che non sarebbe fuggita con lui, forse sarebbe stato meglio se non fossero rimasti sotto lo stesso tetto. Non nutriva grande fiducia nella propria forza di volontà, e temeva di potergli cedere. C'era qualcosa di spiazzante nei suoi modi impetuosi e urgenti. Inoltre se avesse lasciato Melton avrebbe confuso le idee di Augusta circa una sua eventuale relazione con Bay, e le avrebbe dato un notevole fastidio. Charlotte sapeva che il ruolo che le veniva tacitamente chiesto di interpretare a Melton era quello della fanciulla senza amore il cui unico scopo era quello di dare risalto alla sua antagonista, la trionfante futura sposa.

Con quei pensieri che le si affollavano nella mente, Charlotte sollevò il mento e disse: «Ma io non ho nessuna intenzione di deluderla. Lady Dunwoody è la cugina di mia madre ed è sempre stata estremamente gentile con me. Dal momento che richiede il mio aiuto non vedo come potrei negarglielo. Partirò per Londra domani stesso. La mostra è fissata per marzo e sono sicura che ci sia tanto da fare. Immagino che tua madre capisca in che posizione mi trovo.»

«Credo che la mamma resterà alquanto perplessa, come del resto lo sono anch'io. Perché mai vuoi andare a Londra a pasticciare con puzzolenti reagenti chimici quando c'è tanto da fare quaggiù? Mostra o non mostra, in marzo io sposerò tuo fratello. Perdonami se considero quest'evento assai più rilevante.»

«Come mi hai sempre fatto notare, io sono molto inesperta in certe cose. Perché mi vuoi qui, se non ho alcuna competenza in materia? Dovrai scusarmi, ma preferirei andare da un'altra parte dove invece posso rendermi utile.»

Augusta la guardò con aria sorpresa. Non aveva mai sentito Charlotte esprimersi con tanta veemenza.

«E cosa dirà mai il capitano Middleton per la tua partenza improvvisa? Pensavo che foste diventati grandi amici.»

«Sono certa che capirà.»

Augusta restò spiazzata dalla risposta, ma subito dopo i suoi occhi parvero mettere a fuoco una nuova strategia.

«Immagino che il capitano Middleton sia molto occupato per via del suo incarico. La mia cameriera mi ha detto che la scorsa notte ha ricevuto una lettera, recapitata a mano.» Fece una pausa, per rendere più efficaci le sue parole, ma Charlotte non replicò.

«Era dell'imperatrice, e lo convocava a cena per questa sera. Deve aver fatto una certa impressione su Sua Maestà.» Augusta sottolineò enfaticamente le ultime due parole.

«Che fortuna ha avuto a essere scelto come guida» disse Charlotte, cercando di nascondere la sua sorpresa. «Spero che questo compito possa recargli qualche vantaggio sociale. È un buon segno se lo ha invitato a cenare con lei.»

Charlotte ostentava una tranquillità maggiore di quella che in realtà sentiva. Ma ora che aveva dichiarato di voler andare a Londra non avrebbe permesso alle insinuazioni di Augusta di distoglierla dal suo progetto.

«Non so se mi farebbe piacere se Fred cenasse in compagnia della donna più bella d'Europa» aggiunse Augusta.

«È davvero una fortuna, allora, che l'imperatrice non abbia invitato lui. E ora, se vuoi scusarmi, devo preparare i bagagli.»

Charlotte lasciò rapidamente la stanza, con le guance accaldate. Sapeva che era un errore avviare schermaglie con Augusta, la cui capacità di indispettire il prossimo superava di gran lunga la sua, ma non aveva saputo resistere alla soddisfazione di pronunciare quella battuta finale. Ora però doveva andare a Londra lasciandosi Bay alle spalle, altrimenti Augusta avrebbe pensato che avesse cambiato idea solo perché l'imperatrice lo aveva invitato a cena.

# 21.

## Dal lato della cioccolata

Quando il valletto aprì la doppia porta del salone, Bay provò un certo sollievo per aver deciso di indossare la sua uniforme. Per raggiungere la residenza di Easton Neston aveva dovuto noleggiare un calesse, una spesa che si era potuto permettere a stento dopo la sconfitta al biliardo della sera precedente; ma immaginandosi la scena in anticipo, era certo che almeno sul piano sartoriale la sua figura sarebbe risultata impeccabile. Esterházy e Liechtenstein erano in piedi accanto a un grosso caminetto intagliato, e indossavano entrambi la divisa bianca e oro della cavalleria austriaca, col petto carico di decorazioni e altre onorificenze tempestate di gemme. Bay si domandò quanta parte della loro vita avessero realmente trascorso sul campo di battaglia. Forse avevano fatto parte di quell'esercito imperiale che aveva subito una clamorosa batosta da parte dei prussiani tre anni prima. Tutto ciò che Bay poteva esibire era un nastro che attestava il suo ruolo di comandante di divisione, ma preferiva quello a una pletora di medaglie al valore guadagnate a seguito di un'infamante sconfitta. Era felice di far parte di un reggimento con l'uniforme più bella di tutto l'esercito britannico: gli Ussari erano chiamati "mangia-ciliegie" per via dei pantaloni rossi profilati da una striscia color oro sull'esterno della gamba. Bay si sistemò la giacca in modo che gli scendesse perfettamente dritta sulle spalle ed entrò in sala praticamente a passo di marcia.

Liechtenstein ed Esterházy non si voltarono all'annuncio del suo arrivo, ma si limitarono a spostare impercettibilmente le spalle appesantite dalle decorazioni dorate, cosa che tradì il fatto che in realtà avevano annoverato la sua presenza. In fondo alla stanza c'erano due donne sedute su un divanetto. Bay non riusciva a vederle bene, data la grandezza spropositata di quella sala, ma capì immediatamente che nessuna delle due era l'imperatrice. Esitò. I due uomini intendevano chiaramente ignorarlo, e sebbene fosse certo che avrebbe ricevuto un'accoglienza più calorosa da parte delle signore, non sapeva bene come fare ad attraversare la sala per raggiungerle, temendo gli scricchiolii del pavimento sotto il peso dei suoi speroni. Indeciso sul da farsi, sollevò lo sguardo come a voler ammirare gli affreschi sul soffitto. Cercò di assumere un'aria assorta concentrandosi sulle dee e i cherubini che fluttuavano sopra di lui, ma non riusciva a mascherare fino in fondo il suo imbarazzo. Se solo avesse avuto il coraggio di rifiutare quell'invito. Sarebbe dovuto rimanere a Melton, dedicando le sue attenzioni a Charlotte, che non gli era mai apparsa così desiderabile come in quel momento. Quando ormai stava per venirgli male al collo, sentì le porte aprirsi e il valletto che annunciava l'entrata del conte Spencer e di sua moglie.

«Middleton, che splendida sorpresa!» Il conte era sinceramente contento di vederlo. «Mi fa piacere constatare che vi siete reso indispensabile per l'imperatrice.»

Middleton si irrigidì a quelle parole, ma una seconda occhiata lo rassicurò del fatto che il conte non alludeva a niente di particolare. Fece un inchino alla contessa, che ricambiò con un'occhiata di disappunto, come se l'accusasse di aver sottovalutato l'importanza di quell'occasione. Lei, invece, aveva fatto uno sforzo immane per apparire al suo meglio. Aveva un abito di seta color magenta sul quale indossava una pettorina di diamanti lievemente fuori moda. I capelli biondi ormai sbiaditi erano ravvivati da una tiara. Middleton non l'aveva mai vista indossare così tanti gioielli, neppure quando presenziava ai balli di Dublino in veste di rappresentante della Corona. Le gemme stonavano con il suo aspetto da donna inglese consumata dalle intemperie. Tra le mani tozze e inanellate stringeva un ventaglio che di tanto in tanto batteva sulla gonna come un frustino da cavallo.

Suo marito, al contrario, non tradiva alcun nervosismo. Perlustrò con lo sguardo il salone, annuì brevemente ai dignitari austriaci e batté una mano sulla spalla di Middleton.

«Non mi avevate detto che era stata l'imperatrice a sparare al cavallo del povero vecchio Postlethwaite. Una vera amazzone. Cavalca in modo incredibile. Credo che voi siate l'unico in grado di starle al passo.»

L'arrivo della contessa Spencer gli consentì di non rispondere. Ignorando il marito, apostrofò Bay: «Edith Crewe si sentirà sollevata al pensiero che Augusta finalmente si sposi. Anch'io, quando Harriet si è sistemata, mi sono tolta un tale peso dalle spalle. E dire che aveva solo ventidue anni. Baird, poi, è un ottimo partito. Ma non c'è bisogno che ve lo dica io, capitano Middleton. Mi è giunta voce che nutrite un profondo affetto nei confronti di quella famiglia.»

Bay allargò le braccia in gesto di sottomissione. Sapeva per esperienza che la contessa non si sarebbe lasciata distogliere dai suoi propositi. Si rivolgeva ai soldati di suo marito nello stesso tono che usava con i suoi cani, e si aspettava lo stesso livello di obbedienza.

«E se riuscirete nel vostro intento, dite alla signorina Baird che sarò lieta di farle visita.»

Bay fece un altro inchino. Pensò con un certo piacere che Charlotte non avrebbe provato entusiasmo né gratitudine all'idea di essere nelle grazie della contessa.

«Fate il possibile per conquistarla, capitano Middleton. Non potete permettervi di...» La contessa non poté finire la frase perché proprio in quell'istante si spalancarono le porte lasciando entrare l'imperatrice.

Bay si cimentò in un inchino profondissimo, senza però battere i tacchi come facevano gli austriaci. Mentre si raddrizzava, vide l'imperatrice che lo fissava e distolse immediatamente lo sguardo. Indossava un abito di velluto verde che lasciava scoperte le spalle e il décolleté. Nei capelli erano appuntate innumerevoli stelle di diamante, sistemate in modo casuale come se fossero state disseminate da una mano divina.

Le spalle nude erano straordinariamente bianche a contrasto

con il verde cupo del vestito. Quando l'imperatrice gli offrì la mano, si sentì scuotere dai brividi. Si chinò a baciarla, sfiorandole la pelle con le labbra, e nel frattempo cercò di ricomporsi. Alzando lo sguardo, incrociò per un istante i suoi occhi, ma lei subito dopo si spostò per salutare gli Spencer.

La sua mano era ruvida, da vera cavallerizza. Ma il primo contatto con la pelle di una donna era un dettaglio da non dimenticare. Era la deliziosa anticipazione di tante altre cose... ma poi si ricompose. Si costrinse a pensare al viso minuto e serio di Charlotte, e al modo in cui lei aveva iniziato a tremare quando l'aveva baciata la prima volta. Era stato per lei il primo bacio, Bay ne era certo.

Quando fu di nuovo ritto in piedi, notò che c'era un'altra donna insieme all'imperatrice: con un sobbalzo allo stomaco, vide che si trattava di sua sorella, l'ex regina di Napoli. Per la seconda volta nella serata, Middleton si pentì di non essere rimasto a Melton.

Era stato uno sciocco a non immaginare che sarebbe stato messo a dura prova. La regina, ovviamente, si sarebbe ricordata dell'uomo che l'aveva rifiutata al ballo degli Spencer. Era stato un gesto ingiustificatamente sgarbato, ma Bay lo capì solo in quel momento, e se ne pentì. La donna che gli stava davanti era bella, ma tutto in lei era meno fulgido rispetto alla sorella. Il suo viso era più allungato, le labbra più sottili, le sopracciglia più dritte mentre quelle di Sissi erano graziosamente incurvate. Aveva la stessa massa poderosa di capelli, ma poiché era diversi centimetri più bassa, la sua figura appariva schiacciata. Quella sera esibiva la stessa acconciatura dell'imperatrice, con le trecce acconciate a mo' di diadema, ma sulla sua testa sembrava più un'imposizione che una corona.

Il barone Nopsca fece le presentazioni. «Maestà, posso presentarvi il capitano Middleton? Fa da guida all'imperatrice nelle battute di caccia.»

Ancora una volta Bay si chinò per baciare la mano che gli veniva offerta. La mano della regina di Napoli era più soffice di quella di sua sorella, ma lievemente sudata. Sperò che la regina non si soffermasse su di lui, e invece lei aggrottò la fronte, simulando uno sforzo di memoria.

171

«Capitano Middleton, il vostro nome mi dice qualcosa.» Lo guardò dritto in faccia, e Bay capì che quella donna lo aveva riconosciuto immediatamente.

«Mia sorella dice che le siete preziosissimo sul terreno di caccia. Non può immaginare come se la caverebbe senza il vostro aiuto.» La regina sorrise senza mutare espressione. «Le ho detto che è stata una vera fortuna essersi assicurata i vostri servigi. Il celebre capitano Middleton non può essere ingaggiato da chiunque, come fosse una carrozza a noleggio. È un uomo che segue le proprie inclinazioni. Sissi non ha idea della grande fortuna che le è capitata.»

Lanciò un'occhiata alla sorella, intenta ad ascoltare le chiacchiere di Spencer circondata ai due lati da Liechtenstein ed Esterházy.

Bay si chiese se fosse il caso di porgere le sue scuse alla regina, ma ebbe la sensazione che niente di quel che diceva avrebbe potuto cambiare le cose. Maria sarebbe stata sempre la seconda classificata in tutto, dalla bellezza al rango. E così replicò: «Spero di avere l'onore di accompagnare a cavallo l'imperatrice insieme a sua sorella.»

«Sarà mia sorella a deciderlo. Ci troviamo in Inghilterra, eppure siamo tutti soggetti alla sua volontà.»

A queste parole il barone Nopsca, che era rimasto lì accanto nell'attesa di trovare un buon momento per interrompere quella imbarazzante conversazione, fece un passo in avanti e le mormorò all'orecchio: «Posso presentarvi la contessa Spencer, Maestà?» E con grande sollievo di Bay, si allontanarono. Oltre alla regina, era presente anche l'ex re di Napoli, un ometto che non parlava una parola d'inglese e che fece una faccia sorpresa quando Nopsca gli disse che il capitano Middleton era "le chef d'équipe de l'impératrice". Il re guardò Bay e scosse la testa, pensando forse a dove sarebbe andato a finire il mondo se i monarchi si fossero ritrovati alla stessa tavola con i loro stallieri.

A Bay fu assegnata una delle dame di compagnia dell'imperatrice da portare a tavola. Il barone gliela presentò ma il suo nome era di difficile pronuncia e Bay balbettò nel tentativo di ripeterlo.

«Mi scuso per la mia pronuncia tedesca. Le uniche lingue che ho imparato a scuola erano lingue morte.»

Era una donna esile, di qualche anno più vecchia dell'imperatrice, e gli rivolse un sorriso inaspettatamente affabile.

«Vi perdono, capitano Middleton. Sono la contessa Festetics. Il mio nome non è tedesco bensì ungherese, una lingua famosa per essere tra le più difficili del pianeta.» Aveva una voce profonda e fortemente accentata, e le parole sgorgavano in modo discontinuo dalla sua bocca, come fossero piccole raffiche.

«Per fortuna parlate correttamente la mia lingua» replicò Bay.

«Noi ungheresi non abbiamo altra scelta che imparare le lingue straniere. Non ci aspettiamo che siano gli altri ad apprendere il magiaro. L'unica persona che conosco che è stata capace di impararlo fluentemente è l'imperatrice.» La contessa annuì. «Già, l'imperatrice è una specie di pappagallo. A volte quando parliamo se chiudo gli occhi mi sembra di conversare con una mia connazionale.»

Bay, la cui conoscenza dell'Ungheria non andava molto oltre qualche nozione sui violini tzigani e sul vino tocai, domandò come mai l'imperatrice si fosse presa l'incomodo di imparare una lingua così ostica.

«Capitano Middleton, oltre a essere l'imperatrice d'Austria Elisabetta è la regina d'Ungheria. E che regina! Noi ungheresi saremo sempre grati al Kaiser per averla sposata. Lui non ha imparato neanche una parola della nostra lingua, oltre alla formula "miei sudditi", ma la mia padrona vuole capire cosa diciamo. La gente dice che ha un'anima ungherese.»

Gli occhi della contessa brillavano. Guardò da lontano l'imperatrice, che era seduta nel mezzo della tavola tra il conte Spencer e suo cognato, l'ex re di Napoli. Mentre voltava la testa verso il conte, la luce delle candele intercettò una delle stelle di diamante appuntate tra i capelli e gli sprazzi di luce rifratta danzarono per tutta la lunghezza del tavolo, illuminando con piccoli punti luminosi i volti dei commensali.

Bay e la contessa erano seduti a un'estremità, così come previsto dal rigido protocollo imperiale, essendo entrambi di rango poco elevato. Bay non si aspettava niente di diverso, eppure la consapevolezza del proprio stato sociale lo metteva a disagio. Sul terreno di caccia le differenze di rango apparivano irrilevanti: quel che contava di più era la maestria nell'equitazione, e in quello Bay non si sentiva inferiore a nessuno. Ma in quella sala da pranzo immensa e asfittica, dove non c'era niente che potesse dargli lustro oltre al suo bell'aspetto e all'uniforme da "mangia-ciliegie", provava un forte imbarazzo. Avrebbe cercato, in ogni caso, di rendersi gradevole alla donna che gli sedeva accanto.

«Come sta andando il vostro soggiorno in Inghilterra, contessa?»

«Posso senz'altro affermare che si tratta di... come dire... uno splendido Paese...» Bay annuì per esprimere apprezzamento sul modo in cui aveva costruito la frase. La contessa proseguì: «... se si è un cavallo oppure un cane. All'imperatrice non importa del cibo, ma io purtroppo non sono come lei. Perfino quando abbiamo fatto visita alla vostra regina ci hanno servito cibo grigio come la pietra e con un sapore che la ricordava molto da vicino.»

Bay non poté trattenere le risate, dinanzi a tanta veemenza. Fece un cenno al suo piatto, che conteneva una sogliola alla Véronique cotta a puntino.

«Non tutto il cibo inglese è cattivo, contessa.»

La contessa Festetics gli si avvicinò per parlargli sottovoce. «Proprio così, capitano Middleton. Lo chef è ungherese. È venuto qui al seguito dell'imperatrice. Gli preparo io tutti i giorni il menu. L'imperatrice, da parte sua, vivrebbe di brodo di carne e pane di segale, se io glielo permettessi. La mia presenza è una bella fortuna per voi, così non dovrete mangiare cibo grigio.»

Bay sorrise. «La vostra presenza è una benedizione, contessa, e non solo per il menu.»

La donna rise. «Siete molto galante, capitano. L'imperatrice mi ha detto che a cavallo ve la cavate magnificamente, ma non sapevo che sapeste anche esprimervi in modo così...» fece una pausa alla ricerca della giusta parola «... delicato.» Lo guardò dritto negli occhi mentre finiva la frase, e Bay sentì la nuca imperlarsi di sudore.

174

«Non c'è stato molto tempo per conversare, durante la caccia. All'imperatrice piace condurre il gruppo. Passo gran parte del mio tempo a cercare di raggiungerla.»

«Lo facciamo tutti, capitano. Ma voi le piacete... e questo mi rallegra, perché quando è felice lei lo sono anch'io.»

«Non credo che i suoi dignitari la pensino allo stesso modo» obiettò Bay.

La contessa vide Bay lanciare un'occhiata in direzione di Liechtenstein ed Esterházy. «Max e Felix? No, loro non sono affatto contenti di mangiare col garzone di stalla.» La contessa gli sorrise. «Ma dovete tenere a mente che sono viennesi, e per un viennese non c'è nessuno alla sua altezza. Inoltre, non accettano l'idea di avere un rivale. Da tre anni accompagnano l'imperatrice ovunque, sono stati con lei a Bad Ischl, a Gödöllő e ovviamente a Vienna. Sono una bella coppia di *cavalier serventi*. L'imperatore li chiama Castore e Polluce. Ma ora che l'imperatrice vi ha invitato a cenare con lei... loro si sentono in diritto di storcere il naso.»

I valletti entrarono con l'antipasto. Non c'era nessuno seduto accanto a Bay dall'altro lato, e così quando la contessa iniziò a conversare con il convitato alla sua sinistra, rimase in silenzio. Tentò di scambiare qualche parola con la donna seduta di fronte, ma lei non parlava inglese e quindi si limitarono a sorridersi vicendevolmente. Lanciò un'occhiata furtiva all'imperatrice. Come la contessa aveva predetto, non stava toccando cibo, ma il suo bicchiere di vino era vuoto per metà e c'erano due chiazze di colore sulle sue guance. Voltò la testa e intercettò lo sguardo di Bay. Con sua grande sorpresa, si sentì apostrofare da lei.

«Capitano Middleton, mi piacerebbe conoscere la vostra opinione sui miei cavalli.» Fece un gesto a Spencer. «Il conte dice che siete voi l'esperto in materia. Sono validi quanto i vostri purosangue inglesi?»

Il silenzio piombò sui commensali. Rivolgersi a qualcuno in maniera così diretta era un inequivocabile segno di favore imperiale. Bay percepì un mutamento d'atmosfera, come se gli altri invitati stessero rivedendo in quello stesso momento il suo posto nella scala sociale. Lui esitò prima di rispondere. «I vostri cavalli sono magnifici, mia signora. Sarei orgoglioso se qualcuno mi vedesse in sella a uno qualunque di essi.»

Fece un'altra pausa, poi si chiese se fosse il caso di proseguire. Vedendo l'espressione sul volto di Esterházy, decise che avrebbe rivelato quel che pensava realmente.

«Ma un buon cavallo da caccia necessita di altre qualità, oltre alla magnificenza dell'aspetto. Per prendere parte alla caccia Quorn, per esempio, ed essere presente all'uccisione della volpe, la razza non basta: ci vuole cuore. Occorre una bestia capace di galoppare per trenta chilometri o più in aperta campagna, e che sia pronta a percorrerne altri. I vostri cavalli faranno tutto ciò che direte loro di fare, ma un grande cavallo non ha bisogno che gli siano impartiti degli ordini: vi darà tutto quel che ha senza che glielo chiediate, e quando credete che non vi sia altro, troverà nelle zampe la forza per un ultimo salto.»

Ci fu un attimo di silenzio prima che Liechtenstein replicasse: «State realmente insinuando che i purosangue di Sua Maestà, ottenuti da una selezione di razza che prosegue da cinquecento anni, siano inferiori alla giumenta grigia che cavalcavate ieri?»

«Forse non vi piacerà il suo aspetto, signore, ma dovete ammettere che non è certo rimasta indietro rispetto agli altri sul terreno di caccia» rispose Bay, ben consapevole del fatto che il cavallo di Liechtenstein si era rifiutato di saltare un cancello il giorno prima.

«E questi cavalli di cui parlate, i cavalli con il cuore, sarebbero inglesi, suppongo.» Quando Liechtenstein voltò la testa Bay notò sulla sua guancia la traccia biancastra di una cicatrice da duello.

«Sono certo che esistano cavalli di spirito e coraggio ovunque, ma finora li ho incontrati solo in Inghilterra.»

Liechtenstein stava per replicare nuovamente quando l'imperatrice prese la parola. «Conte Spencer, devo assolutamente avere uno di questi cavalli inglesi. Mi aiuterete a trovarne uno?»

«Middleton è la persona giusta a cui rivolgersi, signora. Non c'è nessuno più esperto di lui quando si tratta di vagliare un cavallo.»

L'imperatrice tornò a rivolgersi a Bay. Lui chinò il capo e, con un borbottio appena percettibile, si dichiarò onorato di poterla aiutare. L'imperatrice batté le mani e, voltandosi verso il re di Napoli, tradusse rapidamente la conversazione in italiano. Quando ebbe finito di ascoltare, il cognato dell'imperatrice fissò Bay e scosse nuovamente il capo, ancora incredulo della sua presenza alla tavola imperiale.

La conversazione riprese tranquilla, e mentre i valletti servivano il dolce la contessa si avvicinò ancora a Bay e gli sussurrò a voce bassa: «Bene, capitano, come si dice in Germania, voi vi trovate "dal lato della cioccolata" dell'imperatrice, ovvero dalla parte dove tutto è più dolce. È lì che ogni cortigiano vorrebbe stare.»

«Ma io non sono un uomo di corte» disse Bay, un po' troppo ad alta voce.

La contessa sorrise, e Bay notò il guizzo di un dente d'oro.

«Forse. Ma siete un uomo, mi pare.» Poi proseguì: «Questa è una torta di ciliegie all'ungherese, capitano. Piace finanche all'imperatrice.»

Bay, che non era un amante dei dolci, si sentì obbligato a finire la torta fino all'ultima briciola.

Dopo cena l'imperatrice condusse le signore in salotto, ma con grande sollievo di Bay gli uomini non rimasero in disparte a bere liquori. Il re di Napoli fu il primo a lasciare la sala, seguito dagli altri secondo un rigoroso ordine di precedenza. Bay fu l'ultimo a uscire. Gli dolevano le mascelle per la tensione, tanto si era sforzato di apparire gradevole. Rimasto per un istante da solo nella sala da pranzo, si concesse un gemito silenzioso, spalancando la bocca al massimo delle possibilità.

Alle sue spalle udì un rumore, come di chi si schiarisse la gola con grande discrezione. Bay si ricompose e si voltò. Il barone Nopsca era in piedi sulla soglia, con le mani intrecciate davanti a sé.

«Capitano Middleton, ho un messaggio da parte dell'imperatrice.» Fece una pausa, tenendo lo sguardo fisso al suolo. «Sua Maestà vorrebbe incontrarvi alle stalle.» Nopsca riferì il messaggio nel tono inespressivo di chi si è esercitato molto a non reagire ai capricci della sua padrona.

Bay, invece, non riuscì a nascondere la sua sorpresa.

«Adesso? Vuole incontrarmi adesso?»

«Non so dirvi esattamente quando l'imperatrice intenda raggiungervi, ma credo che dovreste aspettarla là.»

Il ciambellano s'inchinò a mezzo busto, alla maniera continentale, chiudendo così la conversazione. Si allontanò a passi rapidi, e Bay lo seguì lungo il corridoio che probabilmente portava all'ala della servitù.

«Barone Nopsca!»

Il ciambellano si voltò verso di lui. Sebbene il corridoio fosse scarsamente illuminato, Bay vide che il viso del dignitario imperiale era pallido e sudato.

«Le stalle? Come posso raggiungere le stalle?»

Nopsca parve sollevato da quella domanda. «Vi chiedo scusa» disse. Poi fornì a Bay le indicazioni necessarie e aggiunse: «È una serata fredda, e forse vi toccherà attendere. Sua Maestà sa essere imprevedibile. Un momento, prego.»

Nopsca sparì oltre una porta e ricomparve qualche istante dopo insieme a un valletto, che portava su un vassoio d'argento una caraffa colma d'un liquido incolore. Il barone versò un bicchiere per Middleton e uno per sé.

«*Schnapps*. A Vienna lo chiamiamo "l'amico della sentinella". È insuperabile per resistere al freddo.»

Si portò il bicchiere alle labbra e lo vuotò. Bay seguì l'esempio. La sensazione del liquore fortissimo in fondo alla gola gli risultò assai gradevole.

Il barone strizzò gli occhi e accennò un debole sorriso. «Un altro, direi.»

Bay non rifiutò. C'era una sorta di disperazione nei gesti del barone. Sollevarono i bicchieri e Nopsca disse, con un largo sorriso: «All'imperatrice!» Bay ripeté le sue parole e sentì lo *Schnapps* che faceva effetto scendendogli fino alle ginocchia.

«Buona notte, Herr Middleton. Spero che la vostra attesa non sia troppo lunga.»

Mentre si avviava verso le stalle, Bay intravide la sua immagine riflessa in uno specchio brunito appeso in una delle tante rientranze della sala grande. Vi si avvicinò, non resistendo alla tentazione di ammirare lo splendore della sua uniforme. Proprio mentre si stava sistemando il mantello perché cadesse a pennello, scorse uno sprazzo di bianco nell'angolo dello specchio e sentì delle voci. Erano Liechtenstein ed Esterházy. Parlavano in tedesco, a bassa voce, ma Bay sentì che uno di loro pronunciava il suo nome, seguito da uno scroscio di risate sguaiate. Bay non osò voltarsi: non voleva che gli austriaci pensassero che stesse origliando. Era difficile vederli in quella superficie appannata e ondulata, che restituiva le sagome bianche sotto forma di macchie confuse e frastagliate. A un certo punto le due figure divennero una sola, come se i due uomini si fossero uniti in un feroce abbraccio. Bay cercò di mettere a fuoco l'immagine, ma era impossibile capire esattamente cosa stava accadendo alle sue spalle. Alla fine la macchia bianca si separò nuovamente in due figure distinte, e poi si udì un rumore di stivali e speroni che rimbombava su per la grande scalinata di pietra. Bay si sentì vacillare: lo *Schnapps* si stava facendo sentire. Aveva davvero visto Castore e Polluce che si univano in un abbraccio non esattamente fraterno? Scacciò via quell'ipotesi archiviandola come un'allucinazione indotta dal liquore. Era nell'esercito da abbastanza tempo da sapere che certe cose si verificavano a volte nelle caserme tra i soldati di basso grado, ma tra due ufficiali? Spazzò via quel pensiero dalla mente.

Trovò facilmente il locale delle stalle. Al pari della casa, era una costruzione barocca: i bassorilievi sul soffitto erano uguali a quelli della sala grande. C'erano circa venti animali là dentro, e Bay si sentì subito più calmo quando inalò l'odore familiare dei cavalli e del fieno. Percorse il corridoio che separava i singoli vani, chiedendosi come mai gli austriaci radessero il pelo ai loro animali. La rasatura conferiva ai cavalli un aspetto innaturale, negando loro il rispetto che a suo avviso quelle nobili bestie meritavano. Ma gli austriaci, come aveva avuto modo di notare, erano molto attenti alla superficie delle cose: bastava pensare al treccione dorato sulle uniformi, o all'ordine preciso secondo cui le persone di rango diverso dovevano raggiungere i posti a tavola. Persino i finimenti dei cavalli erano fatti di corde di seta. Pensò al girovita incredibilmente sottile dell'imperatrice nel suo abito da cavallerizza, e alla sua andatura inesorabile. Appariva sempre immacolata, anche dopo una giornata lunga e fangosa sul terreno di caccia. Era una donna che teneva all'apparenza, eppure gli aveva chiesto di incontrarla là nelle stalle. Cosa avrebbero mai pensato di quell'incontro Liechtenstein, Esterházy, oppure l'ex re di Napoli?

Il cavallo dal manto castano davanti a lui agitò la coda infastidito, calciando un demone invisibile. L'orologio della stalla cominciò a battere i rintocchi: erano già le dieci. Bay pensò alla carrozza a nolo e si chiese quanto ancora avrebbe dovuto aspettare. L'emozione che aveva provato nel ricevere quell'appuntamento, incoraggiato dallo *Schnapps* di Nopsca, stava ora trasformandosi in una sensazione di torpido disagio.

Quando alla fine udì la sua voce, Bay esitò un momento prima di voltarsi. Voleva vedere il suo viso, eppure aveva timore di ciò che avrebbe scorto in lei.

L'imperatrice sorrideva. Aveva indossato un mantello di velluto con un cappuccio profilato di ermellino sul suo abito da sera. Quando si voltò a guardarla, lei si scostò il cappuccio mettendo in mostra le stelle di diamante che rifulgevano nella massa scura dei suoi capelli. Alle sue spalle c'era la contessa che respirava rumorosamente con il naso arrossato dal freddo.

«Vi ho fatto attendere.» Il tono non era di scusa: stava semplicemente facendo una constatazione.

Bay si inchinò, non venendogli in mente niente da dire. L'imperatrice si rivolse alla contessa Festetics. «Il capitano Middleton sarà infreddolito. Potete chiedere a Nopsca se ci porta qualcosa di caldo da bere?» La contessa la guardò per un istante e lasciò le stalle.

L'imperatrice si guardò brevemente attorno, poi agitò una mano bianchissima verso i cavalli sistemati nei loro alloggi.

«Credete davvero che mi occorrano nuovi cavalli, Middleton?»

Bay deglutì. «Mia signora, credo che vi occorrano dei cavalli degni di voi.»

«Degni? Ma questi sono i migliori cavalli di tutta l'Austria.»

«È probabile, ma vi meritereste di meglio.» Bay fece un passo avvicinandosi a lei. «Non ho mai visto una donna cavalcare come voi. Vi spetterebbero esemplari migliori.»

Sissi si spostò lievemente a sinistra per accarezzare il muso di un cavallo, e la luce proveniente dalle candele di una lampada a parete le illuminò il viso, facendo scintillare i diamanti tra i capelli. Il cavallo le strofinò il naso nel palmo della mano.

«Credete sia davvero importante? Queste bestie sono valide. Forse dovrei accontentarmi di ciò che ho.»

«Forse, signora. Tutti quanti dovremmo accontentarci di ciò che abbiamo. Ma voi meritate la perfezione.»

L'imperatrice scosse la testa. «Parlate come uno dei miei cortigiani, capitano Middleton.»

Bay si sentì pungere nel vivo. «Ma non vi sto adulando nella speranza di ottenere una promozione. Dico solo ciò che reputo vero. Se pensate che le mie siano vuote lusinghe mi rammarico per voi, ma non per me.»

Lei lo guardò compiaciuta.

«Nessuno a Vienna oserebbe parlarmi così. Ma se non siete un cortigiano, allora perché siete qui?»

«Credo che lo sappiate bene» replicò Bay in tono calmo.

«Perché sono la migliore cavallerizza che abbiate mai visto?»

«No. Perché me lo avete chiesto voi.»

Lei sorrise. «Come siete obbediente. Mia sorella ne resterebbe sorpresa.»

Bay abbassò lo sguardo verso il suolo ricoperto di paglia. Le due cose che credeva di conoscere al mondo erano le donne e i cavalli. Se qualsiasi altra donna gli avesse chiesto di incontrarla da sola nelle stalle a tarda sera, lui non avrebbe avuto dubbi su ciò che ci si aspettava da lui. A un certo punto lui l'avrebbe cinta alla vita e avrebbero proseguito su quella strada. In quella situazione, invece, non poteva prendere alcuna iniziativa del genere. L'imperatrice non era una donna qualsiasi. C'era da considerare il suo rango, ovviamente, e poi il fatto che suo marito fosse l'imperatore, e inoltre bisognava pensare ai *cavalier serventi*. Ma non era solo la sua posizione sociale a bloccarlo. Non aveva percepito quello sguardo languido e intenso che gli segnalava il fatto che una donna desiderava essere toccata.

«Ditemi una cosa» disse l'imperatrice. «Perché vi chiamano Bay?»

Lui sollevò lo sguardo. «Era un cavallo che aveva vinto una corsa Derby dopo essere stato quotato uno a cento. Dopo quella gara, i miei amici cominciarono a chiamarmi Bay. Secondo loro sono un uomo fortunato.»

«E lo siete?»

«A volte. Con un buon cavallo e un buon terreno davanti a me mi sento fortunato come chiunque altro nel regno.»

«E ora? Vi sentite fortunato, Bay Middleton?»

Lo stava fissando negli occhi, e lui restituiva lo sguardo cercando qualche traccia dell'autorizzazione che avrebbe voluto avere. L'imperatrice era in piedi, a distanza non troppo ravvicinata. Per baciarla avrebbe dovuto fare un passo in avanti. Ma azzardare quella mossa avrebbe significato rendere chiare le sue intenzioni. Se lei avesse indietreggiato sarebbe stato difficile far finta che non intendesse agire in alcun modo. Avrebbe voluto passare all'azione, porre fine a quell'incertezza, avvicinare quel viso fresco e bianco al suo, eppure sapeva che se l'avesse fatto sarebbe stato perduto per sempre.

«Fortunato e insieme sfortunato» replicò lentamente.

Lei scosse la testa. «Questa è una risposta da cortigiano. Io voglio sapere come pensa di affrontare Bay Middleton la sua attuale situazione.»

Mentre parlava, il cavallo alle sue spalle sbuffò e tirò fuori la coda, che andò a sventolare contro la manica dell'imperatrice. Sissi fece un sobbalzo e Bay allungò una mano per proteggerla. La mano sfiorò inavvertitamente la pelle candida e liscia della sua spalla, e prima ancora che potesse pensare a cosa stava facendo le aveva preso il viso tra le mani premendo le proprie labbra sulle sue. Per un attimo l'imperatrice si irrigidì, ma subito dopo egli sentì la sua mano che gli si posava sulla nuca. Il suo bacio fu come un sospiro. Bay inalò il suo odore, un misto di violette, brandy e un leggero sentore animale proveniente dai suoi capelli. La sua testa era pesante. Alle loro spalle, i cavalli mugolavano.

Alla fine l'imperatrice si allontanò e distolse lo sguardo. Bay non vedeva l'espressione del suo viso. Le prese una mano tra le sue e disse, con tono basso e concitato: «Ho superato il limite. Dovete perdonarmi. È stato un momento di follia. Eravate così bella e così vicina. Non ho saputo resistere.»

Lei sorrise e gli appoggiò un dito sulle labbra.

«Non c'è niente da dire...»

Bay notò le rughe agli angoli degli occhi e fece per baciarla di nuovo, ma mentre si avvicinava sentì un colpo di tosse e una gola maschile che tentava di schiarirsi. Alzando lo sguardo, vide che era il barone Nopsca, accompagnato dalla contessa, con due boccali su un vassoio. L'imperatrice vide lo sguardo sul volto di Bay e si girò dalla parte opposta, senza alcun tentennamento.

«Finalmente» disse con la massima tranquillità. «Povero capitano Middleton, vi starete congelando a morte. Cosa ci avete portato, Nopsca? Ha un ottimo profumo.»

«È vino speziato. Lo chiamano "negus".»

Bay accettò il boccale offertogli da Nopsca e bevve un sorso. Era appena tiepido. Bay si chiese da quanto tempo il barone fosse lì in attesa di poterli interrompere. Il suo volto, però era impassibile: ammesso che avesse visto qualcosa, era troppo ben addestrato per lasciarlo trasparire.

All'imperatrice piaceva il suo negus. «Il caffè qui è terribile, ma questa bevanda è deliziosa. Credo che la berrò tutte le sere, Nopsca.»

Si voltò verso Bay e gli tese la mano. «Vi ringrazio molto, capitano Middleton, per il vostro aiuto. Spero di poter cavalcare presto uno dei vostri cavalli. Sono certa che riuscirò ad andarci perfettamente d'accordo.»

«Non ne dubito, signora.» Bay premette le sue labbra sulle dita dell'imperatrice, indugiando forse qualche istante di troppo.

«Buona notte, allora. Dove andremo a caccia domani?»

«Domani c'è la Quorn. La caccia più bella nell'arco di tre contee.»

«Allora non vedo l'ora che venga domani, capitano Bay Middleton.»

Il modo in cui pronunciò il suo nome per intero ricordò a

Bay l'intimità del bacio che si erano appena scambiati. Guardò gli altri due per capire se l'avessero notato. Nopsca si era già voltato, mentre la contessa Festetics lo stava fissando. Quando i loro sguardi si incrociarono, lei gli rivolse un sorriso inequivocabilmente ammiccante, poi seguì la sua padrona fuori dalle stalle.

# 22.

## La corrispondenza dell'imperatrice

Bay si addormentò in carrozza durante il viaggio di ritorno alla residenza di Melton. Dormì profondamente, come gli succedeva al termine di una fruttuosa giornata di caccia. Era tutto finito, almeno per quel giorno. L'indomani ci sarebbe stato tempo per i ripensamenti. Per il momento voleva solo starsene con gli occhi chiusi a ricordare la sensazione delle sue mani che avvicinavano a sé il volto dell'imperatrice, con le sue labbra che si chiudevano su quelle di lei.

Mentre lui dormiva, la donna che occupava i suoi sogni era perfettamente sveglia. Era in piedi davanti alla finestra della camera da letto e fissava i campi innevati che il chiarore della luna rendeva scintillanti. In un angolo della stanza, anche la contessa Festetics era sveglia. Non pensava all'amore, bensì al suo letto. Era esausta, ma non poteva ritirarsi finché non fosse stata formalmente congedata, e sapeva per esperienza che quando la sua padrona era in uno stato di eccitazione si dimenticava di dormire. Sbadigliò sonoramente, e l'imperatrice si girò verso di lei.

«Mi hai spaventata. Mi ero quasi dimenticata che fossi ancora qui.»

«Perdonatemi, Maestà. È stata una lunga giornata.»

«Ottima, però. Anche la cena è andata molto bene.»

La contessa sorrise. «Il mio vicino di tavola è stato davvero gradevole, questo è certo. Il capitano Middleton è così galante... quasi quanto un ungherese.»

«Se lo vedessi a cavallo ti convinceresti che è un magiaro nato.»

L'imperatrice indossava una camicia da notte di pizzo, con i capelli che le scendevano sciolti sulle spalle. Il suo viso si era addolcito al solo sentir nominare Middleton. Erano anni che la contessa non vedeva la sua padrona così allegra.

«Vi è certamente devoto come ognuno dei vostri sudditi. A cena non ha fatto altro che lodarvi. Credo che lo abbiate davvero impressionato.»

L'imperatrice si arricciolò una ciocca di capelli attorno a un dito.

«Non me l'aspettavo» disse a bassa voce. La contessa le si avvicinò e appoggiò delicatamente una mano su quella della sua padrona.

«Nessuno desidera la vostra felicità più di me, Maestà. Ma vi imploro di osservare la massima prudenza. Sapete che il barone Nopsca e io serviamo voi sola, ma siete circondata da altre persone che non vi amano come vi amiamo noi.»

Sissi tirò indietro la testa, producendo un rapido movimento della pesante capigliatura. «Sai, Festy, è tutta la vita che mi impegno a essere prudente e attenta. Da quando ho quindici anni non faccio altro che essere osservata, soppesata e giudicata. Analizzata da vicino, come una bestia selvatica in un serraglio. Dal momento stesso in cui mi sono sposata non fanno altro che mettermi alla prova.» Chinò il capo, mentre i capelli le ricaddero attorno al viso.

«Lo sai che il giorno delle nozze mia suocera mi disse che avevo denti così storti che qualora mi fossi trovata nella situazione di sorridere in pubblico avrei sempre dovuto tenere la bocca chiusa? Non ho aperto la bocca per mesi.» Poi sorrise, rivelando una dentatura appena irregolare, con i due incisivi lievemente sporgenti. Quei denti imperfetti interrompevano la simmetria dei suoi lineamenti, attribuendo alla solenne magnificenza del viso una qualità vagamente ferina.

«Ma ora non ho paura.» Mostrò i denti alla contessa Festetics, e quando vide lo sguardo allarmato sul volto della sua dama, aggiunse, in tono serio: «Oh, non preoccuparti, non ho intenzione di mordere nessuno. Ma se intravedo anche solo la minima possibilità di essere felice, stai certa che non vi rinuncio.»

La contessa chinò il capo. «Il mio unico desiderio è di proteggervi, Maestà.»

L'imperatrice le strinse la mano. «Sì, lo so. Ora vai pure a letto. Non ho più bisogno di te per stasera.»

La dama fece un inchino. «Come desiderate, Maestà.» Stava varcando la soglia, pensando al letto che la aspettava all'altro capo del corridoio, quando l'imperatrice la richiamò: «Ho bisogno di carta da lettere. Mi sono rimasti solo un paio di fogli e voglio scrivere all'imperatore.»

*Mio caro Franzl,*

*ho appena letto la tua lettera con la data del 15. Ti lamenti del fatto che ti scrivo poco. Ma sai, liebchen, sono stata talmente occupata che non ho ancora avuto il tempo di vergare la lunga lettera che meriteresti. Ho avuto molte incombenze qui in Inghilterra, e vado a caccia quasi tutti i giorni. Sono giornate lunghe e faticose, cavalchiamo per ore senza sosta, e quando torno a casa sono talmente stanca che Festetics e Nopsca devono mettermi a letto. Dormo benissimo qui, mi basta chiudere gli occhi e cado immediatamente in un sonno profondo.*

*Stasera Maria e Ferdinando sono stati qui a cena dagli Spencer (un conte inglese con la barba rossa e parecchi ettari di terra e sua moglie, che invece di rosso ha solo il naso). Maria è più felice in Inghilterra di quanto non lo fosse in Francia, ma pensa sempre a ciò che ha perduto. Credo che Ferdinando invece si sia rassegnato al suo destino. Ovviamente sono ancora a corto di denaro. Credo che Maria conti molto sulla generosità del barone Rothschild. Insiste molto nella richiesta di accompagnarla a fargli visita. A quanto pare, le stalle di Waddeson sono magnifiche. Purtroppo i miei cavalli non sono adeguati alla caccia in questi territori. Ma ho trovato un prezioso consigliere nel capitano Middleton, che ha promesso di trovarmi qualche esemplare più adatto alla situazione. Visto che mi sproni sempre a stringere amicizie tra i miei ospiti inglesi... ecco, forse diventerò assai popolare nella comunità degli allevatori di cavalli!*

Le risultava facilissimo scrivere a Franzl quella sera, poiché si sentiva all'apice della felicità. Sissi non poté reprimere un fremito di piacere quando scrisse per la prima volta il nome di Middleton. Non c'era alcun bisogno di farne menzione, ma non aveva saputo resistere all'impulso di inserirlo nella lettera, proprio sotto il naso di suo marito. Ovviamente Franzl non vi avrebbe fatto caso: ci voleva ben altro per distogliere la sua attenzione dalle pile di scartoffie e per suscitare in lui una punta di gelosia. Ma l'imperatrice sentiva che l'aver messo per iscritto il nome di Middleton equivaleva a dargli un avvertimento.

*Saresti così felice di vedere adesso la tua Sissi. Festetics dice che non mi ha mai vista così in forma. La stanchezza nervosa che mi ha costretta a letto la scorsa estate si è completamente dissolta. È stata una splendida idea partecipare a questa caccia. Mi manchi moltissimo, questo è naturale, però questo soggiorno mi sta facendo un gran bene. Ti immagino riverso sui tuoi documenti e mi addolora pensare alla tua solitudine, ma so che il tuo cuore generoso preferisce sapermi qui serena e felice piuttosto che avermi con sé nell'umore tetro che avevo la scorsa estate. Pertanto, mio caro Franzl, non chiedermi una data di ritorno. Qui sono felice, e come sai non ho avuto grandi gioie dopo quel giorno in cui ci incontrammo tanti anni or sono a Bad Ischl. Certo, se tu potessi raggiungermi qui la mia felicità sarebbe all'apice, e credo che la caccia ti piacerebbe moltissimo. Ma so che la devozione nei confronti dei tuoi doveri ti tiene incatenato alla scrivania: sei il padre del tuo popolo ancor prima che il marito di tua moglie.*

*Ti prego, bacia da parte mia la cara piccola Valerie. Sarebbe così bello averla qui con me, ma non vorrei mai privarti del tuo adorato tesorino. So quanto ti è di conforto, e dunque metterò da parte le mie esigenze materne affinché possa stare vicino a te.*

*Ti bacio le mani e la fronte.*

*La tua*

*Sissi*

Ripiegò la lettera e vi appose il sigillo. Quando la contessa tornò con la carta, la accolse con una risatina. «Non me ne occorreva altra, dopotutto. Sono riuscita a far stare tutto in un solo foglio. Ma puoi prendere la lettera perché sia spedita. E poi insisto che tu vada a letto. Hai un'aria assai affaticata. Riposati, Festy, non devi ammalarti: sarei perduta senza di te.»

La contessa fece un altro inchino e lasciò la stanza. Questa volta riuscì ad arrivare alla sua camera da letto, e nonostante le tensioni della giornata, si addormentò in pochi minuti.

# 23.

## Holland Park

Era quasi buio quando la carrozza si fermò davanti alla casa di Holland Park. Charlotte vide la torretta circolare stagliarsi contro il cielo blu, alla luce che filtrava dalle strette finestre. A quell'ora della sera la casa sembrava quasi un castello incantato, immersa com'era nella macchia boschiva del quartiere di Kensington. La sua sagoma bizzarra comunicò un immediato conforto a Charlotte: sentiva di aver raggiunto non solo la sua meta, ma anche un rifugio sicuro.

Era stato un lungo viaggio. La notte prima era rimasta alzata fino a tardi nella speranza di poter incrociare brevemente Bay al ritorno da Easton Neston. Rimanere in salotto dopo cena mentre gli uomini bevevano i loro liquori era stata un'esperienza devastante. Augusta le aveva a stento rivolto la parola, ed evidentemente si era anche lamentata di lei con sua madre, la quale non le aveva chiesto, come faceva di solito, di sedersi davanti al fuoco a farle compagnia. Persino sua zia aveva tenuto le distanze: a Adelaide Lisle non era mai piaciuta Lady Dunwoody, e quando le aveva detto che l'indomani sarebbe andata a Holland Park, la zia si era massaggiata le palpebre e si era lagnata del fatto che, nonostante i suoi tentativi di darle il massimo, per la nipote non era mai abbastanza. Charlotte era rimasta turbata da quell'affermazione, ma poi riflettendo capì che l'unica ragione per cui Lady Lisle disapprovava la sua decisione era che, in qualità di accompagnatrice di sua nipote, riceveva un'intera copertura delle spese solo quando Charlotte era con lei. Quando quest'ultima l'aveva rassicurata sul fatto che, una volta terminata la mostra, sarebbe

189

tornata nella sua casa di Londra, Lady Lisle era divenuta improvvisamente più cordiale: significava che il patrimonio di sua nipote avrebbe ancora coperto le spese della casa di Charles Street. Adelaide Lisle aspettava con terrore il giorno in cui Charlotte non avrebbe più avuto bisogno dei suoi servigi, e in cui lei sarebbe tornata a vivere nella piccola casa piena di spifferi nei dintorni della cattedrale.

Charlotte rimase seduta in un angolo del salottino in stile gotico, fingendo di essere immersa nella lettura del *Punch*. Ogni volta che qualcuno entrava nella stanza, lei sollevava lo sguardo e sperava, del tutto irrazionalmente, che Bay entrasse a salvarla da quella situazione di isolamento a cui era stata relegata. Alle undici non c'era ancora alcun segno di lui, e quando Lady Crewe annunciò che sarebbe andata a letto, Charlotte non ebbe altra scelta e la seguì.

Non andò immediatamente di sopra, ma restò a bighellonare il più a lungo possibile nella sala grande, osservando ogni dettaglio di un paio di dipinti del Canaletto che raffiguravano il Canal Grande portati in Inghilterra da un precedente Lord Crewe a seguito di un Grand Tour. Rimase in piedi davanti a quell'intrico di barche e chiese per buoni cinque minuti, finché il maggiordomo non le domandò se volesse un candelabro, essendo la sala ormai scarsamente illuminata. Le chiese anche se c'era qualcosa di particolare che desiderava vedere. Charlotte capì che era il suo modo gentile per dirle che tutti i domestici si stavano ritirando per la notte e che non era opportuno che una fanciulla del par suo se ne andasse in giro al buio a esaminare dei quadri. E così era lentamente tornata nella sua stanza, fermandosi praticamente a ogni gradino come se avesse il fiato corto, ma quando arrivò al piano di sopra e sentì il singolo rintocco che le ricordava che era passato un quarto d'ora, capì che non poteva indugiare oltre. Nonostante il forte desiderio di vedere Bay al suo ritorno, il pericolo di farsi scoprire da Augusta o da Lady Crewe era troppo grande.

Ma era vitale incontrare Bay prima di partire. Doveva spiegargli perché stava partendo. Non doveva lasciarlo col dubbio che fosse fuggita via da lui. Doveva fargli sapere che i sentimenti nei suoi confronti erano inalterati.

In quanto donna non maritata e di importanza media Charlotte aveva ottenuto una delle stanze più modeste, le cui finestre affacciavano sul retro e non sulla facciata. Pertanto non sarebbe potuta neanche stare alla finestra ad aspettare il ritorno di Bay. Decise di mandargli un messaggio chiedendogli un incontro per l'indomani mattina. Il suo treno sarebbe partito presto, ma ci sarebbe stato tempo per un rapido appuntamento prima di colazione. Il messaggio era breve:

*Parto domani per Londra con il treno del mattino. Starò dalla mia madrina, Lady Dunwoody. Spero avremo l'occasione di incontrarci prima della partenza. Un caro saluto, CB.*

Avrebbe voluto chiudere il messaggio più calorosamente, ma in una casa come Melton era facile intercettare un biglietto. Sebbene tutti sapessero della sua "intesa" con Bay, non erano ancora formalmente fidanzati, e le fanciulle rispettabili non combinavano incontri con i giovanotti senza la mediazione e la presenza di altre persone. Charlotte si chiese come avrebbe potuto fare a recapitare il messaggio a Bay. Non voleva affidarsi a una domestica, ma poiché la stanza di Bay era nell'ala opposta rispetto a dove stava lei, non poteva portarglielo di persona dietro la porta.

Suonò il campanello e attese per quella che le sembrò un'eternità finché Grace, la cameriera che le aveva sistemato i capelli la sera prima, non arrivò sbadigliando e sfregandosi gli occhi. Chiaramente era già a letto, visto che il suo abito era mezzo sbottonato e i capelli le ricadevano sciolti sulle spalle.

«Mi dispiace disturbarti a quest'ora, ma mi chiedo se potessi recapitare questo biglietto al capitano Middleton.»

La cameriera la fissò senza dire parola.

«Sai, domani vado a Londra col primo treno del mattino, e mi piacerebbe potergli parlare prima di partire.»

Grace scosse la testa. «Mi dispiace, signorina, ma non mi è permesso salire nell'ala degli uomini di notte. Se mi scoprono perderò il lavoro.»

«Potresti darlo a qualcun altro? A uno dei valletti? È estremamente importante» rilanciò Charlotte.

Grace sembrò prendere la cosa in considerazione, e Charlotte capì che stava aspettando qualcosa.

«Ti darò una bella ricompensa per questo fastidio.» Cercò la borsetta e ne estrasse una ghinea. Era troppo, lo sapeva. Si stava svendendo.

Grace spalancò gli occhi quando vide l'entità della ricompensa.

«Vedo se trovo il garzone degli stivali. Penso che sia ancora al lavoro. Non sarà un problema per lui recapitare questa lettera al capitano.»

«Ci si può fidare di lui?»

«Direi di sì, signorina.» Ma il suo sguardo era andato velocemente alla borsetta.

Charlotte ne estrasse un'altra moneta, di taglio inferiore, e disse: «Questa dalla a lui. È molto importante che il capitano Middleton riceva la lettera.» La ragazza s'infilò in tasca biglietto e monete.

«Sai, non voglio lasciare Melton senza salutarlo.»

Charlotte rivolse queste parole più a se stessa che a Grace, ma la cameriera sorrise e rispose: «Capisco, signorina. È un giovanotto simpatico. Neppure io vorrei mai lasciarlo senza dirgli addio.»

Sempre sorridendo, Grace si congedò. Charlotte si buttò sul letto, con il viso in fiamme. Era sempre stata fiera del fatto che si metteva sempre in una posizione che le consentiva di osservare il comportamento altrui. E invece adesso si stava trasformando in una di quelle persone su cui i domestici hanno sempre da spettegolare. Era contenta di aver preso la decisione di partire.

Il giorno dopo alle sette in punto Charlotte era già vestita. La sala grande era grigia alla luce del primo mattino e odorava di legna bruciata. Non c'era nessuno, a parte una sguattera con un grembiule di tela marrone che puliva l'immenso caminetto. Charlotte entrò nella sala della colazione, dove i valletti stavano portando scaldavivande pieni di uova e pancetta, stufato di rognone piccante e riso speziato condito all'indiana, con pesce e verdura. Lord Crewe era seduto a un'estremità della tavola e leggeva il *Times*. La regola a Melton era che non si facesse conversazione a colazione: tutti mangiavano e bevevano come se fossero avvolti ognuno nella sua membrana. Charlotte stava bevendo del tè e mangiando un pezzo di pane tostato, mentre Lord Crewe smembrava un'aringa affumicata con una determinazione tale da far venire l'acquolina in bocca. Uno alla volta, tutti gli ospiti presero posto a tavola: solo alle donne sposate era concesso il lusso della colazione in camera. Charlotte era seduta con le spalle alla finestra, in modo da poter vedere chiunque entrasse nella stanza. Ogni volta che la porta si apriva, non poteva fare a meno di sollevare lo sguardo. Ma di Bay non c'era traccia. Sentì l'orologio della stalla battere le otto. Era ora che si preparasse per prendere il treno.

Era in piedi nell'atrio, con il cappello già in testa, ad aspettare la carrozza quando sentì un tocco leggero sulla spalla. Si voltò carica di speranza, ma vide solo il faccione florido di Chicken Hartopp con i suoi basettoni color carota.

«Sono così felice di avervi incontrato, signorina Baird. Fred mi ha detto ieri sera che sareste partita stamattina. Volevo salutarvi prima della partenza.» Hartopp prese tra le sue grosse zampe la manina guantata di Charlotte e la tenne stretta. «Melton non sarà più la stessa senza di voi. Spero di potervi presto far visita in città.»

Hartopp la guardò con occhi che volevano sottolineare il fatto che gli sarebbe mancata molto.

«Mi dispiace tanto lasciare Melton, ma la mia madrina dice che non può proprio fare a meno di me. La mostra sarà inaugurata dalla regina in persona, e la mia presenza a quanto pare è indispensabile.» Ritirò la mano. «Forse potreste farmi un favore, capitano Hartopp. Potete salutare il capitano Middleton da parte mia? Speravo di vederlo stamattina, ma ormai è ora che io vada.»

Hartopp annuì. «Dev'essere rientrato molto tardi dalla sua serata con l'imperatrice. La mia stanza è accanto alla sua, e non era ancora tornato quando mi sono ritirato per la notte. Ho trovato il povero lustrastivali addormentato in corridoio, che lo aspettava per recapitargli un messaggio. L'ho mandato a letto e gli ho detto che ci avrei pensato io a farglielo avere.»

Charlotte arrossì dall'imbarazzo. «Credo che il messaggio

fosse da parte mia. Sapete, non avevo avuto l'opportunità di far-gli sapere che sarei partita.»

«Non vedo Middleton da giorni. Adesso che è amico intimo dell'imperatrice non ha più tempo per noi comuni mortali.» Hartopp sorrideva, ma Charlotte percepì un tono di stizza nella sua voce.

«Fare da guida all'imperatrice è un grande onore, e immagino sia un incarico che richiede un certo impegno.» Charlotte non aveva ceduto alla provocazione.

Hartopp si diede un buffetto sui basettoni. Charlotte pensò che raramente aveva visto una persona più trasparente di Chicken Hartopp. S'immaginò di vedere il suo cervello che si gonfiava nello sforzo del pensiero. Ma le sue riflessioni furono interrotte da Fred, che trotterellò giù dalle scale.

«Allora parti sul serio, Fagottino? Augusta non è contenta per niente, sai. Crede che tu la stia abbandonando nel momento del bisogno. Vorrebbe che ti proibissi di andare, ma io le ho detto che sarebbe inutile. So quanto ami intrattenerti con Lady Dunwoody e le sue megere amanti dell'arte. Almeno quanto Middleton gradisce socializzare con regine e imperatrici. Non è vero, Hartopp?»

«È un perfetto cortigiano. Tra breve lo vedremo indossare calze di seta e brache al ginocchio» replicò Hartopp. Scoppiò a ridere, e il suo interlocutore fece altrettanto.

Charlotte non si unì al coro. La carrozza era arrivata e la domestica che l'avrebbe accompagnata a Londra aveva già preso posto sul sedile.

«Sono sicura che troverai un modo per ammansire Augusta, Fred. Addio, capitano Hartopp.»

Scese gli scalini d'ingresso e raggiunse la carrozza, dove un valletto le stava tenendo aperta la portiera. Quando si fu sistemata sul sedile accanto alla domestica, voltò la testa per guardare un'ultima volta verso il punto in cui Fred e Hartopp l'avevano salutata. Fu nell'istante stesso in cui la carrozza si avviò lungo il vialetto che vide Bay uscire dalla casa e raggiungere gli altri due. Hartopp gli disse qualcosa, e tutti e tre scoppiarono a ridere.

Charlotte aveva tentato di non pensare a quella risata durante il viaggio in treno. Voleva scacciar via dalla sua mente il ricordo dei tre uomini in piedi sugli scalini, che si scambiavano occhiate di complicità. Non voleva calcolare esattamente quale fosse l'istante in cui Bay poteva aver appreso della sua partenza, né ipotizzare ciò che Fred e Hartopp gli avessero detto per impedirgli di correre giù per gli scalini e raggiungerla per dirle addio. Hartopp gli aveva riferito del biglietto? Oppure ridevano per tutt'altra cosa, magari per qualche faccenda riguardante la sera precedente? Di qualunque cosa si fosse trattato, Charlotte sentiva dentro di sé tutta l'ingiustizia di quella risata, e per tutto il giorno provò un bruciore in fondo alla gola. Quando la carrozza era ormai giunta alla fermata ferroviaria di Melton, lei aveva accettato con riluttanza la mano del cocchiere che l'aiutava a scendere. Aveva avuto l'impulso di dire: "Credo di aver cambiato idea, per favore riportatemi indietro", ma per qualche ragione le parole non erano affiorate. Aveva raggiunto il binario, ma la speranza di ricevere un buffetto sulla spalla non era ancora svanita. Fino all'ultimo desiderò ardentemente di voltarsi e vedere Bay. Ma non arrivò nessuno. E così era salita sul treno, scegliendo un posto vicino al finestrino, nel caso Bay avesse fatto un'apparizione dell'ultimo minuto, ma poi udì il fischio del capotreno e la locomotiva si avviò. Quando mezz'ora dopo il treno entrò nella stazione di St Albans, Charlotte si accorse di avere il torcicollo per tutte le volte che si era voltata a guardare indietro.

Mentre scendeva dalla carrozza, Charlotte vide che la porta della casa di Lady Dunwoody si era aperta e ne era uscito un uomo che, scendendo all'indietro gli scalini antistanti, continuava a salutare l'ospite dalla quale si era appena congedato. Nella concitazione di quei saluti mancò un gradino e inciampò, finendo tra le braccia ignare di Charlotte. Era molto alto, ed emanava odore di tabacco e agrumi. Era anche pesante, e Charlotte perse quasi l'equilibrio quando lui la investì.

«Oh cielo! Sono desolato.» L'uomo era giovane, e il suo accento poteva essere americano. Si ricompose e si voltò verso di lei. Indossava un mantello di velluto rosso scuro e un cappello floscio che Charlotte fino a quel momento aveva visto soltanto nelle vignette umoristiche del *Punch*.

«Visto che siamo finiti l'uno nelle braccia dell'altra, forse è il caso di procedere con una presentazione più formale. Tanto per cominciare vi dico qual è il mio nome di battesimo: mi chiamo Caspar. Ma se per voi è troppo formale, potete chiamarmi semplicemente "mio caro".»

A Charlotte sfuggì un sorriso. Caspar aveva un viso largo e lentigginoso, e le stava rivolgendo un sorriso raggiante, come se quell'incontro fosse la cosa più straordinaria che gli fosse capitata nella vita.

«Mi chiamo Charlotte Baird e sono la figlioccia di Lady Dunwoody» disse tendendogli la mano.

«È un onore conoscervi, Charlotte Baird» rispose Caspar. «Lady D parla continuamente di voi. Voi rappresentate la quintessenza dell'arte fotografica, siete la cosa di cui va più fiera. Mi ha mostrato alcune vostre opere. Se non fossimo impegnati sullo stesso fronte, potrei quasi essere geloso. Ma visto che siamo una grande famiglia, sono pronto a guardare al vostro talento con un occhio di riguardo: sono certo che insieme faremo una gran bella squadra. E conquisteremo anche New York, Charlotte Baird.»

«Ma... posso sapere con chi ho l'onore di parlare?»

«Hewes! Mi chiamo Caspar Hewes.»

Lady Dunwoody, che era in piedi sulla soglia, interruppe quello scambio. «Lasciate in pace la povera Charlotte, sarà esausta dopo il viaggio e non avrà nessuna voglia di sentire le vostre sciocchezze.» Si avvicinò e baciò Charlotte sulle guance. «Sono così felice di vederti, mia cara. Il signor Hewes ha un grande talento nella camera oscura, ma è un po' troppo loquace!»

Caspar Hewes non parve offendersi. «Oh, Lady D, voi vorrete lavorare in silenzio, ma spero che Charlotte Baird sia più incline alla conversazione. La camera oscura non è una tomba, ma un confessionale. Quando si lavora gomito a gomito a immergere ed estrarre le lastre, si può anche chiacchierare e lasciarsi andare a qualche confidenza. Non credete?» Concluse il suo discorso con uno stravagante inchino a Charlotte.

196

«Io credo, signor Hewes, che voi parlerete e io ascolterò, ma saremo entrambi contenti.» Charlotte si toccò una guancia, improvvisamente consapevole del fatto che poteva essersi sporcata con la fuliggine del treno.

«Contenti e basta? Oh, Charlotte, Charlotte... che splendido nome inglese. Sarete anche contenta, ma io, volgare americano, sono raggiante di felicità.»

«Basta così, Caspar» intervenne Lady Dunwoody. «Tornate a casa vostra, dovunque si trovi, e arrivederci a domattina. La signorina Baird non è abituata agli americani.»

«Io non sono "gli americani", Lady D. Non dovete mettere in testa alla vostra adorabile figlioccia pregiudizi contro la mia razza. Io sono Caspar Hewes, già residente a San Francisco, California, ora trasferito al numero ventuno di Tite Street. Potreste percorrere per intero il mio splendido Paese e non imbattervi mai in un tipo come me.»

«Bene, è un sollievo saperlo. Ora andate a casa, o mi vedrò costretta a sbattervi la porta in faccia.» Lady Dunwoody fece strada a Charlotte su per i gradini, lasciando la domestica a governare valigie e bauli.

«D'accordo, se mi mettete al bando accetterò il mio destino. Buona notte, Charlotte Baird, non vedo l'ora di inoltrarmi domani con voi nelle tenebre della camera oscura.» Caspar si avvolse nelle pieghe violacee del suo mantello e s'incamminò per la strada ormai buia, con la sua alta figura che sfumava alla luce gialla dei lampioni a gas. Charlotte entrò in casa.

«Un giovanotto davvero singolare» disse Lady Dunwoody. «Ha un gran talento, ma è imprevedibile. Non riesco mai a capire cosa stia per dire o per fare un momento per l'altro. Forse gli americani sono fatti così.»

«Dove l'hai conosciuto, zia Celia?»

«Si è presentato a uno dei miei giovedì, e l'ho notato immediatamente: sembrava un airone, e poi indossava abiti ridicoli.» Celia Dunwoody aveva un kimono rosso. Charlotte aveva visto immagini di geishe giapponesi che portavano un simile indumento, ma addosso a Lady Dunwoody, che era alta e robusta, faceva tutto un altro effetto. Il kimono, che era stato sicuramente pensato per una donna più bassa, le arrivava a metà polpaccio, rivelando uno stivaletto con i bottoni di foggia assai poco orientale. Ma Lady Dunwoody non era tipo da lasciarsi sopraffare dai dettagli. Continuò a parlare con la sua voce possente e modulata, che saliva e scendeva di diverse ottave come il verso d'un pappagallo.

«Ho pensato fosse uno degli esteti di Violet – sai quanto le piace circondarsi di poeti – ma poi si è presentato, dicendo di essere Caspar Hewes di San Francisco, e che aveva percorso migliaia di chilometri per poter vedere come lavora un grande fotografo. Da allora è sempre qui: dà consigli, suggerisce idee. Non fa altro che ripetere: "Non credete sia meglio farlo in quest'altro modo?" Non ho mai incontrato un tipo che fa più domande di lui.»

Lady Dunwoody condusse Charlotte nel salottino passando per l'atrio. «Ma ora basta parlare del signor Hewes. Devi ancora toglierti il cappello. Chiamerò perché portino del tè. Non puoi immaginare quanto sia felice di vederti. C'è tanto da fare.»

Quella notte, quando Charlotte andò di sopra nella sua stanza in torretta, si chiese come mai la madrina non avesse menzionato Caspar Hewes nella sua lettera. Dai lavori che aveva visto nello studio, s'era fatta l'idea che quell'uomo fosse sufficientemente preparato per aiutarla ad allestire la mostra. Se non altro, era più esperto di lei. Eppure Lady Dunwoody l'aveva mandata a chiamare mettendole grandissima premura.

Charlotte si guardò attorno e vide che la stanza era arredata all'ultima moda, come piaceva agli esteti londinesi. La carta da parati era decorata di pavoni e melagrane, e su uno scaffale che correva per l'intero perimetro della stanza, quasi ad altezza d'uomo, era disposta una collezione di porcellane blu e bianche. Non era una camera grande, ma a Charlotte piaceva in ogni singolo dettaglio: le piacevano gli intrecci complicati della carta da parati e il contrasto che si creava con la mobilia in bambù, semplice e lineare. Nella maggior parte delle case, come a Melton per esempio, Charlotte si sentiva sempre come in un'illustrazione di *Alice nel paese delle meraviglie*, sempre mostruosamente fuori scala rispetto agli oggetti circostanti. In quella stanza, invece, aveva la sensazione che le proporzioni fossero perfette.

I suoi bauli con l'attrezzatura fotografica e le lastre erano stati sistemati in un angolo della camera. Di solito Charlotte disfaceva subito i bagagli non appena arrivava in un posto nuovo: era il suo modo di stabilire il proprio ordine in un ambiente poco familiare. Quella sera, tuttavia, non sentiva l'urgenza di aprire la custodia in cuoio con le lastre fotografiche.

Si sentì bussare alla porta e Lady Dunwoody entrò. Era pronta per andare a letto: al posto del kimono, s'era messa una vestaglia con motivo cachemire, mentre i capelli le scendevano intrecciati in una grossa treccia grigia.

«Ti senti a tuo agio, cara Charlotte? Hai tutto quel che ti occorre?»

«Oh, sì zia Celia. Sono così felice di essere qui!» Gli occhi di Lady Dunwoody fecero un giro di perlustrazione e si posarono sulla custodia con le lastre appoggiata sul letto.

«Posso dare un'occhiata?»

Charlotte avrebbe voluto rifiutare, ma sapeva che sarebbe stato inutile. Lady Dunwoody otteneva sempre quel che voleva.

La prima lastra che l'attempata signora estrasse dal fodero di velluto rosso era la fotografia di gruppo con le cameriere. La sollevò e la esaminò controluce.

«Una buona composizione.»

La lastra successiva era quella con gli ospiti in posa davanti alla residenza di Melton. Lady Dunwoody la osservò con cura. «Santo cielo, Edith Crewe ha messo su qualche chilo. Questa dev'essere la tua futura cognata: con quel mento non può che essere figlia di Crewe. Fred ha un'aria assai altezzosa, anche se non ne avrebbe certo motivo, visto che i Crewe non navigano in buone acque. Quanti anni ha la ragazza? Ventiquattro? Edith avrà provato un gran sollievo per essere riuscita a sistemarla.»

Celia Dunwoody si avvicinò alla lastra per scrutarla ancora meglio. «Mi chiedo quale di questi giovanotti sia l'oggetto del tuo interesse. È questo torello con le basette poderose? No, dalla tua espressione ho già capito che non è lui. Rimane questo elegante individuo in seconda fila. È lui il famoso capitano Middleton?» Il tono della zia Celia era scherzoso, ma stava fissando Charlotte negli occhi.

«Non so quanto sia famoso, comunque è proprio lui» replicò Charlotte.

«Non riesco a vederlo bene qui. Non hai un'altra sua fotografia? Sono certa che ce l'hai.»

Charlotte esitò. C'era qualcosa nel tono della sua madrina che la spingeva alla riluttanza, ma Lady Dunwoody era in attesa. E così Charlotte estrasse la lastra con la fotografia che aveva scattato a Bay con Tipsy nelle stalle di Melton. Lui guardava dritto davanti a sé, ed era in perfetto allineamento con il suo cavallo.

«Che animale magnifico. E anche il capitano Middleton mi pare uno splendido esemplare.» Celia rise quando vide l'espressione sul volto di Charlotte. «Non ci sono molti ufficiali di cavalleria che frequentano i miei giovedì. Mi ero dimenticata di quanto fossero avvenenti. Ottimi soggetti da fotografare.»

«Non tutti i capitani di cavalleria sono come Middleton, zia» obiettò Charlotte, prendendole di mano la lastra e riponendola rapidamente nella custodia.

«Oh, non stento a crederlo. Una volta l'ho visto al ballo degli Airlie, all'epoca in cui frequentavo i balli. Non faceva che corteggiare le signore più giovani. Fece tre balli di fila con Blanche Hozier: una bella fortuna che non ci fosse il marito. Hozier è il genere d'uomo che non si tira indietro se c'è da fare una scenata.» Fece una pausa e guardò Charlotte per studiare la sua reazione.

«Mi sembra di capire che il capitano Middleton abbia un passato, zia Celia» replicò lei. «Ma ho conosciuto diversi giovanotti senza un passato, e preferisco lui di gran lunga. E credo che anche lui preferisca me.»

«Be', ovviamente. Faresti felice qualunque uomo, per non parlare del tuo apprezzabilissimo patrimonio.» Lady Dunwoody appoggiò la sua mano su quella di Charlotte e si chinò su di lei, avvicinandosi al punto da farle sentire il suo alito caldo e profumato di chiodi di garofano.

«Non ho niente contro il capitano Middleton. Mi sembra esattamente il tipo d'uomo di cui ogni fanciulla rischia di innamorarsi.» Poi notò l'espressione sul volto di Charlotte. «Potrebbe essere il tuo primo amore, mia cara, ma non significa che sia anche l'ultimo.» Le diede un colpetto sulla spalla e si alzò in piedi.

«Ora ti lascio, hai bisogno di riposare. Ti occorrono tutte le tue forze per affrontare il signor Hewes domattina. Ti garantisco che sarà qui ancor prima che tu abbia finito la colazione.»

Charlotte si sdraiò sul suo letto di ottone. Aveva disfatto tutti i bagagli, e non c'era altro da fare che dormire. Chiuse gli occhi e gli tornò in mente l'immagine di Bay sui gradini di Melton, che rideva insieme agli altri. Si girò e affondò il viso nel cuscino, cercando di soffocare così le sue paure. Respirò a fondo la soffice dolcezza del letto di piume e costrinse i suoi pensieri a prendere un'altra direzione, finché non si posarono sulla sagoma sgraziata di Caspar Hewes che camminava a grandi passi avvolto in una nuvola di velluto rosso. Il contrasto con la figura impeccabile di Bay era talmente stridente che Charlotte si addormentò col sorriso sulle labbra.

# 24.

## Verde bosco

Bay non era soddisfatto dei suoi stivali. Gli piacevano tirati a lucido, almeno all'inizio della giornata, al punto da potervi scorgere il riflesso rosso della sua giubba. Di solito li lasciava davanti alla porta della stanza alla sera, lordi di fango e polvere, e il mattino dopo erano miracolosamente splendenti e luccicanti. Quella mattina, invece, gli stivali erano opachi. Il ragazzo che se ne occupava aveva tirato via il fango ma non aveva trascorso i consueti venti minuti necessari a portarli al loro massimo splendore. Bay era irritato. Era lo stesso ragazzo che aveva protetto dalla malvagità alcolica di Fred due sere prima nella sala del biliardo. Gli seccava molto che quel gesto così nobile non fosse stato ripagato neppure con un servizio impeccabile. Cercò di lustrarli egli stesso con la fodera interna del panciotto di camoscio, ma non riuscì a lucidare neppure un po' il cuoio screpolato degli stivali. Poteva suonare il campanello e convocare quel ragazzo disgraziato, ma poi avrebbe perso la colazione, ed era ansioso di vedere Charlotte prima di partire per la caccia.

Era rientrato a Melton quella notte in uno stato di euforia: l'unica altra volta in cui si era sentito in quel modo era stato quando aveva vinto la Corsa a ostacoli del Viceré a Dublino. Aveva gareggiato con un'abilità e un'audacia che non sapeva di possedere. Aveva preso il sentiero esterno, azzardando l'ipotesi che il suo cavallo avrebbe lasciato indietro gli altri concorrenti e così non sarebbe rimasto invischiato nella baraonda di uomini e cavalli che seguiva a ogni salto. L'audacia era stata ripagata: aveva saltato in piena libertà ed era arrivato primo. La sera prima era stato messo all'angolo dai tirapiedi austriaci e dalla sorella astiosa dell'imperatrice, ma era riuscito ad avere la meglio su di loro. Aveva superato tutti gli ostacoli e ottenuto il premio. Aveva rischiato tutto, e ancora una volta aveva vinto.

Bay non pensò neppure per un istante che la sua vittoria potesse essere stata architettata da qualcun altro. Non lo sfiorò il sospetto che gli impedimenti al conseguimento del suo obiettivo potessero essere stati abilmente rimossi, e che qualcuno lo avesse sistemato in una posizione così favorevole da consentirgli un sicuro salto dell'ostacolo. Né dopo il trionfo gli venne in mente cosa era successo in seguito alla vittoria di Dublino. Agnes, la giumenta dal manto castano che aveva cavalcato con tanta destrezza, era crollata dopo la gara. Il suo cuore aveva ceduto. Bay aveva pianto dal dolore, e a distanza di così tanto tempo gli si riempivano ancora gli occhi di lacrime quando ripensava al modo in cui le zampe di Agnes si erano semplicemente piegate sotto il suo peso. Era il suo cavallo più bello, e la gara l'aveva ucciso.

Bay stava pensando ad Agnes quella mattina. Mentre sfregava il cuoio indurito dei suoi stivali non riusciva a scacciar via dalla mente l'immagine di quel corpo che collassava al suolo. Lasciò perdere la fodera di camoscio: gli stivali dovevano andar bene com'erano. Doveva trovare Charlotte prima di mettersi in sella. Sentiva il bisogno di vedere il suo visetto preoccupato.

S'infilò gli stivali. Avevano almeno tre anni, e il cuoio aveva memorizzato alla perfezione il contorno dei suoi piedi. Poteva tenerli tutto il giorno, e non sentirne mai il peso. La maggior parte degli uomini ne possedeva diverse paia, ma Bay non ne aveva mai trovati di perfetti come quelli, e così li indossava tutti i giorni.

Si avviò per il lungo corridoio su cui si aprivano le stanze degli uomini. Quando raggiunse il corpo centrale della casa, la copertura di tela cerata che rivestiva le assi del pavimento dell'ala più defilata aveva lasciato spazio a tappeti progressivamente più soffici e lussuosi. Arrivato allo scalone principale, notò che stava calpestando un tappeto rosso con un motivo di grifoni e fiordalisi, secondo la migliore tradizione gotica.

Bay infilò la testa nella porta della sala da colazione, alla ricerca di Charlotte, ma vide solo Augusta e suo padre che mangiavano in un silenzio profumato di aringa. Tornò indietro verso la sala grande e vide che l'enorme porta di quercia era aperta sul passo carraio. Si affacciò alla finestra e vide Fred e Chicken in piedi sui gradini. Quando li raggiunse, notò che una carrozza si era appena avviata lungo il vialetto.

Fred fu il primo a vederlo, e lo salutò con una riverenza beffarda. «È Sir Lancillotto in persona. Che sorpresa vedervi qui, Middleton. Non avete esigenze imperiali da soddisfare?»

«Se intendete mangiare zuppa fredda in un angolo del tavolo in compagnia di una governante ungherese con la barba e qualche damerino austriaco che sogghigna sotto i baffi, allora sono pronto a combattere per la repubblica.» Bay si sentì sleale nei confronti della adorabile contessa Festetics, ma doveva stemperare l'invidia che vedeva dipinta sul volto di Fred.

«Che delusione. Pensavamo che tornaste insignito dell'Ordine del Vello d'Oro, come minimo.»

Bay scrollò le spalle. «L'unica decorazione regale che detengo è questo piccolo strappo sulla manica, lasciatomi dallo sperone dell'imperatrice quando l'ho aiutata a rimontare in sella. Non è esattamente il più onorevole degli ordini di cavalleria.» Si mise a ridere, e Fred e Chicken fecero altrettanto. Proprio in quel momento Charlotte li aveva visti dal finestrino della carrozza.

Incoraggiato da quella risata, Bay proseguì. «Vi ricordate la regina di Napoli, Chicken? Quella che al ballo degli Spencer mi aveva chiesto di farle da guida? E alla quale avevo opposto il mio rifiuto? Bene, c'era anche lei ieri sera, e non era affatto contenta di vedermi. Ed è la sorella dell'imperatrice! Ho idea che il mio incarico di guida imperiale abbia i giorni contati.»

Fred parve piuttosto compiaciuto da questa ammissione, e Chicken gli batté una mano sulla spalla. «Non preoccupatevi, vecchio mio, noi plebaglia non vi abbandoneremo. Non abbiamo mai creduto che foste adatto al ruolo del cortigiano.»

«No davvero. Non sono bravo con gli inchini, e non ne ho lo stomaco.» Bay si rivolse a Fred. «Speravo di parlare con vostra sorella. L'avete vista, stamattina?»

Fred e Chicken si scambiarono un'occhiata d'intesa, ma Bay non capì a cosa alludessero.

«È appena partita» disse Hartopp. «L'abbiamo salutata proprio ora. Peccato che non vi siete alzato più presto. Ma dovevate essere esausto, dopo la serata imperiale.»

Bay notò che avevano entrambi un'aria soddisfatta. La sua aria ignara li divertiva. Per Fred qualunque ostacolo al fatto che Bay diventasse suo cognato era cosa gradita, e Chicken Hartopp era risentito per i successi da lui ottenuti con Charlotte. Da un lato desiderava ardentemente sapere dove lei fosse andata e perché, dall'altro era riluttante ad ammettere che era partita senza dirgli niente. Cominciarono a sudargli le mani, nonostante l'aria fredda del mattino. E se Charlotte avesse saputo qualcosa della sua avventura alle stalle? No, era impossibile. Inoltre alla luce chiara del mattino lui stesso aveva difficoltà a credere che gli eventi della notte prima si fossero verificati sul serio.

Si sforzò di conservare il sorriso sulle labbra, ma senza successo.

«Oh, mio caro Bay, pare che siate caduto in disgrazia presso le vostre amiche» disse Chicken con un ghigno. «Forse state perdendo il vostro tocco magico. Ascoltate il mio consiglio: pensate ai cavalli! Un cavallo non vi tradisce mai.»

«Voi ne sapete qualcosa, caro Chicken.»

Bay non aveva resistito alla provocazione, ma poi se ne pentì quando vide che Hartopp era diventato paonazzo fino alle basette.

I tre uomini restarono per un attimo in silenzio, finché Fred non prese la parola. «Bene, io vado alle stalle. Stanno per cominciare le preghiere e non vorrei imbattermi in Lady Crewe. Ieri mi ha fatto leggere l'orazione del mattino, e poi mi ha rimproverato per essermene andato troppo presto.» Scese gli scalini, seguito da Hartopp. Bay notò che Chicken era tutto rosso dietro il collo.

Middleton esitò un momento. Anche lui doveva recarsi alle stalle, ma non aveva voglia di conversare ancora con Fred e Hartopp. Tornò in casa, nella speranza di trovare un sigaro nella saletta dei fumatori, ma fu intercettato da Augusta con tale tempismo da far sospettare che lo stesse aspettando.

«Avete passato una serata piacevole, capitano Middleton? Ci siete mancato qui, ma non credo che noialtri siamo mancati a voi.»

Bay accennò un rigido inchino. «È stata una bella serata.»

«Suvvia, potete dire qualcosa di più. Se abbandonate i vostri amici e vi lasciate travolgere dal fascino della regalità, come minimo dovreste essere preparato a raccontare ogni più piccolo dettaglio della serata.»

«Allora temo che vi deluderò, Lady Augusta. Se volete che vi descriva i cavalli dell'imperatrice, saprei farvi un ottimo resoconto, ma se vi interessano vestiti e gioielli purtroppo mi trovereste assai carente.»

«Credevo aveste un certo occhio per le signore, capitano Middleton. Com'era l'imperatrice in abito da sera? Era splendida? Dopotutto è già nonna, e quindi la luce delle candele non può che giovare al suo aspetto.»

«Credo che tutte le donne appaiano più belle alla luce delle candele» replicò Bay.

Ma Augusta non desistette. «Avete visto la sua scimmietta ammaestrata? La mia cameriera mi ha detto che tutta la servitù di Easton Neston sta rassegnando le dimissioni perché a quell'animaletto è concesso di andarsene in giro a mordere chi vuole.»

«Ho visto diversi membri di stirpe reale, ma niente scimmie, mi dispiace.»

«Come siete tedioso. Possibile che non abbiate visto niente di interessante?»

«Non vi sfiora l'idea che io possa anche aver visto qualcosa di interessante e che valga la pena di essere riferito, ma che preferisca tuttavia essere considerato tedioso anziché indiscreto?»

Augusta strinse i pallidi occhi azzurri, incredula. «Santo cielo, quanto siete puntiglioso, capitano Middleton. Non credevo foste così devoto all'imperatrice.»

«Forse ho un debole per le nonne» disse Bay. Poi estrasse l'orologio dal taschino e lo consultò. «Si è fatto tardi. Vogliate scusarmi, non intendo far aspettare l'imperatrice.»

«Per carità, ci mancherebbe. Com'è fortunata quella donna a poter contare sulla vostra lealtà.»

Bay fece una pausa. Avrebbe dovuto chiedere ad Augusta dove fosse andata Charlotte, ma sapeva che avrebbe provato gusto, forse più di Fred e Hartopp, al pensiero che lui non ne sapesse niente. Sarebbe stata una mossa stupida, tuttavia, porsi in netto contrasto con lei.

«Forse non tradirei la fiducia dell'imperatrice se vi rivelassi che indossava un abito verde e che nei capelli aveva ornamenti di diamanti. Sua sorella, la regina di Napoli, era vestita di rosso.»

«Che tono di verde?»

«Oh, molto scuro. Verde pino. Quei diamanti tra i capelli scuri e l'abito verde cupo mi hanno fatto pensare a un bosco nel cuore della notte.»

«Un bosco nel cuore della notte? Capitano Middleton, siete proprio un poeta. Finalmente ho un'immagine vivida della vostra cena imperiale. Ricordatevi di parlarne a Charlotte. È il genere di dettaglio che piace da impazzire alle ragazze.»

Middleton capì di aver detto troppo. Ma almeno avrebbe potuto scoprire dove era andata Charlotte.

«Speravo di vedere la signorina Baird stamane, ma sono giunto troppo tardi. La sua carrozza è partita proprio quando sono arrivato io.»

«Non vi ha aspettato per salutarvi? Questo mi sorprende.» Augusta spalancò gli occhi. «Pensavo foste buoni amici. Volete dire che se n'è andata senza dirvi una parola?»

Bay non rispose, e Augusta proseguì, con gli occhi luccicanti. «Posso capire che non abbia voluto salutare me. Sapeva che ero risentita per questo suo abbandono proprio quando le nozze si fanno imminenti. Ma voi? Dovete aver combinato qualche brutta marachella, capitano Middleton.» Avvicinò un dito alla fronte, come a simulare uno sforzo di concentrazione. «Mi chiedo cosa possiate mai aver fatto per farla tanto arrabbiare. Di sicuro non può esserela presa per la vostra cena con l'imperatrice agghindata come una foresta nel cuore della notte. Che peccato che siate tornato a notte fonda. Charlotte è stata in piedi fino a tardi, ed è stata l'ultima delle signore a ritirarsi. Il maggiordomo mi ha riferito di averla vista vagare per la sala grande facendo finta di rimirare i dipinti del Canaletto.»

In tono più imperturbabile che poté, Bay replicò: «Sapete dove è andata? Vorrei scriverle.»

«Non so se è il caso che ve lo dica, capitano Middleton.» Augusta inclinò la testa da un lato. «Se è andata via senza dirvi addio, forse non vuole ricevere corrispondenza da voi.»

Bay aveva stretto i pugni, ma li nascose prontamente dietro la schiena. «Lo ritengo improbabile, ma non vi chiederò di tradire una confidenza. Vi auguro una buona giornata, Lady Augusta.»

Si voltò e andò dritto verso le stalle, calciando stizzito i lastroni del selciato. Era talmente furioso che non si accorse del danno che stava infliggendo ai suoi stivali preferiti. Sapeva che Augusta si era presa gioco di lui, e che con qualche lusinga sarebbe riuscito a scoprire dove era andata Charlotte, ma non aveva voluto darle quella soddisfazione. Era in collera con Fred e Hartopp, con Augusta e anche con Charlotte. Perché se n'era andata senza dirgli niente? Probabilmente c'era una spiegazione innocente, eppure Bay era furioso. Era stato sul punto di fuggire via con lei, e lei l'aveva convinto ad aspettare, dicendogli altresì che sarebbe stato opportuno per lui ossequiare l'imperatrice. Aveva fatto solo quello che lei gli aveva suggerito di fare. Anzi, forse l'incontro nelle stalle era da addebitarsi direttamente a Charlotte, era stata lei a volerlo.

Non si sarebbe trovato solo con l'imperatrice se Charlotte non si fosse rifiutata di fuggire con lui. E adesso, quando lui aveva un così forte bisogno di vederla, lei era scomparsa.

Bay Middleton riuscì a ricomporsi durante il tragitto alle stalle. Tipsy era perfettamente bardata e lo stava aspettando. Quando le accarezzò il naso e le strofinò i fianchi in segno di saluto, gli venne in mente la fotografia che aveva scattato Charlotte proprio in quel punto, e la sua indignazione si stemperò. Montò in sella e spronò Tipsy al galoppo. Non era ragionevole far stancare il cavallo già dal primo mattino, ma Bay aveva bisogno di scuotersi di dosso quel malumore.

La giornata era iniziata male. Stava per incontrare l'imperatrice, e i suoi stivali erano opachi.

# 25.

## La caccia Quorn

Era il primo giorno di bel tempo della stagione di caccia. La neve si era finalmente sciolta. Il cielo era terso e non soffiava un alito di vento. I membri della Quorn non potevano sperare di meglio. Naturalmente la battuta di caccia avrebbe avuto luogo in qualsiasi condizione atmosferica, ma era una benedizione che per il raduno più importante e affollato dell'anno il tempo fosse meraviglioso. Il Dio che la domenica onoravano nelle loro chiesette di campagna parteggiava senza dubbio per la muta di Quorn e sapeva quanto fosse determinante che la caccia iniziasse sotto i migliori auspici. Anche la compagnia ferroviaria, del resto, comprendeva l'importanza di quell'evento e aveva predisposto treni speciali che da Londra erano partiti carichi di uomini – e di qualche sporadica signora – che per tutto l'anno avevano atteso di partecipare alla caccia con la muta di Quorn. Il pensiero delle cavalcate attraverso i campi del Leicestershire, con il cuore palpitante e i muscoli tesi nella foga di giungere in tempo per l'uccisione della volpe, li consolava durante le lunghe, tristi giornate trascorse nelle aule di un tribunale, oppure nei recessi più remoti del ministero degli Esteri o nelle riunioni per organizzare i *tableaux vivants* di Lady Mackinnon in favore degli orfani di Bulgaria. L'occasione mondana, già di per sé irrinunciabile, era resa ancora più allettante dalla presenza di membri della famiglia reale. Per quella stagione il Principe di Galles aveva deciso di unirsi alla Quorn, mentre le prodezze equestri dell'imperatrice d'Austria riempivano le pagine dei giornali. Agli occhi dei passeggeri in viaggio sui treni speciali l'immagine di un'imperatrice al galoppo dietro una muta di cani risultava straordinariamente insolita, così distante da quella della loro regina, una fragile figura vestita di nero che rispettava il lutto per la morte del marito ormai da quindici anni. Ma se alcuni di quei passeggeri avvertivano tutta l'eccezionalità del fatto che la consorte di uno degli uomini più potenti d'Europa avesse tralasciato i propri doveri di sposa e imperatrice per inseguire delle volpi in un Paese straniero, di certo non davano a quel pensiero troppa importanza: dopotutto si trattava della Quorn.

Forse quel mattino l'unico passeggero del treno speciale a non comprendere il fascino della Quorn era l'ambasciatore austriaco, il quale riceveva regolarmente articoli della stampa viennese in cui i giornalisti non si mostravano affatto comprensivi verso un'imperatrice assente, che ai doveri dell'impero preferiva le battute di caccia in un Paese protestante. Eppure mentre leggeva quei commenti, pur condividendoli in cuor suo, Karolyi sapeva perfettamente che non era il caso di farne partecipe l'imperatrice. Aveva avuto modo di verificare che la consapevolezza della sua sovrana rispetto agli obblighi imposti dal ruolo era assai peculiare. Elisabetta si trovava ormai nel Paese da diverse settimane e non aveva ancora fatto visita alla regina Vittoria. Quando, al suo arrivo a Londra, le aveva suggerito che quell'atto di cortesia sarebbe stato di strategica importanza, lei come se niente fosse aveva lanciato qualche nocciolina alla sua orribile scimmietta e gli aveva risposto che tanto la regina Vittoria non aveva simpatia per lei e si sarebbe sentita sollevata al pensiero di non doverla intrattenere. Karolyi aveva poi scritto all'imperatore nel tentativo di convincerlo della necessità che l'imperatrice rispettasse le cortesie imposte dall'etichetta di corte, informandolo che vi erano state diverse indiscrezioni da parte dei funzionari del ministero degli Esteri sul fatto che la regina Vittoria fosse alquanto sorpresa che l'imperatrice non l'avesse ancora onorata di una sua visita. Ma l'imperatore l'aveva rimproverato per la sua mancanza di sensibilità e gli aveva risposto che quello non era un viaggio ufficiale ma una vacanza per aiutarla a rimettersi in forze e, come ben sapeva, la salute della consorte gli era infinitamente cara. Per tali ragioni lui avrebbe fatto di tutto perché fosse lasciata in pace fino a quando si fosse pienamente ristabilita e fosse stata in grado di adempiere i propri doveri. Non era certo sua intenzione sacrificare la salute della sposa sull'altare della diplomazia. L'ambasciatore non poté fare a meno di pensare che una donna impegnata, ormai quasi quotidianamente, nella caccia alla volpe rispondeva difficilmente all'immagine della povera inferma debilitata nel corpo e nella mente a cui faceva riferimento l'imperatore nella sua missiva.

A Karolyi non dispiaceva quell'incarico a Londra: le occasioni mondane erano di altissimo livello e con Lady Hertford stava nascendo un'amicizia particolare. L'ultima cosa che desiderava era cadere in disgrazia ed essere richiamato a Vienna; eppure era proprio quello che temeva sarebbe accaduto se la stampa inglese avesse lasciato intendere che l'imperatrice d'Austria stava volontariamente evitando la regina Vittoria. La conversazione nella quale si era intrattenuto con il direttore del *Morning Post* in uno dei salotti di Lady Hertford lo aveva turbato al punto da spingerlo a intraprendere quel viaggio per il Leicestershire. Il direttore era parso piuttosto ben informato riguardo agli spostamenti dell'imperatrice, il che lasciava intendere che la fonte provenisse dal ministero degli Esteri o peggio ancora direttamente da corte. In ogni caso era un particolare da non sottovalutare: la regina era irritata e non ne faceva mistero. L'ambasciatore dunque non era sul treno per un viaggio di piacere, per quanto il fascino della Quorn non gli fosse estraneo, ma per convincere l'imperatrice a osservare i doveri che il rango le imponeva. Purtroppo non era affatto certo di riuscire nell'intento.

La figura inconfondibile dell'imperatrice emergeva tra la folla raccoltasi intorno all'ingresso del glorioso Quorndon Hall, che altro non era che il canile da cui prendeva nome la caccia. Se ne stava ritta come un fuso sul suo cavallo baio mentre il resto dei cacciatori si era rispettosamente disposto a semicerchio attorno a lei. L'imperatrice conversava con un altro cavaliere che, per l'abbondanza del girovita e per la postura delle spalle, non poteva che essere il Principe di Galles. L'ambasciatore si lasciò andare a un sospiro: la sua impresa stava diventando quasi impossibile. Se quel giorno avesse cavalcato fianco a fianco con il Principe di Galles l'imperatrice avrebbe ritenuto di aver assolto ai suoi doveri verso la famiglia reale d'Inghilterra. Ma l'ambasciatore ben sapeva che un colloquio, o perfino una cavalcata di un'intera giornata con l'erede al trono, non poteva sostituirsi a un'udienza ufficiale con la regina in carica. Al contrario, con ogni probabilità, quando Vittoria fosse venuta a conoscenza degli eventi della giornata si sarebbe sentita doppiamente offesa. Sebbene conducesse ancora una vita da reclusa, la sovrana non si mostrava particolarmente riconoscente verso un figlio che si dava un gran da fare per accollarsi gli impegni pubblici del regno, anzi, l'idea che la notorietà del principe potesse farle ombra la preoccupava alquanto. Se l'imperatrice d'Austria, prima di aver omaggiato la Corona, fosse stata vista in compagnia del principe durante la battuta di caccia allora una situazione d'imbarazzo si sarebbe trasformata in un vero e proprio incidente diplomatico. Karolyi doveva a ogni costo parlare con l'imperatrice prima della partenza. Se la donna avesse raggiunto il territorio di caccia non avrebbe avuto più alcuna possibilità di intercettarla.

L'erede al trono era nel bel mezzo di una storiella. L'ambasciatore approfittò delle risate che facevano sempre seguito agli aneddoti del principe per porsi nella visuale dell'imperatrice. Lei lo vide, aggrottò la fronte e tirò le redini del cavallo come per allontanarsi, ma prima che potesse andare via il Principe di Galles chiamò ad alta voce l'ambasciatore: «Buon giorno, Karolyi. Anche voi qui a godervi le gioie della caccia? Sua Maestà Elisabetta d'Austria è indubbiamente l'idolo delle contee.»

L'ambasciatore accennò un inchino sforzandosi di mantenere un contegno elegante in sella al cavallo: «Mi duole ammetterlo, ma non ho alcuna speranza di potere rappresentare il mio Paese altrettanto degnamente quanto l'imperatrice.»

Sissi confermò con un cenno del capo che quella non era altro che la verità. Poi rivolgendosi al principe disse: «È un vero peccato che non riesca a convincere l'imperatore a raggiungerci. Le sue doti equestri sono straordinarie e sono certa che saprebbe godere dei piaceri della Quorn quanto me, ma sostiene che la nazione non può fare a meno di lui.»

«Dobbiamo dunque essergli grati per aver fatto a meno di voi, così potremo finalmente ammirare l'abilità degli austriaci a cavallo» ribatté il principe accarezzandosi i baffi con la mano inguantata, quasi a mostrare la propria gratitudine verso il gesto dell'imperatore.

«Be', spero che un giorno possiate farci visita a Gödöllő, la nostra tenuta nei pressi di Budapest. È là che prediligo cavalcare quando sono in patria. Non abbiamo i fossi e le staccionate delle vostre campagne, e si può galoppare per chilometri senza mai fermarsi.»

«Che allettante prospettiva. Non riesco a immaginare niente di più dilettevole. Sono sicuro che per una cavalcata a briglie sciolte lungo le pianure ungheresi il mio Paese potrebbe fare benissimo a meno di me.» Il Principe di Galles si strinse nelle spalle e poi, ricomponendosi, concluse: «Ma ora, cara imperatrice, devo andare a salutare il Maestro di caccia altrimenti temo che oggi non riusciremo a partire.»

Karolyi non si lasciò sfuggire l'opportunità di avvicinarsi con il cavallo all'imperatrice.

«Vostra Maestà, che felicità vedervi perfettamente ristabilita. Pare che l'aria inglese vi dia grande giovamento.»

Benché le parole di Karolyi potessero apparire pura formalità, meri complimenti di un cortigiano di professione, per una volta erano sincere. L'imperatrice aveva un aspetto magnifico. Le guance pallide erano tinte di rosa e il fondo degli occhi era bianco candido. A Vienna Karolyi era abituato a vederla in tutt'altro modo: sul volto aveva sempre dipinta l'espressione di chi covasse una noia mortale, mentre nella campagna inglese sembrava perfettamente a proprio agio.

«Sì, devo ammettere che qui sono felice» rispose l'imperatrice. Karolyi, che non l'aveva mai vista sorridere, cominciò a pentirsi della missione che si era prefisso. Ma ormai stavano conducendo la muta fuori dal canile e i cacciatori cominciavano a radunarsi: era venuto il momento per comunicare all'imperatrice la sua ambasciata.

«Vostra Maestà, mi domandavo se aveste avuto modo di ripensare alla visita dalla regina Vittoria. So che questo vostro viaggio non ha carattere di ufficialità, ma temo che la sovrana potrebbe offendersi se non le chiederete udienza. Specialmente ora che avete incontrato il Principe di Galles. Sarebbe veramente una disgrazia se la stampa britannica pubblicasse qualche commento al riguardo. I giornali inglesi non vanno tanto per il sottile.»

Karolyi era preparato a ricevere una risposta sdegnata, ma con sua grande sorpresa il sorriso dell'imperatrice non scomparve. In realtà gli occhi guardavano altrove come se stessero cercando qualcuno.

«Povero Karolyi, vi date troppa pena. Vi prometto che farò visita alla regina. Ecco, vi andrò domenica, quando la caccia si ferma. Occupatevi dell'organizzazione. Avete ragione, non posso rimandare oltre.»

L'ambasciatore, per lo stupore, cadde quasi da cavallo: quella serena condiscendenza era l'ultima reazione che si sarebbe aspettato. Era fuor di dubbio che l'aria inglese giovasse a Sua Maestà.

«Certamente, imperatrice. Di norma la regina non riceve visite la domenica, ma sono sicuro che per voi farà un'eccezione.»

A quel punto però Sissi non lo stava più ascoltando: dietro di lui aveva visto arrivare qualcuno che le interessava maggiormente. Karolyi si voltò e notò un giovane con baffi e capelli della stessa tonalità del proprio cavallo baio. L'imperatrice fece un cenno di saluto con la mano.

«Bay Middleton, iniziavo a credere che non sareste venuto.» Poi rivolgendosi all'ambasciatore: «Conte Karolyi, vi presento il capitano Middleton, la mia guida di caccia. Se non fosse per lui giacerei riversa sul fondo di qualche fossato.»

Middleton salutò il conte con un inchino. «È la prima volta che prendete parte alla Quorn? La miglior caccia alla volpe di questa parte del Paese ma, mi raccomando, non crediate di poter tenere il passo dell'imperatrice. Cavalca come una indemoniata!»

Karolyi fissò stupefatto l'imperatrice: quel commento manifestava una confidenza eccessiva. A Vienna era inimmaginabile che qualcuno si rivolgesse ai reali in modo simile, almeno in loro presenza. Evidentemente in Inghilterra le cose andavano diversamente.

Quell'individuo non era chiaramente uno stalliere ma d'altra parte non possedeva alcun titolo nobiliare. A Karolyi non era inoltre sfuggito il fatto che l'imperatrice si fosse rivolta a lui chiamandolo con quel suo strano appellativo. Anche questo non sarebbe mai potuto accadere a Vienna. L'ambasciatore scandagliò la memoria per capire cosa sapesse di quel capitano Middleton. Era un nome sul quale, nei salotti londinesi, gli era capitato sicuramente di sentire qualche pettegolezzo.

«A Vienna ho avuto il piacere di ammirare l'imperatrice alla scuola spagnola di equitazione. Nessun austriaco si sognerebbe di tenerle il passo durante una cavalcata.»

«Posso dunque considerarmi fortunata ad avere una guida di caccia inglese» commentò lei sorridendo nuovamente. Karolyi capì che quel sorriso era rivolto a Middleton e la sagacia di perfetto uomo di corte gli fece intendere che la sua presenza non era più richiesta. E tuttavia decise di indugiare ancora un poco. Lo incuriosiva quel fremito di emozione che aveva avvertito tra i due.

«Più che fortunata, direi. A nome di tutto il popolo austriaco vorrei esprimere profonda gratitudine verso il capitano Middleton, che si impegna a proteggere da ogni pericolo il nostro gioiello più prezioso.»

Bay sorrise. «Faccio del mio meglio. Ma l'imperatrice è una vera amazzone: di fronte al brivido della caccia la sua incolumità passa in secondo piano.»

I cani cominciarono ad agitarsi: avevano sicuramente fiutato la volpe. L'imperatrice tirò le redini.

«Dobbiamo andare» disse, e con un cenno del capo licenziò Karolyi.

L'ambasciatore accennò un inchino. «Vostra Maestà, non abbiate alcuna preoccupazione riguardo all'incontro con la regina Vittoria, penserò a tutto io.» L'imperatrice ebbe un sussulto: si era già dimenticata della promessa fatta, ma ora udiva gli squilli delle trombe ed era ansiosa di andare.

«Vi ringrazio, Karolyi. Allora per domenica, d'accordo?» Poi lei e Middleton partirono velocizzando l'andatura a mano a mano che si avvicinavano alla chiassosa compagnia di cacciatori e segugi che brulicava sulla collina.

Karolyi rimase a osservare le due figure, l'imperatrice vestita di blu scuro e Bay in rosso, che si aprivano un varco attraverso il gruppo di cacciatori. Quando la compagnia raggiunse una siepe, i cani iniziarono a farsi strada tra le foglie fino a trovare un pertugio su cui si riversarono per fuoriuscire dall'altra parte come una fiumana di corpi frementi e concitati. Il gruppo di cacciatori invece mutò direzione nel tentativo di trovare un passaggio più agevole, ma l'imperatrice e Middleton non li seguirono. Karolyi sobbalzò quando vide che la sua sovrana andava dritta verso la siepe senza neppure allentare la presa delle redini.

Per un momento temette che non avesse ben valutato l'ostacolo e nella mente gli balenò l'immagine di lui che, al cospetto dell'imperatore nel suo studio, tentava di descrivere l'istante preciso in cui l'imperatrice era caduta da cavallo rompendosi l'osso del collo. Ma subito Middleton la affiancò e con il suo cavallo spronò quell'altro. Come per miracolo i due purosangue superarono la siepe contemporaneamente. L'ambasciatore trattenne il fiato: i due erano scomparsi dalla sua visuale ma poi, sollevato nuovamente lo sguardo, li vide riapparire come piccoli punti all'orizzonte, uno rosso e uno blu, che si lanciavano sulla collina al seguito della muta.

Karolyi affondò i tacchi sui fianchi del suo baio preparandosi a raggiungere il gruppo di ritardatari, per la maggior parte londinesi, che avevano deciso di godersi fino in fondo la çolazione offerta ai partecipanti alla Quorn. Vi era poi un gruppo di signore che seguiva l'evolversi dell'evento venatorio attraverso i propri binocoli da teatro, standosene comodamente sedute in carrozze allineate lungo i bordi del territorio di caccia. Karolyi era ormai vicino alla compagnia di cacciatori quando si accorse che una delle signore era la contessa Festetics, sua cugina da parte di madre e un tempo sua damigella nelle feste da ballo. Allora rallentò e la raggiunse al trotto, ma la contessa era talmente concentrata a seguire i progressi della caccia con il suo binocolo che non lo notò affatto. Alla fine cercò di guadagnarsi la sua attenzione salutandola in ungherese e lei si girò immediatamente.

«Ah, Bela, che piacere vederti. Sei qui per la caccia alla volpe?»

Karolyi smontò da cavallo e si avvicinò per baciarla, due volte per guancia, alla moda ungherese.

216

«Sono qua perché dovevo parlare con l'imperatrice e questa sembrava l'unica occasione per poterla incontrare. I messaggi che mi hai fatto recapitare erano così vaghi e in realtà non mi sembra contenessero un invito.»

Festy scosse il capo. «Hai ragione, Bela, e me ne dispiaccio. Ma sai come si comporta quando non vuole fare qualcosa. Scuote la testa e dice "liberati di lui". Ho cercato di farmi ascoltare ma sente solamente quello che pare a lei.»

«Povera Festy, Sua Maestà è veramente fortunata ad averti al suo fianco.»

«No, Bela, io mi sento onorata ogni qualvolta posso esserle d'aiuto» gli rispose la contessa lanciandogli un'occhiataccia. «So che talvolta può apparire una persona... difficile ma io conosco la sua generosità e nobiltà d'animo.» Poi sollevò il mento sdegnata come se volesse intimargli di non contraddirla.

Karolyi scoppiò in una risata.

«Come ho già detto, cugina, l'imperatrice è molto fortunata ad averti al suo fianco. Oggi però non è stata affatto sgradevole. Ero venuto per chiederle quando pensava di far visita alla regina e lei mi ha risposto gentilmente dicendo che domenica poteva andare bene e mi ha pregato di occuparmene.» E, continuando a fissarla nel tentativo di studiarne la reazione, aggiunse: «Questo viaggio in Inghilterra sembra giovarle. Anzi devo dire che non la vedevo così serena e in buona salute da tempo. Forse dall'incoronazione a Budapest. Mi domando cosa abbia l'Inghilterra di particolarmente congeniale per lei.»

«Bela, mi conosci. Non farò dei pettegolezzi sull'imperatrice né con te né con nessun altro. Dovresti rallegrarti, così come faccio io, della sua ritrovata serenità.»

Karolyi accolse quel rimprovero con un sorriso. «Certamente. Ma devo confessarti che questa caccia mi preoccupa alquanto. Forse l'imperatrice è un po' troppo temeraria. Proprio qualche minuto fa mi è balenato il pensiero che potesse rompersi il collo alla prima siepe.»

«Ah, ti capisco. Ogni volta che se ne va mi consumo nell'ansia. Quest'oggi ho deciso di venire semplicemente per egoismo. Per qualche ragione è meglio essere qua che a casa a immaginare ogni sorta di incidente fatale» sospirò la contessa. «A volte penso che stia volontariamente tentando di uccidersi.»

Karolyi si strinse nelle spalle e aggiunse: «Eppure non le manca niente. Il marito l'adora e le lascia fare tutto quello che vuole. È ancora molto bella, anzi direi che è bella come non lo è mai stata. Un incanto.»

«Hai ragione. È ancora uno splendore ma non se ne rende conto. Quando si guarda allo specchio vede solo rughe e imperfezioni» sospirò nuovamente. Poi prese il binocolo e si mise a scrutare l'orizzonte, ma a quel punto l'imperatrice e la sua scorta erano scomparsi dalla vista, quindi rivolgendosi nuovamente verso l'ambasciatore, continuò: «È un tale peccato. È piena di talenti: parla sei lingue, scrive poesie. A volte mi viene da pensare che la sua mente sia come un museo colmo di inestimabili tesori che nessuno vede e conosce. Se solo avesse una nobile causa per cui impegnarsi o uno scopo che la tenesse occupata, potrebbe fare grandi cose.»

«Ma è l'imperatrice d'Austria, non esiste carica più importante e influente. In patria avrebbe tutto il potere per fare del bene e invece sceglie di venire in Inghilterra per dedicarsi alla caccia alla volpe.»

«Non intendevo riferirmi ad azioni caritatevoli come costruire ospedali e fare l'elemosina agli orfani, Bela. Pensavo a un ideale, un progetto in cui potesse credere. Guarda quanto ha fatto per l'Ungheria. Pensi che Franz Joseph sarebbe mai stato incoronato re a Budapest se non fosse stato per lei? Io le sarò eternamente grata. Ma ormai quei tempi sono passati e lei non ha più giuste cause per cui combattere.»

Karolyi sorrise. «Ha sempre la Quorn...»

«Proprio così. Io però vorrei che vi fosse dell'altro.» Poi la contessa si tacque.

«E come stanno i *cavalier serventi*, Castore e Polluce?» domandò l'ambasciatore. «Non mi sembra di averli visti, stamane.»

«Sono... sono indisposti. L'imperatrice ha fatto chiaramente capire che non desiderava essere accompagnata.»

«Fatta eccezione per il galante capitano Middleton.»

«Proprio così» concordò e strinse le labbra in un'espressione di disappunto.

«Sua Maestà ha voluto gentilmente presentarmelo. Sono lieto che abbia una così...» si interruppe fingendo che gli mancasse la parola «... così abile guida di caccia. Il capitano Middleton, mi pare, è famoso per le sue qualità di cavallerizzo.»

«È stato raccomandato da quel conte inglese con i capelli rossi, Lord Spencer. La regina di Napoli è andata su tutte le furie: glielo aveva chiesto lei per prima ma lui ha rifiutato.»

«È un ambizioso, allora? Perché cavalcare a fianco di una regina quando puoi avere a disposizione un'imperatrice?»

«Ambizioso? No, non credo. Non è né un cortigiano né tantomeno una spia. A questo riguardo non hai nulla da temere, Bela.»

«C'è qualcos'altro quindi che ti preoccupa? Il capitano Middleton non si è guadagnato solo una reputazione nel campo delle arti equestri. Ho sentito dire che si è conquistato il favore di molte signore ma non quello dei loro mariti.» Karolyi si era finalmente ricordato in che altra occasione lo aveva sentito nominare. Vi era stato del tenero tra il capitano e una donna sposata che lo aveva poi abbandonato nel bel mezzo della stagione londinese per raggiungere il marito in campagna. La signora, una tale Blanche, o qualcosa di simile, non si era vista in città per un bel po'. Poi in famiglia vi era stato un nuovo arrivo, fortunatamente una figlia. La paternità delle figlie femmine poteva restare incerta.

«È un ufficiale giovane e affascinante, perché mai dovrebbe piacere a un marito?» rispose la contessa alzando le spalle con indifferenza.

Karolyi capì che non era il caso di continuare a incalzare la cugina. Non era il tipo di donna che cedesse alle lusinghe dell'indiscrezione. Una dama di corte austriaca gli avrebbe raccontato tutto sull'imperatrice e il capitano Middleton, forse anche più di quello che sapeva, ma la contessa Festetics era ungherese e certamente lo considerava un dovere verso la sua patria resistere alla girandola di pettegolezzi e alle bieche strategie messe in campo per guadagnarsi il favore dei reali, così tipiche della corte viennese.

Un clamore alle loro spalle li fece voltare e videro che i cani cominciavano ad affollare la sommità della collina sull'altro versante della tenuta. La contessa inforcò il binocolo. Constatando che la conversazione si era conclusa, l'ambasciatore decise che poteva concedersi un giorno di riposo e svagarsi con la caccia, e spronò il cavallo.

«Arrivederci, cugina, è stato un piacere vederti. Un piacere poter parlare in ungherese. Il mio è un po' arrugginito.»

«Io sono fortunata: l'imperatrice si rivolge a me sempre in magiaro. Va fiera di parlarlo con tanta disinvoltura.»

«È una fortuna che parli altrettanto bene l'inglese. Immagino che il capitano Middleton non conosca l'ungherese e nemmeno il tedesco.»

La contessa scoppiò a ridere. «Basta, Bela. Vattene, la volpe ti aspetta. Un po' di moto ti gioverà.» L'ambasciatore accettò di buon grado d'essere congedato. Sebbene la contessa non gli avesse detto niente, da buon diplomatico aveva carpito quanto gli era necessario sapere.

# 26.

## La caduta

C'è un momento, alla fine di una giornata di caccia, in cui la luce del giorno inizia a calare, e anche il cavallo più affidabile può diventare incerto. È quel momento in cui, nelle brume invernali, i contorni delle siepi appaiono quasi minacciosi, e i muscoli si irrigidiscono per le lunghe ore passate in sella.

Dopo un paio di brutte cadute in chiusura della passata stagione di caccia, Bay aveva imparato a riconoscere il momento in cui le forze lo stavano abbandonando, quel preciso istante in cui la mente non riusciva più a comprendere i limiti del corpo. Era il primo segno che a trent'anni non era più così prestante come a ventuno.

Aveva maturato una maggiore esperienza, e questo gli aveva permesso di conservare la forma, ma sapeva che il declino stava iniziando. Da tempo Bay aveva abbandonato l'idea che la vita potesse solo andare meglio. Ma questa non era una giornata di rimpianti. Il sole era splendente e la volpe era riuscita a scappare per quasi tre ore, rendendo quella battuta una delle più emozionanti della sua carriera di cacciatore. Aveva addirittura sperato che l'animale, alla fine, riuscisse a sfuggire alla muta di cani: meritava una ricompensa per aver reso così avvincente quella giornata di caccia.

I cani correvano di gran lena attraverso un campo arato che portava a un boschetto. Lui rivolse lo sguardo all'imperatrice, che gli cavalcava accanto; i suoi abiti erano pieni di fango, e una ciocca di capelli sfuggita alle forcine ondeggiava scomposta sulle spalle.

Ma la schiena era più dritta che mai. Cavalcava con una soavità tale che a Bay sembrava quasi che si librasse sulla sella. Durante la giornata avevano a malapena parlato, poiché il passo era stato molto veloce, ma ogni volta che aveva incrociato il suo sguardo aveva sentito il brivido del legame che li univa.

Tutte le ansie del mattino erano state fugate dal serrato inseguimento della volpe. In quel momento, cavalcando a grande velocità nelle campagne del Leicestershire, con l'imperatrice al suo fianco, Bay non provava altro che una grandissima gioia.

Raggiunsero il bosco. Ora si trattava di vedere se i cani fossero riusciti a catturare la volpe, oppure costeggiare il bosco nel caso in cui fossero sbucati dalla parte opposta. La maggior parte dei cacciatori, incluso il Principe di Galles, fece fermare i propri cavalli per concedere loro un momento di tregua. Bay aveva intenzione di fare lo stesso, ma l'imperatrice alzò il frustino e incitò il suo alla corsa. Allora lui sfiorò appena i fianchi di Tipsy con i tacchi e la seguì.

Il terreno divenne subito ripido, e il cavallo iniziò a vacillare a causa della forte pendenza. Ripresa velocità, Bay guardò verso l'alto: l'imperatrice era già sparita oltre la cima della collina. Allora colpì Tipsy sui fianchi col frustino. La giumenta riuscì a superare il costone, ma dall'altra parte gli si parò davanti una ripida scarpata, e rovinò al suolo, e Bay, che guardava ancora avanti cercando l'imperatrice, vide improvvisamente la terra venirgli incontro.

Nel torpore della caduta udì delle parole in tedesco ed ebbe la sensazione che una goccia di pioggia gli fosse caduta sul viso. Un'onda rossa di dolore gli bruciava dentro, mantenendolo cosciente; aprì gli occhi e vide il volto dell'imperatrice molto vicino al suo. Voleva sorriderle ma il dolore era troppo intenso. Riusciva a sentire solo i suoi stessi lamenti.

«Bay? Bay Middleton, riuscite a sentirmi?»

Lui cercò di annuire.

L'imperatrice si sfilò il guanto e mise la mano in quella di Bay. «Se riuscite a sentirmi, stringete la mia mano.» Middleton riuscì a percepire le sue dita fredde e rigide, ma non appena provò a stringerle avvertì un dolore lancinante alla spalla e gli mancò la presa; la bile gli affiorò alla gola. Sapeva che con ogni probabilità si era slogato una spalla; gli era già capitato una volta durante una gara di equitazione. Chicken Hartopp però l'aveva assistito sapendo cosa fare. Gli aveva dato da mordere il frustino mentre lo strattonava per rimettere l'articolazione al suo posto. Poi lo aveva anche preso in giro per i segni dei denti che aveva lasciato sul frustino: avevano quasi staccato la pelle di cinghiale che lo ricopriva.

Bay provò a parlare, ma non riusciva a emettere alcun suono.

«Siete ferito? Riuscite a muovere le gambe?» La voce dell'imperatrice era carica di tensione. Lo guardava fisso negli occhi. Bay provò ancora a parlare, ma tutto ciò che riuscì a ottenere fu un gemito di dolore.

L'imperatrice si mise la mano in una tasca e tirò fuori una fiaschetta d'argento. Poi gli rovesciò un po' di brandy sulle labbra. L'alcol gli finì in fondo alla gola, e lo fece tossire, ma gli schiarì le idee, e così riuscì a dire qualcosa. «La mia spalla è slogata, aiutatemi a rimetterla a posto.»

L'imperatrice annuì: «Ditemi cosa devo fare.»

«Dell'altro brandy...» Lei gli portò nuovamente la fiaschetta alla bocca per farne cadere qualche goccia, ma fu così colpita dall'espressione di dolore del suo viso, che inavvertitamente gliene rovesciò in gola un bel po'.

Bay aspettò che l'effetto dell'alcol attutisse almeno in parte il dolore, e poi si sforzò ancora di parlare.

«Riuscite a sentire l'articolazione?»

L'imperatrice gli posò con cautela la mano sulla spalla.

«Sì, e mi pare di capire che ci sia qualcosa che non va.»

«Ce la fate a torcermi il braccio e a far rientrare la spalla al suo posto, contemporaneamente?»

L'imperatrice si morse le labbra. «Non vorrei farvi del male, forse è meglio aspettare aiuto.»

Bay si sentiva mancare dalla nausea. «Per favore, fatelo subito, il dolore non è più sopportabile.»

Allora l'imperatrice gli afferrò la mano e lui le disse: «Ora tirate forte verso l'esterno e poi spingete giù.»

Mentre lei gli torceva il braccio e riposizionava l'articolazione della spalla, lui non poté trattenere le urla. Poi, all'improvviso il dolore scomparve. Quell'agonia era finita, e sebbene la spalla fosse ancora dolorante, non era più in pericolo. Stava ancora stringendo la mano dell'imperatrice. Cercò di portarla alle labbra ma lo sforzo era troppo intenso.

«Grazie» disse. Lei girò il capo. Bay vide che si stava strofinando la mano che lui le aveva stretto e pensò a quello che aveva fatto al frustino di Chicken.

«Mi dispiace, vi ho fatto male alla mano? Se non altro non avete dovuto abbattermi.» E accennò un sorriso.

Lei allora lo guardò; era pallida e il viso era rigato dalle lacrime, ma riuscì a ricambiare un mezzo sorriso.

«Sono io che vi ho fatto male. Guardate, non sono così spietata: non sarei riuscita a spararvi nemmeno se foste stato un cavallo con una zampa rotta.»

«Vi sono grato per questo, e vi sarei ancora più grato se poteste darmi dell'altro brandy.»

Prese la fiaschetta e gliene diede ancora, poi, senza nemmeno asciugarla, ne bevve anche lei un sorso.

«Perdonatemi, voi ne avete più bisogno di me, ma quando vi ho visto cadere ho pensato che foste morto.»

Bay provò a ridere.

«Non lo sapete che morire in una battuta di caccia è davvero inopportuno? Nessuno avrebbe più il coraggio di correr dietro alla volpe. Avete incontrato il Maestro di caccia? Ho molta più paura di lui che di morire.»

«Io credo che voi non abbiate abbastanza paura della morte. E forse io sono come voi. Ma ero terrorizzata al pensiero di vedervi a terra privo di vita.»

«Allora vorrà dire che dovremo essere spericolati entrambi, o non esserlo affatto» commentò lui.

«Vi avverto che non sono molto prudente» rispose lei guardandolo dritto negli occhi. Allora Bay notò che il suo viso era ancora rigato dal sale delle lacrime.

«Nemmeno io» concluse lui.

Voleva toccarla ma non riusciva ancora a muovere le braccia. Rimasero immobili per qualche minuto: Bay steso sul terreno fangoso, Sissi inginocchiata accanto a lui, finché non sentirono arrivare gli altri cacciatori in cima alla collina. Lei rivolse il capo nella direzione da cui provenivano i rumori.

«Volete che chieda aiuto?»

«Credo di farcela, se mi aiutate voi, ma avrei bisogno di un sostegno.»

«Cosa intendete per sostegno?»

«Qualcosa che mi tenga su il braccio»

Sissi si alzò in piedi e sollevò la lunga coda del suo abito da caccia, poi ne strappò un pezzo lungo la cucitura.

Mentre era intenta a tagliare quel pezzo di stoffa per farne un triangolo, Bay vide che indossava i pantaloni di camoscio che aveva già visto di sfuggita anzitempo. Le calzavano aderenti come quelli di un fantino, mostrando ogni contorno degli esili fianchi e dei polpacci affusolati. Vedere le gambe di una donna in maniera così chiara e definita era al tempo stesso audace ed emozionante. Un fremito di desiderio lo pervase, nonostante il dolore.

Sissi gli era ancora inginocchiata accanto. «Riuscite a mettervi seduto?»

Bay provò a sollevarsi col braccio buono, ma lo sforzo era troppo grande.

«Lasciate che vi aiuti» disse lei con voce esitante.

Lui abbozzò un sorriso. «Ve ne sono grato, signora.»

Sissi pose delicatamente la mano sotto la spalla infortunata, poi si chinò su di lui e lo cinse con un braccio. I due corpi si toccarono: i seni di lei contro il torace di lui. Bay riusciva a sentire il suo respiro sul viso.

«Siete pronto? Spero di essere forte abbastanza» disse lei.

Bay la sentì respirare profondamente e poi avvertì una forte scossa di dolore, nel momento in cui lo sollevò da terra.

Ora potevano guardarsi dritto negli occhi: i loro volti quasi si sfioravano.

Gli sarebbe bastato veramente poco per baciarla. Provò a decifrare l'espressione dei suoi occhi scuri, ma in quell'istante di esitazione l'occasione svanì.

Lei si allontanò e prese a maneggiare il pezzo di stoffa che aveva strappato dall'abito.

«Va bene sistemato così?» chiese dopo averglielo grossolanamente legato intorno al collo.

«Forse è meglio stringere ancora.» La fasciatura, in realtà, andava già bene, ma Bay voleva sentire ancora il tocco delle sue dita sulla nuca.

«Così va bene?»

«Sì, così è perfetto» rispose e poi, stendendosi all'indietro, sentì il seno di lei contro la schiena. Pensò a quanto sarebbe stato bello rimanere ancora in quella posizione, ma ormai era quasi tramontato il sole e i rumori, che giungevano sporadici tra le brume della sera, erano segno che la Quorn non era più così distante da loro.

Bay provò a sollevarsi facendo leva sull'arto sano e riuscì in qualche modo a mettersi in piedi, seppur barcollante.

Sissi gli offrì un braccio per sostenerlo e lui sorrise imbarazzato.

«A questo punto posso concludere che come guida sono un vero fallimento. Avrei dovuto essere io a proteggere voi dai pericoli.»

«Ho tutta la protezione che mi occorre e invece non mi capita spesso di poter rendermi utile.»

I cavalli brucavano insieme poco distante, sulla riva del fiume.

Con un fischio Bay richiamò Tipsy, che si presentò immediatamente dinanzi a lui e lo salutò strofinando il muso sulla sua mano.

Bay intuì quale fosse la sfida successiva.

«Adesso sì che mi sento davvero inutile. Forse posso riuscire a cavalcare Tipsy con un solo braccio, ma di certo non riuscirò ad aiutare voi.»

Sissi scoppiò a ridere.

«Pensate sia una di quelle cavallerizze incapaci di montare in sella senza un aiuto?»

Fece uno schiocco con la bocca per richiamare il suo cavallo e, con grande sorpresa di Bay, questo piegò subito le zampe anteriori inginocchiandosi dinanzi all'imperatrice.

Lei balzò leggera sulla sella e il cavallo si rialzò.

«In un'altra vita, avrei potuto far carriera in un circo.»

Bay la guardò da capo a piedi. Da quando aveva strappato qua-

226

si metà del suo abito per confezionare la fasciatura, le sue gambe, avvolte nella pelle di camoscio, erano completamente in vista.

«Di certo avreste avuto le gambe adatte, signora.»

Sissi abbassò lo sguardo. «È un peccato che stia facendo buio, altrimenti saremmo riusciti a causare un bello scandalo.»

Bay avvertì un brivido. L'assurdità di quella situazione lo colpì. Essere visti cavalcare in mezzo alla campagna in compagnia di un'imperatrice discinta e con il vestito strappato poteva essere compromettente per entrambi. Se lui l'avesse lasciata lì, sarebbe stato ugualmente colpevole di aver abbandonato una donna da sola in un Paese straniero. Ma forse era la soluzione migliore.

«Ora dovrei proprio lasciarvi. Easton Neston dista meno di un chilometro da qui. Non credo proprio che dovrei venire nella vostra residenza. Il barone Nopsca potrebbe morirne. Se parto ora potrei arrivare a Melton prima di notte e trovare un medico. Spero possiate perdonarmi se vi abbandono.»

Sorrise mestamente.

«Sono proprio un buono a nulla. Prima cado da cavallo, e poi vi lascio qui proponendovi di trovare da sola la strada di casa.»

Tirò le briglie per dare a Tipsy la direzione e iniziò a muoversi, ma Sissi afferrò il frustino e gli sbarrò la strada.

«Vi proibisco di allontanarvi, capitano Middleton.» Il tono della voce non era greve ma l'ordine era chiaro e deciso.

«Lo faccio solo nel vostro interesse, signora.»

«Non è vostro dovere preoccuparvi della mia reputazione» disse. E poi continuò: «Quando si è nella mia posizione, si dà per scontato che la gente abbia da ridire, qualsiasi cosa si faccia. Ho imparato molto tempo fa che non ha alcun senso preoccuparsi dei pettegolezzi. Almeno daremo loro qualcosa di interessante di cui parlare.» Con fare perentorio continuò. «Voi dovete venire con me a Easton Neston; non potete assolutamente cavalcare fino a Melton nelle vostre condizioni. Manderò a chiamare un dottore e rimarrete da me finché non vi sarete completamente rimesso. Faremo in modo che vi spediscano il vostro bagaglio.»

Diede un piccolo colpo al cavallo e si avviò senza indugi verso la collina.

Bay non aveva altra scelta che obbedire all'ordine e seguirla.

Il suo tentativo di essere galante era miseramente naufragato. Non era però del tutto scontento di quella decisione.

Non c'era motivo di tornare in quel covo di vipere di Melton, ora che Charlotte era partita. In più, il pensiero che Chicken, Fred e Augusta lo sapessero ospite dell'imperatrice gli dava non poca soddisfazione. Poi si chiese come Charlotte avrebbe preso la notizia, e come fare a scriverle una lettera per dirglielo personalmente, prima che lo facesse Augusta. Ma non aveva il suo indirizzo, e non era molto sicuro che le lettere spedite a lei via Melton arrivassero a destinazione. Augusta era in grado di intercettare praticamente ogni missiva, se sospettava provenisse da lui. Riaffiorò per qualche istante quel sentimento di rabbia verso Charlotte. Per quale motivo era andata via di nascosto, senza una parola? Era forse stato un incomprensibile capriccio femminile? In questo caso, Charlotte non era la donna che immaginava.

Una buca nel terreno fece inciampare Tipsy. L'urto gli procurò un dolore lancinante alla spalla. L'imperatrice aveva ragione: non sarebbe stato assolutamente in grado di cavalcare per oltre quindici chilometri, al buio e in aperta campagna. Avrebbe rischiato di cadere nuovamente e morire assiderato. Ora iniziava appena a mitigarsi lo spavento iniziale di quella brutta caduta e una terribile sensazione di spossatezza gli aggrediva tutto il corpo. Se fosse caduto ancora da cavallo, non sarebbe mai stato in grado di rimontarvi. Era un sollievo che fosse stata Sissi a prendere per lui quella decisione. Il desiderio di stendersi in un letto era così grande che non si era fermato troppo a rimuginare sul fatto che non stava accettando un invito, ma obbedendo a un ordine.

# 27.

## La camera da letto dell'ex sovrano

Generalmente ci volevano solo venti minuti per rientrare ma, per quanto Bay fosse in grado di cavalcare con una mano sola, non potevano che procedere a passo d'uomo per evitare che gli dolesse la spalla. Il viaggio di rientro durò quindi più di un'ora. Middleton aveva insistito che l'imperatrice andasse avanti senza di lui, ma lei si era rifiutata.

«Se doveste cadere di nuovo, non sapreste come fare.»

«Ma non succederà.»

«Nessuno si aspetta di cadere da cavallo, capitano.»

Subito dopo quella conversazione, mentre procedevano lungo l'ampia vallata che conduceva al parco di Easton Neston, scorsero la compagnia della Quorn che, come una macchia rossa, si spandeva progressivamente per tutta la collina sull'altro versante del fiume. In testa alla muta si vedeva la volpe correre da una parte all'altra nel tentativo di seminare i cani. Il numero dei partecipanti si era ridotto un po' rispetto al mattino. Una volta che furono più vicini, tra il gruppo di cacciatori Bay poté distinguere la figura imponente del Conte Rosso e dietro di lui il Principe di Galles. Per un istante sembrò che la volpe volesse attraversare il corso d'acqua portandosi dietro il seguito di cacciatori e cani ma poi, all'ultimo momento, deviò verso la fitta boscaglia che si affacciava sul fiume e sparì. Il povero animale, ormai terrorizzato, doveva aver trovato un qualche rifugio, forse la tana abbandonata di un tasso. I cani allora cominciarono a correre e abbaiare impazziti mentre i cacciatori tiravano le redini dei cavalli per non perdersi la cattura della volpe.

L'imperatrice invece non si fermò ad ammirare i segugi all'opera ma continuò a cavalcare, seguita da Bay. Uno dei cacciatori dall'altra parte del fiume però la riconobbe e, approssimatosi alla riva, gridò il suo nome.

«Vostra Maestà, temevo vi foste persa.» Nella voce dell'ambasciatore si distingueva chiaramente una nota di sollievo mista a un cenno di rimprovero.

L'imperatrice si voltò e gli rispose: «Come potete vedere, conte, sono sana e salva. È il capitano Middleton che si è fatto male.»

Bay annuì. «Mi sono slogato una spalla e l'imperatrice me l'ha risistemata.»

Di fronte a quelle parole Karolyi, da fine diplomatico, rimase impassibile. Quando invece Sissi tirò le briglie e il cavallo si voltò, mostrando il lato della sella dal quale si vedevano le gambe coperte solamente dai pantaloni di camoscio, l'ambasciatore non riuscì a trattenersi e strabuzzò gli occhi.

«Accompagno il capitano a Easton Neston. Sarebbe veramente gentile da parte vostra mandare a chiamare un medico.» Il tono dell'imperatrice non ammetteva repliche.

«Certamente, Maestà, me ne occuperò di persona.»

Senza aggiungere altro, Sissi spronò il cavallo con un colpo di redini e si diresse verso la strada in fondo alla vallata. Bay salutò nuovamente l'ambasciatore con un cenno del capo e la seguì.

Non appena furono abbastanza distanti affinché nessuno li potesse udire, l'imperatrice commentò divertita: «Be' la mia nuova tenuta da caccia sarà sicuramente argomento di discussione a Vienna. Karolyi farebbe molto meglio a tenerlo per sé, ma lui vive di pettegolezzi e indiscrezioni: gli sarà impossibile non fare un romanzo di quanto ci è accaduto. Naturalmente la storia ruoterà attorno al mio gesto eroico e alla mia prontezza nel risistemarvi la spalla, ma certo non potrà trattenersi dal menzionare il dettaglio sulle condizioni del mio vestito.»

Bay non disse nulla. Non gli era sfuggita l'espressione di Karolyi alla vista delle gambe dell'imperatrice. Si augurò che l'ambasciatore non fosse un assiduo frequentatore dei circoli londinesi. La storiella di un capitano di cavalleria che girava con un braccio tenuto al collo da una fascia fatta con la stoffa dell'abito dell'imperatrice sarebbe stata sulla bocca di tutti per settimane. Non era certo un pensiero confortante. Ma ogni preoccupazione riguardo all'eventualità di uno scandalo svanì non appena vide i cancelli di Easton Neston e, al seguito dell'imperatrice, imboccò il lungo viale che conduceva alla casa.

Quando smontò da cavallo si reggeva in piedi a malapena. Sissi se ne accorse e con un battito di mani ordinò agli stallieri di andare a chiamare il barone Nopsca, il quale si presentò subito dopo tutto trafelato e rosso in volto. Alla vista dell'abito della sua padrona Nopsca riuscì a fatica a restare impassibile. L'imperatrice gli si rivolse in tedesco e l'ometto annuì lisciandosi la punta dei baffi.

Sissi pose una mano sul braccio sano di Bay e gli disse: «Ora è meglio che vi riposiate un poco. Il barone si prenderà cura di voi.»

«Apprezzo la vostra gentilezza ma sento di esservi di peso.»

Lei risollevò la mano per interromperlo.

«Una delle mie prerogative è che nessuno deve osare contraddirmi. Non è vero, Nopsca?»

Il barone confermò con un inchino: «Certo, Maestà.»

Una volta entrati in casa, il barone lo aiutò a salire l'ampia scalinata di marmo e lo accompagnò in una spaziosa camera da letto al primo piano.

«È la stanza da letto che era stata assegnata a Sua Maestà il re di Napoli. L'imperatrice mi ha ordinato di sistemarvi qua.» Il tono di disapprovazione nella voce del barone non gli sfuggì. «Mi ha raccontato del vostro incidente e mi ha dato istruzioni perché mandassi a chiamare il medico. Se avete necessità di qualsiasi altra cosa, fatemi sapere.»

Bay sussurrò qualche parola di ringraziamento ma il barone stava già chiudendosi la porta alle spalle. Poi, sedutosi sul letto, si sdraiò e si addormentò immediatamente.

A un certo punto si svegliò di soprassalto. La camera era buia eccetto che per la luce del focolare. Nonostante si fosse mosso lentamente e con prudenza, avvertì una fitta di dolore alla spalla: era talmente contratta da impedirgli il minimo movimento. Qualcuno gli aveva sfilato gli stivali e lo aveva coperto, ma gli avevano lasciato addosso la tenuta da caccia, tranne che per la giacca. Qualcuno, molto probabilmente il medico, gli aveva fasciato la spalla. Era evidente che aveva perso conoscenza.

Non sapeva che ora fosse: poteva aver dormito per ore o solo per qualche minuto. Nella mente gli si affollarono dubbi e preoccupazioni. A Melton era giunta voce del suo incidente? Doveva inviare una lettera prima che le malelingue trasformassero quell'episodio nella storia dell'anno: "Imperatrice salva la guida a cui era stata affidata per una battuta di caccia". Doveva scrivere a Charlotte prima che apprendesse la notizia nella versione che avrebbe confezionato la cara Augusta. Ma se anche fosse riuscito ad alzarsi non sarebbe stato in grado di tenere in mano una penna.

Non era abituato a quel senso di impotenza: trovarsi rinchiuso in una casa di estranei, circondato, nella propria patria, da stranieri. Eppure vi era qualcosa di eccitante in quel sentimento di impotenza: qualcosa stava per accadere, lo sapeva, ma sarebbe stato motivo di piacere o di sofferenza? Era la stessa sensazione che provava prima di saltare una siepe sconosciuta: l'impeto del salto era seguito dalla paura del vuoto prima di toccare nuovamente il terreno.

Fuori un vento impetuoso soffiava sulla pianura del Leicestershire facendo sbattere gli scuri delle grandi finestre barocche e infilandosi in ogni fessura di muro e crepa di intonaco. Bay si rese conto di prestare attenzione a ogni scricchiolio, ogni fischio che riecheggiava nella casa. A un certo punto la tensione aumentò quando gli sembrò di udire un bisbigliare di voci seguito da un grido, ma poi si allentò nuovamente: era solo il cigolio di una porta unito al sibilo del vento. Era sempre solo frutto della sua immaginazione o dietro la porta aveva sentito il rumore di un passo che gli era familiare? La porta si aprì e Bay provò a tirarsi sui cuscini, ma il dolore alla spalla glielo impedì.

Sissi reggeva una lampada stile Nightingale che le illuminava il viso. La luce, che si propagava dal basso verso l'alto, proiettava uno strano bagliore sul suo volto. Vi era qualcosa di insolito anche nell'ombra che proiettava il suo corpo: non riusciva a riconoscere la forma del capo, ma poi si rese conto che aveva i capelli sciolti.

«Siete sveglio?» domandò sottovoce.

«Sì, eccomi qua» rispose lui ugualmente sussurrando.

Quando la fonte di luce fu più vicina vide che indossava una lunga veste bianca. Quando l'imperatrice mosse leggermente il capo, lui notò la distesa di capelli che dalle spalle arrivava fino al pavimento. Lei si avvicinò al letto, ma lui sapeva che non avrebbe dovuto muoversi e in realtà non poteva nemmeno farlo: allungare una mano e sfiorarle i capelli significava passare il punto di non ritorno, dare inizio alla corsa. Ma ora gli era così vicina che poteva percepirne il profumo, una fragranza di violetta e brandy mista a un odore più selvatico, di animale, forse quello della volpe. Poi la mano raggiunse la cascata di capelli. Erano caldi e in un certo senso elastici, come se fossero dotati di vita propria. Prese una ciocca e se la avvolse intorno alla mano sana. Era talmente lunga che riuscì a girarla tre volte.

«Vi piacciono i miei capelli, capitano?» gli chiese, sempre sussurrando.

«Sì, Vostra Maestà» rispose lui e tirò lievemente la ciocca di capelli per avvicinare il viso di lei al suo. «Direi che si rivelano decisamente utili in caso di invalidità.» Appena le loro labbra si sfiorarono, quell'incredibile capigliatura gli ricoprì il viso, proteggendolo come un bozzolo di seta. Con la mano libera le carezzò il corpo, cogliendo sotto la seta la turgida rotondità del seno nudo.

«Vorreste baciarmi ancora una volta, capitano Middleton?»

«È un ordine?»

«No, non mi pare. Direi piuttosto un desiderio.»

«Allora, Maestà, dovrete distendervi qui accanto a me se volete che vi baci come si deve. Ricordatevi che sono un invalido.»

«Oh, la vostra infermità mi dà tanta pena» disse lei sfiorando con un dito la spalla fasciata. «Vi fa male?»

«No.»

«E così?» L'imperatrice si chinò su di lui e, scostata la camicia, gli posò le labbra sulla pelle nuda. Bay sentì la lingua sfiorargli il collo. Era ruvida come quella di un gatto, ma la carezza gli procurò un brivido di piacere misto a dolore che corse lungo tutto il corpo.

«È il dolore più piacevole che abbia mai provato.»

L'imperatrice lo baciò nuovamente, questa volta facendo correre la lingua fino alla peluria del petto.

«Sapete di sale e di qualcos'altro, forse di stalla.»

«Avreste dovuto ordinare al barone Nopsca di farmi un bel bagno» commentò Bay.

Lei rise. «Ma il vostro sapore mi piace: ha qualcosa di particolare.»

«Finché riesco a divertirvi, mi riterrò soddisfatto.»

Sissi iniziò a sbottonargli la camicia e quando ebbe finito adagiò la testa sul petto di lui. Bay avvertiva il respiro di lei sulla pelle, mentre le ciocche di capelli che ricadevano nell'incavo delle braccia gli procuravano un piacevole solletico.

«Il battito del vostro cuore è troppo rapido, capitano Middleton. Forse dovrei mandare a chiamare il medico.»

«Non credo sia necessario. Sono certo che quando Vostra Maestà se ne sarà andata riprenderà a battere regolarmente.»

«Capisco. Preferite che vada via? Non vorrei mai compromettere il vostro stato di salute.» I loro corpi erano così vicini che Bay sentiva i suoi seni premergli contro il petto.

«No, mia signora.»

Per un po' lei rimase riversa su di lui a carezzargli con la punta delle dita il contorno delle labbra.

«Non potete dormire in questo modo, con la vostra tenuta da caccia, come un qualsiasi contadino.»

«Non è facile svestirsi con una sola mano.»

«Avete bisogno d'aiuto, forse dovrei chiamare il barone Nopsca. Meglio di no, sarebbe una vera crudeltà svegliarlo a quest'ora. Vorrà dire che me ne dovrò occupare personalmente. Spero di essere all'altezza del compito.»

«Anch'io spero d'esserlo. Ma ho come la sensazione che ce la faremo.»

Lei rise e gli pose un dito sulle labbra. «Ora tacete, devo concentrarmi.»

Nel buio il respiro pesante dell'imperatrice gli fece intuire che si era addormentata: la testa era abbandonata sul suo petto, mentre la distesa di capelli ricopriva interamente entrambi, riscaldandoli come una coperta. Si domandò che ora fosse. Nell'oscurità da qualche parte si udì il rintocco delle quattro. Ci voleva ancora un po' prima che la servitù cominciasse le attività della giornata. Certo quella non era una casa come altre in cui gli era capitato di soggiornare, dove a notte fonda si suonava un campanello per richiamare gli amanti infedeli ai loro legittimi letti.

L'imperatrice si mosse e Bay sentì che il sangue ricominciava a scorrere nel braccio sano, sul quale si era addormentata. Nell'oscurità riuscì a distinguere solo una rapida scia di bianco che si alzava. Poi avvertì il freddo delle lenzuola sulla pelle nuda e sospirò.

«Vi duole? Vi ho fatto male?» gli chiese con un tono quasi angosciato.

«Non proprio» si interruppe, «mia signora.» Poi una mano gli carezzò il viso.

«Quando siamo soli puoi chiamarmi Sissi. È il nome che usano la mia famiglia e i miei amici.»

Bay non riuscì a trattenere uno scatto di gelosia: «Hai molti amici?»

«Non qui in Inghilterra. Nessuno a parte te. Sei il mio unico amico inglese, Bay. Ma adesso devi dormire. Ho bisogno che tu ti ristabilisca. Non posso partecipare alla caccia senza la mia guida.»

«Che ne dici dei tuoi cortigiani?»

«Max e Felix non sono affidabili. Si lasciano distrarre facilmente.»

Bay ripensò a ciò che gli era parso di vedere riflesso nello specchio del grande salone di Easton Neston.

«Allora mi toccherà cavalcare con una sola mano. Spero di farcela.»

«Ce la farai sicuramente. Ce l'hai fatta fino a ora.» Le assi del pavimento in legno scricchiolarono mentre l'imperatrice usciva dalla stanza.

«Buona notte, Bay.»

«Buona notte, Sissi.»

## 28.

### Nella camera oscura

«Chissà come mai, mia cara Charlotte, Lady D mi ha riferito che siete una fanciulla piena di virtù, ma non ha accennato al fatto che avete davvero un occhio particolàre. Sono quasi invidioso. Che composizione sensuale, tutte queste donne in un unico, grande e dissoluto groviglio di corpi. Sembra tutto così naturale, eppure ogni dettaglio è perfetto.» Caspar Hewes teneva in mano la fotografia di Charlotte che ritraeva le cameriere di Melton. Erano nello studio della casa di Lady Dunwoody a Holland Park. Una stanza molto spaziosa con una grande finestra esposta a nord, i cui vetri sbattevano rumorosamente a causa del vento. Nello studio non c'era nemmeno il caminetto; Lady Dunwoody amava certamente circondarsi di cose belle, ma certe comodità per lei non erano affatto indispensabili.

Ogni volta che Caspar apriva bocca, Charlotte vedeva uscirne una nuvoletta di condensa, quasi fosse un drago o un motore a vapore.

«Quando Lady D sarà rientrata, le dirò che questa deve essere assolutamente inclusa tra le opere in mostra. Il resto delle foto che abbiamo deciso di esporre è così imbalsamato. Questa darà una nota di decadenza indispensabile: è dissoluta e languida, e ha un tocco di harem.» Caspar si voltò verso Charlotte e sfoderò un sorriso abbagliante e molto poco inglese, mostrando una bella fila di denti scintillanti; la nuvoletta che emise stavolta somigliava proprio a quella di un drago, pensò Charlotte: un drago cinese. Quel giorno Caspar indossava una giacca di velluto verde con un panciotto di broccato giallo e dei pantaloni di cotone nanchino. L'eleganza sgargiante del suo abbigliamento era in deciso contrasto con il grembiule di lino macchiato che portava sopra, ma in qualche modo il suo aspetto risultava più esotico che assurdo. Come previsto da Lady Dunwoody, dal suo arrivo Caspar non era ancora riuscito a tirare il fiato. La sua voce era completamente diversa da quella di un gentiluomo inglese: quando Fred e i suoi amici parlavano strascicando le sillabe, si aveva quasi l'impressione che non avessero le forze sufficienti a finire la frase, ma Caspar no, lui donava sempre a ogni parola una propria privilegiata esistenza, e la articolava per bene prima di pronunciarla al mondo. Charlotte pensava di non aver mai incontrato nessuno che si divertisse così tanto a conversare quanto quell'americano. L'unica parola che il suo ampio vocabolario non comprendeva era silenzio.

«Siete molto gentile, signor Hewes, ma dubito che la regina possa essere interessata a un gruppo di servette. Tutte le altre foto ritraggono personaggi illustri: Lord Beaconsfield, Il Poeta Laureato, Florence Nightingale, e altri uomini di corte. Non sono certa che a delle cameriere, per quanto decadenti, sia consentito apparire accanto a tali personalità.»

«Tutti hanno bisogno di giovinezza e bellezza, anche i personaggi più distinti» disse Caspar, e poi, voltatosi, si avvicinò a Charlotte al punto che lei percepì la nota di limetta nella sua acqua di colonia. «Ma perché non mi chiamate Caspar? "Signor Hewes" mi fa sembrare un ministro di Dio, e devo dirvi, Charlotte, che non sono proprio un uomo di fede, e così quando mi chiamate in tal modo mi sento un impostore. Non credo proprio che una donna piena di fascino e dai modi gentili come voi voglia far sentire un pover'uomo come me, lontano dalla propria terra, un impostore dinanzi agli occhi di Dio, continuando a chiamarlo per cognome. Non lo fareste, vero?»

Charlotte rise e alzò le mani in segno di resa. «Basta così, vi chiamerò Caspar, ma solo se mi promettete di smettere di parlare almeno per un minuto.»

«E perché mai? Che senso ha stare in una stanza con una giovane donna così adorabile e piena di talento senza tentare in ogni modo di parlare con lei? Rimanere in silenzio sarebbe un terribile spreco di meravigliose occasioni. A meno che voi non vogliate che io taccia mentre vi ricopro di baci appassionati.»

«Baci appassionati? Be', questa stanza è abbastanza fredda, quindi se mi garantite che i vostri baci saranno infuocati...» ribatté Charlotte.

«Ora vi state prendendo gioco di me, un orfano tutto solo e senza amici in terra straniera.»

«Solo! Potrei giurare che a Londra avete più amici di me. Ho il sospetto che non ci siano molte altre persone che non conoscete ancora e che desiderate incontrare» continuò Charlotte.

«Solo conoscenze. Non amici del cuore. Se solo sapeste, mia cara, come sento la mancanza di un vero confidente. Ho l'impressione di non aver ancora mai avuto una conversazione sincera e schietta da quando ho lasciato l'America.»

Mentre continuava a parlare, Caspar estrasse altre foto dalla cartella di Charlotte e le sistemò tutte sul tavolo dinanzi a sé. Lei notò che nonostante l'altezza e il fare sgraziato, i suoi movimenti erano precisi e accurati. Caspar fermò la mano su una foto di Bay e del suo cavallo e poi vi puntò sopra una delle sue lunghe dita.

«Che meraviglia, Carlotta! Credo di preferire Carlotta a Charlotte, vi si addice di più. Voi non siete certo la giovane puritana che sembrate; si vede chiaramente dalle vostre foto che avete un'anima pericolosa. Sto diventando geloso. Non sapete di cosa posso essere capace quando sono in preda alla passione?» Gesticolò platealmente con fare istrionico.

«So molto poco di voi, visto che ci siamo conosciuti solo ieri» rispose.

Charlotte sentì una vampata di calore salirle fino ai lobi delle orecchie. A colazione, nel vassoio della posta, non c'era niente da parte di Bay, nessuna lettera o telegramma. D'altra parte lei non gli aveva detto dove fosse. Improvvisamente le venne in mente l'immagine di lui sulle scale di Melton, che scherzava con Fred e Chicken e la bocca d'un tratto le divenne secca. Avrebbe scritto a sua zia chiedendole di cercare Bay e dirgli dov'era. Adelaide Lisle aveva qualche riserva su di lui, ma la prospettiva di diventare l'accompagnatrice ufficiale di Charlotte e ottenere una residenza in città e una sontuosa carrozza l'avrebbe di certo convinta a mettere da parte i suoi scrupoli.

Caspar notò che Charlotte era arrossita e disse: «Volete provocarmi mostrandomi questo Adone a cavallo, con i pantaloni attillati e gli stivali lustri? Ma non demorderò, no, non mi scoraggerò; da quello che vedo in questa foto è chiaro che quest'uomo non vi ama. Costui ha occhi solo per il suo cavallo, che senza dubbio è un bellissimo animale, ma paragonato a voi, Carlotta... Quest'uomo deve avere acqua nelle vene al posto del sangue.»

«Parlate in questo modo a ogni donna che incontrate?»

Caspar sbarrò gli occhi con un'espressione di indignazione esagerata.

«Carlotta, come potete dire una cosa tanto crudele? Sembro forse uno che corteggia ogni donna che incontra? Un libertino, un uomo dissoluto, un seduttore impertinente?»

Charlotte scosse il capo e rise. Sulla bocca di un altro quelle dichiarazioni d'amore non sarebbero risultate solo eccentriche · ma anche preoccupanti; invece il tono suadente del suo discorrere e l'attenzione con cui studiava le foto anche quando le confessava amore eterno le facevano credere che la stravaganza del suo eloquio e dei gesti fosse solo una posa, come lo stile del suo abito.

«Non so chi mi fate venire in mente... un americano, forse.»

«Carlotta, sulla vostre labbra la mia nazionalità suona quasi come una malattia. Eppure l'America vi piacerebbe. È la patria dei liberi» replicò. Poi cominciò a cantare in tono spiccatamente baritonale *Yankee Doodle Dandy* mentre prendeva la scatola delle lastre non ancora stampate.

A un certo punto s'interruppe e le chiese: «Ci sono due fotografie che non avete ancora sviluppato. Posso farlo io? Sarebbe un onore. Desidero assolutamente vedere cos'altro avete fatto. Vi prego, lasciate che vi renda questo umile servigio.»

Charlotte ebbe un momento di esitazione: l'offerta di Caspar la metteva un po' a disagio. Era come se lui le stesse chiedendo il permesso di indossare i suoi vestiti. Tuttavia non riusciva a trovare una ragione valida per negarglielo.

«Se ci tenete. Ma prima potrei vedere la vostra cartella, dato che voi avete visto la mia?» rispose.

«Oh, Carlotta, niente mi renderebbe più felice. Non ho molto qui. Forse un giorno riuscirò ad attirarvi nella mia tana di Tite Street. In ogni caso ci sono quelle che Lady D mi ha gentilmente richiesto per l'esposizione» replicò prendendo una cartella in cuoio da una delle mensole.

«Eccole qua. Mi perdonerete, ma m'imbarazzerebbe troppo rimanervi accanto mentre le guardate e quindi vado a nascondermi nella camera oscura con le vostre lastre, così non morirò dalla vergogna quando cercherete di mascherare il disprezzo che certamente meritano i miei lavori.»

Nonostante quelle parole, Caspar non sembrava particolarmente preoccupato, anzi aprì la cartella con fare cerimonioso e concluse: «Questo è, Carlotta, il frutto delle mie fatiche. Siate clemente con me. Ricordatevi che, a differenza di voi, io non sono stato così fortunato da avere una maestra come Lady Dunwoody.»

Poi prese la scatola delle lastre e sparì dentro un cubicolo di legno che Lady Dunwoody aveva fatto costruire in fondo allo studio e che serviva da camera oscura. Charlotte lo sentì ancora canticchiare mentre era intento al lavoro. Poi rivolse l'attenzione alla cartella, grata di poter avere un po' di tregua da quel fiume di parole. Il primo gruppo di fotografie raffigurava un deserto punteggiato di enormi cactus e di strane e antiche formazioni rocciose. Charlotte non aveva mai visto un paesaggio simile, non una pianta o un filo d'erba ma solo sabbia, rocce e cielo. In una era raffigurato un uomo in piedi accanto a un cactus più alto di lui di almeno mezzo metro. Le foto del deserto erano seguite da una serie di ritratti di famiglie cinesi, gruppi di dieci o più persone: dagli anziani con codini e costumi tradizionali ai giovani vestiti all'occidentale fino a comprendere i lattanti in fasce. Alcune erano state scattate in studio, altre in esterno accanto alle botteghe di famiglia. Charlotte notò con sorpresa che tutte le insegne e i cartelli erano in cinese. Si domandò dove Caspar le avesse scattate. Era una cosa straordinaria poter aver dinanzi agli occhi immagini che provenivano dall'altra parte del mondo; le scene raffigurate erano così bizzarre e inconsuete eppure, senza ombra di dubbio, reali.

Charlotte studiò con attenzione quelle immagini di genti lontane, di panorami selvaggi e le confrontò con le sue belle foto di cameriere e di feste in casa e capì di provare invidia per la libertà di Caspar e per la varietà dei suoi soggetti. Provò improvvisamente un desiderio fortissimo di andare lontano a immortalare con la sua macchina fotografica mondi ignoti invece che restare là a sperimentare nuovi modi di rendere esotico ciò che le era familiare. Charlotte non era mai stata all'estero: il luogo più esotico che aveva visitato era stata l'Isola di Wight. Fred e Augusta le avevano proposto di accompagnarli nel loro viaggio di nozze in Italia, forse per condividere le spese, sospettava lei. Ma nemmeno l'idea di poter ammirare il Colosseo al chiaro di luna l'aveva convinta ad accettare una vacanza di due mesi con gli sposi novelli.

Le ultime foto erano una serie di primi piani del giovane ritratto accanto al cactus. Aveva un profilo spigoloso, mascella squadrata e zigomi pronunciati. Charlotte notò che i capelli scuri erano molto lunghi e raccolti dietro la nuca. In alcune foto il ragazzo, che non doveva avere più di diciotto anni, fissava dritto l'obiettivo con uno sguardo austero e risoluto. Ce n'era però una dove invece guardava oltre la spalla e sorrideva. Charlotte provò un moto di affetto per entrambi, fotografo e fotografato. Riuscire a catturare uno sguardo come quello, un istante di vita e non una posa, era cosa assai rara. Si chiese chi fosse quel giovane. Nell'ultima foto era ritratto mentre teneva sollevato un grappolo d'uva proprio sopra il capo leggermente reclinato indietro, una postura che metteva in risalto il suo collo lungo e sinuoso. In quel momento Caspar si stava cimentando in *Silver Threads Among the Gold*, "Fili d'argento tra l'oro", interpretandone tutte le voci.

Prima cantò "Cara, sto diventando vecchio", con la voce acuta del baritono, poi ripeté la parola "vecchio" con i toni profondi del basso e infine "fili d'argento tra l'oro" in uno stridulo falsetto. Era come se volesse ricreare l'effetto di un quartetto del *Barbiere di Siviglia* tutto da solo.

Charlotte ripose la foto del giovane con il grappolo d'uva e si guardò attorno. La stanza era piena di arredi e costumi di scena che Lady Dunwoody usava per le foto. Su una sedia erano poggiati una bandiera inglese ben ripiegata, un elmo e uno scudo di cartone che erano stati usati nel famoso ritratto di Ellen Terry immortalata nei panni di Britannia. Un'intera collezione di tuniche con leggere pieghe di mussola bianca pendeva da un lungo appendiabiti di lacca cinese e sulla mensola soprastante era adagiata una pila di corone d'alloro. Una sfera di cristallo era posata su un tavolo accanto a un teschio e a un candelabro d'argento con tre candele ormai completamente consumate, con rivoli di cera che pendevano dal candeliere come stalattiti. Sulla parete accanto alla porta, appesa a un'asta, c'era una veste da mandarino cinese finemente ricamata, poi più in alto, lungo tutta la stanza, correva una mensola dove era sistemata una collezione di piatti bianchi e blu, caraffe lustre e un cherubino di marmo con una gambetta paffuta che puntava verso il pavimento. Accanto alla panca, dal lato opposto a quello in cui si era fermata senza sedersi Charlotte, c'era un cavalletto che metteva in mostra la fotografia di una giovane vestita da Diana cacciatrice. La ragazza era raffigurata nell'atto di scoccare una freccia verso il cielo. Charlotte riconobbe nella modella una delle cameriere di Lady Dunwoody. Neppure i ritocchi più sapienti erano riusciti a nascondere completamente il contrasto tra il rossore delle mani e il candore classico del collo e della nuda spalla. Ma Lady D era riuscita a cogliere nell'espressione del volto un qualcosa di primitivo che conferiva all'immagine una ferocia inusitata. Era indubbio che quella Diana avrebbe catturato la sua preda. Charlotte si domandò a cosa stesse pensando la modella per riuscire a esprimere tanta crudeltà. Stava forse sognando di imbracciare le armi e distruggere il nemico o piuttosto stava pensando alla collezione di porcellane cinesi di Lady Dunwoody che doveva essere spolverata con una singola piuma d'oca?

La canzone fu interrotta nel mezzo di una strofa e vi fu un momento in cui le parve di udire un sospiro, ma poi Caspar riprese a cantare esattamente dal punto in cui si era fermato. Finita la strofa, l'uomo riemerse dal cubicolo con le braccia levate al cielo, quasi a invocare una benedizione.

«Mia cara, abbiamo consumato il nostro sodalizio artistico. Io ho consegnato a una gloriosa vita i vostri negativi e voi avete visto i miei modesti contributi all'arte della fotografia.»

Charlotte ribatté: «Ma non c'è ragione per cui dobbiate umiliare i vostri lavori. Sono foto straordinarie. Non ho mai visto niente di simile. Ah, quanto vi invidio quei deserti e quella luce intensa. Non abbiamo niente di paragonabile qua ed è per questa ragione che dobbiamo limitarci a creare queste piccole scene da studio fotografico.» E con un gesto della mano indicò la foto sul cavalletto: «Cameriere agghindate da dee. Mentre voi dovete semplicemente uscire di casa per trovare l'inquadratura perfetta, pronta per essere immortalata.»

Caspar accennò un breve inchino ma per la prima volta rimase in silenzio. Charlotte intuì che non lo aveva lodato abbastanza. «Certamente solo un fotografo di grande talento può rendere giustizia a quei paesaggi stupefacenti. Non temete, mi rendo perfettamente conto del vostro valore. Anche se non aveste avuto tutto questo materiale per esprimervi artisticamente, per apprezzarvi mi sarebbe bastata quest'unica fotografia.» E prese il ritratto del giovane che sorrideva voltato all'indietro. «Soltanto un artista di talento sarebbe stato in grado di realizzare quest'immagine. È così difficile vedere rappresentata in fotografia un'emozione reale. Ma qui il sentimento è messo a nudo.» Charlotte non capì perché quell'ultima parola le fosse scappata di bocca. Si sentì come se avesse detto qualcosa di inopportuno. Per un momento Caspar la fissò negli occhi, poi abbassò lo sguardo e le offrì un altro ampio inchino.

«Sono sopraffatto dalle vostre parole di lode. Essere elogiato da voi è per me come raggiungere la punta massima del successo a cui potrei aspirare. Mi sento come il vigoroso Cortés in cima al picco di Darien.»

Charlotte lo interruppe: «Chi è il ragazzo della foto? Quello con il grappolo d'uva. Estorcere da uno dei miei modelli un simile sguardo è una cosa che non riesco nemmeno a immaginare.»

«E che mi dite del bell'ufficiale ritratto insieme al suo cavallo?

Siete riuscita perfettamente a catturare tutto l'amore che li tiene legati» fece Caspar e sollevò un sopracciglio.

«Che viso particolare. Qual è il suo nome?» ribatté lei.

«Il nome? Abraham Acqua-Che-Scorre. Il padre era un Sioux mentre la madre era un'irlandese arrivata nell'Ovest all'epoca della febbre dell'oro. Abraham è stato il frutto della loro breve unione. Io l'ho conosciuto nel deserto; mi aiutava a trasportare l'attrezzatura. Mi ha mostrato cose che non avrei mai visto. Una volta sulla sabbia c'era la pelle di un serpente completamente intatta; non l'avrei notata se lui non mi avesse fermato e me l'avesse indicata.» Poi si tacque per un momento, dando a Charlotte la possibilità di fare la domanda di cui lei temeva di aver già intuito la risposta. «Dov'è adesso?»

«Da qualche parte nel deserto del Mojave. Ho fatto una foto del punto preciso. Non c'erano alberi e così ho costruito una piccola piramide di pietre. Non erano molto grandi, anzi diciamo dei sassolini: non ci sono massi laggiù. È morto di consunzione. Volevo portarlo in città per farlo curare ma si è rifiutato di lasciare il deserto.»

«Mi dispiace. Ma le vostre foto sono meglio di qualsiasi lapide» disse lei.

«Che pensiero delicato. Ora riesco ad apprezzarlo, ma un tempo mi sarebbe stato impossibile: sono stato sul punto di distruggerle. Ma poi in un certo senso... erano tra i miei migliori lavori e non ho avuto il coraggio di farlo.»

«Avere una foto di qualcuno a cui tenevamo è in qualche modo consolatorio.»

«Forse ma, allo stesso tempo, le fotografie ci rammentano continuamente quello che abbiamo perduto. I ricordi prima o poi sbiadiscono, ma io non dovrò mai fare uno sforzo di memoria per rivedere il viso di Abraham. Siamo sicuri che sia una fortuna? Forse sarebbe meglio lasciare che i ricordi cadano nell'oscurità. Ogni volta che riguardo una di queste foto mi ritorna in mente l'immagine nitida di lui e di quanto fosse forte e vigoroso.» Scosse il capo e agitò le mani davanti al viso come se volesse scacciare qualcosa di spiacevole.

Allora Charlotte si ricordò che il padre aveva tenuto nello studio la foto di sua madre distesa nella bara. Una foto che lei si era sempre rifiutata di guardare.

Caspar batté le mani. «Adesso basta, ci siamo attardati non poco in discorsi macabri, Carlotta cara. Non siamo qua per filosofeggiare ma per lavorare. Che direbbe Lady D se ci potesse vedere? Ci accuserebbe di essere delle inutili amebe, degli stupidi parassiti che indugiano in pigre conversazioni invece di rimboccarsi le maniche.»

«Forse io sono rimasta in panciolle, ma voi avete stampato le mie foto. Ora dovrebbero essere asciutte, giusto?»

Caspar sbatté le palpebre. «Sì certo. Lasciate che controlli.» E sparì nella camera oscura.

Charlotte si chiese se fosse troppo azzardato inviare un telegramma alla zia Adelaide per avere notizie di Bay. Sì, effettivamente lo era. Un telegramma avrebbe suscitato delle chiacchiere e poi non vi era alcuna urgenza.

Sentiva Caspar trafficare dentro la camera oscura. Adesso cantava Mozart: *Ma in Ispagna son già mille e tre*... L'aria finì e Caspar riemerse tenendo in mano una foto.

«Eccola qua la vostra eroina tragica», così dicendo le mise davanti una fotografia. Era quella che aveva scattato all'imperatrice il mattino dell'incidente occorso al maggiore Postlethwaite. Elisabetta era ritratta di profilo. L'inquadratura faceva sì che il centro dell'immagine fosse l'esile girovita di lei, che contrastava in basso con l'ampiezza della gonna e in alto con la ricca chioma. Il viso era reclinato in direzione opposta all'obiettivo ma si riusciva comunque a intuire la forma delicata della mascella e il lungo collo sinuoso.

«Perché avete usato la parola "tragica"?» chiese.

«Ha un'aria malinconica. C'è qualcosa nel suo profilo e nel modo in cui tiene il capo. Si tratta di una donna importante: si capisce da come la guardano le persone che le stanno intorno. Devo ammettere che mi incuriosisce. È una vostra conoscenza?»

«Non esattamente. È l'imperatrice d'Austria. È venuta per partecipare alla caccia alla volpe nella tenuta della casa dove alloggiavo.»

«Un'imperatrice. Be', sì, direi che si vede.»

«La trovate bella?»

Caspar strizzò gli occhi per osservare meglio la foto. «Se me lo aveste chiesto prima di dirmi chi fosse, avrei esitato. Ma adesso che so chi è, devo confessarvi che la vedo bella. Non posso separare la forma dal ruolo. Un'imperatrice bella è un'immagine molto più romantica di un'imperatrice dall'aspetto mediocre. Nonostante sia un repubblicano convinto non posso negare che la Corona eserciti su di me un certo fascino.»

E poi guardando Charlotte dritto negli occhi concluse: «Dal modo in cui tiene la testa si intuisce che sia una donna piuttosto... impegnativa. Non come voi, mia cara. Voi avete un carattere così accomodante.»

«Non sono un'imperatrice.»

«No, sareste deliziosa in ogni caso.» Accennò un inchino e tirò fuori l'orologio dal taschino del panciotto. «È veramente così tardi? Ho promesso a Lady D che ci saremmo incontrati alla galleria a mezzogiorno. Dobbiamo uscire immediatamente. Lady D non ama che la si faccia attendere.»

Charlotte lo aiutò a riporre tutte le foto in una cartella separandole una per una con fogli di carta velina. Caspar insistette per includere anche la foto delle cameriere e quella di Bay con Tipsy. Lei allora in risposta aggiunse il ritratto di Abraham Acqua-Che-Scorre. Proprio quando lei stava ponendo la velina sull'ultima foto, Caspar tirò fuori la foto dell'imperatrice.

«Non potete tralasciare Sua Maestà.»

Allora Charlotte si ricordò di non aver scattato solamente una foto quel mattino. «Che ne è dell'altra lastra? Non ero sicura di averla inquadrata come si deve perché nel momento in cui sistemavo l'obiettivo l'imperatrice aveva preso un ventaglio per nascondere il viso.»

«Che noia!» Caspar raccolse le pagine del portfolio e strinse i lacci della cartella con un nodo. Prese Charlotte per un braccio e la condusse alla porta.

Lei esitò. «Ma l'altra foto è venuta? Vorrei sapere se sono riuscita a fotografarla prima che prendesse il ventaglio.» La presa di Caspar sul suo braccio si fece più forte, ma lei si divincolò e andò nella camera oscura. Al buio riuscì a individuare una stampa che pendeva da un filo, trattenuta da un'unica molletta. La prese per poterla guardare alla luce.

La fotografia era riuscita perfettamente. Il soggetto principale non era però l'imperatrice, parzialmente nascosta dietro un ventaglio, ma il cavaliere che stava alle sue spalle. Per un momento Charlotte non si accorse che si trattava di Bay. L'espressione dei suoi occhi chiari, fissi sull'imperatrice, non le era affatto familiare. Era un'espressione di completo rapimento: guardava la donna davanti a lui come se fosse un prezioso tesoro che sarebbe potuto cadere e rompersi in mille pezzi, se solo avesse distolto lo sguardo. La bocca leggermente dischiusa poteva essere un accenno di sorriso o una smorfia di dolore, non si poteva dire. Bay non l'aveva mai guardata in quel modo.

Sentì sfiorarsi il gomito e qualcuno le prese la foto dalla mano.

«Le fotografie possono essere ingannevoli, a volte, siete d'accordo?» disse Caspar spingendola fuori dalla camera oscura. «Questo vostro amico, il capitano, ha un'aria quasi spettrale. È colpa della luce, di come illumina lo sguardo. Un giorno di sole, un'esposizione bassa e in una foto si può vedere ogni sorta di cose. Ricordo che una volta ho scattato una foto a un macellaio di Chinatown: teneva la mannaia in un modo tale che sembrava fosse sul punto di assassinare il suo aiutante. Un gioco di luci, ovviamente, ma che impressione! Non aveva nulla da invidiare a Sweeney Todd, il diabolico barbiere di Fleet Street.»

Charlotte si fece condurre, accompagnata dal quel fiume di chiacchiere, fuori di casa fino a una carrozza. Restò in silenzio fino quando giunsero ad Albertopolis nel parco.

«Non era un gioco di luci, vero?»

Caspar era intento a osservare fuori dal finestrino la nuova statua del principe Alberto, collocata sotto una sontuosa struttura eretta appositamente.

«Non posso fare a meno di pensare che abbia un aspetto piuttosto tetro, seduto là sotto. Immagino che se fossi un principe vorrei essere ricordato come un uomo aitante e coraggioso, non come un saggio meditabondo» e continuando a fissare la statua aggiunse: «Un gioco di luci, non saprei dire. Voi conoscete il galante capitano, io l'ho visto solo in foto. Ho sempre sostenuto che le fotografie possono essere fuorvianti.» Si voltò e le sorrise.

«Promettetemi che quando morirò commissionerete una statua che mi raffiguri come un eroe. Non potrei sopportare di essere una presenza così deprimente.» Ma anche quei commenti non riuscivano a distrarla.

«Se doveste descrivere lo sguardo di Middleton, se quell'espressione fosse reale e non un'illusione ottica, come la definireste?»

Caspar fece un lungo sospiro. «Direi, mia cara Carlotta, che il buon capitano sembra stregato.»

# 29.

## La vedova di Windsor

Sissi guardava i campi innevati che scorrevano rapidi attraverso il finestrino del treno e si tingevano di rosa sotto il sole dell'alba. Ma non si era accorta di quella bella sfumatura color sorbetto. Gli unici elementi del paesaggio a cui al limite poteva far caso erano le siepi e le recinzioni. Non era una zona adatta alla caccia. Tipico di Vittoria, vivere in un paesaggio che mal si prestava all'intrattenimento sportivo. Che donna scialba e trasandata, totalmente priva di stile. Due estati prima, quando aveva soggiornato nell'Isola di Wight, era stata costretta a far visita alla regina a Osborne. Le era toccato fare il giro completo della galleria di scultura e aveva dovuto anche visitare il villino svizzero dove i rampolli reali andavano in villeggiatura. Era stato uno dei pomeriggi più noiosi della sua vita.

Ma ora sarebbe stata un'altra cosa. Lanciò un'occhiata a Bay, seduto di fronte a lei. Aveva gli occhi chiusi, e l'imperatrice si chiese se si fosse addormentato. Probabilmente lui si accorse di quello sguardo insistente, perché aprì subito le palpebre e le sorrise. Quegli occhi erano d'un azzurro talmente chiaro da farle venire in mente le vetrate colorate di Peterhof.

Il treno passò uno snodo e Sissi vide che Bay fece una smorfia di dolore per il sobbalzo della spalla, che era ancora fasciata.

«Fa molto male, capitano Middleton?»

«Solo ogni tanto» disse lui strizzando gli occhi.

«Posseggo un farmaco molto efficace. L'ho portato da Vienna. Qui i dottori sembrano non credere al dolore.» Poi si voltò verso la contessa Festetics, seduta dall'altra parte della carrozza, che leggeva un romanzo ungherese.

«Hai qui con te il rimedio, Festy? Credo che il capitano ne abbia bisogno.»

La contessa aprì la valigia di coccodrillo che teneva appoggiata accanto a sé e ne estrasse una fiala col tappo d'argento, che porse a Sissi.

«Aprite la bocca, e vi metterò qualche goccia sulla lingua» disse l'imperatrice.

«Non sto poi così male» rispose Bay. «Niente che non si possa curare con un buon sorso di brandy.»

«Aprite la bocca, capitano Middleton!»

Bay obbedì, e Sissi gli fece scendere alcune gocce sulla lingua. Lui strizzò ancora gli occhi. Sissi sorrise e poi lanciò uno sguardo alla contessa, evidentemente troppo assorta nella lettura del suo romanzo per accorgersi di loro, anche se in realtà non aveva voltato neppure una pagina da quando era iniziato il viaggio. La sua presenza in quella carrozza era necessaria a evitare uno scandalo: l'imperatrice d'Austria non poteva viaggiare da sola in treno con la sua guida di caccia. Indipendentemente dal fatto che avevano trascorso numerose ore da soli sul territorio di caccia, viaggiare in treno senza compagnia sarebbe stato considerato disdicevole. Sissi aveva imparato da tempo che era sempre conveniente osservare le regole di comportamento previste dai protocolli. Nopsca si era lasciato sfuggire un sussulto quando lei aveva annunciato che Bay Middleton l'avrebbe accompagnata a Windsor, ma finché la contessa Festetics era seduta lì a sfogliare il suo romanzo ungherese, si poteva far finta che andasse tutto a meraviglia.

Il treno stava rallentando: erano quasi arrivati. Il viaggio era stato sorprendentemente rapido, meno di tre ore. E non avevano neppure dovuto scomodarsi a cambiare treno: Nopsca aveva organizzato tutto con grande abilità, allestendo un treno privato che avevano preso in una zona periferica di Londra. Sissi consultò l'orologio da polso: mancavano pochi minuti alle undici. Era stato uno sforzo immane fare tanta strada per una visita che sarebbe durata non più di mezz'ora, ma a volte neppure i monarchi erano liberi di seguire le proprie inclinazioni. Si portò quasi inconsapevolmente una mano alla testa per controllare che la corona di trecce non si fosse guastata.

C'era un tappeto rosso alla stazione, ovviamente, ma non c'era una banda ad accoglierla. Era una visita privata della contessa Hohenembs a Vittoria, non una visita di Stato dell'imperatrice d'Austria alla regina d'Inghilterra. Sissi si abbassò il velo dinanzi al volto: in Inghilterra c'erano fotografi ovunque.

«C'è un nutrito comitato d'accoglienza» disse a Bay. «Siete pronto?»

Lui si alzò dal suo posto e accennò un inchino. «Certo, sono pronto, Maestà.»

Al binario c'erano diversi uomini. L'ambasciatore, il conte Karolyi, si avvicinò per baciare la mano dell'imperatrice. Quando rialzò lo sguardo, i suoi occhi guizzarono verso Bay, in piedi dietro all'imperatrice.

«Siate la benvenuta, Maestà» disse in tedesco. Poi, rivolgendo un cenno all'uomo che gli stava accanto, aggiunse, in inglese: «Vi presento Sir Henry Ponsonby, il ciambellano della regina.»

Sissi annuì e attese pazientemente che Karolyi presentasse al ciambellano i rimanenti membri del suo seguito degni di essere introdotti. «La contessa Festetics, dama di compagnia di Sua Maestà l'imperatrice; il barone Nopsca, addetto alla gestione del personale.» Poi ci fu una pausa quasi impercettibile, al termine della quale l'ambasciatore aggiunse: «E il capitano Middleton, guida di caccia di Sua Maestà l'imperatrice.»

C'erano tre carrozze in attesa. Sissi fece un cenno a Bay invitandolo a raggiungerla nella prima carrozza con Karolyi e Ponsonby.

L'ambasciatore rivolse a Middleton un sorriso di compunta cortesia mentre aspettavano che l'imperatrice e Ponsonby si accomodassero sui sedili.

«È la vostra prima volta a Windsor, capitano Middleton?» gli chiese.

«Sì.»

«Sarà una grande emozione far visita alla vostra sovrana.» Karolyi indugiò sulla parola "sovrana". «Siete ormai entrato a far parte di circoli d'un certo rango, capitano Middleton.»

Bay lo guardò. «È un onore poter servire l'imperatrice, conte Karolyi.» Poi gli fece un cenno, come a incitarlo a seguire la sua padrona in carrozza. L'uomo attempato mise un piede sul gradino, poi si voltò verso Bay.

«È tutta la vita che servo gli Asburgo. È praticamente...» poi fece una pausa, come a voler cercare la parola più appropriata, «la sola professione che abbia mai svolto.»

Bay stava per replicare, ma l'imperatrice intervenne, dalla carrozza: «Conte Karolyi, lo sapete che mio figlio visiterà presto l'Inghilterra?» Il conte voltò la testa e la tensione tra i due uomini si stemperò.

Quando si furono accomodati tutti in carrozza, Ponsonby cominciò a indicare i paesaggi e le vedute che incrociavano lungo la strada. Non c'era quasi nessuno in giro, a parte qualche coppia agghindata di tutto punto per la funzione domenicale. Nessuno si fermò a guardare il corteo di carrozze che prendeva la via del castello.

Quando apparvero le torri di Windsor, Ponsonby disse: «Questo castello è la più antica residenza di Sua Maestà. La regina viene sempre qui in questa stagione, per ricordare il Principe Consorte. È morto proprio qui a Windsor il quattordici dicembre del 1861.»

«Che cosa triste» sospirò Sissi. «Era un uomo così colto e intelligente. Rammento ancora la nostra lunga discussione sulle tubature idrauliche. Aveva una vera passione per l'igiene. E poi, poveretto, è morto di tifo. Immagino che il sistema fognario di Windsor sia piuttosto vecchio.»

Ponsonby annuì. «Tutto è vecchio a Windsor. Tuttavia, se posso permettermi, vi consiglierei di non farne menzione in presenza della regina.»

Le carrozze proseguirono lungo il viale alberato che conduceva al castello, e giunsero alla Grande Porta Occidentale. La comitiva dell'imperatrice fu fatta accomodare in un salottino tappezzato di fotografie in cornici d'argento, in uno degli appartamenti privati della regina. C'erano numerosi ritratti di Vittoria con i suoi figli e nipoti, sui prati, sui gradini di residenze reali, a bordo di panfili. Franz Joseph aveva implorato mille volte Sissi di posare per una di quelle fotografie dinastiche, affinché potesse mandarla in giro a prendere polvere nei salotti reali di tutta Europa, ma Sissi non aveva mai ceduto: aveva smesso di farsi fotografare all'età di trent'anni. Detestava l'idea della sua effigie esaminata nel più piccolo dettaglio da stranieri, reali o meno che fossero, alla ricerca di qualche segno d'invecchiamento.

Sissi lanciò una rapida occhiata a Bay, alla quale lui replicò con un sorriso. Esaminò poi un'altra fotografia: la regina era in sella a un pony tenuto alla corda da un uomo alto e aitante vestito con l'abito tradizionale delle Highlands. Era l'unica immagine nella stanza che mostrava la regina in compagnia di qualcuno che non fosse un membro della sua famiglia.

«Chi è quest'uomo?» domandò a Sir Henry indicando la fotografia. Il ciambellano, che aveva già consultato l'orologio due volte da quando erano arrivati, rispose in tono che tradiva un certo nervosismo: «È John Brown, signora. È l'assistente personale della regina.»

«L'assistente?» Sissi non poté tradire la sorpresa. Franz Joseph si sarebbe anche fatto fotografare con il suo stalliere, ma non avrebbe mai esibito il ritratto in una cornice d'argento.

Una serie di orologi cominciò a battere l'ora. Sissi prese coscienza del fatto che la si stava facendo aspettare. Guardò Karolyi e gli chiese, in tedesco: «Ma dov'è la regina? Sa che sono arrivata?»

L'ambasciatore si lisciò nervosamente i baffi. «Suppongo, Maestà, che la regina non vi aspettasse così di buon'ora. Ho idea che sia ancora in chiesa.»

Benché lo scambio fosse avvenuto in tedesco, Ponsonby aveva sentito la parola *Kirche* ed era intervenuto: «La regina si ferma sempre a scambiare qualche parola con il cappellano dopo la funzione. È un'abitudine che ha sin dai tempi in cui era in vita il Principe Consorte, e in tal modo cerca di tenere sempre viva la sua memoria.»

Sissi ebbe un fremito di impazienza. Aveva fatto tutta quella strada e adesso la facevano anche aspettare. In inglese, assumendo un tono querulo, domandò: «E quanto credete possa metterci a scambiare "qualche parola"?»

Ponsonby si scambiò una rapidissima occhiata con Karolyi prima di replicare: «È una questione di pochi minuti, Maestà.» Il tono della sua voce era neutro e diplomatico: il dignitario si era sforzato al massimo per evitare qualunque sfumatura di ripicca nella sua risposta, ma Sissi aveva intercettato quell'occhiata scambiata con l'ambasciatore, uno sguardo di mutua commiserazione per il destino che li accomunava, entrambi alla mercé delle loro padrone capricciose.

Sir Henry la pregò ancora di accomodarsi su uno dei sofà imbottiti fino all'inverosimile, ma Sissi era stata seduta per tutta la mattinata, e quindi prese a camminare nervosamente per la stanza, con gli stivali che non producevano alcun rumore sul soffice tappeto che rivestiva il pavimento. Era difficile, tuttavia, camminare a larghi passi, perché il salotto, benché ampio, era pieno di tavoli e tavolini ricoperti di statuine in porcellana dei cani della regina, palle di vetro con scene alpine, album di acquerelli e ovviamente fotografie. Sissi si ritrovò a barcamenarsi in quella confusione, sperando che le sue ampie sottane non buttassero giù niente al passaggio. Ogni centimetro delle pareti era coperto da quadri, alcuni dei quali di pittori noti. Sissi pensò che il ritratto della famiglia reale potesse essere un Winterhalter, il più compiacente dei pittori: i giovani principi e le principesse sembravano angeli, e sebbene Vittoria apparisse come al solito simile a un'oca, almeno sotto il tocco di Winterhalter era un'oca di bell'aspetto. Il pavimento era ricoperto da un tappeto coloratissimo, con sprazzi di bordeaux, giallo senape e rosso carminio. Era una bella fortuna, pensò l'imperatrice, che ci fosse così tanta mobilia in quella stanza, altrimenti quel tappeto avrebbe provocato forti emicranie in chi si fosse soffermato a guardarlo.

Raggiunse Bay, in piedi davanti a un muro. «Pensavo che potremmo visionare dei cavalli da caccia questo pomeriggio. Purosangue inglesi. Mi aiuterete nella scelta?»

«Con piacere.»

«Ci andremo non appena avremo finito qui.» Sissi abbassò la voce, poi aggiunse: «Non intendo trattenermi a lungo.»

In quel momento ci fu un colpo di tosse di Ponsonby, e Sissi si voltò verso la porta, che due valletti in livrea avevano appena spalancato alla regina. Era piccola di statura, rotonda e vestita completamente di nero, fatta eccezione per il suo cappello da vedova. Immediatamente dietro di lei c'era John Brown, che sovrastava la sua padrona di almeno una trentina di centimetri. Alle loro spalle, un gruppetto di sole donne. Tra esse c'era anche una giovinetta i cui occhi azzurri ravvicinati e il cui naso lungo la classificavano inequivocabilmente come una delle figlie di Vittoria.

Si udì un gran frusciare di vesti quando gli uomini e le donne si profusero in inchini e riverenze. Solo Sissi era rimasta immobile. Attese che Vittoria arrivasse nel mezzo della stanza, poi le andò incontro e la baciò su entrambe le guance.

«Maestà» disse Sissi salutandola.

«Mia cara imperatrice» replicò la regina con la sua voce acuta e lievemente infantile. «È un vero piacere avervi qui. E di domenica, per giunta. Un giorno insolito per le visite.» Nei suoi occhi sporgenti s'intravide un guizzo d'acciaio. Dietro di lei, Ponsonby si schiarì la gola nervosamente.

«Vi presento Beatrice, la mia figlia più giovane.»

La fanciulla fece una riverenza e Sissi la baciò sulle guance. Poi sorrise e, cercando di assumere un tono allegro, disse: «Siete davvero incantevole, Beatrice. Un giorno dovreste venire da me a Vienna. Gli arciduchi farebbero a gara per guadagnarsi il vostro favore, ve lo garantisco.»

Beatrice arrossì e biascicò qualcosa su quanto la mamma avesse bisogno di lei a casa. La regina si adagiò su uno dei divani impunturati e fece segno a Sissi di raggiungerla.

«Oh, Beatrice soffrirebbe troppo lontana da me. È come un uccellino che fatica a spiccare il volo.»

Sissi vide che la fanciulla stava serrando i pugni, e si chiese se davvero sarebbe stato così difficile per lei separarsi dalla madre.

«Ma è importante viaggiare, alla sua età. Io rimpiango tanto di non aver girato il mondo prima di sposarmi.»

La regina Vittoria sollevò il capo, facendo tremolare i suoi numerosi menti. «Siete fortunata a poter viaggiare ora. Quando ci siamo incontrate l'ultima volta? Forse due anni fa a Osborne. La vostra figlioletta era con voi. Che incantevole piccina. Vi ha accompagnata anche stavolta?»

«Valerie? No, l'ho lasciata a Vienna con suo padre. Lui la adora, e non ho avuto il cuore di portargliela via.»

«Come sta il caro imperatore? Un vero peccato che non sia qui con voi.» La regina parlava con forte enfasi, come se volesse sottolineare ogni parola che pronunciava.

«Mio marito mi ha pregata di porgervi i suoi più cordiali saluti. È davvero dispiaciuto di non essere potuto venire.»

«Mi sorprende che voi riusciate a lasciarlo così serenamente. Ricordo ancora in che stato miserando mi sentivo ogni volta che mi separavo dal principe Alberto, sia pure per una sola notte.» La regina emise un sospiro che fece dondolare tutti i merletti della sua mantellina, poi si appoggiò una mano sul petto. Dopo una breve pausa, domandò: «Ditemi, quanto intendete fermarvi in Inghilterra?»

«Fino alla fine della stagione di caccia, spero. La caccia con i cani è un vero spasso, qui da voi. Non abbiamo niente di simile in Austria.»

La regina fece un altro sospiro. «Il mio adorato marito diceva sempre che niente al mondo era meglio di una giornata sul terreno di caccia. Se solo la morte l'avesse risparmiato... avrebbe potuto godere più a lungo del suo passatempo preferito. Aveva così tante incombenze. Alla fine non gli restava molto tempo libero. Ha sempre anteposto il dovere a ogni altra cosa.» La regina voltò la testa verso il ritratto di Alberto seduto alla scrivania che era appeso alla parete sopra il caminetto.

Sissi colse un implicito rimprovero, al quale replicò assumendo lo stesso tono pio e accorato della regina: «L'imperatore si comporta allo stesso modo, è sempre scrupoloso oltre ogni misura. È stata dura per me lasciarlo, ma lui ha insistito tanto. Il caro Franzl... dice sempre che l'unica cosa che gli dia vera gioia è il sapermi allegra e in buona salute. Gli inverni viennesi mi fanno sempre ammalare, e così l'ho reso immensamente felice decidendo di venire qui.»

Ci fu una piccola pausa che permise alla regina di assimilare quel discorso. Sissi nel frattempo soffermò lo sguardo sull'orologio *Boulle* che adornava la mensola del camino. Erano passati solo quindici minuti. La sua visita sarebbe dovuta durare almeno altri venti minuti. Si mise a sedere più eretta, creando un contrasto con la sagoma informe e nera della regina. Non c'era niente di regale in Vittoria, oltre alla postura della testa e ai suoi occhi azzurri tondi e sporgenti.

«Chissà quanto starà in pena l'imperatore. La caccia è un passatempo assai pericoloso. Il Principe di Galles ha preso una gran brutta caduta, l'altro giorno. La povera Alix era fuori di senno dall'angoscia. Dovete promettermi, cara imperatrice, che non farete nulla d'imprudente. Dopotutto siamo nonne, oramai.» La regina Vittoria fece un cenno a Sissi agitando una mano bianca e grassoccia, a indicare la loro somiglianza. L'imperatrice reagì con un debole sorriso. Non amava che glielo si ricordasse esplicitamente. La faceva sentire vecchia e compassata, mentre invece aveva solo trentotto anni. La regina, d'altra parte, meritava pienamente l'appellativo di nonna. Aveva solo dodici anni più di lei, ma dimostrava l'età di sua madre. Sissi non capiva come fosse possibile concedersi d'ingrassare tanto. Per non parlare di quegli abiti tremendi. Era a lutto, certo, ma gli abiti vedovili non dovevano essere necessariamente così sciatti e informi. Sissi si lisciò pensosamente la gonna verde di lana pettinata del suo abito da viaggio.

«Non ho mai permesso alle mie figlie di andare a caccia» proseguì la regina, «sebbene Luisa mi avesse implorato di concedergielo. Ma io l'ho indirizzata invece verso il tiro con l'arco, è un passatempo decisamente più aggraziato. Anche voi, imperatrice, dovreste prendere in considerazione il tiro con l'arco. Vedeste com'è graziosa la mia Luisa quando si veste tutta di verde e indossa il cappellino a punta con le piume. Davvero incantevole. Scriverò all'imperatore per suggerirgli di farvi intraprendere questa attività. Chissà quanto sarebbe felice al pensiero che vi dedicate a un passatempo privo di rischi.»

Vittoria fece una pausa per riprendere fiato, e Sissi prese la parola. «Oh, ma io non corro alcun rischio. Ho la mia guida, il capitano Middleton, a proteggermi da qualunque pericolo.» Indicò Bay con la mano. «Il conte Spencer è stato davvero gentile a ingaggiarlo.» Bay, che aveva tenuto gli occhi fissi al suolo per tutta la durata dello scambio, fece un inchino rivolto alla regina.

Vittoria si voltò a guardarlo, senza sforzarsi di dissimulare un'aria indagatrice e curiosa. Evidentemente lo trovava attraente. Con un luccichio regale negli occhi, replicò: «È nostra viva speranza che usiate la massima accortezza, giovanotto. Se dovesse succedere qualcosa all'imperatrice su territorio inglese, sarebbe un'immane tragedia per noi tutti.»

Bay s'inchinò nuovamente. «Avete la mia parola, Maestà: non vi sarà alcun rischio per l'imperatrice finché è sotto la mia protezione.»

«Siamo felici di sentirlo. Dovete essere sempre vigile. Ma... abbiamo l'impressione che vi siate infortunato. Ci auguriamo che non sia niente di serio.» La regina Vittoria era un concentrato di premura e preoccupazione. Non v'era nulla al mondo che amava più di una qualche disgrazia d'ordine medico.

«Oh, non è niente, Maestà. Sono caduto da cavallo e mi sono slogato una spalla.»

«Una dislocazione della spalla? Che disdetta. Avete sofferto molto?» Vittoria si protese in avanti.

«Non è stato affatto piacevole, Maestà, ma per fortuna l'imperatrice è stata capace di rimettere in sesto l'articolazione subito dopo la caduta. È quando il braccio penzola che fa molto male.»

Vittoria guardò Sissi, poi ancora Bay. «Non avevo idea, cara Elisabetta, che aveste ricevuto un addestramento da infermiera. È stata una vera fortuna che sapeste cosa fare.»

«Non lo sapevo, in verità, ma il capitano Middleton mi ha istruito a dovere.»

La regina soppesò per un attimo quelle parole, poi si volse a John Brown. «Mi chiedo se potrei mai esservi d'aiuto nel caso succeda a voi un simile incidente.»

«Non intendo dislocarmi un bel niente, Maestà» disse Brown. «Ma se mi trovassi nei guai non chiederei mai la vostra assistenza: sono io che devo assistere voi.» Non degnò Bay di un'occhiata, ma la sua aria di superiorità era inequivocabile.

Vittoria avvampò di piacere a sentire una tale dichiarazione. «Sono certa che il capitano Middleton non l'abbia fatto intenzionalmente. Una caduta può capitare in qualunque momento. Inoltre, mio caro John, certe volte anche voi avete vacillato.»

«Non mi sono mai rotto nessun osso, Maestà» disse Brown.

La regina gli diede un colpetto su una coscia. «Siete stato fortunato.» Poi tornò a rivolgersi a Middleton. «Di che reggimento fate parte, capitano?»

«L'Undicesimo Ussari, Maestà.»

«Allora il Principe di Galles è il vostro Colonnello in Capo. Credo che gli piaccia moltissimo la vostra uniforme. Ma in questo periodo non gli calza a pennello: troppe cene e troppe feste. Com'è diverso dal suo povero padre, che era sempre ben attento a quel che mangiava.» Vittoria guardò John Brown, che era in piedi accanto a lei, come per trovare supporto a ciò che aveva appena detto.

Brown annuì. «Sua Altezza il principe Alberto era sempre morigerato, col cibo.»

Sissi pensò che fosse un vero peccato che invece la regina non avesse adottato anche lei le misure restrittive del compianto marito. Era quasi larga quanto alta.

Vittoria tornò a rivolgersi alle signore: «Possiamo offrirvi un piccolo rinfresco, imperatrice? Rimarrete a pranzo, naturalmente. Dopodiché possiamo fare un giro in carrozza nel parco. L'aria fresca è davvero corroborante in questa stagione dell'anno.»

Sissi lanciò un'occhiata di rimprovero all'ambasciatore. Era stata chiara nello specificare che la visita non si sarebbe protratta oltre un certo tempo.

«Oh, mi farebbe davvero piacere, Maestà. In un'altra occasione non avrei desiderato di meglio, ma dobbiamo rientrare. C'è un affare urgente che richiede la mia presenza.»

Vittoria strabuzzò gli occhi. I cortigiani alle sue spalle tentarono di soffocare un gemito di sorpresa. Nessuno rifiutava mai un invito della regina. Sissi, tuttavia, non cedette. Aveva mantenuto la sua promessa e aveva fatto visita a Sua Maestà, ma restare a pranzo significava rovinarsi l'intera giornata. «Spero incontrerete presto mio figlio» proseguì, «quando verrà in visita. Lui adora tutto ciò che è inglese. Vuole sapere tutto delle vostre opere di ingegneria: ponti, gallerie e altre costruzioni. Non è certo il tipico viennese.» Accennò una risata, e Karolyi, alle sue spalle, fece del suo meglio per atteggiare le labbra a un sorriso. I membri della corte inglese restarono immobili, nell'attesa di vedere quale sarebbe stata la reazione della sovrana.

Vittoria annuì brevemente. Parlava a voce alta, scandendo bene le parole, e in tono inequivocabilmente risentito. «Saremo oltremodo felici di incontrare il principe ereditario. Speriamo non sia anche lui così oberato dagli affari.»

Le labbra della regina erano tirate a formare una linea retta. Sissi invece stava ridendo. «Gli dirò che dovrà lavorare molto per sopperire alle manchevolezze di sua madre.»

La regina Vittoria non restituì il sorriso. Henry Ponsonby si diede una lisciatina ai baffi.

Sissi, vedendo l'espressione derelitta di Karolyi, capì che doveva correre ai ripari. Si guardò attorno, non sapendo come procedere.

«Questa sala è davvero interessante. Non abbiamo niente di simile a Vienna. So che Franz Joseph apprezzerebbe molto le vostre decorazioni. Sono così *gemütlich*. Ha ordinato l'intera mobilia per i suoi appartamenti della Hofburg da Maples a Londra.» Sissi indicò il tappeto policromo. «Un vero peccato che non sia qui ad ammirare questo. So che gli piacerebbe moltissimo.»

Blandita da quelle parole, Vittoria si rilassò. «È il *tartan* reale. L'ha disegnato personalmente il caro Alberto. Amava tanto la Scozia, e voleva circondarsi di oggetti che gliela ricordassero. Eravamo sempre così felici qui.» La regina guardò intensamente John Brown mentre pronunciava quelle parole.

«Dovreste visitare la Scozia, mia cara Kaiserin. È così pittoresca. Non c'è luogo dove io mi senta più libera e spensierata, circondata solo dai ricordi felici del mio Alberto.»

Sissi pensò che nonostante i continui riferimenti al defunto marito, la regina sembrava decisamente felice della compagnia di John Brown.

«Forse voi un giorno visiterete Bad Ischl in Tirolo. Dicono tutti che somiglia alla Scozia.»

La regina scosse tristemente la testa. «Temo sia troppo tardi per me per visitare l'Austria. Il caro Alberto non c'è mai stato, e io non voglio andare in nessun luogo che lui non abbia visitato. Mi sentirei sleale.»

A Sissi non venne in mente alcuna risposta sensata. Con suo grande sollievo, l'orologio sul camino batté il mezzogiorno, con una minuziosa melodia di campane a cui facevano eco i più cupi rintocchi della cappella all'esterno. Ci fu una breve pausa mentre tutti aspettavano che finisse il frastuono.

Era quello il momento giusto, pensò Sissi. «Non posso più approfittare della vostra ospitalità, Vittoria. Scriverò all'imperatore oggi stesso per dirgli che vi ho trovata in ottima salute e per riferirgli qualunque altro messaggio voleste inviargli.»

Sissi avrebbe voluto alzarsi. Era ormai sopraffatta dalla noia, ma il protocollo esigeva che nessuno si muovesse prima della regina.

Vittoria scosse la testa.

«È un vero peccato che non potete trattenervi oltre» ripeté, anche se il tono della voce non tradiva alcun dispiacere. «Speravo avessimo la possibilità di parlare più a lungo. Non capita spesso di poter parlare da donna a donna con persone alla nostra altezza, imperatrice.» Mentre pronunciava queste parole fece un piccolo scatto della testa in avanti. C'era un guizzo nei suoi occhi. Ponsonby fece un rumore a metà tra un colpo di tosse e un monito.

La regina lo ignorò e proseguì. «Potete dire a vostro marito che io sono imperatrice dell'India oltre che regina d'Inghilterra. Dunque siamo entrambe imperatrici, Elisabetta. Sebbene la differenza tra noi è piuttosto evidente, dal momento che io sono sovrana per diritto di nascita mentre voi lo siete in quanto consorte.» Vittoria era raggiante. Sembrava una bambina a cui avessero regalato un'enorme scatola di cioccolatini.

Sissi capì che avrebbe dovuto incassare quella sconfitta adeguatamente, se non voleva restare in quella stanza fredda e orribile per sempre. Evidentemente a Vittoria non bastava essere la regina della nazione più potente del mondo: aveva voluto accaparrarsi anche un titolo più alto. Sissi, che era imperatrice dall'età di sedici anni, non riusciva a condividere tanta eccitazione. Regina o imperatrice, qual era mai la differenza? Entrambi i titoli erano come gabbie dorate. Tutte le corone prima o poi diventavano pesanti. Ma Vittoria non avrebbe capito. In quello la regina era simile a Franz Joseph: entrambi credevano che fosse stato Dio a fare di loro dei monarchi, e non mettevano mai in discussione la loro posizione. I due regnanti potevano occasionalmente tremare sotto il fardello dei doveri che la corona imponeva loro, ma non avrebbero rinunciato neppure a una briciola del loro potere. Sissi si domandò come ci si sentisse a vivere con una simile certezza, svegliarsi ogni mattina sapendo di essere il prescelto di Dio messo sulla terra per governare sui propri sudditi.

Prese una mano di Vittoria e la strinse tra le sue.

«Sebbene le parole difficilmente possono esprimere i miei sentimenti, sono così felice di potermi congratulare con voi di persona, imperatrice Vittoria.»

«Imperatrici e nonne. Siamo sole sul palcoscenico del mondo, mia cara Elisabetta.» Vittoria aveva assunto un tono estremamente cortese.

«Ma voi mi superate in entrambe le cose. Io ho un solo nipote» disse Sissi.

Quelle parole andarono a toccare il tasto giusto, e così Vittoria le strinse la mano e con un gran fruscìo di sottane si alzò in piedi.

«Mandate all'imperatore i miei più cari saluti. Penso spesso al suo povero caro fratello. Eravamo così affezionati a lui.»

Sissi abbassò lo sguardo. Massimiliano, suo cognato, era stato incoronato imperatore del Messico dodici anni prima, ma il suo regno era terminato dopo soli tre anni a seguito di uno scontro armato con una banda di rivoluzionari.

«Povero Max. È stata una cosa terribile.»

«Che Paese orrendo. Abbiamo espresso tutta la nostra indignazione senza mezzi termini attraverso il console britannico. Un sovrano prescelto da Dio messo a morte da un comune criminale. I messicani sono poco più che selvaggi.»

«Sì, siamo fortunati a essere in Europa» convenne Sissi. «Ma

Massimiliano voleva un regno tutto suo. Voleva essere imperatore come Franzl.»

«È un errore pensare che una monarchia si possa costruire a tavolino. È un incarico divino.» Vittoria guardò Brown in cerca di approvazione, e lui annuì solennemente.

Sissi decise di non far notare alla novella imperatrice dell'India che il suo titolo era altrettanto artificiale, anche se le sarebbe piaciuto molto vedere che faccia avrebbe fatto.

«Addio, Vittoria. È stato un vero piacere incontrarvi.» Baciò la regina e la principessa Beatrice sulle guance, ma non ritenne necessario salutare John Brown, che dopotutto era un servo.

La regina accompagnò i visitatori fino all'ingresso della Torre.

«Dovete stare attenta, Elisabetta. Ve ne prego. Non correte rischi inutili.»

Si voltò verso Bay. «Conto su di voi, capitano Middleton, affinché non succeda nulla all'imperatrice finché si trova in territorio britannico.»

Bay fece un inchino e replicò: «Vigilerò sull'imperatrice giorno e notte, Maestà.»

Un guizzo d'intesa apparve negli occhi azzurri della sovrana, e Bay si chiese se si fosse spinto troppo oltre, ma la regina sorrise e aggiunse: «Sono certa che lo farete.»

Erano già a metà corridoio quando la regina si fermò e disse: «Beatrice, hai dimenticato il libro! Corri a prenderlo!»

Tutto il gruppo rimase ad aspettare Beatrice che tornava sui suoi passi senza mostrare una fretta impellente. Quando riapparve, stringeva tra le mani un pacchetto che mise in mano a Sissi. «Da parte della mia mamma.»

Ponsonby li scortò in carrozza fino alla stazione. Stavolta erano in un landò con i sedili disposti in file l'una dietro l'altra, nello stesso verso di marcia. Sissi invitò Bay a sederle accanto, mentre l'ambasciatore e il ciambellano erano nella fila posteriore. «Avete promesso alla regina che veglierete su di me giorno e notte» disse Sissi guardando dritto davanti a sé. «Sarà un bell'impegno, capitano Middleton.»

«Già. Ma come posso disobbedire alla mia regina?»

Mentre percorrevano il tappeto rosso fino al treno che li

aspettava, a Bay venne in mente la figura corpulenta di John Brown nel suo kilt che stava in piedi dietro alla sedia della regina. Aveva visto delle vignette sul *Punch* dove venivano mostrati insieme Vittoria e il suo servo scozzese, e aveva riso al club sulle barzellette che circolavano sulla "signora Brown". Non c'era alcuna somiglianza, ovviamente, tra la situazione di John Brown e la propria, ma la regina l'aveva guardato in un modo che l'aveva fatto sentire a disagio. Non era sorpreso per quell'occhiata fin troppo curiosa, né si era sentito particolarmente turbato dall'attento scrutinio della regina, con quei suoi occhi azzurri che lo avevano squadrato dalla testa ai piedi. Ciò che l'aveva infastidito era stato quel lievissimo movimento della testa e quello sguardo rapido lanciato a Brown, e poi di nuovo a lui. La regina li aveva messi a confronto.

Bay diede un'occhiata furtiva a Sissi, che stava sfogliando il libro donatole dalla regina. «Immagini della vita nelle Highlands scozzesi» lesse, imitando l'accento enfatico di Vittoria. «Che incantevoli figure. Ma come è monotona la vita, fatta solo di pony, picnic e scialli pesanti. E tutti quegli uomini che mettono in mostra le gambe. Come si chiamano quei gonnellini che indossano gli scozzesi? Non è certo un capo d'abbigliamento lusinghiero, a mio avviso.»

«Lo chiamano kilt» replicò Bay.

«Sono così felice che non indossiate un kilt, capitano Middleton, come quella montagna d'uomo che stava alle spalle della regina. Un tipo davvero selvatico. Eppure Vittoria tiene molto a lui. Una scelta davvero bizzarra. Forse ha bisogno di qualcuno al suo fianco, ma alla sua età potrebbe tenersi un po' meglio.» Sissi guardò Bay e sorrise. Bay capì che quello era un sorriso di trionfo. Scegliendo lui, Sissi aveva stabilito la propria superiorità sulla scialba regina inglese. Le restituì automaticamente il sorriso, un sorriso con cui era sempre facile compiacere le signore. Ma se Sissi l'avesse osservato più attentamente, avrebbe notato che i suoi occhi azzurri erano distanti.

Quando arrivarono a Waddesdon per vedere lo stallone dei Rothschild, l'imperatrice nutriva una tale fiducia nel fatto che la sua guida le avrebbe consigliato quale tra i tanti magnifici animali sarebbe stato il più adatto al terreno di caccia che il malumore di Bay si stemperò. Non c'era niente di più piacevole che spendere soldi altrui. Più tardi, quando Sissi andò a fargli visita nella sua stanza e insieme rievocarono l'orrendo tappeto della regina Vittoria, soffermandosi sulla povera principessina oppressa dalla madre e in generale sulla sciatteria della residenza di Windsor, Bay aveva recuperato pienamente il suo spirito.

# 30.

## Poste Regie

A Holland Park Charlotte aspettava una risposta da sua zia Adelaide. Aveva cercato di scrivere una lettera dal tono tranquillo e disinvolto: dopo le consuete domande sulla salute di sua zia, su quella di Lady Crewe e sulla preparazione del corredo di Augusta, Charlotte aggiunse: "Sebbene il lavoro qui sia estremamente interessante, sento la mancanza della nostra comitiva di Melton. Mandami notizie del capitano Hartopp e del capitano Middleton, immagino che siano partiti per proseguire le loro avventure di caccia". Poi passò a descrivere a sua zia la galleria che avrebbe ospitato la mostra e le raccontò delle dispute accese sull'allestimento delle fotografie. Entrò ancora più in dettaglio di quanto potesse interessare a sua zia, ma era necessario dissimulare il vero scopo della lettera.

Tre giorni dopo aver scritto alla zia Adelaide, Charlotte trovò a colazione una lettera indirizzata a lei con la calligrafia di Lady Lisle. Nel vederla doveva aver emesso un singulto, visto che Lady Dunwoody aveva sollevato lo sguardo dalla sua corrispondenza e aveva detto: «Piacerebbe anche a me ricevere ancora lettere che mi fanno sospirare di gioia!»

Charlotte scosse la testa. «È della zia Adelaide.»

«Ah.» Lady Dunwoody assunse un'aria scettica. «Bene, tua zia deve aver migliorato il suo stile epistolare, se una sua lettera è capace di darti una tale emozione.»

Charlotte aspettò che la sua madrina lasciasse la stanza prima di aprire la lettera. La scorse rapidamente alla ricerca del nome di Bay, ma Lady Lisle non aveva mai perso la vecchia abitudine di scrivere pagine su pagine, quindi le ci vollero dieci minuti buoni per passare in rassegna la calligrafia compatta di sua zia. Alla fine, dopo dettagliatissime e interminabili istruzioni sulla trousse da toeletta in tartaruga con le iniziali incise che Charlotte avrebbe dovuto ordinare da Asprey come regalo di nozze per Augusta, raggiunse il paragrafo che stava cercando.

*L'atmosfera qui a Melton non è neppure lontanamente allegra come quando eri qui, mia cara Charlotte. Il capitano Hartopp è andato a caccia nella parte più lontana del Paese e il povero capitano Middleton non si è più visto dopo l'incidente.*

Charlotte sentì un groppo alla gola. C'era stato un unico incidente nella sua vita, ed era stato quello del terso mattino d'inverno in cui era rimasta orfana di madre. Si afferrò al bordo del tavolo della colazione e per un attimo sentì dei conati di nausea, ma poi si ricompose. Non poteva trattarsi di un incidente mortale: la zia Adelaide aveva detto che Bay non s'era più visto a Melton, il che significava comunque che era ancora vivo. Cercò di proseguire nella lettura, ma le tremavano le mani e dovette appoggiare la lettera sul tavolo per poter continuare a decifrarla.

*L'imperatrice si sta prendendo cura di lui. Alcuni domestici sono venuti a prendere i suoi bagagli e i suoi cavalli. Vedessi che livree! Siamo rimasti tutti folgorati dalle rifiniture dorate. Il capitano Middleton ha inviato un biglietto molto accorato a Lady Crewe ringraziandola per l'ospitalità. Credo che entrambe sappiamo a cosa si riferisse! Lady Crewe ha letto il messaggio a voce alta dopo cena e Augusta ha detto che Bay era diventato un vero cortigiano e presto sarebbe stato troppo altezzoso per mischiarsi con i vecchi amici. Lady Crewe gli ha scritto una lettera di risposta dicendogli che sarebbe stata felicissima di poter intrattenere l'imperatrice, qualora lei avesse ritenuto opportuno onorarla con una sua visita. Non abbiamo ancora ricevuto risposta, ma Lady Crewe ha ordinato a tutti i valletti di portare a incipriare le parrucche, nel caso l'imperatrice dovesse dare risposta positiva.*

Continuando a leggere Charlotte capì che Bay non poteva essersi ferito gravemente. La marea di terrore che l'aveva sopraffatta stava lentamente ritirandosi, e il groppo alla gola era sul punto di dissolversi. Appoggiò la lettera e bevve qualche sorsata di tè. Si rese conto, con suo grande disappunto, di grondare di sudore. Sarebbe dovuta andare di sopra a cambiarsi. Era impensabile, in quelle condizioni, poter stare gomito a gomito con il profumato Caspar Hewes. Quando arrivò nella sua stanza e cercò di slacciare il corsetto, che aveva dei nodi particolarmente tenaci, capì che Bay non era affatto ferito gravemente. Eppure si era trasferito presso la residenza dell'imperatrice.

Qualcuno bussò alla porta. Senza attendere risposta, Lady Dunwoody entrò nella stanza. Quando vide che Charlotte era mezza svestita, rimase sorpresa.

«Vuoi che chiami la cameriera?»

«Se riesci a slacciarmi questo nodo, per il resto faccio da sola.»

Lady Dunwoody diede uno strattone e i lacci cedettero. Charlotte aprì la cassettiera, cercando un'altra camicetta. Si sentiva a disagio a vestirsi al cospetto della sua madrina, quindi si voltò di spalle mentre si sfilava l'indumento umido di sudore e s'infilava la camicia fresca di bucato. Lady Dunwoody continuava a parlare, incurante del suo imbarazzo.

«Sono qui per darti buone notizie. Il comitato organizzativo ha visto i tuoi lavori e ha deciso di mettere in mostra quattro delle tue stampe. Prima che tu possa pensare che io abbia esercitato qualche influenza su di loro, devo dirti che ho presentato le tue fotografie in forma anonima. È vero che ho votato per la loro inclusione, ma in un comitato di dodici membri ho pensato che non fosse disonesto darti la mia preferenza. A dire la verità la votazione è stata unanime. È un grande onore per te, Charlotte. E questo mi riempie d'orgoglio.»

Charlotte vide che il viso segnato della sua madrina era raggiante di gioia. Le buttò le mani al collo e l'abbracciò.

«Non avendo avuto figli non so cosa sia l'orgoglio materno, ma ora che assisto ai tuoi successi, Charlotte, credo di avere un'idea di come ci si senta.»

La ragazza baciò quelle guance rugose. «Se ho raggiunto il successo, lo devo al fatto di aver avuto la migliore delle maestre.»

Lady Dunwoody ritrovò la sua consueta vitalità. «Bene, almeno sono riuscita a infilare in quella tua testolina qualcosa di diverso dai giri di valzer e dagli ufficiali di cavalleria. Non ho niente contro gli uomini, e un buon marito può tornare incredibilmente utile a volte, ma donne come noi hanno bisogno di avere qualcosa da fare.»

«Tu hai un buon marito, zia Celia. Non puoi biasimarmi perché anch'io ne desidero uno» obiettò Charlotte.

«Certo! Ma un uomo ti potrà rendere felice solo per un tempo limitato, mentre un'arte, un'occupazione, una materia da studiare ti darà soddisfazione per tutta la vita. Se solo l'avesse capito la tua povera mamma. Era una creatura talmente intelligente e affascinante... ma la vita per lei era solo sensazione ed emozione. Non ha mai capito cosa volesse dire raggiungere un risultato.»

«Mi risulta fosse un'amazzone provetta» disse Charlotte, a cui non piaceva si facessero appunti di alcun genere sulla madre. «Secondo mio padre la sua abilità era addirittura straordinaria.»

«Non lo metto in dubbio. Ma padroneggiare la nobile attività della caccia a cavallo rimane sempre un passatempo. È un'arte di cui non resta traccia. Tu, mia cara Charlotte, hai già creato qualcosa. Hai già lasciato un retaggio. Quando avrai dei figli, potrai dire loro che quella è la fotografia selezionata dai massimi esperti del settore perché venisse mostrata alla regina. Non è una cosa da niente, non credi?»

Charlotte annuì. Non ribatté che l'eredità ricevuta da sua madre aveva influito su ogni altro aspetto della sua vita. Su tutto ciò che faceva gravava l'ombra della fortuna dei Lennox. Era vero che la sua madrina le aveva insegnato a scattare fotografie, ma era l'eredità della madre che pagava le sue apparecchiature, le camere oscure e la libertà di concedersi quel passatempo. Se fosse stata costretta a guadagnarsi da vivere facendo la governante, non avrebbe avuto tempo e modo per creare alcun retaggio.

«Comunque, per dimostrarti di non essermi completamente dimenticata di cosa vuol dire essere giovane e sciocca, ti suggerisco una cosa: se c'è qualcuno che vuoi invitare all'inaugurazione della prossima settimana, è il caso che tu lo faccia. Sono sicura che Fred vorrà venire con i Crewe e Adelaide Lisle, ma credo ci siano anche altri conoscenti che vorresti invitare. Credo che una tra le fotografie che andranno in mostra ritragga proprio uno di questi amici speciali.» Lady Dunwoody sollevò un sopracciglio inarcandolo fino all'inverosimile. «Ovviamente renderai Caspar terribilmente geloso quando vedrà quanto è avvenente il tuo ufficiale di cavalleria, ma saprà accettarlo. Secondo me sarebbe giusto che tutti i tuoi ammiratori si assiepassero davanti alle tue opere e prendessero coscienza dell'immenso talento che hai. Questa sarebbe un'ottima cosa.»

Charlotte arrossì. Aveva ricevuto così pochi complimenti nella sua vita che non aveva imparato a gestirli con disinvoltura. Complimenti rivolti alla sua persona, non quelli ispirati dal suo ruolo di ereditiera della fortuna dei Lennox: con quel genere di adulazione sapeva benissimo come comportarsi.

«Hai ragione, zia Celia. È una grande occasione e dovrò invitare tanta gente. Certo, con così poco preavviso temo che...»

«Sciocchezze» la interruppe la madrina. «Questo è un evento straordinario.» Aprì la porta e, congedandosi, aggiunse: «Chiunque tenga veramente a te non potrà mancare.»

La porta si richiuse e Charlotte cominciò a infilarsi il corpetto di velluto verde. Quando si rese conto di non riuscire da sola a richiudere la lunga fila di gancetti, suonò il campanello.

Mentre aspettava la cameriera, si sedette alla scrivania e tirò fuori della carta da lettera.

"Mio caro Bay" cominciò. Poi, pensando che quella formula tradisse un'eccessiva confidenza, prese un altro foglio e scrisse: "Caro capitano Middleton". Avrebbe preferito di gran lunga iniziare con un bel "Mio adorato", ma poi pensò alla fotografia che Caspar era stato così riluttante a mostrarle e decise che la lettera doveva essere ben formulata.

*Mia zia mi ha scritto che avete avuto un incidente. Non mi ha detto niente circa l'entità delle vostre lesioni, limitandosi a riferirmi che erano abbastanza serie da costringervi a risiedere a Easton Neston finché non vi foste ristabilito. Vi sto scrivendo per augurarvi una pronta guarigione. È stato un vero dispiacere per me non potervi vedere prima di lasciare Melton. La partenza è stata piuttosto frettolosa: la mia madrina Lady Dunwoody stava organizzando una mostra fotografica alla quale avrebbe presenziato finanche la regina Vittoria, e aveva bisogno del mio aiuto. Ho pensato che avrei potuto essere più utile a lei che ad Augusta, tutta presa dai preparativi del corredo nuziale. Una volta annunciato il mio proposito di partire per Londra, la reazione di Augusta mi ha reso disagevole prolungare sia pure di un solo giorno la mia permanenza a Melton. Vi avevo scritto un biglietto, ma temo sia stato consegnato al capitano Hartopp per errore, e non so se ve lo ha mai recapitato.*

La cameriera entrò senza bussare e Charlotte coprì rapidamente la lettera con la carta assorbente. Non sapeva neppure se la cameriera sapesse leggere, ma aveva passato fin troppo tempo con i domestici per sapere che, se avesse potuto, avrebbe divulgato ogni singolo dettaglio di quella lettera nel seminterrato della servitù. Mentre la cameriera le allacciava il corsetto con dita impazienti, essendo stata interrotta proprio al momento della colazione, Charlotte si guardò riflessa nello specchio e non le piacque ciò che vide. I suoi capelli erano in disordine e la carnagione era spenta. Lady Dunwoody poteva ben parlare del conseguimento dei propri obiettivi, ma a che serviva l'approvazione delle masse quando tutto ciò a cui lei aspirava era l'ammirazione di Bay? Le venne in mente Grace, la ragazza che le aveva acconciato i capelli con tanta cura a Melton. Aveva sempre resistito alla tentazione di procurarsi una domestica personale: era una delle trappole che più detestava della propria condizione di ereditiera. Ma ora si rammaricava di non aver ingaggiato una domestica con il preciso scopo di farla apparire sempre al suo meglio. Dopo la lettera a Bay, avrebbe scritto a Lady Crewe.

Quando la cameriera ebbe finito, Charlotte riprese in mano il foglio.

*La mostra sarà inaugurata il prossimo giovedì, il 18, alla Royal Photographic Society. La regina verrà personalmente all'apertura. Ci sono circa quattrocento stampe in esposizione, e vi potrà sorpren-*

*dere il fatto che saranno esibite anche alcune delle mie opere. La mia madrina continua a dirmi che è davvero un grande onore per me, e che dunque dovrei invitare i miei amici all'inaugurazione.*

*Immagino voi siate molto occupato con il vostro incarico di guida dell'imperatrice, ma dal momento che siete presente in una delle fotografie in mostra, pensavo potesse essere interessante per gli spettatori verificare se il mio obiettivo avesse reso giustizia al soggetto immortalato.*

Charlotte si chiese se quell'ultima frase potesse essere letta come una richiesta troppo esplicita, e così aggiunse:

*È un vero peccato che io non possa estendere l'invito anche a Tipsy, che immagino sia molto esigente come modella. Sto scrivendo a tutti gli ospiti di Melton, compreso il capitano Hartopp, e spero che qualcuno tra loro troverà il tempo di venire fino a Londra. Mi chiedo se la prospettiva di un incontro con la regina possa tentare Augusta distogliendola dai suoi preparativi per le nozze.*

*Spero vi stiate rimettendo dal vostro infortunio e che questo non influirà negativamente sulla partecipazione al Grand National. Come vedete non ho dimenticato le nostre conversazioni...*

Charlotte fece una pausa, chiedendosi se l'allusione fosse troppo audace. Voleva che Bay sapesse che i suoi sentimenti non erano cambiati, senza però scrivergli niente che potesse apparire come un rimprovero. Tornando indietro col pensiero al breve corteggiamento che c'era stato tra loro, cercò di pensare a qualcosa che rammentasse anche a lui la loro passata intimità. Riandò con la mente all'ultima volta che aveva visto Bay, in piedi sui gradini di Melton, che rideva con Fred e con il capitano Hartopp. Riprendendo in mano la penna, aggiunse:

*... e la promessa di rivelarmi come mai il capitano Hartopp è stato soprannominato "Chicken". Sarà una grande delusione per me se non mi svelerete questo segreto. Se anche fosse una storia indelicata, prometto di non impressionarmi. Noi donne siamo molto più forti di quanto immaginiate.*

*Sperando di vedervi alla mostra, e di sicuro al matrimonio di Fred e Augusta, vi saluto affettuosamente.*
*La vostra amica e fotografa*
*Charlotte Baird*

Dopo aver letto la lettera due volte, una volta a mente e l'altra a voce alta, per controllare di aver evitato riferimenti troppo espliciti alla propria condizione di fanciulla trepidante, vi appose il sigillo e la indirizzò al capitano Middleton, Easton Neston, Northamptonshire. Poi scrisse una veloce missiva a Lady Crewe chiedendole Grace in prestito, e altri biglietti a Lady Lisle, Lady Augusta e Chicken Hartopp per invitarli alla mostra.

Mentre stava lasciando la corrispondenza nella coppa giapponese posta all'ingresso, che Lady Dunwoody usava come vassoio per la posta, il campanello suonò e Caspar entrò in casa scuotendosi la neve dal soprabito come fosse un cane bagnato. Iniziò a parlare nell'istante stesso in cui varcò la soglia.

«Carlotta mia, avete sentito le novità? Le vostre fotografie. Decisione unanime. Tutti favorevoli. Siete la più giovane tra gli artisti in mostra.» Le afferrò le mani e la fece roteare per la stanza. Charlotte rise. Il suo entusiasmo era davvero sincero, e lei ne fu commossa.

«La zia Celia me l'ha detto. Sono felicissima, ovviamente, ma non posso fare a meno di sentirmi una specie di impostora. La fotografia per me è un passatempo, mi imbarazza venire paragonata a professionisti par vostri.»

Caspar l'afferrò per gli avambracci e fece finta di scuoterla.

«Vergogna, signorina Baird. State peccando di falsa modestia. Se avete talento, perché non rivelarlo al mondo anziché reprimerlo? Avete paura di apparire troppo poco femminile?»

«Niente affatto» replicò Charlotte allontanandolo. «Se avessi avuto questo timore mi sarei messa a dipingere acquerelli con paesaggi montani o avrei realizzato collage di conchiglie.»

«Allora dovreste andar fiera dei vostri successi. Sono onorato al pensiero che le mie opere siano esposte accanto alle vostre.»

La debole nota di rimprovero fece ricordare a Charlotte di non aver chiesto niente a Caspar delle sue fotografie. E così aggiunse rapidamente: «La selezione delle vostre opere è straordinaria. Il comitato se avesse potuto le avrebbe prese tutte.»

Caspar sorrise, lusingato. «Hanno preso dieci mie fotografie. Niente male per un americano infiltrato.»

«Chi è che pecca ora di falsa modestia? Sapete che qui siete uguale a chiunque altro. I membri della società devono stare gli uni accanto agli altri senza provare invidia.»

«Ho idea che siano circolate parecchie voci. Alcuni membri hanno tentato di escludermi solo perché non ero di nazionalità inglese, ma Lady D non poteva accettare una cosa del genere. Li ha convinti del fatto che la fotografia sia un'arte internazionale, e che l'eccellenza meriti di essere celebrata indipendentemente dalla sua provenienza.» Mentre pronunciava quelle parole Caspar si batté il petto come a voler imitare Lady Dunwoody nel pieno della foga.

«Spero che abbiano scelto anche la fotografia del vostro amico. Quella con i grappoli d'uva» disse Charlotte.

Con sua grande sorpresa, le spalle di Caspar si afflosciarono, e tutto il suo buon umore svanì.

«Abraham andrà in mostra al cospetto della regina d'Inghilterra, una donna di cui non aveva mai neppure sentito parlare» disse a bassa voce, spazzando via un fiocco di neve dalla manica del soprabito.

Charlotte vide una smorfia di dolore dipingersi sul suo volto. Ripensò alla fotografia che lui aveva scattato, con le pietre ammonticchiate sulla tomba di Abraham, in pieno deserto. Nonostante la sua esuberanza, Caspar era ancora a lutto. Benché non esibisse alcuna fascia nera al braccio, era evidente che la perdita di Abraham fosse stata per lui straziante, come quando si perde un famigliare stretto. Charlotte cercò di consolarlo.

«Ma a lui avrebbe fatto piacere potervi fare questo favore.»

«Non c'è dubbio. Era un ragazzo generoso. Sarebbe stato felicissimo di potermi rendere famoso.» Caspar estrasse dalla tasca un fazzoletto di seta gialla e si asciugò la neve dai baffi. «No, sono io quello a cui dispiace che Abraham sia messo in mostra tra stranieri che non sanno niente di lui. Non possono vedere altro che la fotografia che hanno davanti agli occhi: un selvaggio con un grappolo d'uva.»

«Ma non è vero! Chiunque potrebbe intuire che aveva un cuore grande. Io l'ho capito subito. Non siete un fotografo talmente bravo da conferire ai vostri soggetti qualità che non posseggono» protestò Charlotte.

«Può darsi.» Ripiegò con cura il fazzoletto giallo e se lo rimise in tasca. «Anche se non colgono che individuo straordinario egli fosse, è pur sempre esposto come esempio del mio talento fotografico.»

Sorridendo mestamente, proseguì: «Mi faccio scrupoli, ma non abbastanza. Abraham si trasformerà in una tavola dell'*Illustrated London News*, e io dopo qualche sospiro incasserò l'assegno.»

Per porre fine a questa conversazione, Caspar cominciò a frugare tra le lettere nella coppa giapponese. Charlotte avrebbe voluto protestare, ma era sollevata al pensiero che quel momento di malinconia fosse stato superato. La colpiva il fatto che l'esuberanza di Caspar, il fiume in piena delle sue chiacchiere e le sue battute sagaci fossero solo una maschera sotto la quale nascondeva i suoi veri sentimenti. Questo aspetto glielo rendeva più simpatico, perché sapeva quanto fosse difficile alle volte dissimulare i propri pensieri più dolorosi.

Quando lo vide passare in rassegna le pesanti buste bianche, Charlotte si accorse che stava tentando di recuperare il suo spirito scherzoso. La sua voce aveva ripreso il consueto tono spensierato.

«Vedo che vi siete data da fare. Questa è la vostra calligrafia, vero?» Le afferrò una mano e ne inalò l'odore. «Niente profumo, Carlotta? Neppure per il *billet-doux* indirizzato al bel capitano?»

«Vi sembro il tipo che manda lettere profumate alla violetta? Lady Dunwoody mi ha suggerito di invitare un po' di gente all'inaugurazione, e io ho seguito i suoi consigli.»

Caspar simulò un inchino. «Bisogna sempre obbedire a Lady Dunwoody, ovviamente, ma mi chiedo se in questo caso abbiate considerato...»

Le sue parole si troncarono di netto quando Lady Dunwoody in persona apparve dalla porta rivestita di panno verde che conduceva all'ala della servitù. Si era vestita per uscire, e non si teneva più dall'impazienza. Abbaiò a Charlotte: «Non ti ricordi che abbiamo fissato la carrozza per le undici? Il comitato organizzativo si riunisce a mezzogiorno. Hai esattamente due minuti per prepararti, Charlotte. Non ho alcuna intenzione di arrivare tardi.»

Nella fretta e nella confusione, mentre tentava di sistemarsi il cappello inclinandolo nel modo più appropriato, trovava i guanti e si abbottonava gli stivali, Charlotte dimenticò di chiedere a Caspar cosa stesse per dire prima che la madrina lo interrompesse. Percorse l'atrio di corsa e balzò giù dai gradini, e non diede neppure un'occhiata alle lettere che giacevano nella coppa giapponese bianca e blu.

Alle undici e mezzo il maggiordomo prese le lettere, come faceva tre volte al giorno, e le portò giù in dispensa. Poi cercò dei francobolli da sette penny dal suo album postale e li applicò sulle buste, utilizzando un tampone inumidito. Egli non riteneva di dover usare la sua saliva. Dopo aver riportato sul registro delle spese il numero di francobolli adoperato e la destinazione delle lettere – nonostante lo stile di vita bohémien, Lady Dunwoody era sempre molto attenta ai conti di casa – l'uomo inserì la corrispondenza in una sacca di velluto rosso su cui era ricamata una D. Poi chiamò il valletto perché portasse le lettere alla nuova cassetta di raccolta postale di Kensington Road. Benché nevicasse, il domestico di Lady Dunwoody non era l'unica persona che si era diretta alla cassetta per consegnare la corrispondenza in tempo per la raccolta di mezzogiorno. C'era un altro valletto, proveniente da Holland House, una cameriera di Leighton House e un garzone che proveniva dalla residenza dei Burne Jones. La cassetta della posta era lì solo dall'inizio dell'anno, per cui era ancora un'esperienza nuova vedere le lettere sparire dentro le sue scintillanti fauci rosse. Certe volte il valletto leggeva a voce alta gli indirizzi sulle lettere imitando l'accento aristocratico per divertire la cameriera di Leighton House, che era poi la ragione per cui non si sottraeva mai a quell'incombenza, ma quel mattino la neve cadeva fitta. Il valletto di Lady Dunwoody rimase a guardare la cameriera di Leighton che depositava la corrispondenza, dopodiché fece altrettanto, stando attento a che non si bagnassero di neve gli indirizzi sulle buste.

Charlotte non aveva sigillato le sue lettere con la ceralacca. Aveva usato una di quelle nuove buste che utilizzavano una gomma di xantano essiccata per chiudere i lembi. Questo rendeva molto più facile per l'agente del ministero degli Esteri intercettare tutta la posta diretta alla residenza imperiale di Easton Neston. Poiché non conteneva alcun riferimento alla politica estera, annotò in un registro il suo contenuto, la risigillò e la spedì in tempo perché fosse caricata sul treno delle quattro e dieci per Northampton.

La lettera fu recapitata a Easton Neston alle sette del mattino successivo, dove fu riaperta con il vapore dal barone Nopsca, il quale teneva sotto controllo tutto ciò che riguardava il nuovo favorito dell'imperatrice. Il barone trovò il contenuto della missiva leggermente più interessante di quanto non fosse parso all'impiegato del ministero degli Esteri. Sebbene il suo inglese fosse tutt'altro che fluente, capì benissimo che quella lettera era stata scritta da una donna che, se non un'amante, era almeno un'amica. Non ne rimase sorpreso, avendo già etichettato il capitano Middleton come *ein Galant* e un *Herzenbrecher*: la sua unica preoccupazione era la felicità della sua padrona. Per un attimo pensò di distruggere la lettera: l'imperatrice non sarebbe stata contenta di sapere che il capitano andava a Londra a far visita a un'altra donna. In Austria non avrebbe esitato a bruciarla, anche se a Vienna nessuna donna si sarebbe mai sognata di scrivere esplicitamente al favorito dell'imperatrice mentre si trovavano nella stessa residenza. Dopo un attimo di riflessione Nopsca decise che non c'era bisogno di interferire: la passione che legava la sua padrona al capitano Middleton era accesa, ed erano entrambi molto coinvolti. Ci sarebbe voluta una donna eccezionale per allontanare un inglese dalla compagnia dell'imperatrice d'Austria. Rilesse la lettera e decise che non c'era nulla da temere.

Quando arrivò alla menzione di Chicken Hartopp, il barone sospirò. Solo un inglese avrebbe potuto chiamarsi come un volatile.

# 31.

## Una zampa di scimmia

La contessa Festetics aveva dato a Bay un fiasco di *Schnapps* quando erano usciti a cavallo quel mattino. «Credo ne abbiate bisogno» gli aveva detto.

Il fiasco era ormai vuoto, e per la prima volta nella sua carriera di cacciatore Bay desiderava che la caccia finisse. Ogni sobbalzo, ogni incespico gli strattonava la spalla. Doveva tenere le redini con la mano buona, e quindi non poteva usare la frusta, cosa che gli rendeva difficile stare al passo con l'imperatrice. Sissi conduceva il gruppo in sella a uno dei nuovi destrieri che aveva comprato a Waddesdon dai Rothschild. Aveva acquistato cinque cavalli, e Bay aveva chiesto una commissione modesta. Il roano azzurro chiamato Linimento aveva tutte le caratteristiche del perfetto cavallo da caccia e non mostrava alcun segno di stanchezza neppure dopo una dura giornata su un terreno fangoso, ma ora Bay si rammaricava di averle fatto prendere un esemplare così valido.

Dopo aver superato un recinto decisamente alto, Bay sentì l'imperatrice che diceva al conte Esterházy in inglese, perché lui capisse: «Non siete invidioso del mio nuovo Pegaso, conte? Dovete ammettere che il capitano aveva ragione quando parlava dei cavalli della sua terra.»

«Il capitano è sicuramente in grado di accaparrarsi esemplari di prima scelta» rispose Esterházy nella stessa lingua.

L'imperatrice non udì quella risposta, visto che nel frattempo aveva già saltato il recinto successivo, ma a Bay non sfuggì l'allusione. Nonostante gli strattoni alla spalla, si costrinse a sorridere al conte e replicò: «Se cambiate idea sugli stalloni inglesi, sarò lieto di consigliarne uno anche a voi.»

«Vi ringrazio per la vostra gentile offerta, capitano Middleton, ma non credo che mi serva il vostro consiglio se devo scegliere un cavallo.»

Il sorriso di Bay non vacillò. «Se comunque doveste cambiare idea, contate su di me.»

Il conte Esterházy inclinò appena la testa, producendo un gesto che esprimeva al tempo stesso assenso e disprezzo.

«Troppo gentile da parte vostra. Ma a differenza dell'imperatrice, io non cambio mai idea.» Guardò la sua padrona, che procedeva a passo spedito in sella al suo roano. «Non vorrei distogliervi dai vostri doveri, capitano Middleton.»

Bay diede un colpetto di speroni a Tipsy e raggiunse Sissi. Quando lo vide, l'imperatrice aggrottò la fronte e disse: «Ah, finalmente.»

Alla fine della giornata di caccia l'imperatrice tornava a casa in carrozza. Normalmente Bay rientrava con Tipsy ma si accorse che la sua giumenta quel pomeriggio era stremata. Allora accettò, benché riluttante, di prendere posto in carrozza insieme all'imperatrice, a Liechtenstein e a Esterházy. Quest'ultimo era seduto accanto a Sissi, e così lui dovette accomodarsi vicino a Liechtenstein, che si schiacciò in un angolo quando Bay prese posto. Gli austriaci chiacchieravano in tedesco. I due dignitari dell'imperatrice facevano tutto il possibile per ignorare Bay. Sissi invece gli sorrideva di tanto in tanto, ma non volle insistere nel condurre la conversazione in inglese. Bay chiuse gli occhi e si addormentò all'istante.

Una fitta di dolore lo risvegliò. Liechtenstein doveva avergli dato un colpetto sulla spalla infortunata. Con sua grande sorpresa vide che gli altri tre passeggeri stavano ridendo di lui.

«Non siate in collera con Felix, capitano» disse Sissi. Stavate russando un po' troppo sonoramente, e così gli ho chiesto di svegliarvi. Mi ero dimenticata della spalla. Perdonatemi.»

Bay abbozzò un largo sorriso. «Sono io che dovrei chiedere perdono. Disturbarvi con il mio frastuono è un crimine davvero inaccettabile. Merito la più severa delle punizioni.»

«È un bene che non siamo in Austria, capitano, altrimenti la pena sarebbe stata assai severa» disse il conte Esterházy. «Nessun cortigiano si sognerebbe mai di addormentarsi in presenza di un membro della famiglia reale.»

«È una vera fortuna che siamo in Inghilterra» disse Bay in tono calmo.

«Sì, è bello essere qui anziché a Vienna, dove tutti prendono troppo seriamente l'etichetta» disse Sissi. «Ognuno ha le sue debolezze. Io vi avrei lasciato dormire, ma facevate un tale chiasso che non riuscivamo neppure a conversare.» L'imperatrice rise, e Bay vide che la divertiva punzecchiarlo davanti agli altri. Così rise anche lui.

«Come mai siete così stanco, capitano? Cosa fate la notte per ridurvi in un tale stato durante il giorno?» rilanciò Sissi. Bay intravide la sua lingua mentre si inumidiva le labbra.

«A volte è difficile prendere sonno quando si dorme in casa d'altri, Maestà. Anche se la dimora in questione è confortevole e accogliente come Easton Neston.»

«Forse dovreste prendere in considerazione l'idea di trasferirvi altrove» suggerì il conte.

Bay incrociò il suo sguardo senza vacillare. Era una sfida diretta. I due dignitari austriaci aspettarono di vedere la reazione dell'imperatrice. Le sue guance s'erano tinte di rosso, e gli occhi brillavano. Prese il ventaglio e diede un colpetto sul braccio a Esterházy, più forte del necessario.

«Devo ricordarvi che il capitano è mio ospite? Gli ho chiesto io di restare, e sarò io a decidere quando dovrà andarsene. Siamo in Inghilterra, è vero, ma voi siete pur sempre un austriaco, e – come avete rammentato voi stesso al capitano Middleton – un membro della corte sa quanto sia aspra la pena per chi non tratta con il dovuto rispetto un regnante. Insultando lui avete insultato me. Vi prego di porgere le vostre scuse.»

«Chiedo umilmente venia, Kaiserin» disse il conte. «Forse non avevo compreso fino in fondo i vostri sentimenti. Ma non potete aspettarvi che porga le mie scuse a questo... a questo...» Il suo tono concitato gli impediva di trovare le giuste parole. «... a questo stalliere.»

Bay fece un sobbalzo per la collera, ma era sempre stato abituato ad avere a che fare con persone che si ritenevano superiori a lui. Sapeva che era meglio non cedere alla provocazione. E così sorrise affabilmente, come un ufficiale di cavalleria che si trovasse ad affrontare un soldato ubriaco.

«Non c'è bisogno che vi scusiate. Davvero. Sono sicuro che non intendevate offendermi, e dunque non mi sento vilipeso. Credo che nessuno di noi voglia creare imbarazzo a Sua Maestà l'imperatrice con una scaramuccia di poco conto. Forse in Austria siete soliti infervorarvi per poco, ma un gentiluomo inglese non dà sfogo ai suoi sentimenti in presenza di una signora, e tanto meno di una sovrana.»

Sissi batté le mani.

«Bravo, Middleton! Qui non siamo a Vienna, caro conte.»

Esterházy capì di essere stato sconfitto. Tornò nel suo angolo e rimase in silenzio per il resto del viaggio.

Nopsca era sui gradini a porgere il suo benvenuto, insieme a un valletto che reggeva un vassoio colmo di bicchierini di negus. Bay prese il suo e lo vuotò in un sol sorso. La discussione con Esterházy l'aveva turbato. Non gli piaceva essere il bersaglio di una tale ostilità.

Nopsca stava distribuendo la corrispondenza a Esterházy e Liechtenstein. La posta dell'imperatrice era stata invece infilata in una scatola di cuoio rosso. Nopsca borbottò qualcosa a proposito del principe ereditario, e l'imperatrice si avviò al piano superiore. Bay, che non voleva restare da solo con gli austriaci, fece per seguirla, ma il barone lo richiamò.

«Un istante, capitano Middleton. C'è una lettera per voi.»

Con grande sorpresa, Bay prese la busta. Non riconoscendo la calligrafia, se l'infilò nella tasca della giacca. Aveva poggiato il piede sul primo scalino di marmo quando l'intero atrio fu squarciato da un urlo che fece tremare i cristalli del lampadario. Una sagoma grigia saltò dalla balaustra alla scalinata e cominciò a balzare rapida giù per i gradini, con grande strepito. Quando la creatura fu vicina a Bay, lui vide che si trattava di una scimmia grande quasi quanto un terrier, che indossava un panciotto rosso con profili dorati e una collana d'oro attorno al collo.

Quando incrociò l'imperatrice sulle scale, lei gridò: «Mio piccolo Florian, sei scappato! Nopsca, dobbiamo riportarlo subito nella sua prigione, altrimenti la governante rassegnerà le sue dimissioni.» Bay sentì Nopsca che sospirava. Acchiappare la scimmia non doveva essere un'impresa facile.

Bay trovò in tasca una zolletta di zucchero, che di solito usava per blandire Tipsy, si chinò e la offrì alla scimmia. L'animaletto gli andò attorno per qualche istante, spostandosi convulsamente in tutte le direzioni, poi si avvicinò alla mano tesa, infine si allontanò nuovamente. Bay iniziò a parlare con estrema dolcezza, così come faceva di solito quando si rivolgeva ai suoi cavalli.

«Non aver paura, Florian, non ti farò alcun male. Guarda che bella zolletta di zucchero... lo so che hai fame.» I movimenti della scimmia si fecero più lenti, finché non si avvicinò ancora una volta alla mano tesa di Bay. Con una zampa, la scimmia cercò di accaparrarsi lo zuccherino. Bay lasciò che prendesse la zolletta, poi cominciò ad accarezzare l'animale sulla testa e sulla schiena. Lentamente e con grande delicatezza Bay avvicinò a sé la bestiola e la tenne vicina al suo corpo.

La scimmia, che stava beatamente succhiando lo zuccherino, non protestò. Bay stava per porgerla a Nopsca, che era lì a braccia protese, quando Liechtenstein disse al conte, con enfasi teatrale: «Neppure il piccolo Florian riesce a resistere al fascino del capitano Middleton.»

Esterházy scoppiò in una sonora risata che riecheggiò per tutto l'atrio e spaventò la bestiola, che saltò via dalle braccia di Bay e prese a danzargli intorno. Imprecando tra sé e sé, si frugò le tasche alla ricerca di un'altra zolletta, e nel compiere quell'operazione gli cadde di tasca la lettera. La scimmia, che aveva individuato il luogo esatto da cui provenivano gli zuccherini, vide la busta e pensò che fosse manna dal cielo. L'afferrò con entrambe le zampe e fuggì su per le scale. Bay, che poteva contare su un braccio solo, se la fece scappare. La scimmia era balzata sul corrimano, e Bay fece un salto per afferrarla ma perse l'equilibrio e cadde rovinosamente sui gradini di marmo, riuscendo per un pelo a evitare di rotolare giù per un lungo tratto.

«Florian, sei una creatura malvagia» disse l'imperatrice, che stava ridendo fino alle lacrime. «Vieni immediatamente qui se non vuoi una bella punizione.» La scimmia la guardò per un istante, mordicchiò la busta che aveva afferrato e saltò tra le braccia della sua padrona.

«Bravo il mio Florian! E ora devi chiedere scusa al capitano Middleton.» Bay si tirò in piedi aggrappandosi al marmo della ringhiera. In quel momento avrebbe volentieri strangolato Florian. Intuì che anche Nopsca nutriva sentimenti simili ai suoi. Rimessosi in piedi, ma ancora un po' traballante, diede una stretta di mano alla piccola zampa di scimmia che gli veniva porta dall'imperatrice.

«Guardate com'è dispiaciuto. Ma immagino che, come tutti gli animali in gabbia, abbia perso la testa non appena è riuscito a godersi un po' di libertà.» Bay non se la sentì di rispondere.

«Ecco la vostra lettera, solo un po' sgualcita. Spero non sia niente d'importante.» Il suo tono era penetrante.

Bay prese la busta. In un momento di improvvisa lucidità capì che la lettera doveva essere di Charlotte, e che l'imperatrice doveva aver capito che fosse stata scritta da una donna.

«Non credo, Maestà» disse cercando di assumere un tono noncurante. «Sarà di Lady Crewe, forse vuole sapere quando torno a Melton.»

Come Bay aveva sperato, la sua risposta distrasse l'imperatrice. «È fuori discussione che voi torniate laggiù. Dovete risponderle che io insisto perché restiate qui.»

«Senz'altro, Maestà» disse Bay con uno svolazzo esagerato. Sissi ignorò l'ironia di quel gesto, o forse lo considerò appropriato alla situazione.

Poi l'imperatrice gli passò davanti per affidare Florian al suo carceriere, e Bay ne approfittò per sparire.

Mentre leggeva la lettera gli sembrava di sentire la vocina sottile e chiara di Charlotte, e di vedere l'inclinazione sarcastica della sua testa. Con una fitta di disappunto capì che la sua partenza da Melton non era stata causata da un puro capriccio. Hartopp aveva visto nell'intercettazione del suo biglietto un'occasione per causare un malinteso, e l'aveva afferrata al volo.

Bay percepì una lievissima nota di seduzione nel tono della lettera, e capì anche che aveva cercato di smussarla al massimo perché non era certa di come avrebbe reagito lui. Doveva assolutamente andare a quell'inaugurazione. Charlotte ne sarebbe stata felice. Qualunque cosa stesse accadendo lì a Easton Neston, l'idea di rendere felice Charlotte lo riempiva di entusiasmo.

Con un sottile piacere pensò che avrebbe dovuto assolutamente rivelare a Charlotte come Hartopp era arrivato a farsi chiamare Chicken. In altre circostanze non si sarebbe neppure sognato di tradire un compagno di reggimento, ma considerato il vile gesto di lui, non si sarebbe sentito affatto in colpa. Quando si sedette allo scrittoio in legno di noce e cercò di prendere in mano una penna, si accorse che il braccio ferito glielo impediva, e che pertanto non sarebbe mai stato in grado di scrivere una lettera. Bay si accasciò sulla sedia. Provò a scribacchiare qualcosa con la sinistra, ma non riuscì a produrre niente di leggibile.

In qualunque altra casa Bay avrebbe potuto chiedere a qualcuno di scrivere sotto dettatura, ma non era possibile a Easton Neston. Non c'era nessuno in quella casa sulla cui discrezione avrebbe potuto fare affidamento. C'era il telegrafo, ovviamente, ma anche per quello avrebbe dovuto contare sulla complicità di un domestico.

Si stava domandando come fare a risolvere il problema quando entrò il valletto che gli era stato assegnato come assistente personale con una bacinella d'acqua calda.

Quella mattina Bay si era tagliato radendosi, poiché era difficile impugnare bene il rasoio con la mano sbagliata, e così aveva chiesto al servitore di aiutarlo. Il valletto, che era un ragazzone alto e lentigginoso – il che faceva intuire che fosse rosso di capelli sotto la parrucca – era inaspettatamente abilissimo.

«Ti ringrazio. Come ti chiami?»

«Albert, signore.»

«Potresti diventare un bravo barbiere, Albert.»

«Vi ringrazio, signore. Sono cresciuto in una fattoria, e ho tosato pecore da quando ero piccolo. Bisogna avere la mano molto salda per tosare le pecore.»

«Quando sei entrato a servizio? Tuo padre non ti reclama alla fattoria?»

«Sono il minore di otto fratelli, signore. Saremmo stati in dieci, ma due sono morti di febbre.»

«Capisco. Ti piace stare qui?»

Albert esitò. Bay, rendendosi conto della domanda scomoda che aveva posto, aggiunse: «Non preoccuparti, non tradisco mai una confidenza.»

«Ecco, signore, mi trovavo molto bene alle dipendenze di Lord Hesketh, ma non posso dire che mi piaccia l'attuale situazione. Non avevo mai lavorato per dei forestieri prima d'ora. Sono gente strana. La governante e la cuoca sono fuori di sé. La settimana scorsa nel cuore della notte hanno suonato il campanello. Era il campanello di Sua Maestà. Io ero ancora alzato, e così sono andato a sentire. La contessa, quell'altra signora, mi ha detto che le occorreva del vitello crudo, e che era urgente. E così ho dovuto svegliare la cuoca, farmi dare la chiave della dispensa della carne e portargliela su un vassoio d'argento. La mattina dopo la cameriera che ha pulito la stanza l'ha riportato di sotto intatto. Non l'avevano neppure toccato!»

Bay pensò che quel ragazzo fosse la persona giusta.

«Albert, vorresti guadagnarti una sovrana?»

«Sissignore!»

«Sai scrivere?»

Albert fece una faccia stupita. «Non in calligrafia ornata, ma conosco il mio alfabeto.»

«Se ti detto un messaggio riusciresti a scriverlo e a portarlo all'ufficio del telegrafo da parte mia?»

«Credo di sì, signore.»

«È importante che nessuno ne sappia niente. Né di quello che dice il messaggio, né del fatto che voglio mandare un telegramma.»

Albert assunse un'aria preoccupata.

«E se qualcuno dovesse vedermi all'ufficio del telegrafo? Cosa potrei dire?»

«Se ti vede uno dei domestici inglesi puoi dire che ti ho mandato io, puoi dire che era una faccenda che riguardava un cavallo. Se invece ti vede un austriaco, fai finta di non capire cosa stanno dicendo.»

Il valletto sorrise. «Sarà una passeggiata, signore.»

«Perfetto. Quando avrai finito, ci sarà un'altra sovrana ad attenderti.»

«Vi ringrazio, signore.»

Quando Albert fu uscito, Bay prese la lettera di Charlotte e se la infilò nella tasca interna del soprabito da caccia. Dopo un istante però la tirò fuori di nuovo, la rilesse e la buttò nel fuoco, dove avvampò per un istante prima di accartocciarsi e divenire cenere.

Bay non si fece vedere a cena quella sera. Gli doleva la spalla, e non aveva nessuna voglia di incontrare ancora Liechtenstein ed Esterházy. Sapeva che a Sissi non avrebbe fatto piacere la sua defezione, e si chiese se quella notte gli avrebbe fatto visita in camera.

Alle undici capì che non sarebbe arrivata. Suonò il campanello e chiese al valletto di portargli del brandy. Si stava godendo un momento di piacevole torpore alcolico quando, subito prima di mezzanotte, sentì bussare alla porta. La sua prima reazione fu di irritazione: non aveva voglia di essere disturbato.

Sissi aveva i capelli sciolti, che scendevano su una spalla sola: li sosteneva con la mano come se stesse tenendo uno strascico. Indossava una vestaglia di velluto verde lunga fino ai piedi, col collo alto e un'abbottonatura che correva giù fino all'orlo. Bay, come sempre, si commosse alla vista della sua capigliatura.

Lei gli sorrise. «Sarei venuta prima, ma avevo delle lettere da scrivere.»

La raggiunse, afferrò la massa di capelli e gliela tolse di mano. Il peso le fece piegare la testa all'indietro. Bay la baciò, e l'imperatrice adattò la forma delle sue labbra a quelle di lui.

Infilò la mano sotto la pesante vestaglia e le sfiorò la pelle nuda. Le accarezzò le costole con mani lievi e vellutate, finché non la sentì respirare affannosamente. Con la mano buona prese a slacciarle la vestaglia, ma i piccoli nodi di seta non volevano cedere.

«Stai cercando di non farmi entrare?» chiese Bay.

«Non merito un minimo di riservatezza?» replicò lei.

A Sissi piaceva corredare quei loro incontri con qualche piccolo impedimento che metteva alla prova la pazienza del suo amante. Dopo tutta la giornata trascorsa ad atteggiarsi lei da imperatrice e lui da guida, avevano bisogno di qualche minuto per assumere i loro ruoli notturni. Era sempre lei che andava da lui, eppure cercava di non cedergli subito. Mentre Bay lottava con i laccetti di seta, sapeva che ai suoi occhi si stava rendendo meritevole del premio che di lì a poco avrebbe ottenuto.

Alla fine, con le dita doloranti, sciolse l'ultimo nodo. Inginocchiatosi ai suoi piedi, le tirò via la vestaglia che ricadde a terra.

Lei lo guardò dall'alto. «Credo che neppure John Brown lavori così duramente per accaparrarsi i favori della sua regina.»

«Ma la mia ricompensa è assai migliore» commentò Bay.

Più tardi, mentre giacevano distesi a letto, Bay disse: «Desidererei immensamente poterti stringere a me con entrambe le braccia, Sissi.»

«Credo che tu te la stia cavando piuttosto bene» replicò lei ridendo.

«Ho bisogno di andare a Londra a farmi visitare dal mio dottore, che si è già occupato della mia spalla in precedenza. Non credo che il medico di qui l'abbia risistemata come si deve.»

«Oh, ma non occorre che tu vada fino a Londra. Come si chiama il dottore? Manderò Nopsca a prenderlo» disse Sissi accarezzandogli il braccio infortunato.

«Sei davvero gentile, ma credo sarebbe più semplice se mi recassi a Londra di persona. Starò via solo un giorno e una notte.»

«Come farò senza di te?» ribatté Sissi mettendo il broncio.

Bay la baciò. «Potrai lasciarti intrattenere da Liechtenstein ed Esterházy. Sono certo che loro non sentiranno la mia mancanza.»

«No. Sono terribilmente gelosi di te. Non per me, sai. Non in quel modo... Sono molto più interessati l'uno all'altro di quanto non lo siano a me. Ma temono che ora che ho te io possa rispedirli a casa.»

«E lo farai?»

«Oh, no, correrebbero a mettere in giro voci sul mio conto. È meglio che stiano qui. Si abitueranno a te.»

«Vorrei poter essere d'accordo.»

Lei rise. «Pensavo che Max ti avrebbe sfidato a duello questo pomeriggio.»

«Posso ricordare a Sua Maestà che il duello è illegale nel nostro Paese?»

«Oh, anche in Austria, ma la legge non riesce a impedirli.»

«Bene, ho una considerazione piuttosto alta della mia vita, e non sono disposto a metterla a rischio solo perché un cortigiano mi dà dello stalliere.»

«E come vuoi essere chiamato, Bay?»

«Io sono la guida e l'amico dell'imperatrice.» Le accarezzò un fianco.

«Un amico speciale» rettificò Sissi appoggiandogli la testa sul petto.

Bay cercò di non vacillare quando sentì il peso di lei sull'arto ferito. Sissi dimenticava spesso che si era slogato una spalla. Sperò che non si addormentasse in quella posizione.

L'orologio delle stalle batté le due e mezzo, e Sissi si svegliò. Mentre si riallacciava la vestaglia, gli chiese: «Di chi era la lettera? Il povero Florian per poco non la mangiava.»

Bay fu contento di averla bruciata.

«Oh, era di Lady Crewe. Voleva sapere se riuscivo a convincerti a fare una visita a Melton.»

«E perché mai dovrei averne voglia?»

«È un edificio piuttosto curioso, sul piano architettonico. È uno degli esempi più celebri di stile gotico.»

«Ci sono tappeti quadrettati?»

«Oh, no. Lord Crewe è un uomo di elevata cultura.»

«E lei che tipo è?»

«È piuttosto ambiziosa.»

«Allora non vedo alcuna ragione per andare a farle visita. A meno che tu non abbia un buon motivo per volerci andare.»

«Proprio nessuno» disse Bay in assoluta sincerità.

Sissi parve soddisfatta. Allacciandosi il colletto, aggiunse: «Anch'io ho ricevuto una lettera oggi. Da mio figlio.»

Bay sollevò lo sguardo, sorpreso. Sissi menzionava assai di rado i suoi figli. Credeva lo facesse per non creare imbarazzo nella loro situazione.

«Non so se verrà qui a Easton Neston. A Rodolfo non interessa la caccia» disse accigliata. «Credo che gli faccia paura. Però non posso chiederglielo.»

«No» convenne Bay.

«È venuto per visitare fabbriche e cantieri. O almeno così dice.» Sissi fece una pausa. «Credo ci siano altre ragioni, ma non le rivelerebbe mai a sua madre.» Scrollò le spalle. «Me l'hanno portato via quando era poco più che un bambino. Io mi ero ammalata, e la madre di mio marito non si fidava a lasciare l'erede al trono nelle mie mani. Ma io l'avrei cresciuto meglio. È più un Wittelsbach che un Asburgo, ma nessuno vuole darmi retta.» Si fece scendere i capelli sulle spalle. «Comunque se viene qui dovremo osservare la massima discrezione.»

«Sì, Maestà» rispose Bay.

# 32.

## Il principe ereditario

L'ambasciatore consultò il suo orologio da polso: erano le undici e ventitré minuti. Aveva detto all'erede al trono che sarebbe passato a prenderlo alle undici, ed erano ventitré minuti che aspettava nella hall del Claridge. Decise di sollecitarlo. Non bisognava arrivare all'inaugurazione della mostra dopo la regina, che, essendo una regina inglese, era sempre puntuale.

La porta della suite fu aperta dal valletto del principe.

«Dov'è Sua Altezza? Credo si sia dimenticato che sarei passato a prenderlo alle undici.»

«Il principe ereditario si sta ancora vestendo, eccellenza» replicò stancamente il valletto.

«Forse posso essergli d'aiuto» disse Karolyi, e seguì il domestico nella camera da letto.

Rodolfo era in piedi davanti a uno specchio basculante e cercava di allacciarsi i bottoni dorati della sua uniforme. Una sola occhiata al volto livido del giovane principe fu sufficiente all'ambasciatore per capire come mai lo stesse facendo aspettare tanto. Il principe stava seguendo un programma serrato di attività e iniziative volte a migliorare i rapporti internazionali approvate dall'imperatore. La sera prima aveva assistito a una conferenza presso l'Istituto di Meccanica, ma poi aveva trovato il modo di divertirsi come più gli piaceva. Era un giovanotto esile, poco più alto di sua madre, e quella mattina sembrava dovesse soccombere sotto il fardello dell'uniforme decorata. Aveva gli occhi iniettati di sangue, e l'ambasciatore notò che sulla gola recava il segno d'un morso.

«Buon giorno, Altezza.»

«Karolyi.» Rodolfo lo salutò sbrigativamente.

L'ambasciatore sospirò tra sé e sé. Sebbene non desiderasse ritardare ulteriormente l'uscita, gli toccava dire al principe che indossare l'uniforme di colonnello della Guardia Imperiale, benché perfettamente normale nella società viennese, non era appropriato per l'inaugurazione di una mostra di fotografia a Londra. Il principe, ne era certo, non avrebbe accolto di buon grado il suo consiglio. Come tutti gli Asburgo, amava agghindarsi di tutto punto, ma l'ambasciatore paventava gli inevitabili commenti sarcastici che sarebbero apparsi sulla stampa inglese se Rodolfo si fosse presentato in alta uniforme. L'avrebbero dileggiato, e l'avrebbero considerato un principe da strapazzo.

«Se posso suggerire a Sua Altezza Imperiale un soprabito da mattina...»

Rodolfo lo guardò visibilmente irritato, ma l'ambasciatore non si arrese. «Gli inglesi non indossano l'uniforme per eventi di questo genere. Poiché siete qui in visita non ufficiale, credo che un abito da mattino sia una *mise* più appropriata.» Rodolfo si era fatto scuro in volto, e l'ambasciatore cominciava a disperare. Vide le scatole di cuoio rosso che contenevano lo splendido assortimento di medaglie e altre onorificenze del principe. «Ma potreste senz'altro indossare una delle vostre decorazioni. Che ne dite dell'Ordine del Vello d'Oro?»

Come un bambino che fosse stato tirato via dall'orlo di un precipizio grazie a un gingillo luccicante, Rodolfo prese la decorazione che faceva di lui un Cavaliere del Vello d'Oro e se la rigirò tra le mani, in modo tale che la sua superficie incrostata di oro e diamanti catturasse la luce.

«Benissimo» disse. Pareva essersi rasserenato. «Metterò l'uniforme quando andrò a Roma.»

Karolyi fece un gesto al valletto, che aveva ascoltato quello scambio, e uscì ad aspettare. Alle undici e quarantacinque il principe emerse dalle sue stanze in abito da mattino, sul cui bavero, in bella mostra, splendeva l'Ordine del Vello d'Oro. Era ancora molto pallido, e Karolyi gli sentiva addosso l'odore degli eccessi alcolici della sera precedente, che l'acqua di colonia non era riuscita a coprire, ma almeno era presentabile.

Con grande sorpresa dell'ambasciatore, Rodolfo gli rivolse un sorriso.

«Mi dispiace di avervi fatto attendere.»

Karolyi accettò le scuse con un inchino. «Non è al mio tempo che penso. Ma poiché ci sarà la regina Vittoria a inaugurare la mostra...»

«Non dobbiamo arrivare in ritardo.» Il principe finì la frase.

«Esatto, Altezza» disse Karolyi sollevato per l'improvviso cambiamento d'umore del principe.

Mentre la carrozza percorreva Regent Street fino alla Royal Society of Arts, poco lontano dallo Strand, Rodolfo guardava i passanti dal finestrino.

«Le ragazze sono più belle a Vienna, non credete?»

Karolyi mormorò qualcosa senza compromettersi troppo, cercando di non fissare il livido sul collo di Rodolfo, nascosto solo in parte dal colletto alto della camicia. Poi, per cambiare argomento, disse: «Intendete far visita a vostra madre finché siete in Inghilterra? Easton Neston è una residenza incantevole. Una delle più belle dimore di campagna dell'intero paese.»

«Se mia madre me lo chiede, suppongo che dovrò andare, ma sono venuto qui per apprendere delle cose, non per fare la conoscenza con gli amici inglesi di mia madre.»

Karolyi, che non si aspettava quella risposta, decise di sondare ulteriormente il terreno. «La caccia è un passatempo di alto livello, nelle campagne inglesi. L'imperatrice è molto contenta di prendervi parte tutti i giorni.»

«Non ne dubito. Ma non sopporto quei due damerini di Esterházy e Liechtenstein. Non so proprio perché la mamma se li porti sempre appresso. E la zia Maria mi ha detto anche che ha trovato uno stalliere inglese.»

L'ambasciatore tossì. «Se intendete il capitano Middleton, Altezza, non si tratta affatto di uno stalliere. È un ufficiale di cavalleria del reggimento del conte Spencer. Il conte lo ha ingaggiato perché faccia da guida di caccia a vostra madre. È vero che non possiede alcun titolo, ma in Inghilterra è cosa piuttosto frequente.»

«La zia Maria dice che è un insolente, e che gode di una cattiva reputazione. Dice che fa il cascamorto con mia madre.»

«Credo che vostra zia abbia cercato di ingaggiare il capitano Middleton per sé prima che diventasse la guida personale dell'imperatrice. Quanto al corteggiamento, be', di sicuro vostra madre è ancora una gran bella donna, e il capitano Middleton non è certo l'unico a essersene accorto.»

«Ma è l'imperatrice d'Austria. Dovrebbe usare un maggiore rispetto.»

«Li ho visti insieme, e credo che la Kaiserin apprezzi molto le attenzioni del capitano.»

Il principe ereditario si chiuse in un cupo silenzio, tamburellando le dita sulla cornice della finestra. Karolyi notò che il ragazzo somigliava straordinariamente a sua madre.


Charlotte era arrivata alla mostra già alle dieci. Lady Dunwoody si era preparata prestissimo, e già alle otto e mezzo voleva avviarsi. Benché sia Charlotte che il marito le avessero assicurato che non ci avrebbero messo più di un'ora per raggiungere lo Strand da Holland Park, lei non volle ascoltarli. «E se si spezza l'asse della carrozza? Oppure uno dei cavalli si azzoppa? Sono cose che capitano.»

Sir Alured, che non era un fotografo e aveva accettato di accompagnarle alla mostra perché sua moglie aveva insistito, dichiarò che sarebbe uscito solo dopo aver finito le aringhe affumicate della sua colazione, e non prima. Charlotte gli fu grata. Si era alzata alle sei, affinché Grace, giunta da Melton, avesse il tempo per sistemarle l'acconciatura. Alle otto e mezzo, tuttavia, non era ancora pienamente soddisfatta del risultato.

Il telegramma di Bay era arrivato un paio di giorni prima. Era stato consegnato quando Lady Dunwoody era nella camera oscura, quindi Charlotte aveva potuto aprirlo da sola. TIPSY IMPAZIENTE DI INCONTRARE LA REGINA SFOGGIA NUOVO ELEGANTE COSTUME STOP SPALLA SLOGATA MI IMPEDISCE DI SCRIVERE LETTERA STOP BAY. Charlotte aveva sorriso dal sollievo.

Trascorse i minuti aggiuntivi che le erano stati concessi da Sir Alured e dalla sua necessità di diliscare le aringhe pregando

Grace di arricciarle qualche altra ciocca sulla nuca. Aveva deciso di indossare un vestito nuovo di seta a strisce bianche e malva. Era molto più elaborato rispetto ai suoi consueti abiti da giorno, ma Lady Dunwoody era stata chiara al riguardo: nessun capo del suo guardaroba era adeguato per un incontro con la regina. Il vestito aveva un sellino da cui partiva un piccolo strascico, al quale si era abituata con qualche difficoltà. Aveva già buttato giù una *jardinière* nella sua stanza girandosi di scatto, e si era chiesta come avrebbe fatto a districarsi tra la folla della mostra.

Charlotte si esaminò con cura allo specchio. Si sistemò il cappello a frittella inclinandolo da un lato, come aveva visto fare ad Augusta. Dalla sua esperienza di fotografa sapeva che una buona immagine aveva solo bisogno di una lieve asimmetria. Mirava ad apparire sbarazzina, ma forse si era spinta troppo oltre, e le sembrava di essere solo scarmigliata. Raddrizzò il cappello e si osservò con sguardo critico. Se avesse dovuto trasformarsi in uno di quei suoi fotomontaggi con teste di animali, si sarebbe attribuita un bel topolino di campagna, con quegli occhi un po' troppo distanziati per il suo viso e il naso troppo affilato. La sua bocca era della forma perfetta per sgranocchiare una crosta di formaggio. Le occorrevano solo dei baffi. Essendo inverno, se non altro, non aveva il naso ricoperto di lentiggini. Non avrebbe potuto irretire nessuno col suo fascino. L'unica cosa che le piaceva davvero, l'unica caratteristica che le dava un'aria distinta, era il suo mento. Era un mento risoluto, con l'ombra di una fossetta.

«Siete sicura di non voler provare una falsa frangetta, signorina? Lady Augusta ce l'ha, e anche la Principessa di Galles. Ammorbidisce l'acconciatura.»

Grace sollevò la ciocca davanti alla fronte di Charlotte. Ma quest'ultima si guardò allo specchio, fece una smorfia e la scansò con la mano.

Vedendo la delusione che si dipingeva in volto alla cameriera, disse: «Mi dispiace molto, ma non mi sento di portare la frangia. Mi sentirei un barboncino. Temo che non potrò mai adeguarmi alla tua idea di signora alla moda.»

La toeletta fu interrotta da un campanello suonato con una

certa violenza. Sir Alured aveva evidentemente finito l'aringa. Charlotte diede al suo cappello un ultimo colpetto davanti allo specchio e corse giù per le scale.

Lady Dunwoody sfolgorava in una *mise* di seta rosso e oro che a Charlotte ricordava i draghi sul paravento giapponese dell'atelier. C'era qualcosa di regale in lei: era la sua figura slanciata, unita alla convinzione di essere sempre ascoltata con solenne attenzione da tutti. Charlotte pensò che difficilmente la regina sarebbe potuta apparire più minacciosa e maestosa.

Non appena ebbero preso posto in carrozza, ci fu un colpetto sul finestrino e apparve Caspar.

«Buon giorno, signore. Buon giorno, Sir Alured. Ieri avevo detto che ci saremmo visti direttamente alla mostra, ma quando mi sono svegliato stamattina ho sentito il mio cuore che batteva all'impazzata, come se volesse scoppiare. E l'unico modo per calmare i nervi è stare in vostra compagnia. Avrete pietà di me? Se non c'è posto, proseguirò a piedi camminandovi accanto. Se non parlo con qualcuno adesso, andrà a finire che esploderò come un fuoco d'artificio al cospetto di Sua Maestà la regina.»

Ignorando il sospiro di suo marito, Lady Dunwoody aprì la portiera della carrozza.

«Potete venire con noi, signor Hewes, ma non dovete stropicciare il vestito della signorina Baird, né stordirci con le vostre chiacchiere.»

«Prometto che mi farò sottile come una matita e silenzioso come un topolino. La signorina Baird uscirà dalla carrozza fresca come una rosa, e le sue orecchie non saranno insudiciate dal mio sgradevole vaniloquio. Ma prima di avventurarmi sulla strada del mio voto di silenzio, non posso tacere sullo splendore delle signore presenti su questa carrozza, i cui abiti sono a dir poco fantastici.»

Caspar salì a bordo e prese posto accanto a Charlotte, facendo gran mostra del suo tentativo di rimpicciolire le sue membra in un nodo serratissimo.

«Le strisce lilla sono così alla moda, Charlotte. Sembrate un delizioso sorbetto di frutta, metà panna e metà violetta di Parma.

Non credo che qualcuno si prenderà la briga di guardare le fotografie quando hanno una tale meraviglia sotto i loro occhi.»

Caspar si aprì leggermente il soprabito, rivelando un panciotto di seta ricamato in un tono di rosa d'una sfumatura più chiara del cremisi acceso di Lady D.

«Credete sia troppo vistoso per un evento mattutino? Volevo mettere qualcosa di più discreto, ma poi ho deciso che, essendo tutte le fotografie monocrome, avrei dovuto aggiungere un tocco di colore.»

«Caro Caspar, non vi serve un panciotto per aggiungere colore» replicò Charlotte. «Le vostre fotografie sono magnifiche e attireranno l'attenzione che meritano.» Caspar sorrise. Come tutti gli adulatori incalliti, amava ricevere complimenti di risposta.

«Se avrete la fortuna di essere presentato alla regina» aggiunse Lady Dunwoody, «dovrete fare un inchino molto profondo e chiamarla "Maestà". Se invece doveste addirittura intraprendere una conversazione con lei, potrete proseguire chiamandola semplicemente "signora". Ricordate però, e non sarà certo impresa semplice per voi, che potrete parlarle soltanto se è lei a rivolgervi la parola. Non potete chiacchierare con la regina come siete solito fare con noi.»

«Non preoccupatevi, Lady D, perfino un repubblicano quale io sono prova un timore reverenziale in presenza di un'altezza reale. L'unico suono che emetterò sarà un sospiro, che mi sfuggirà quando guarderò Vittoria incedere in pompa magna.»

Nascosto dalle pagine del *Times*, Lord Alured grugnì.

Lady Dunwoody si rivolse a Charlotte. «E tu devi dire a quell'oca di tua zia che la regina ha il diritto di guardarsi le fotografie esposte in santa pace. Caspar è un tipo taciturno, rispetto ad Adelaide Lisle.»

«Farò il possibile» la rassicurò Charlotte.

«E che mi dite del capitano galante? È prevista la sua presenza? Sono già roso dalla gelosia. Forse potrei sfidarlo a duello. Sono straordinariamente bravo con una pistola in mano.»

«Credo che il capitano Middleton verrà, ma dovrò allontanarlo prima ancora che entri se non mi promettete di comportarvi a modo» disse Charlotte in tono di rimprovero.

Caspar alzò le braccia in segno di resa. «Sarò un modello di discrezione. Mi confonderò con la tappezzeria.»

«Difficile, con quel panciotto» ribatté Charlotte.

Quando la carrozza entrò nel parco, Lady Dunwoody disse: «Forse la regina non sarà l'unica presenza regale alla mostra. C'è il caso che venga anche l'erede al trono Rodolfo, figlio dell'imperatore d'Austria. Alured ha concordato l'invito con l'ambasciatore austriaco. Il principe ereditario è molto interessato alla fotografia, non è vero, Alured?»

Suo marito grugnì senza abbassare il giornale, ma poi lo scostò un momento e disse: «Così pare. Anche se, da quello che si dice in giro, l'interesse del principe Rodolfo per la fotografia sarebbe del genere meno nobile che si possa immaginare. Ho sentito dire che è un giovanotto instabile. Nient'affatto un Asburgo. La solidità e il rigore del suo casato sono del tutto assenti in lui. Ha preso più dal ramo materno.»

«L'imperatrice è instabile?» chiese Charlotte.

Sir Alured incrociò le braccia. «Se la nostra regina si comportasse come l'imperatrice, ho idea che in breve tempo l'Inghilterra diverrebbe una repubblica. Certo, Elisabetta è solo una consorte e non c'è dubbio che Franz Joseph sia il più diligente dei sovrani, ma è stato fin troppo indulgente con sua moglie, permettendole cose che qui da noi non sarebbero mai tollerate. Karolyi dice che a volte è incredibilmente ostinata. A Vienna ha ingaggiato la troupe di un circo perché le insegnassero a fare le acrobazie a cavallo. È sempre riluttante ad andare alle cerimonie di corte, ma se si tratta di saltare in un cerchio di fuoco davanti ai suoi sudditi non si tira mai indietro.»

«Che donna meravigliosa» commentò Caspar. «Sarebbe bellissimo poterla fotografare.»

Sir Alured gli lanciò un'occhiata perplessa sopra gli occhiali a lunetta. «Essere un bel soggetto per una delle vostre...» fece una pausa «... fotografie non è consigliabile, per un'imperatrice.»

«Quantunque repubblicano, Sir Alured, scambierei volentieri uno dei nostri presidenti per un'imperatrice capace di acrobazie equestri» ribatté Caspar.

«Vi prendete gioco di cose importanti, signor Hewes, ma ho

il sospetto che, in quanto repubblicano, voi non capite che la solennità della monarchia è una cosa preziosa. La maestà non può essere presa alla leggera. È inconcepibile che la nostra regina salti in un cerchio di fuoco.»

«Sarebbe un salto poderoso» sussurrò Caspar a Charlotte.

«Hai mai visto la regina, Charlotte?» intervenne rapida Lady Dunwoody.

«Una volta l'ho vista passare in carrozza. Ma era molto lontana, e quindi ho visto solo una figuretta nera indistinta. La sua dama di compagnia era grossa il doppio.»

«Ma non siete stata ancora presentata a corte? Di sicuro Adelaide avrà organizzato l'incontro.»

«Non ancora. Augusta vuole occuparsi di me la prossima stagione.»

«Sono pomeriggi interminabili. Mi ricordo ancora quando fui presentata. Una delle ragazze davanti a me svenne dalla stanchezza. Cadde e perse i sensi, e la sua acconciatura andò in malora, povera piccola. Dopo quell'incidente non poté essere presentata, ovviamente, e alla regina fu chiesto se la ragazza poteva essere annoverata anche se di fatto non era riuscita ad arrivare fino al trono. Ma la regina rifiutò, e la poveretta dovette rifare tutto daccapo. All'epoca considerammo quella scelta assai inclemente, ma credo che sia importante attenersi alle regole.»

Sir Alured annuì. «Come puoi dubitarne, mia cara? Questa è la differenza tra la nostra regina e la sovrana austriaca. La nostra regina sa che ha un incarico divino da svolgere, mentre l'imperatrice Elisabetta non sembra avere alcun senso di responsabilità considerato il suo ruolo.»

«Immagino tu abbia ragione, Alured.»

La carrozza stava percorrendo Pall Mall e Charlotte schiacciò il viso contro il finestrino per vedere se Bay usciva da uno dei club. Ma una leggera pioggia aveva cominciato a cadere e le facce dei passanti erano nascoste sotto gli ombrelli. Il cuore le batteva talmente forte in gola che temeva che gli altri passeggeri della carrozza potessero sentirlo. Non vedeva Bay da due settimane. Cercò di mettere a fuoco la sua immagine nella memoria, ma non le appariva altro che la fotografia che gli aveva fatto mentre contemplava l'imperatrice. Caspar aveva tentato di convincerla che quello scatto sarebbe dovuto entrare nella competizione, ma lei aveva rifiutato. Era un'immagine forte. L'inquadratura e la messa a fuoco erano perfette. Ma Charlotte aveva capito che non era fotografia da poter mostrare in pubblico. Al di là dell'espressione dipinta sul volto di Bay, si trattava di una questione privata.

A Harley Street, nel frattempo, Bay stava indossando la camicia. Era un po' dolorante. Il dottor Murchison gli aveva manipolato la spalla, e benché l'ampiezza di movimento fosse già migliorata, la brusca torsione della scapola era stata talmente lancinante che Bay aveva urlato.

«Ecco, capitano. È tutto a posto. Dovreste essere in grado di adoperare il braccio normalmente, adesso. Ma non potete continuare con il vostro stile di vita. Una volta che un'articolazione si è allentata, come è capitato alla vostra spalla, potrebbe slogarsi in ogni momento. Forse è inutile che ve lo dica, ma dovreste davvero evitare situazioni in cui rischiate di cadere e di slogarvela nuovamente.»

«Perfettamente inutile, dottore» confermò Bay. «Non ho nessuna intenzione di cadere un'altra volta da cavallo, ma certe volte succede. Non posso smettere di cavalcare.»

«Potreste smettere di cavalcare così velocemente» ribatté il dottor Murchison. «È la velocità con cui pestate il terreno che rende questi infortuni così pericolosi. La prossima volta che cadete e vi slogate la spalla, potrei non essere più in grado di sistemarvela.»

«È un rischio che dovrò correre» disse Bay. «Nel frattempo vi sono grato, dottore, per avermi ridato la possibilità di allacciarmi la camicia da solo. È una vera seccatura dover dipendere da altre persone anche solo per vestirsi.»

«Bene, se non avrete cura della vostra spalla, resterete invalido per il resto della vostra vita. E allora chi vi abbottonerà la camicia?» disse ancora il dottore.

«Ripeto, è un rischio che non posso fare a meno di correre.»

*

Erano le dodici meno un quarto quando Bay lasciò lo studio del dottor Murchison. Pensava di andare a piedi fino allo Strand, ma la pioggerella stava diventando più intensa. Chiamò una carrozza, ma immediatamente dopo se ne pentì. Il traffico a Londra era infernale, quando c'era brutto tempo. Guardò dal finestrino le donne che cercavano riparo all'entrata dei negozi, nel tentativo di proteggere i loro nuovi e costosi cappelli.

La carrozza si era fermata. Bay mise la testa fuori dal finestrino e vide che un carro dei rifiuti aveva perso un asse e stava bloccando il traffico di Regent Street. Il netturbino stava facendo il possibile per spingere il carro verso il ciglio della strada e consentire al traffico di circolare, ma il veicolo era troppo pesante. La pioggia stava trasformando la strada in fango e l'autista continuava a scivolare mentre cercava di sistemare l'asse. Le carrozze provenienti dall'altro senso di marcia avevano rallentato il flusso per godersi lo spettacolo. Bay pensò che sarebbe stato meglio andare a piedi, e si maledì per non aver preso con sé un ombrello. Poi vide un gruppo di sterratori e altri manovali che uscivano da una taverna, e così attirò l'attenzione del suo autista e gli disse: «Dite a quegli uomini che darò loro una sovrana se aiuteranno a rimuovere quel carro dalla strada.» Il cocchiere scese dal sedile di guida e andò a contrattare.

Mentre gli uomini si mettevano al lavoro – evidentemente troppo ubriachi per far caso al fango – Bay notò che un'altra carrozza gli stava passando accanto. Era una carrozza privata con uno stemma sulla fiancata. Il blasone era tutto infangato, ma riconobbe l'aquila a due teste degli Asburgo. Non poteva non riconoscerlo: quell'immagine era impressa su ogni singolo oggetto appartenente all'imperatrice, dai piattini per il burro ai portasapone. Bay cercò di sbirciare dentro la carrozza. L'imperatrice si era unita alla caccia Cottesmore dopo aver tanto brontolato per dover andare "tutta sola" con Liechtenstein, Esterházy e tre stallieri di supporto. Intravide un profilo nella carrozza, e finché non si fu voltato di fronte permettendogli di vedere chiaramente i suoi folti baffi, Bay temette per un istante di aver visto l'imperatrice che magari, lasciata la caccia, l'aveva seguito fino a Londra. Poi il passeggero baffuto si accese un sottile sigaro e Bay poté notare che si trattava di un giovane, poco più che un ragazzo. Gli zigomi alti e gli occhi un po' infossati ricordavano moltissimo Sissi: quel giovanotto non poteva essere altri che il principe ereditario Rodolfo d'Asburgo, suo figlio. Poi l'altro passeggero si spostò e Bay riconobbe l'ambasciatore austriaco, Karolyi. Il diplomatico stava chiaramente cercando di convincere il principe di qualcosa. L'ambasciatore aveva il busto leggermente inclinato in avanti, ma non teneva la mano appoggiata sul braccio del rampollo reale. Il principe, tuttavia, non sembrava nella disposizione d'animo di lasciarsi convincere di alcunché. Ignorando l'ambasciatore, voltò la testa dall'altra parte e guardò fuori dal finestrino, incrociando lo sguardo di Bay. Questi si chiese se fosse il caso di sorridergli o sfiorarsi il cappello in segno di saluto, poi si limitò a fargli un cenno d'assenso. Ma il principe non rispose: Bay era invisibile ai suoi occhi.

Ci fu un grido di trionfo quando i manovali riuscirono a spingere sul ciglio della strada il carro dissestato. Il cocchiere riprese in mano le redini e partì di buona lena. Bay, passando, lanciò una sovrana agli uomini sporchi di fango. Arrivati a Piccadilly, Bay tornò a guardare fuori dal finestrino e vide che gli uomini si stavano azzuffando in mezzo alla strada, litigandosi la moneta. La carrozza degli Asburgo era ancora bloccata dalla ressa dei manovali. Il brivido di terrore che Bay aveva provato quando aveva visto in faccia l'erede asburgico si trasformò in una meno dignitosa vampata di trionfo.

La pioggia era cessata mentre la carrozza procedeva da Trafalgar Square allo Strand. La coda di carrozze che avanzava lungo la via era immobile, e così Bay decise di proseguire a piedi. Passò davanti all'ingresso del Charing Cross Hotel e voltò a destra su John Adam Street. I marciapiedi erano fitti di persone. Mentre cercava di farsi largo verso l'edificio della Royal Society, Bay sentì un mormorio tra la folla: "La regina, la regina!". Si udì un rumore in lontananza, come un'ovazione proveniente dalla gente assiepata. Bay guadagnò a fatica il colonnato del portico che indicava l'ingresso della Royal Society: sapeva di dover entrare nell'edificio prima che vi entrasse la regina, altrimenti non sarebbe più riuscito ad avvicinarsi. Le ovazioni si fecero più calorose. Alla fine Bay si infilò in una piccola fessura tra la folla e riuscì a raggiungere i gradini di marmo.

Il valletto in livrea all'entrata lo guardò con sospetto, poiché di solito i visitatori delle mostre non arrivavano a piedi, e poi Bay aveva un'aria un po' dissestata dopo aver sgomitato nella calca. Tuttavia egli salì i gradini in modo così risoluto che il valletto non osò ostacolarlo.

«Il vostro nome, signore?»

«Capitano Middleton.»

Dalla parte opposta della sala, Charlotte udì le parole che aspettava di sentire sin dal primo mattino.

# 33.

## Immagini in mostra

L'affluenza alla esposizione fu altissima, per essere un piovoso mattino di marzo. Il pensiero di incontrare Sua Altezza Reale aveva tenuto lontani i politici dal Parlamento, gli artisti dai loro atelier, gli scrittori dalle loro scrivanie e le signore dalle visite del mattino. Il salone del primo piano aveva un soffitto di William Adam e un bel camino scolpito da Grinling Gibbons, ma i suoi splendori settecenteschi erano stati messi in ombra dalle meraviglie del mondo moderno. Ogni centimetro delle pareti era coperto da fotografie: ritratti fatti in studio di personaggi celebri, rappresentazioni di scene dalla Bibbia o dai romanzi di Walter Scott, studi di fanciulline in abito bianco o di rudi scozzesi in gonnellino. C'erano fotografie di alberi colpiti da un fulmine, scene di folla in Piccadilly, le Piramidi egizie e il Pavillon di Brighton. Le immagini erano per lo più monocrome e si stagliavano lugubri sul rosso veneziano delle pareti, ma di tanto in tanto c'era un tocco di colore aggiunto dal pennello o dalla penna dell'artista che aveva sentito la necessità di sottolineare il rosso di un labbro o l'azzurro di un cielo. Gran parte delle opere in mostra non era più grande di una Bibbia da tavolo, e poiché c'erano circa quattrocento fotografie che affollavano i muri, l'effetto iniziale era spiazzante.

Molti spettatori non avevano mai visto tante fotografie tutte insieme, e quando entravano nella sala si bloccavano, non sapendo da dove cominciare. Non era come alla Royal Academy, dove tutti sapevano a chi sarebbero andati i premi dell'anno e di quali quadri si sarebbe parlato in tutti i salotti. Non c'erano nomi noti di cui disquisire, né movimenti artistici su cui commentare.

Alcuni visitatori si dirigevano immediatamente verso i ritratti dei personaggi famosi, poiché almeno avrebbero potuto valutare la somiglianza rispetto all'originale. Il ritratto di Lord Beaconsfield venne giudicato lusinghiero, perché appariva più giovane di quanto non fosse, cosa che lasciava sospettare che qualche artificio fosse stato usato per rendere quell'effetto. Numerose signore attempate, che avevano sempre resistito alla lente impietosa della *carte de visite*, si appuntavano il nome di qualche fotografo sui loro cataloghi ripromettendosi di informarsi sulla possibilità di farsi fare un ritratto secondo i canoni di un certo stile.

Certi visitatori più coraggiosi che avevano setacciato le pareti fino in fondo, scovarono fotografie davvero strabilianti: donne che volteggiavano nell'aria, una ragazzina che si guardava allo specchio scorgendovi il riflesso di una vecchia megera, un uomo con tre gambe. Un prelato di St Paul bisbigliò a sua moglie i propri dubbi circa l'appropriatezza di certe fotografie, che sembravano il frutto di pratiche di occultismo. La moglie, dieci anni più giovane di lui e appassionata di fotografia, gli aveva detto di non blaterare simili fandonie, poiché quelle foto erano semplicemente "artistiche". Le fotografie potevano essere manipolate tanto quanto i dipinti, e per ottenere certi effetti era necessario essere dotati di un talento straordinario.

Augusta e Fred stavano osservando un paesaggio montuoso scozzese. O meglio, Fred stava guardando la fotografia, mentre Augusta stava perlustrando la sala con lo sguardo. Non era completamente a proprio agio. Non era un ambiente per lei rassicurante: benché fossero presenti Altezze Reali, fino a quel momento non aveva visto nessuno che potesse considerare "ragguardevole". C'erano diversi ministri di gabinetto, un Poeta Laureato e un certo numero di pittori alla moda, ma nessuno di loro era "ragguardevole", almeno secondo il suo metro di giudizio. Una dama di compagnia non era una valida sostituzione per una duchessa. Augusta non capiva come mai la regina avesse offerto il suo patrocinio a un'iniziativa così raffazzonata. Era il tipo di evento che Augusta associava a Charlotte, che non aveva idea di come andassero le cose in certi strati realmente selezionati della società. Ancora una volta Augusta trovò ingiusto che Charlotte fosse l'ereditiera di una fortuna smisurata, mentre lei sposava solo un ufficiale dei Border che non possedeva neppure una casa in città. Augusta avrebbe saputo benissimo cosa fare con tutto quel denaro: con sessantamila sterline all'anno, avrebbe dato dei ricevimenti tra i più rimarchevoli dell'intero Paese. Se solo Charlotte non fosse stata così goffa. Aveva sempre desiderato una sorella minore, ma non come Charlotte. Augusta sospirò.

«Guarda, Augusta» disse Fred. «Dai un'occhiata a questa: non ti sembrano le cameriere di Melton?»

Augusta osservò la fotografia con la lente d'ingrandimento. «Sì, certo. Anche se si fatica a riconoscerle: hanno un'aria esagitata. Dev'essere una delle opere di tua sorella. Numero quarantasette. Cosa dice il catalogo? "Gruppo, Charlotte Baird". Avrebbe anche potuto menzionare Melton. Insomma, dopo che la mamma si è data tanta pena per farle avere la vecchia camera dei bambini per trafficare con le sue apparecchiature, avrebbe almeno potuto indicare che si trattava della nostra residenza.»

«Forse c'è scritto da qualche altra parte, mia cara» sospirò Fred. Avrebbe voluto che Augusta fosse meno ossessionata dalla sua posizione sociale. Sebbene fosse felice di sposare la figlia di un conte, avrebbe gradito che si ricordasse, ogni tanto, che anche lui proveniva da una famiglia di un certo rango.

«Ora voglio cercare tutte le fotografie di Charlotte. Non sarei affatto stupita se scoprissi che ha messo in mostra anche il nostro ritratto senza neppure indicare i nomi!» ribatté Augusta.

Fred si guardò attorno alla ricerca di un diversivo, e vide Chicken Hartopp in piedi dietro un vescovo. Si stava chinando per osservare da vicino una fotografia appesa all'altezza della cintola.

«Salute, Chicken. Pensavo vi foste unito alla Cottesmore, oggi.»

«Ho cambiato idea. Avete visto questa?»

I due uomini osservarono la fotografia con Bay e Tipsy nelle stalle di Melton.

«Non capisco con che criterio hanno selezionato le opere» disse Chicken.

«Già. Anch'io credevo cercassero solo soggetti interessanti.»

«Insomma, come può un ritratto di Middleton col suo cavallo essere adatto a una Mostra Reale? Middleton non è nessuno e il suo cavallo non ha mai vinto niente.»

«Lui crede che vincerà il Grand National, con quella giumenta.»

«Io non ci scommetterei. Quel cavallo è solo un metro e mezzo. Ci vuole una bestia bella grossa per quel trofeo. In ogni caso, Middleton è troppo impegnato a fare il sensale di cavalli per committenti di sangue blu, in questo periodo. Qualcuno al club mi ha detto che l'imperatrice ha comprato un bel numero di purosangue su suo consiglio. Di sicuro non ha perso tempo.»

«Già» convenne Fred. «Bay è sempre così impegnato.»

«Dove sono le tue fotografie, mia cara?» domandò Lady Lisle a Charlotte.

«Sono sparse qua e là, zia. Hanno raggruppato le opere solo dei fotografi più famosi. Non so neanch'io dove sono le mie foto, perché ieri sera hanno modificato tutto l'allestimento. Credo che per la signora Cameron non fosse sufficiente che le sue fotografie fossero state disposte sulla linea.»

«Sulla linea?» chiese Lady Lisle.

«Sulla linea dello sguardo, ovvero ad altezza d'occhi. È la posizione in cui vengono appese le più importanti. Non ne vedrai neppure una delle mie a quell'altezza.»

«Ma l'altezza degli occhi dipende dalla statura di una persona» osservò Lady Lisle. «Credo che la regina sia piccola, di statura.»

Charlotte sorrise. «Non ci avevo pensato.»

Lady Lisle prese a esaminare la parete alle sue spalle. Quell'accozzaglia di figure confondeva le idee. Gli acquerelli davano molta più serenità a chi li osservava. Ma poi vide una foto che si distingueva dalle altre. Doveva essere opera di Charlotte. L'uomo era il capitano Middleton, ne era quasi certa, ma chi era la donna a cavallo che lui stava fissando con tale intensità? Lady Lisle si voltò verso Charlotte per domandarglielo, ma sua nipote era scomparsa nella folla.

Charlotte stava cercando Bay. Dopo aver sentito che annunciavano il suo nome, aveva fatto il possibile per avvicinarsi all'ingresso ma la sala era affollatissima e lo strascico del suo abito le rendeva difficoltosi i movimenti. Vide una nuca con i capelli castano-rossicci e puntò in quella direzione, ma poi quell'uomo si voltò e Charlotte notò che indossava un collare da sacerdote. Nel mezzo della stanza c'era un tavolo su cui era appoggiato un binocolo. Charlotte lo adoperò sperando di localizzare Bay.

«Santo cielo, Charlotte, cosa fai qui in piedi tutta sola?» Era Augusta, che le batté sulla spalla con il programma della mostra. «Non dovresti assaporare il tuo trionfo?»

Charlotte stava fissando un nugolo di persone radunate attorno a un'incudine, quando le parve di vedere Bay vicino a una donna vestita di velluto rosso.

«Sono felice che tu creda si tratti di un trionfo. Io sono così nervosa...»

«Non capisco perché. Non sei certo tra i fotografi principali. Dubito che la regina possa soffermarsi su una delle tue fotografie.»

«Sei molto gentile a ricordarmelo, ora smetterò immediatamente di preoccuparmi.»

«Sono rimasta delusa nel constatare che non hai fatto alcuna menzione del fatto che le cameriere in posa provenivano da Melton. Credevo fosse prassi comune che l'artista ringraziasse i suoi patrocinatori.»

Charlotte si voltò a guardare Augusta.

«La foto ritrae tre giovani donne con una vita davanti. È uno studio sulla personalità e sulla composizione. Non credo ci sia nulla da guadagnare a sapere che sono le cameriere di Melton. Volevo che i visitatori cogliessero il carattere più che la loro condizione di vita.» Mentre parlava, il chiacchiericcio in sala scemò, lasciando spazio a un sommesso mormorio di attesa.

«Scusami ora, ma credo che stia arrivando la regina, e Lady Dunwoody mi ha chiesto di inserirmi nella fila di accoglienza.»

Charlotte si avviò verso la porta. In fondo agli scalini vide una donnina di bassa statura e vestita di nero che si portava verso il tappeto rosso. La folla assiepata in sala si aprì per permettere il passaggio del corteo reale. Charlotte vide Bay dalla parte opposta. Gli fece un cenno con la mano, ma lui stava guardando in un'altra direzione. S'infilò le unghie nei palmi. Attraversare la sala per salutarlo avrebbe significato annunciare il loro fidanzamento sulle pagine del *Times*. Se solo lui si fosse voltato nella sua direzione. Lo fissò intensamente, nel tentativo di attirare la sua attenzione.

«Eccoti qui, Charlotte» disse Lady Dunwoody. «Vieni accanto a me. Conto su di te, dobbiamo controllare che Caspar si comporti a modo.»

Charlotte la seguì e prese posto nella fila di persone che aspettavano di essere presentate alla regina, Caspar da un lato e Lady Dunwoody dall'altro lato. Caspar le sussurrò in un orecchio: «È il vostro spasimante quello laggiù? Volete farlo ingelosire? Se ora mi sorridete mentre vi bisbiglio qualcosa all'orecchio, penserà che tra di noi ci sia un corteggiamento in atto.»

«Ma io non voglio farlo ingelosire» ribatté Charlotte.

«Carlotta mia, ogni storia d'amore necessita di un pizzico di tensione. Se il capitano galante volta la testa e vi vede che lo fissate come state facendo, saprà esattamente cosa c'è nel vostro cuore, ma se invece vede che vi state confidando con me, be', sarà confuso, e questo potrebbe non essere un male. Tutti desiderano più ardentemente una cosa se prima se la devono conquistare.»

«Forse è così che vanno le cose in America, signor Hewes, ma a me non interessa fare certi giochetti.»

«Vi sto solo suggerendo una strategia di autodifesa» mormorò Caspar in tono più serio.

Charlotte allora si voltò a guardarlo, ma in quel momento la regina arrivò in cima alle scale e tutti i rumori nella sala si attutirono.

La regina era ancora più piccola di come Charlotte si aspettasse. Arrivava a malapena al petto del suo attendente scozzese. Ma la bassa statura era compensata dalla sua considerevole stazza, accentuata ulteriormente dallo spessore del pesante abbigliamento vecchio stile. La folla istintivamente si rattrappì arretrando di un altro passo, come se nessuno si aspettasse l'abbondanza della sua figura.

Dietro alla regina e a John Brown, c'erano due signore. Una di loro, leggermente più alta ma altrettanto ben piazzata, doveva essere la figlia minore di Vittoria, la principessa Beatrice. Aveva gli stessi occhi sporgenti di sua madre. Chiudevano il corteo due uomini. Senza sapere perché, Charlotte intuì che fossero stranieri: c'era qualcosa nel pizzetto del più giovane e nel taglio della sua marsina che lo rendeva diverso da tutti gli altri inglesi presenti in sala.

Caspar bisbigliò: «Ma chi è il tizio con la spilla d'oro che pare così malmesso?»

«Credo sia il principe Rodolfo, l'erede al trono dell'impero austriaco.»

La regina aveva ora iniziato a parlare con la sua voce chiara e forte, da cui traspariva un'enfasi esagerata e un lieve accento tedesco.

«Quale straordinario allestimento, Sir Peter» disse al presidente della Society, che le aveva dato il benvenuto in cima alle scale. «Vedere così tante fotografie radunate in un'unica sala. Quanto sarebbe stato felice il principe Alberto di assistere a un simile evento. Era così interessato alla fotografia. Ci ha fatto posare per lui innumerevoli volte. Diceva sempre che preferiva una bella fotografia a un quadro privo di emozione. La macchina fotografica non mente, amava ripetere.»

Sir Peter s'inchinò. «La Society sarà eternamente grata al principe per il suo patrocinio. Che uomo ammirevole.»

La regina annuì, soddisfatta per quell'omaggio. «Oggi avete anche un altro visitatore reale. Siamo estremamente onorati di avere con noi il principe Rodolfo d'Asburgo, erede al trono. L'ambasciatore è stato abilissimo nel convincerlo a inserire una visita alla mostra all'interno del suo itinerario ufficiale.»

La regina si volse verso Rodolfo. «È un vero peccato che vostra madre non abbia potuto raggiungervi oggi. L'abbiamo avuta in visita a Windsor molto di recente, e mi è apparsa in splendida forma. Spero si stia ancora godendo la sua vacanza nel nostro Paese.»

«Ne sono certo, Maestà. Voi siete dunque in vantaggio su di me, non avendo io ancora visto l'imperatrice dal mio arrivo in Inghilterra.»

La regina Vittoria ammiccò. «Spero non si stia strapazzando troppo. Mi ha detto che esce a cavallo tutte le mattine, ma alla sua età dovrebbe osservare una maggiore cautela. Una tranquilla passeggiata a cavallo fa bene alla salute, ma la caccia è un'altra questione.»

«L'imperatore la pensa esattamente come voi, Maestà.»

La regina stava per rispondere quando la principessa Beatrice, che aveva visto la fila in attesa di essere ricevuta dal corteo reale, intervenne: «Credo sia il caso di entrare, mammina. È pieno di spifferi qui fuori, e rischiate di prendervi un raffreddore.»

La regina rabbrividì e il corteo reale entrò in sala cominciando a passare in rassegna le persone allineate. C'erano trenta dei fotografi che avevano preso parte alla mostra in attesa di essere presentati.

Charlotte era circa a metà. L'avanzata del corteo era incredibilmente lenta. Charlotte dondolava sui tacchi per l'impazienza. Il muro di folla continuava a impedirle di vedere Bay.

«Suvvia, Charlotte» biascicò Lady Dunwoody da un angolo della bocca, continuando a guardare dritto davanti a sé con un sorriso stampato sulle labbra. «Smettila di muoverti. La regina non arriverà più in fretta se ti agiti tanto.»

Charlotte borbottò delle scuse e cercò di rimanere immobile, ma non poteva impedirsi di allungare il collo per vedere se Bay la stava guardando. Ma lui non era più dove l'aveva visto l'ultima volta. Se solo la regina si fosse mossa un po' più in fretta. Charlotte avrebbe volentieri rinunciato alla sua occasione per inchinarsi davanti alla sovrana se questo le avesse reso possibile trovare Bay. Sapeva che Lady Dunwoody non l'avrebbe mai perdonata se avesse lasciato il suo posto nella fila, e così strinse forte i pugni e cercò di contare mentalmente, come se stesse giocando a nascondino.

Cinquantotto, cinquantanove, sessanta... alla fine la regina aveva raggiunto Lady Dunwoody.

«Ricordo la fotografia che avevate presentato alla precedente esposizione, Lady Dunwoody: era "La signora di Shalott", se non mi sbaglio. Sono una grande appassionata di Tennyson.»

«Siete troppo generosa, Maestà. Spero mi sia concesso l'onore di farvi dono di quella stampa.»

La regina annuì, soddisfatta di come era stata accolta la sua allusione. «Sarebbe dono assai gradito.»

«Posso presentarvi la mia figlioccia Charlotte Baird? Anche lei ha diverse sue fotografie qui in mostra. E questo è il mio assistente, il signor Caspar Hewes, che ha arricchito l'esposizione con splendidi panorami della sua nativa America.»

Charlotte fece il suo inchino e si sentì alquanto gratificata dal constatare che la regina era effettivamente assai rassomigliante a un merluzzo. Era per via delle mascelle ampie e cascanti che contornavano la sua bocca stretta, che ricordavano proprio delle branchie, per non parlare degli occhi vitrei e sporgenti che luccicavano umidi, come se solo da poco avessero lasciato il banco di un pescivendolo. Anche la principessa Beatrice, che gironzolava intorno a sua madre, sembrava un pesce, anche se forse un pesce un po' più plebeo, magari un eglefino.

«Siete molto giovane, signorina Baird, per aver già preso parte a una simile mostra.»

«Ho avuto la fortuna di essere stata allieva di Lady Dunwoody, Maestà.»

«La vostra modestia vi fa onore, signorina Baird. Le fanciulle di oggi tendono a essere eccessivamente sfrontate.» Volse appena la testa verso John Brown, che mormorò in risposta: «Proprio così, Maestà. Proprio così. Sfrontate è la parola giusta.»

Charlotte chinò il capo assumendo una posa che poteva essere forse considerata di umiltà. Sperava ardentemente che Augusta avesse assistito a questo scambio. Non aveva mai desiderato il favore della casa reale, eppure provò una certa soddisfazione al pensiero di aver fatto inviperire la sua futura cognata.

Ora era il turno di Caspar. Si profuse in un inchino molto profondo, che sarebbe stato forse più adeguato alla corte del Re Sole che non a una regina dell'era moderna, ma Vittoria annuì compiaciuta, non cogliendo alcuna stravaganza in quel gesto.

«Vostra Maestà» disse Caspar con una voce stentorea che avrebbe riempito la Albert Hall.

«Da che parte dell'America provenite, signor Hewes?»

«Vengo dalla California, signora.»

«Un nome dal suono così romantico.»

«È un Paese spettacolare, signora. Temo che le mie fotografie non siano in grado di rendergli giustizia. Ci sono alberi che raggiungono in altezza le guglie più alte delle vostre cattedrali, e la terra è così fertile e il clima così mite che i primi coloni la definirono"'la terra del latte e del miele".»

«Mi sorprende che abbiate voluto lasciare un simile paradiso, signor Hewes.» Vittoria abbassò gli angoli della bocca, cosa che provocò un sussulto in Lady Dunwoody. Sir Peter, che era proprio accanto alla regina, si paralizzò, con la bocca semichiusa, come se fosse immobilizzato nella gelatina di un aspic. John Brown inalò rumorosamente dal naso.

Ma Caspar non si lasciò intimidire. «La bellezza della natura è una magnificenza, ma il mio Paese è privo di cultura. Noi americani siamo costretti a compiere lunghi viaggi per beneficiare di quella civiltà a cui i vostri sudditi sono da sempre avvezzi, Maestà.»

S'inchinò nuovamente, come per sottolineare ulteriormente la sottomissione del Nuovo Mondo al Vecchio, e stavolta le labbra della regina s'incresparono in un sorriso.

Sir Peter si scosse dalla sua temporanea paralisi e continuò a scortare la regina nella sua processione lungo la fila dei fotografi.

Ci fu una breve pausa, poi Caspar domandò: «Ma chi era quel tale in gonnellino?»

# 34.

## Lo stalliere

La regina era giunta in fondo alle presentazioni formali e ora stava facendo il giro della galleria accompagnata da Sir Peter. Il principe Rodolfo e l'ambasciatore austriaco stavano visitando la mostra nell'altro senso di marcia. Il resto della folla seguiva il corteo reale a rispettosa distanza.

Caspar era stato preso da parte da Lady Dunwoody perché intendeva fargli una ramanzina. Charlotte perlustrò la sala con lo sguardo, e s'imbatté nella sagoma corpulenta di Chicken Hartopp, vicino alla porta, e in Fred e Augusta, che seguivano la regina insieme a Lady Lisle, ma di Bay non c'era traccia. L'impazienza le aveva prosciugato l'interno della bocca.

In quel momento si sentì sfiorare il gomito, e una voce le sussurrò all'orecchio: «Ho l'onore di parlare con la celebre Charlotte Baird, giovane promessa della fotografia?»

«Bay! Ti ho cercato dappertutto.» Charlotte dovette trattenersi per non stringerlo a sé.

«Non mi sono mai mosso da qui» disse lui sorridendo.

«Non ero sicura che saresti venuto.»

«Non hai ricevuto il telegramma di Tipsy?»

«Sì, però...» disse Charlotte. «Oh, ma non ti ho ancora chiesto del tuo incidente, sono davvero imperdonabile. Cosa ti è accaduto? Stai meglio? Hai sofferto molto?»

Bay sollevò una mano, divertito dal fiume in piena delle sue domande. «È stato solo un inconveniente passeggero, come puoi vedere tu stessa. Ho avuto male alla spalla per qualche giorno, e il braccio destro era fuori uso, il che mi ha impedito di scriverti.

Ma ora sono praticamente guarito, e invece di una lettera illeggibile eccomi qui in carne e ossa, imperfetto ma presente.»

«Oh, sono così felice di vederti» disse Charlotte sopraffatta dalla sensazione piacevole che le dava la vicinanza di Bay.

«Davvero? Sarei venuto prima a salutarti, ma sembravi molto indaffarata con il tizio dal panciotto sgargiante. Non volevo interrompervi.»

«Il signor Hewes è un fotografo. Anche lui ha delle opere qui esposte.»

«Un fotografo. Sono stato uno sciocco a pensare che fosse un tuo ammiratore.»

«È l'assistente della mia madrina. Abbiamo lavorato insieme alla mostra.»

«E ovviamente siete diventati intimi.»

«Siamo diventati buoni amici, lo ammetto. Capita spesso, quando si condivide un interesse con qualcuno, no? Oserei dire che anche tu hai stretto molte amicizie sul terreno di caccia.»

«Nessuno che abbia i gusti del signor Hewes, in fatto di panciotti.»

Charlotte rise. «Il signor Hewes è americano.»

«Questo spiega molte cose. Ora, dimmi dov'è il ritratto di Tipsy. È molto dispiaciuta di non essere potuta venire. È sempre stato il suo sogno poter conoscere la regina.»

«Anche se va a caccia tutti i giorni insieme a un'imperatrice?»

Bay guardò Charlotte e disse, a bassa voce: «Non sapevo cosa pensare quando sei partita da Melton. Ho creduto che forse ti avevo offesa, e che la nostra intesa fosse giunta alla fine. Dopo che sei partita, non avevo più alcun motivo di restare in quella casa.»

Charlotte gli appoggiò la mano sul braccio. «Come puoi averlo pensato, Bay? Perché mai avrei dovuto cambiare idea?»

Prima che potesse rispondere, la voce di Lady Dunwoody li interruppe. «Eccoti qui, mia cara. La regina sta ammirando le tue opere.» Poi guardò Bay. Lui fece un inchino e le baciò la mano che lei gli aveva porto. «Voi dovete essere il capitano Middleton. Vi riconosco dalle fotografie di Charlotte.»

«Oh, scusami, zia Celia. Ti presento il capitano Middleton. Capitano, lei è Lady Dunwoody, mia madrina e maestra.»

«Mi dispiace interrompere il vostro tête-à-tête, ma... non vuoi sentire cosa pensa la regina delle tue opere?»

«Credo che a tutti noi interessi, Lady Dunwoody» disse Bay.

Il corteo reale si era fermato davanti a un gruppo di stampe tra cui c'era quella con Bay e Tipsy. Sir Peter stava indicando le opere della stimata signora Cameron e di Charles Fox Talbot, il figlio dell'uomo che aveva inventato la fotografia. Vittoria aveva l'aria di chi fosse costretta ad ascoltare quando invece preferiva di gran lunga che fossero gli altri ad ascoltare lei. Quando Sir Peter cominciò a spiegarle la velocità di esposizione e l'uso degli otturatori, Vittoria sporse la testa in avanti come una tartaruga e fissò lo sguardo su una fotografia che era giusto davanti ai suoi occhi.

«Ho già visto questo giovanotto da qualche parte.» Si voltò verso John Brown. «Era con l'imperatrice. Qual era il suo nome?»

«Middleton, signora» disse Brown.

«Ah, sì. Aveva avuto un qualche incidente, e aveva un braccio malandato.»

Sir Peter tossì. «Questa è una delle fotografie della signorina Baird.» Poi fece un cenno a Charlotte, che avanzò di un passo.

«Ho incontrato il giovanotto ritratto in questa fotografia insieme alla madre del principe Rodolfo, l'imperatrice. Che coincidenza.»

«Sì» replicò Charlotte. «Era proprio lui.» Poi, cercando di ricomporsi, aggiunse: «Il capitano Middleton è qui presente oggi.» Fece un passo di lato per permettere alla regina di vedere Bay.

Vittoria lo osservò con interesse, e Bay fece un inchino.

«Capitano Middleton, avete lasciato l'imperatrice da sola?»

«Sì, Maestà. Oggi si è unita alla caccia Cottesmore.»

«E avete rassegnato le dimissioni?» chiese la regina inarcando un sopracciglio. «Non credo che voi vi siate mai allontanato da me, John.»

«Giammai, signora» rispose John Brown.

«Se rammentate» ribatté rapido Bay, «avevo una spalla slogata quando ci siamo incontrati a Windsor. Sono venuto qui in città per un consulto medico.»

«E per ammirare la fotografia della signorina Baird che vi ritrae» aggiunse la regina, col sopracciglio sempre sollevato.

«Certamente, signora. Sebbene oserei dire che il vero soggetto di quel ritratto è il mio cavallo Tipsy.»

«Cosa ne dite, signorina Baird?» domandò la regina, con un guizzo di interesse nello sguardo. «Dovevate avere qualcosa in mente quando avete scattato questa fotografia.»

«Una buona fotografia viene ammirata da spettatori diversi per diverse ragioni. Io ho semplicemente scattato un ritratto di un uomo con il suo cavallo.» Charlotte tentò di parlare con la massima calma. Si era resa conto che tutti i presenti in quella parte della sala si erano ammutoliti per ascoltare il suo interrogatorio da parte della regina.

«Bene, se le fanciulle sono più interessate ai cavalli che ai bei giovanotti, allora il mondo è cambiato moltissimo da quando ero giovane io» disse la regina sorridendo per la sua stessa facezia. «Se solo anche le mie damigelle d'onore provassero un tale interesse per i quadrupedi...»

Ci fu un generale mormorio divertito da parte di tutte le persone radunate attorno alla regina. Charlotte si sentì avvampare. Non vedeva Bay, poiché si trovava esattamente dietro di lei. Avrebbe voluto voltare la testa, ma non intendeva fornire alla folla ulteriori ragioni per far circolare voci sul suo conto. Era insopportabile essere pubblicamente marchiata come fanciulla innamorata dall'unica persona dalla quale non avrebbe mai potuto difendersi. Con la coda dell'occhio vide che Augusta stava sussurrando qualcosa all'orecchio di Fred. Charlotte tenne gli occhi bassi al suolo, sperando che la regina avrebbe apprezzato quell'esibizione di modestia e si sarebbe allontanata verso un altro angolo della sala.

«Vostra Maestà.» Trenta teste si voltarono all'unisono verso Caspar Hewes, dalla parte opposta della sala. «Posso mostrarvi una delle mie fotografie? Io ho un solo scopo quando scatto una foto, ed è quello di catturare l'attimo.»

I volti dei presenti si spostarono come dei girasoli che seguivano la loro fonte di luce. Tutti, inclusa la regina, avevano ora gli occhi puntati sull'americano che aveva osato interrompere una conversazione di Sua Maestà. Charlotte si concesse di alzare lo sguardo e intercettò quello di Caspar: aveva un sorriso smagliante stampato in faccia.

«Ho pensato che forse vi sarebbe piaciuta la mia fotografia del Grand Canyon, signora. È una delle meraviglie della costa occidentale, con la sua profondità di quasi cinque chilometri. Non credo ci sia niente di simile al mondo.»

La compagnia trattenne il fiato. Sir Peter tese la mano, come a voler proteggere la sua sovrana dall'insolenza di quell'americano. Il viso rubizzo di John Brown prese delle sfumature color magenta. Lady Dunwoody si paralizzò in un sorriso raggelato. Suo marito assunse invece l'espressione di chi avesse fatto delle premonizioni terribili che si erano poi avverate. Ma la regina, con il capriccio che può derivare solo da una vita trascorsa ad ascoltare lusinghe e adulazioni, osservò la figura improbabile e allampanata di Caspar, soffermandosi sul panciotto rosa e sul candore privo di qualsiasi vergogna dei suoi occhioni azzurri, e decise che quell'immagine le andava a genio.

«Il Grand Canyon. Che nomi pittoreschi date voi americani ai luoghi più rappresentativi del vostro Paese.» Fece cinque passi in avanti, sempre seguita da Brown e dalla principessa Beatrice, e raggiunse Caspar. Lui indicò la sua fotografia, che era stata appesa oltre la linea, troppo in alto perché la regina potesse vederla.

«John, non riesco a vedere bene la fotografia di questo signore.»

«Maestà.»

Per un istante sembrò che il gigante in gonnellino stesse per tirare su di peso la sua padrona, come si farebbe con un bambino, affinché potesse avvicinare il viso alla fotografia. Invece lo scozzese allungò un poderoso braccio, sganciò la foto dalla parete e la mise tra le mani della regina.

La foto era stata scattata dalla cima di una montagna: mostrava i versanti boscosi del Canyon separati dal serpente nero dell'immensa gola di roccia.

La regina esaminò con cura la stampa.

«Un paesaggio davvero selvaggio. Mi fa venire in mente le

Highlands.» Si voltò appena, ma John Brown aveva colto il suo riferimento.

«Certamente, signora. Assomiglia proprio al paesaggio che si estende oltre il fiume Dee.»

Caspar fece un passo in avanti. «La cosa più straordinaria del Canyon è che quassù in cima può nevicare, mentre sul fondo della gola le rocce sono talmente calde che ci si può friggere un uovo.»

«Molto conveniente, per un picnic» ribatté la regina.

La folla mormorò divertita, e la tensione si allentò. La regina invitò tutti gli astanti a guardare le fotografie americane di Caspar, con grande indignazione degli artisti inglesi in mostra, e intanto John Brown gliele staccava una per una dal muro per fargliele guardare da vicino, essendo state tutte esposte troppo in alto rispetto alla linea dello sguardo.

Ammirando uno degli studi di Abraham, la regina esclamò: «Che bel ragazzo. Un viso molto esotico. Somiglia molto a uno dei miei sudditi indiani.»

Inclinò la testa, e John Brown le fece immediatamente eco: «Potrebbe essere proprio un indù, signora.»

«La madre di Abraham era irlandese, e suo padre veniva dalla tribù degli Hopi» disse Caspar aggrottando lievemente la fronte.

«Avreste fatto bene a portarlo con voi, signor Hewes. Avremmo avuto molto piacere a incontrare un indiano d'America.»

«E Abraham, se fosse stato ancora vivo, sarebbe stato felicissimo di conoscere la regina d'Inghilterra, benché non avesse alcuna idea né di cosa fosse una regina né di cosa fosse l'Inghilterra.»

La regina Vittoria fissò l'americano. Un mondo senza la regola d'un monarca era per lei incomprensibile. Piuttosto che ammettere una prospettiva così atroce, preferiva non credere nella stessa possibilità che esistesse.

«Sono sicura che gli indiani d'America avessero i loro re e le loro regine. È nell'ordine naturale delle cose.»

«Sì, Maestà, è così. Ecco perché i Padri Fondatori hanno fatto in modo che i nostri presidenti vengano eletti ogni quattro anni, per evitare che qualcuno di loro si metta in testa di essere un sovrano.» Gli occhi della regina sporgevano dalle orbite come biglie di vetro, ma Caspar proseguì: «I veri re e le vere regine devono esserlo per diritto di nascita. La moglie d'un droghiere può diventare consorte d'un presidente, ma non potrà mai diventare regina.» Poi fece un altro inchino profondissimo. Gli occhi della regina rientrarono nelle orbite e si strizzarono dalla soddisfazione. John Brown, che aveva cominciato ad agitarsi al solo sentire un accenno all'eresia repubblicana, recuperò la calma.

Sir Peter ritenne di poter intervenire senza correre il rischio di risultare inopportuno, e così suggerì alla regina: «Forse Sua Maestà vuole guardare altri paesaggi pittoreschi. Il signor Trelawney ha presentato una serie assai pregevole di fotografie della Terra Santa che hanno riscosso una grande ammirazione.»

La regina si fece condurre verso uno studio del Santo Sepolcro, e la folla cominciò lentamente a disperdersi. Le fotografie sui toni del seppia di Trelawney, con il Mar di Galilea, non avrebbero certo suscitato ilarità.

«Il tuo amico americano ha un bel fegato» disse Bay a Charlotte. «Stava per finire nell'occhio del ciclone. Pensavo che la Vedova potesse esplodere da un momento all'altro, e invece è riuscito a cavarsela.»

«Caspar non è un tipo con cui ci si può infuriare» replicò Charlotte. «E io gli sono grata per aver distolto l'attenzione da me.»

Bay aveva sollevato un sopracciglio notando che Charlotte si era riferita all'amico usando il nome di battesimo.

«Sembri conoscerlo molto bene, nonostante tu l'abbia incontrato solo di recente.»

«E tu sei il favorito della regina. Non mi avevi detto che eravate già amici» ribatté Charlotte. «Forse ha intenzione di mettere da parte John Brown.»

Bay sorrise. «Sono così felice di vederti, Charlotte.» Si avvicinò a lei, e i suoi baffi le sfiorarono una guancia mentre le sussurrava all'orecchio: «Sei proprio sicura di non voler fuggire via con me? Potremmo prendere stasera stessa un treno per la Scozia, e sposarci domattina.»

«Oppure potremmo aspettare pochi mesi e sposarci come si deve, senza dare scandalo» obiettò Charlotte.

«Come potrò essere sicuro che non soccomberai al fascino transoceanico del signor Hewes?» domandò Bay in tono scherzoso.

«E io come potrò esser certa che l'imperatrice non ti porti via da me?» ribatté lei. «Augusta pensa che dovrei essere gelosa.»

«Credi che potremmo andare da qualche parte a parlare da soli?» azzardò Bay. «Vedo Chicken venire da questa parte. E ho bisogno di restare un minuto da solo con te.»

Charlotte rifletté. «C'è una saletta al piano di sopra, dove vengono incorniciate le fotografie. Se vai su, io ti raggiungerò appena possibile.»

Bay fece per attraversare la sala, ma la calca, radunata alla sinistra della porta, rallentava il suo cammino. I due cortei reali avevano entrambi completato il giro della mostra, seguendo ognuno la propria orbita, e ora si erano ricongiunti. La regina parlava calorosamente al principe ereditario, che aveva un'aria esausta e continuava a giocherellare con la decorazione del Vello d'Oro appuntata sul bavero.

«Dovete assolutamente visitare il Palazzo di Cristallo, finché siete qui. È stata una delle opere più grandiose realizzate dal mio caro Alberto. Credo che il giorno dell'inaugurazione della Grande Esposizione Universale sia stato uno dei più belli della mia vita.»

«Non stento a crederlo» disse Rodolfo in tono fiacco. «Il vostro compianto marito è stato un memorabile esempio per tutti noi.»

«Sarebbe stato così felice di vedervi qui. Alberto credeva che uno dei sacri doveri delle famiglie reali fosse quello di promuovere i buoni rapporti tra le nazioni. Quando nacque il mio primo nipote, Guglielmo, Alberto mi definì "la nonna d'Europa".»

Rodolfo fece un piccolo inchino. «Un titolo assai nobile, davvero. Sebbene non sarebbe piaciuto affatto a mia madre, ho idea.»

«L'imperatrice non ha avuto la benedizione di mettere al mondo nove figlioli» replicò la regina soddisfatta. «Ora ditemi, cosa ne pensate della mostra?»

«È davvero impressionante. Credo che dovremmo istituire qualcosa di simile anche a Vienna. La Società Fotografica Imperiale. Suona molto bene. Potrei addirittura disegnare un'uniforme.»

Gli occhi di Vittoria s'erano fatti di nuovo sporgenti. «Un'uniforme. Che idea insolita. Forse sarebbe un deterrente per le signore che volessero affiliarsi.»

Rodolfo la guardò con occhi vacui.

«Alcuni dei migliori fotografi in questo Paese sono donne. A Vienna non ci sono donne fotografe?»

«Non ne ho idea.»

«Allora vostra madre non è interessata alla fotografia? Immagino preferisca dedicarsi ad attività più movimentate» disse la regina fissando le fotografie sulla parete che aveva di fronte.

«Mia madre ha sviluppato una vera e propria avversione per la fotografia. Credo che l'ultima volta che si sia fatta fotografare risale ad anni fa. Mio padre l'imperatore amerebbe moltissimo posare per una fotografia che ritragga tutta la famiglia, ma la mamma si rifiuta.»

«Che strano. Per me è un tale conforto pensare che i miei figli possano avere sempre una mia effigie con sé.» Fece il piccolo scatto della testa che era il segnale per l'intervento di John Brown.

«Proprio un gran conforto, signora.»

Rodolfo non trovò una risposta adeguata. Sapeva che l'avversione di sua madre per le fotografie era dovuta al fatto che non voleva le venisse ricordato che stava invecchiando e che la sua bellezza stava svanendo. Questa, ovviamente, non era una questione che preoccupava minimamente la regina Vittoria.

La regina stava osservando ora una fotografia posizionata all'altezza del suo sguardo.

«Questo sì che è curioso» disse. «Sostenete che l'imperatrice rifiuti di farsi fotografare, ed ecco qui un'immagine che la ritrae in compagnia del capitano Middleton.»

Rodolfo, che stava ammirando le signore tra la folla, si voltò di scatto.

«Una fotografia di mia madre? Ma è impossibile. Dovete esservi sbagliata, Maestà.»

La regina lo guardò con le mascelle pendule e la bocca serrata.

«Non è mia abitudine commettere errori.» Indicò la fotografia con un dito carico di diamanti.

«Questa è senza dubbio l'imperatrice.»

Inclinò la testa, e John Brown le fece subito eco: «Senza dubbio.»

Il pallore di Rodolfo s'accese di due chiazze rosse sulle guance. Rimase immobile mentre la regina gli mostrava la fotografia. Quando alla fine si mosse, pareva che stesse per voltarsi e lasciare la sala. Ma l'ambasciatore, che gli stava accanto, si spostò creando una sorta di barriera, cosicché il principe non avrebbe potuto allontanarsi dalla regina senza spingerlo via. Messo alle strette, il principe sospirò e si accostò alla foto che la regina gli stava mostrando.

«Ecco vostra madre. Si sta portando un ventaglio davanti al volto, ma i suoi capelli la rendono inconfondibile.»

Rodolfo si chinò per osservare la fotografia.

«Le mie scuse, Maestà. Questa è proprio l'imperatrice. Ma la foto può essere stata scattata solo senza il suo consenso.»

«Che disdetta.» La regina guardò ancora una volta la fotografia. «Il capitano Middleton, che è ritratto insieme all'imperatrice, è qui presente stasera. Lui saprà dirci come sono andate le cose.» Si girò verso la folla, alla ricerca di Bay.

Lui aveva raggiunto la porta, diretto al luogo in cui Charlotte gli aveva dato appuntamento, ma si fermò quando sentì che la regina aveva pronunciato il suo nome con voce forte e chiara. Il corteo reale era assiepato davanti a una fotografia. Quando si avvicinò vide Rodolfo che si voltava a guardarlo. Fu un'occhiata rapida, ma Bay sentì il disprezzo del principe colpirlo come uno schiaffo. Si fermò, chiedendosi se fosse il caso di avanzare oltre, ma la regina lo aveva visto e lo stava chiaramente aspettando.

«Capitano Middleton, spero possiate dirci qualcosa di questa fotografia.» La voce della regina non era cordiale. Era rimasta turbata dallo sbotto di Rodolfo. Un giovane principe in terra straniera dovrebbe sapersi controllare, e di sicuro dovrebbe evitare di contraddire la regina del Paese che lo ospita.

«Permettete che la osservi, Maestà?» disse Bay. Vittoria si spostò da un lato affinché lui si potesse accostare alla fotografia. Rodolfo si voltò dalla parte opposta per non dover incrociare il suo sguardo.

Bay vide l'elegante figura dell'imperatrice, con il suo vitino esile e l'acconciatura imponente. Era stata colta nell'atto di nascondersi dietro il ventaglio di cuoio. C'era anche la sagoma massiccia del conte Spencer che le si stava avvicinando, con il suo profilo romano, il collo possente e le cosce robuste. Ma più di ogni altra cosa spiccava nella composizione il volto di Bay che fissava intensamente Sissi, con la bocca leggermente dischiusa e gli occhi spalancati. Vide se stesso come gli altri potevano vederlo e un brivido di vergogna gli percorse le membra.

«Sono certa che il capitano possa dare una spiegazione al principe Rodolfo» disse la regina «sulle circostanze che hanno reso possibile questo scatto, dal momento che l'imperatrice è così avversa all'idea di lasciarsi fotografare.»

Bay fece un respiro profondo e s'inchinò a Rodolfo: «Altezza, credo si sia trattato di uno sfortunato...»

Ma prima che potesse finire la frase, il principe ereditario sollevò una mano e senza neppure degnarlo di un'occhiata disse alla regina: «Non mi interessano le spiegazioni. Io non parlo con gli stallieri.»

La sala ammutolì. L'ambasciatore appoggiò una mano sul braccio del principe, come a volerlo calmare, ma Rodolfo lo respinse.

«In tal caso» replicò Bay, «non disturberò oltre Sua Altezza con la mia presenza.» Fece un inchino alla regina e si allontanò verso la porta senza darle le spalle.

La regina Vittoria guardò Rodolfo con aria sconcertata. «Stavolta siete voi che avete sbagliato, principe Rodolfo. Il capitano Middleton non è uno stalliere. E come potrebbe? È un ufficiale del nostro esercito.»

Il contrasto tra le guance scarlatte di Rodolfo e il pallore del suo volto si fece più evidente.

«Vi prego, Maestà, perdonatemi per aver oltraggiato l'Esercito Britannico. Non era mia intenzione.»

«Capisco» replicò la regina, con gli occhi vitrei come due biglie.

Il conte Karolyi mormorò: «Maestà, dovete scusare il principe ereditario per la sua espressione infelice. Egli, naturalmente, è un figlio devoto e la sua sola preoccupazione è proteggere la dignità e l'onore dell'imperatrice sua madre.»

«Da parte di mia madre» intervenne Rodolfo, «chiedo di sapere chi abbia scattato questa fotografia e come sia stata presa la decisione di esporla al pubblico.»

La regina Vittoria si voltò verso Sir Peter. «Chi ha scattato questa fotografia?»

Sir Peter, col viso paralizzato dal terrore per l'imprevisto contrattempo, fece finta di consultare il catalogo.

«Questa parete è stata riallestita solo ieri sera. Non ero a conoscenza del fatto che questa fotografia fosse stata selezionata per la mostra. Ci dev'essere stato senz'altro un errore. Qual è il numero...» Sfogliò i cartoncini, mettendosi il monocolo per poter leggere l'etichetta.

«Sono stata io a scattare la fotografia, Maestà» disse Charlotte dal capo opposto della sala. La folla si ritrasse immediatamente permettendole di raggiungere il corteo reale.

«Signorina Baird.» La regina la guardò e sorrise. «Non avete resistito alla tentazione di immortalare il capitano Middleton, è così?»

Charlotte scosse la testa. «Volevo uno scatto dell'imperatrice. È un soggetto magnifico. Non sapevo della sua avversione per le fotografie. Non posso fare altro che scusarmi per la mia invadenza. Non avrei mai voluto che questa foto venisse esposta: dev'essere stata inclusa per errore nella cartella dei miei lavori. Lasciate che la tiri via.» Si avvicinò alla parete e la tolse dal gancio.

La regina Vittoria fece un gesto a Rodolfo. «Bene, ecco la vostra spiegazione. Sono certa che l'imperatrice perdonerà la signorina Baird per l'errore commesso. Anche perché è una fotografia che rende onore alla magnificenza dell'imperatrice.»

Rodolfo batté i tacchi e s'inchinò. «Se lo dite voi, Maestà.»

«Sono anch'io imperatrice, e mi sento di poterlo affermare con certezza.»

Detta l'ultima parola, la regina fece un cenno al suo entourage, permise a Sir Peter di baciarle la mano e si diresse verso l'uscita, con John Brown che la seguiva a distanza ravvicinata. Il conte Karolyi prese sotto braccio il principe e lo sospinse verso la stessa direzione.

La sala rimase muta per un istante, finché il seguito reale non fu uscito, poi, come se fosse stato dato un segnale prestabilito, cominciò il mormorio.

# 35.

## Vetro infranto

Charlotte teneva la fotografia talmente stretta tra le mani che a distanza di qualche ora aveva ancora i segni rossi della cornice sulla pelle. Lady Dunwoody le aveva messo una mano sulla spalla. «Mia cara ragazza, che spettacolo! Con quale magnificenza la regina ti ha difesa! Nessuno può biasimarti ora che si è dichiarata pubblicamente in tuo favore.» Il sorriso di Lady Dunwoody era smagliante, ma il tono di voce era un po' troppo alto per essere pienamente convincente.

Charlotte non replicò, né la sua madrina si aspettava da lei una risposta.

«È davvero strano che la fotografia sia stata esposta senza che tu ne sapessi niente. Noi l'avevamo scelta perché era uno scatto davvero potente, con quelle tre teste unite in una così gradevole composizione. Non avevo idea che fosse l'imperatrice.»

«Se vuoi scusarmi, zia Celia, credo di aver bisogno di una boccata d'aria.»

«Ma certo. Chiedo a Caspar di accompagnarti?»

«No, preferisco stare un po' da sola.»

Charlotte si allontanò in fretta dalla madrina, tenendo gli occhi bassi al pavimento. Era quasi arrivata alla porta quando le giunse la voce di Augusta.

«Non sai quanto ti sia grata per avermi invitata, Charlotte. È stato uno spettacolo strabiliante. Peccato per il capitano Middleton, che è stato dileggiato in pubblico a quel modo.»

Charlotte fece per uscire, ma Augusta le si parò davanti bloccandole il passaggio.

«È quella la famosa fotografia? Oh, fammi dare un'occhiata.» Augusta tese le mani, ma Charlotte non volle lasciargliela prendere.

«Ti prego, mostramela. Non mi tengo più dalla curiosità.» Si volse verso il suo fidanzato, che era poco distante. «Fred, convinci tua sorella a farmi vedere quella fotografia.»

Fred strascicò i piedi e la raggiunse. «A dire il vero, Augusta, io l'ho vista e non sento il bisogno di rivederla. Se mia sorella ha deciso di tenersela per sé, non posso interferire.»

Augusta era furiosa. «Oh, Fred. Non essere noioso. Non è giusto che io sia l'unica a non averla vista.»

Fred non si lasciò persuadere, e Charlotte riuscì a sfuggire ad Augusta passando dalla doppia porta d'ingresso con la fotografia ancora stretta al petto.

La scalinata di marmo rivestita dal tappeto rosso e oro si diramava in due direzioni: scendeva verso la strada o saliva verso la saletta delle cornici, dove Charlotte avrebbe dovuto incontrare Bay.

Ebbe un momento d'esitazione: Bay la stava aspettando? E lei aveva ancora voglia di vederlo?

«Carlotta, eccovi qui! Lady D ha detto che preferivate star sola, ecco perché sono accorso immediatamente. Troppe emozioni. Tutte le signore si sono sentite autorizzate a far ricorso ai sali. La moglie del vescovo ha le palpitazioni.» Caspar girò attorno a Charlotte bloccandole il passaggio verso la scala.

«Non capisco come sia stato possibile che questa fotografia» disse Charlotte mostrandola a Caspar «sia finita in mostra. Io non l'avevo neppure presentata in visione.»

Caspar scrollò le spalle. «Infatti. Sono stato io.»

«Ma perché? Io non l'avrei mai proposta.»

«Lo so. Ma era troppo bella per essere esclusa.»

«Sarebbe stata accettabile se l'imperatrice fosse stata sola nell'immagine. Credo ci siano crimini peggiori di scattare foto senza il consenso del soggetto immortalato. Ma questa fotografia non era adatta.» Tamburellò le dita sul vetro di protezione dell'immagine incorniciata.

«Perché no, Carlotta? La composizione è perfetta.»

«Al diavolo la composizione!» sbottò Charlotte.

Caspar tese le mani simulando sconcerto e sgomento.

«Suvvia, signorina Baird! Non è certo un'espressione che mi aspetterei di sentire da una persona del vostro rango.»

«In questo momento non mi sento di appartenere all'alta società. Non solo sono stata umiliata pubblicamente, ma anche il capitano Middleton ne ha fatte le spese. Non ci sarebbe stata alcuna ragione perché il principe Rodolfo lo trattasse a quel modo, se non fosse per questa fotografia.» Charlotte stava cercando di controllare il tono della voce, ma alla fine era arrivata quasi ai singhiozzi. Con sua grande mortificazione, si rese conto di stare piangendo come una fontana.

Caspar estrasse un fazzolettone di seta dalla tasca e prontamente le asciugò le lacrime.

«Via, cacciamo via queste lacrime. Non volete certo che la vostra odiosa cognata vi veda in questo stato. Dopotutto, cosa avete da piangere? Non è colpa vostra se il principe Rodolfo è geloso del capitano Middleton.»

«Geloso? E perché mai dovrebbe essere geloso di Bay?»

Caspar sospirò. «Per la stessa ragione per cui state stringendo quella fotografia al petto. Perché lui crede che il capitano Middleton sia qualcosa di più di una guida, per sua madre.»

«Non vi capisco. Bay e io ci sposeremo. Mi ha appena chiesto di fuggire con lui, proprio adesso, un attimo prima che accadesse tutto questo.»

«E voi cosa avete risposto?»

«Che preferivo aspettare finché non avessimo potuto sposarci come si deve.»

«Lui si aspettava la vostra risposta?»

«Credo di sì. Glielo avevo già detto che non vedevo una buona ragione per scappare via. Perché creare scandalo se non ce n'era alcun bisogno?»

«Siete una ragazza assai ragionevole, Charlotte. Ma temo che il capitano Middleton non sia prudente come voi. Guardate la fotografia che stringete al petto. Sapete cosa rivela. Non dico che non voglia sposarvi: siete intelligente, graziosa ed estremamente ricca, ma non siete l'unica donna della sua vita. Immagino che la questione vada posta diversamente: voi volete davvero sposarlo?»

«La cosa non vi riguarda.»

«Certo che mi riguarda. Voi avete un grande talento, non voglio che sprechiate tutte le vostre potenzialità per colpa di un uomo che non vi merita. Se avessi pensato di potervi rendere felice, vi avrei proposto io stesso di sposarmi, ma conosco i miei limiti. Tuttavia, in qualità di vostro amico e ammiratore, non posso starmene con le mani in mano mentre voi buttate al vento la vostra vita. So che è un bel tipo, ed è di sicuro affascinante, ma non è abbastanza per voi.»

«Immagino crediate che sia un cacciatore di dote.»

«Forse. Chi mai potrebbe guardare alla vostra fortuna con occhi disinteressati? Sono certo che gli piacete, ma è stato abbagliato da quella donna. La macchina fotografica non mente.»

Charlotte guardò ancora la fotografia. Le tornò in mente il giorno in cui l'aveva scattata. Era il giorno in cui i partecipanti alla caccia si erano radunati a Melton per la partenza. Charlotte aveva scattato la foto al mattino, e quello stesso pomeriggio Bay l'aveva baciata per la seconda volta e le aveva chiesto di sposarlo. Fu assalita da un accesso di rabbia.

Procedendo verso la balaustra, scagliò con forza la fotografia sul pavimento di marmo sottostante. Il rumore del vetro che si infrangeva in mille schegge portò il custode a uscire dalla sua guardiola. Guardò con grande stupore quello scompiglio di vetro e legno, poi sollevò lo sguardo e vide Charlotte.

«Che sbadata» disse. «Scusatemi tanto.»

«Non vi preoccupate, signorina, è solo un po' di vetro.» Si chinò sui cocci sparsi. «Una buona notizia: la fotografia è intatta.»

Charlotte cominciò a ridere.

Caspar arrivò immediatamente. «Credo che ora vi porterò a casa.»

«Ma mi sta aspettando di sopra» protestò Charlotte con un fil di voce.

«Fatelo aspettare.»

Caspar prese il braccio di Charlotte e la condusse giù dalle scale. Quando furono arrivati di sotto, il custode andò incontro a Charlotte porgendole la fotografia.

«Ecco a voi, signorina.»

Charlotte la prese in mano. «Vedete quest'uomo?» disse al custode indicando il volto di Bay. «È il capitano Middleton. A un certo punto scenderà dalle scale. Quando lo vedete, vorrei che gli deste questa fotografia, con i complimenti della signorina Baird.»

# 36.

## A debita distanza

La saletta delle cornici emanava odore di vernice e di sali di ammonio. Le finestre avevano le persiane chiuse, per evitare che le stampe più delicate potessero essere danneggiate dalla luce, e la stanza era pertanto immersa nella penombra, a parte qualche striatura luminosa sul pavimento creata dal sole che filtrava dalle fessure.

Bay tirò fuori l'orologio dal taschino del panciotto. Stava ormai aspettando da trenta minuti. Andò alla finestra e guardò giù verso la strada. La folla si era diradata, e la regina era andata via. C'era qualcuno sul marciapiede che aspettava la sua carrozza. Bay notò un prelato che accompagnava una donna più giovane a una carrozza con cui se ne andarono. La donna aveva un abito di seta a strisce, e per un attimo pensò che potesse essere Charlotte, ma poi il pastore cinse la vita di quella donna con un gesto evidentemente coniugale. Poi vide due uomini e una donna che aspettavano in piedi sul marciapiede. Dalla sua prospettiva elevata Bay ebbe l'impressione che la donna non fosse giovane: le ciocche di capelli che fuoriuscivano dal cappello sembravano grigie. Quando si voltò, vide che era la zia di Charlotte, Lady Lisle.

Continuò a guardare dalla finestra mentre Lady Lisle saliva a bordo della carrozza, chiedendosi se all'ultimo momento Charlotte non arrivasse di corsa per raggiungerla. Quando la vettura partì, Bay consultò nuovamente l'orologio. Avrebbe aspettato altri cinque minuti, nel caso Charlotte avesse atteso che la zia fosse andata via prima di raggiungerlo.

L'orologio gli segnalò che era trascorsa ormai un'ora, e alla fine si arrese all'idea che non sarebbe più arrivata. Aprì la porta della saletta e discese la scalinata fino al primo piano. L'edificio era immerso nel silenzio. Bay infilò la testa nella sala della mostra: era vuota.

Gli venne voglia di dare un'altra occhiata alla fotografia che lo ritraeva con l'imperatrice. Non perché avesse dimenticato l'immagine, ma perché sperava di ricordarsela male. Dall'occhiata che vi aveva dato, era una fotografia agghiacciante. A stento si era riconosciuto. L'uomo che vi compariva non era la persona che avrebbe voluto essere: irretito dall'imperatrice, con gli occhi carichi di desiderio e – non riusciva quasi ad ammetterlo – di cupidigia.

Cercò di ricordarsi dov'era appesa. Percorse in lungo e in largo la sala, cercando di ritrovare il punto in cui era stato così duramente umiliato, ma c'erano troppe foto. Ritrovò il ritratto con Tipsy. Charlotte aveva capito quanto significasse per lui quell'animale.

Alla fine, accettando l'idea che la foto fosse stata rimossa, capì che non c'era ragione per restare ancora là. Non c'era più anima viva, e della folla che si era da poco dissipata era rimasto solo un odore di lana bagnata.

Bay discese lentamente le scale, dirigendosi verso la porta aperta. Sul pianerottolo, due uomini stavano arrotolando il tappeto rosso che era stato steso per accogliere la regina.

«Scusate, signore. Siete il capitano Middleton?»

Bay si voltò. Era il custode. «Sì» rispose.

«Allora ho qualcosa da darvi.» Entrò nella guardiola e ne estrasse un pacchetto di carta marrone.

«Questa è per voi, signore. Da parte della signorina Baird. Con i suoi migliori complimenti. L'ho incartata io stesso, non volevo che la stampa si rovinasse.»

«La signorina Baird? È andata via da molto?»

«Da circa un'ora. Si è allontanata con un signore.»

Bay scartò l'involucro di carta e spago e si confrontò con la sua immagine riprodotta.

«Non ha detto nient'altro? Non ha lasciato un messaggio?»

«No, signore. Vi fa solo i suoi complimenti.»

Bay diede all'uomo una mezza corona.

«Vi ringrazio, signore. Vi ringrazio molto. Vi occorre dell'altra carta per avvolgere la fotografia? Peccato che il vetro e la cornice si siano rotti.»

«Rotti?»

«Sì, la signorina Baird l'ha fatta cadere giù dalle scale. È stato un bel disastro, ma la stampa non si è danneggiata. Questo è l'importante.»

Bay lasciò John Adam Street e imboccò lo Strand. Rimase lì per un istante, tra la folla, indeciso sulla direzione da prendere. Poteva andare verso ovest, verso Holland Park, dove poteva cercare di parlare con Charlotte. E poteva andare a nord, verso la stazione di Marylebone, e lì avrebbe ripreso il treno per Easton Neston, dove c'era l'imperatrice ad attenderlo. Poteva anche andare verso il suo alloggio di Albany, ma lo aveva già chiuso per l'inverno e aveva licenziato il domestico. Nessuna di quelle opzioni lo convinceva pienamente.

Non poteva andare da Charlotte. Non la biasimava se aveva deciso di non incontrarlo. Quella fotografia aveva cambiato ogni cosa. Bay non sopportava quello scorcio della sua anima che l'immagine aveva rivelato, e provò vergogna al pensiero che anche Charlotte l'avesse percepito. Andare da lei significava dichiararsi completamente privo di dignità, mostrandosi per il cacciatore di dote che tutti credevano che lui fosse.

Non tollerava però l'idea di tornare a Easton Neston. Non voleva essere l'uomo che aveva visto nella fotografia. Inoltre, le ripercussioni del suo incontro con il principe Rodolfo si sarebbero fatte sentire. Si chiese come avrebbe reagito l'imperatrice quando avesse saputo dell'incidente.

Alla fine, quasi senza accorgersene, s'incamminò lungo Pall Mall verso St James's Street, alla volta del suo club. Gli doleva la spalla, e aveva bisogno di bere qualcosa. Nella sala fumatori ordinò un brandy e, non vedendo nessun suo conoscente, si mise a sedere e prese a sfogliare una copia del *Punch*. Immediatamente si lasciò pervadere dal calore del generoso camino e dal fumo dei sigari, e si addormentò nella poltrona.

«Mi venga un colpo se non è proprio Bay Middleton, l'uomo del giorno.»

Bay si svegliò di soprassalto. Davanti a lui torreggiava Chicken Hartopp, con la faccia paonazza per i numerosi bicchieri bevuti.

«Salute, Chicken.» Bay estrasse il suo orologio da taschino. Erano le sei. «Santo cielo, ho dormito tutto il pomeriggio.» Fece un cenno a Chicken invitandolo a sedersi e chiamò un cameriere perché portasse loro da bere.

«Ma cosa fate in città? Pensavo foste andato alla Cottesmore» disse Bay.

«Proprio come voi, vecchio mio: sono venuto per la mostra fotografica. Avevo ricevuto un biglietto d'invito da Charlotte Baird.»

Bay capì solo ora perché quel mattino Chicken aveva un'aria così trionfante.

«Avete assistito al mio incontro con il principe ereditario?»

«È stato tremendamente insolente. Mi sorprende che non lo abbiate sfidato a duello. Io sarei stato felice di farvi da secondo.»

«Di fronte alla regina?» chiese Bay.

«Io non avrei accettato di farmi insultare a quel modo. Gli avrei immediatamente lanciato la sfida.»

«Allora siete più coraggioso di me» replicò Bay.

Hartopp scolò il suo bicchiere e fece un cenno per averne un altro. Scosse la testa, e disse: «È davvero strano che il principe se la sia presa con voi a quel modo.»

«Lo penso anch'io» disse Bay.

«Forse gli erano giunte delle voci sul rapporto che intrattenete con l'imperatrice» insinuò Hartopp dandogli una pacca sulla spalla, quella malandata. Bay cercò di controllare il dolore.

«Poiché non so di quali voci andiate parlando, è difficile a dirsi» replicò Bay simulando una totale indifferenza.

«Non preoccupatevi, vecchio mio. Non c'è bisogno che vi mettiate sulla difensiva. Sapete come fanno in fretta a circolare certe storie. Un minuto prima la state guidando sui campi di caccia, e quello dopo vi si ritrova insieme al castello di Windsor. Le visite di palazzo non sono all'ordine del giorno, per una guida di caccia. Forse Rodolfo ha pensato che vi steste arrampicando al di sopra del vostro rango, e la cosa non gli è piaciuta.» Hartopp fissò Bay nascosto dalla fitta peluria dei suoi basettoni, sperando che reagisse.

«L'imperatrice mi aveva chiesto di accompagnarla e io non ero nella posizione di poter rifiutare.» Bay si alzò. «Ora devo andare, Chicken. Ho un appuntamento per cena.»

«Allora non voglio trattenervi, amico mio. Non si fanno aspettare le Altezze Reali.» Chicken stava ridacchiando per la sua stessa arguzia, ma Bay se n'era già andato.

Attraversata Piccadilly, Bay si diresse verso il Brown's Hotel e prese una stanza. Mandò un telegramma a Easton Neston dicendo che non sarebbe rientrato per la notte. Il mattino dopo avrebbe scritto a Sissi e le avrebbe spiegato che, date le circostanze, non avrebbe più potuto proseguire nel suo incarico di guida di caccia.

Quel gesto gli avrebbe rovinato l'intera stagione di caccia, ma c'erano ancora la corsa a ostacoli e il Grand National, che si sarebbe tenuto più avanti quel mese. Tipsy era pronta, senza ombra di dubbio. Pensando al suo cavallo, si sentì già meglio. Ma poi gli venne in mente la fotografia che Charlotte gli aveva scattato insieme a Tipsy nelle stalle di Melton, e si sentì uno straccio.

Dopo cena andò in giro per il Covent Garden ed entrò al Teatro dell'Opera. Pensò che la musica avrebbe potuto alleviare le sue sofferenze. Davano un'opera di Meyerbeer. Bay prese un posto in platea, sperando di non incontrare nessuno che conosceva.

Ma al bar, durante l'intervallo, capì di aver fatto un errore: tutte le signore che erano state alla mostra quella mattina avevano passato il pomeriggio a farsi visita l'una con l'altra, accertandosi che le loro amiche più strette sapessero a quale distanza ravvicinata si trovassero dalla regina quando il principe Rodolfo aveva dato dello "stalliere" a Bay Middleton. La notizia non sarebbe potuta circolare più in fretta, neppure se fosse apparsa sul giornale. Mentre percorreva l'atrio tappezzato di specchi, Bay si accorse che i ventagli si sollevavano a nascondere le bocche da cui fuoriuscivano mormorii che lo riguardavano. Decise di andarsene, percorrendo tranquillamente il corridoio di velluto rosso come se fosse l'uomo più spensierato del mondo. Quando scese le scale per il foyer vide Blanche Hozier, bionda e immacolata come sempre, accompagnata da suo cugino George Spencer. Venivano nella sua direzione, e così non poté evitarli. Bay s'inchinò, chiedendosi se Blanche avrebbe risposto al suo saluto. Fu sorpreso nel constatare che lei si era fermata e gli stava sorridendo. Lord George aveva fatto solo un cenno d'assenso.

«Capitano Middleton!» esclamò Blanche. «Mi stupisce vedervi in città nel bel mezzo della stagione di caccia. Cosa può avervi mai allontanato dalla Quorn?»

Middleton capì dalla sua espressione che Blanche sapeva benissimo perché era a Londra e conosceva ogni dettaglio dell'incidente avvenuto quel mattino. George Spencer parve imbarazzato.

«Oh, la musica è sempre stata una delle mie passioni.»

«Eppure sembra che ve ne stiate andando. Che strano.» Blanche spalancò gli occhioni e Bay fu colpito dalla sua bellezza ma allo stesso tempo da quanto poco la desiderasse.

«Credo di aver avuto abbastanza emozioni per oggi. Vi auguro una buona serata, Lady Hozier. Lord George.» Il suo istinto sarebbe stato quello di correre via a perdifiato nell'aria rigida della notte.

# 37.

## Madre e figlio

«Festy, sto congelando. Ho bisogno di un bagno. Di un bagno bollente.» Sissi si stava sfilando i guanti e le forcine dai capelli, lasciandole cadere a terra. Rimase immobile per un attimo, mentre la contessa le sbottonava la gonna del completo da equitazione, lasciandola con le brache aderenti di camoscio.

«È già pronto, signora. Com'è andata la giornata?»

«Molto stancante. Non sopporto quando non c'è nessuno in grado di starmi al passo in testa alla muta. Non è la stessa cosa, senza il capitano Middleton. Sono tutti così lenti. Compresi Max e Felix.»

«Volete mangiare qualcosa? Della carne fredda? Un goccio di *Schnapps*?» La contessa vide che la sua padrona era pallida e smunta.

«Mi fanno male le ossa, Festy. Ho bisogno del farmaco.»

La contessa aprì lo scrigno di legno sul tavolino della toeletta, dove l'imperatrice teneva tutte le sue medicine. La soluzione di cocaina era stata preparata appositamente per l'imperatrice a Vienna, dove la adoperava piuttosto di frequente. Festy aveva portato dall'Austria un bel bottiglione di quella mistura. A casa l'imperatrice era capace di consumare un intero flacone in un paio di settimane. Erano in Inghilterra da diverse settimane ormai, e l'ampolla era quasi intatta. La contessa estrasse la siringa dall'astuccio foderato di velluto, infilò l'ago nel liquido e tirò lo stantuffo.

L'imperatrice si tolse il corpetto e porse alla sua dama un braccio bianchissimo. Mentre la contessa infilava l'ago in una delle sue vene azzurrognole, Sissi distolse lo sguardo.

«Grazie, Festy.» Per la prima volta nell'arco della giornata, l'imperatrice sorrise.

La contessa Festetics aspettò che l'imperatrice avesse finito il bagno e che la cocaina avesse raggiunto il suo picco prima di mostrarle i telegrammi. Ne conosceva il contenuto, poiché il barone Nopsca li aveva già aperti con il vapore. Erano due. Nel primo Middleton comunicava che era stato trattenuto a Londra e non sarebbe giunto in tempo per la cena. Sissi lo lesse, lo accartocciò e lo buttò in terra.

«Il capitano Middleton non rientra stasera. Non doveva farmi questo, dopo una giornata così dura. Gli dirò che deve tornare immediatamente. Non posso andare a caccia senza di lui.» La contessa non si sentì di far notare alla sua padrona che sul telegramma non era indicato alcun indirizzo per un'eventuale risposta.

Ma il secondo telegramma riuscì a strappare un sorriso all'imperatrice.

«Rodolfo sarà qui a cena, Festy. Devi dire a Nopsca di fargli preparare una stanza.» La contessa annuì, sapendo che il barone aveva già organizzato da ore tutti i preparativi.

«Ma che razza di figlio ho... Non mi scrive per settimane, e adesso arriva da un momento all'altro.» Sissi schioccò le dita. «Dite al cuoco di preparare qualcosa al cioccolato. Rodolfo adora il cioccolato.»

La contessa annuì ancora: anche le istruzioni in cucina erano state impartite da tempo.

Sissi decise di farsi fare un'acconciatura bassa, con una treccia morbida che le scendeva sulle spalle. Le tornò in mente di quando Rodolfo era bambino e si divertiva a nascondersi tra i suoi capelli. Ma questo succedeva prima che glielo portassero via per poterlo "educare". Avevano fatto il possibile per trasformarlo nel perfetto principe ereditario, ma lui era troppo simile a lei e troppo poco a suo padre per diventare un allievo modello. Non si svegliava mai alle cinque del mattino, preparandosi a diventare "il padre di tutto il suo popolo". Rodolfo non aveva senso del dovere. Viveva semplicemente per divertirsi. L'unica cosa che aveva in comune con Franz Joseph era l'amore per le uniformi.

Sissi sentiva che i pensieri le scorrevano effervescenti nella mente. Oltre ad alleviare i dolori alle giunture, la cocaina le dava una sferzata di energia. Doveva mandare un telegramma a Bay quella notte stessa. Se non fosse rientrato entro l'indomani, non avrebbe sopportato di rimanere ancora lì senza di lui. Ma perché non era tornato? Di sicuro il dottore che l'aveva visitato non lo aveva trattenuto per la notte. Sissi si rese conto che la vita di Bay al di fuori di Easton Neston le era del tutto ignota. Non parlava mai della sua famiglia né dei suoi amici, e lei non aveva mai pensato di fargli domande in proposito.

Almeno l'arrivo di Rodolfo l'avrebbe risollevata dal tedio della giornata. Aveva avuto un'altra guida al posto di Bay, ma si fermava davanti a ogni recinto come se lei fosse stata una statuina di porcellana. Cavalcare con Middleton era come intrattenere una conversazione: ogni volta che girava la testa da un lato, lui era lì al suo fianco. Sapeva prima di lei in quale direzione volesse andare. Quando lo seguiva, non aveva mai un momento di esitazione. Parlavano pochissimo quando erano in campagna, sul terreno di caccia, e ancor meno quando erano a letto. Non ne sentivano il bisogno. Ma ora quel filo si era spezzato. Come poteva Bay rinunciare a una giornata di caccia al suo fianco?

«Metterò il vestito di velluto verde, con gli smeraldi.»

C'erano cinquanta passi da un capo all'altro del salotto. Sissi ne aveva percorsi almeno mille prima che la carrozza di Rodolfo si fermasse finalmente davanti a Easton Neston.

La prima cosa che notò fu che suo figlio non indossava l'uniforme, ma solo la decorazione del Vello d'Oro. Karolyi l'aveva accompagnato, cosa che stupì Sissi. Si era fatta l'idea che Rodolfo fosse andato fin là soltanto per sfuggire all'ambasciatore.

«Mio caro Rodolfo, sono così felice di vederti.»

Rudi le baciò la mano, ma lei lo strinse a sé e lo baciò sulle guance, alla maniera ungherese. Rodolfo si irrigidì. Il suo alito sapeva leggermente di alcol.

«Sei diventato più alto, o è solo la mia immaginazione? Di

sicuro ti sei fatto più bello. Ma sei un po' pallido. Da quanto tempo non ci vediamo? Due mesi?»

«Cinque mesi, mamma.»

«Allora dobbiamo brindare al nostro incontro in Inghilterra. Nopsca, portate dello champagne.»

Sissi si rivolse a Karolyi. «Conte, devo ringraziarvi per la cura che vi prendete di mio figlio e per avermelo portato qui. Dev'essere stata una vostra idea.»

«A dire il vero, mamma, ho deciso io di venire. Ho bisogno di parlarti.»

Sissi vide che le gote di Rodolfo si erano tinte di rosso e avvertì una certa urgenza nel tono della sua voce.

«Conte Karolyi, immagino vogliate vedere la vostra stanza prima di cena. La contessa Festetics vi farà strada.» Poi si rivolse a Nopsca, Liechtenstein ed Esterházy, che erano in piedi davanti al camino.

«Potete lasciarci.»

Quando furono soli nell'immenso salone, Sissi si accomodò su un divano e invitò Rudi a prendere posto accanto a lei.

Lui però rimase in piedi, a gambe larghe, una mano che giocherellava nervosamente con la decorazione appuntata sul bavero.

Sissi aspettò. Alla fine fu Rodolfo a parlare. «Oggi ho visto il tuo "amico", il capitano Middleton. Lo sapevi che c'era una fotografia che ti ritraeva insieme a lui esposta in mostra a Londra? Un'immagine dove ti guarda come un cagnolino innamorato? Ho provato una tale vergogna. L'imperatrice d'Austria con uno stalliere! Ha avuto addirittura l'ardire di parlarmi!»

L'Ordine del Vello cedette sotto le dita nervose del principe, e lui fissò la decorazione nel suo palmo. Era vicino alle lacrime.

«Hai visto il capitano Middleton? A Londra?»

«Sì, questa mattina, alla mostra. Karolyi mi ci ha portato perché la inaugurava la regina.»

«C'era anche Vittoria?»

«Non importa chi c'era, mamma! Quel che importa è che tu sia stata coperta di ridicolo. Tutta Londra parla di te e Middleton. Devi sbarazzarti immediatamente di lui.»

Sissi si alzò e appoggiò una mano sul braccio del figlio. «Oh, Rudi. Hai rotto la tua decorazione. Ti ricordi quando ti fu attribuita, nella cattedrale di Buda? Quanti anni avevi? Tredici o quattordici? Ero così orgogliosa di te. Il mio piccolo cavaliere.»

«Mamma, non ho più tredici anni! Non puoi far finta che non sia successo niente. Devi sbarazzarti di quell'uomo e tornare a casa. Non sei mai a Vienna.»

«Vuoi che torni a Vienna, dove sono sempre tremendamente infelice? Come puoi essere così crudele con tua madre, Rudi? Lo sai cosa significa rimanere lì impalata in quei ricevimenti interminabili, sapendo che tutti bisbigliano qualcosa alle tue spalle? Non vuoi che provi un po' di gioia nella vita? Sono imperatrice da quando avevo sedici anni, più giovane di te adesso. Sono ventidue anni che mi guardano e mi esaminano e mi criticano in ogni momento della mia giornata. Sono stufa di tutto questo. Sai quanto sia duro, anche tu hai avuto modo di provarlo.» Gli accarezzò una guancia. «Sei mio figlio.» Rodolfo accettò per un istante le sue carezze, poi si allontanò.

«Pensa a quella fotografia, mamma!»

«Ti turba tanto il pensiero che tua madre possa essere ammirata?» chiese lei.

«Tu sei mia madre.»

«Aspetta di essere sposato, Rudi. Scoprirai che niente è facile come ti può sembrare adesso.»

«Non capisco come tu possa essere così incurante della tua posizione. La zia Maria dice che tu e il capitano Middleton siete inseparabili.»

«Ti ha anche detto che aveva cercato di ingaggiare per sé il capitano Middleton ma lui rifiutò l'incarico? Ti prego, non basare il tuo giudizio sul mio conto a partire da quello che dice Maria. È amareggiata perché crede che io abbia tutto ciò di cui ora lei è stata privata: una corona, un figlio come te. È comprensibile. Mia sorella cerca deliberatamente di rovinare il nostro rapporto.»

«Dunque non c'è niente tra te e il capitano Middleton?»

«Non hai il diritto di chiedermelo!»

Sissi si trasse in disparte, visibilmente irritata. Rodolfo le andò dietro, preoccupato dalla sua reazione.

«Mi dispiace, mamma. Non ho il diritto di chiederti niente.»

Sissi smise di camminare e tornò verso il figlio, stringendolo tra le braccia. Aveva il respiro affannoso e profondo.

Dopo un attimo allentò la presa e chiese: «Ti piace stare in Inghilterra, Rodolfo?»

«Non lo so. Non ho ancora avuto tempo di capirlo. Karolyi mi tiene sempre occupato portandomi in visita nelle fabbriche e nelle stamperie. Non ci fermiamo mai. Questa è la prima sera in cui partecipo a una cena senza dover fare un discorso.»

«Sono certa che Nopsca riesca a imbastire un discorso, se lo vuoi» replicò Sissi con un sorriso.

«Oh, sarà già un sollievo poter parlare in tedesco e non dover mostrare gentilezza nei confronti di inglesi che parlano dei loro macchinari.»

«Ho chiesto a Festy di farti preparare una torta al cioccolato.»

«Oh, mamma! Come facevi a sapere che era il mio più grande desiderio?»

Dopo cena Rudi andò in camera della madre mentre la cameriera le spazzolava i capelli, chinandosi fino a terra per ricoprire l'intera lunghezza. Lui guardava come ipnotizzato mentre la spazzola col manico d'argento scivolava sui capelli castani, rilasciando piccoli crepitii di elettricità nella sua scia. Rodolfo si rivolse all'immagine di sua madre riflessa nello specchio.

«Stavo pensando che potrei fermarmi qualche giorno. Ne ho abbastanza di fabbriche e telai automatici. Sarebbe bello passare un po' di tempo insieme lontano da Vienna.»

«Ma certo, mio caro. Vuoi venire a caccia? Sono sicura che il capitano Middleton ti possa trovare un cavallo.»

«Non voglio niente dal capitano Middleton.»

«Oh, non essere sciocco, Rodolfo. Credevo che la faccenda fosse chiusa.»

«Non credo che il capitano Middleton abbia piacere a stare qui con me.»

«Perché mai?»

«Gli ho dato pubblicamente dello stalliere stamattina alla mostra, e non credo abbia gradito.»

«Non ne dubito. Come hai potuto essere così villano? È un ufficiale di cavalleria, non un domestico. Bene, non avrai che da porgergli le tue scuse. Sono certa che ti perdonerà.»

«È fuori discussione. Non ho nessuna intenzione di scusarmi. Se il capitano Middleton torna qui, non potrò restare.»

«Perché devi rendere tutto così difficile? Io sono venuta qui per andare a caccia. Il capitano Middleton è la mia guida. Non posso andare a caccia senza di lui. Dunque è necessario che ritorni.»

«Ma perché mai deve alloggiare qui?»

«Perché glielo ho chiesto io.»

«Allora dovrai dirgli di andare da un'altra parte» disse Rodolfo alzandosi in piedi.

Sissi colse un tono petulante nella sua voce. Non c'era modo di ragionare con lui quand'era in quello stato. Aveva bevuto parecchio à pranzo, e non aveva preso una sbornia felice. L'imperatrice non aveva alcuna voglia di assistere a una scenata, e inoltre sentiva di dover proteggere quel figlio che era ancora un ragazzo. Fece segno alla cameriera di lasciarli soli e si alzò, con i capelli che le ondeggiavano sulle spalle. Lo abbracciò forte, e disse: «Il mio povero piccolo.»

Quando si svegliò il mattino seguente, Sissi chiese alla contessa Festetics se fosse arrivato qualche messaggio da Bay. Quando la dama disse che non c'erano state comunicazioni dopo il telegramma della sera prima, Sissi le chiese di convocare nel suo salotto da ricevimento Nopsca e l'ambasciatore. Il principe ereditario stava ancora dormendo.

Quando si presentarono al suo cospetto Sissi notò che esibivano entrambi un'aria di circospetta neutralità, la tipica espressione che avevano stampata in volto i suoi dignitari di corte. Nessuno dei due intendeva offenderla, e così fingevano di non avere alcuna opinione finché lei stessa non ne avesse espressa una.

«Forse potreste dirmi cosa è accaduto ieri, conte Karolyi.»

«Maestà, si sono succeduti numerosi spiacevoli eventi. Ho scortato il principe ereditario alla mostra fotografica affinché aves-

343

se l'opportunità di incontrare la regina. Forse non era del tutto in sé. La sera prima aveva fatto molto tardi, ed era decisamente nervoso. Credo sia rimasto estremamente turbato nel vedere una fotografia di Sua Maestà esposta al pubblico, e ha reagito in modo più aggressivo di come avrebbe fatto in altre circostanze. Il capitano Middleton ha pensato bene di andarsene. Ma è mio dovere dirvi che la regina, che aveva conosciuto il capitano in occasione della nostra recente visita a Windsor, è rimasta assai sorpresa per l'arroganza usata dal principe ereditario nei suoi confronti.»

«Capisco. E potete dirmi come mai c'era una mia fotografia in esposizione?»

«Credo sia stata scattata da una donna, la giovane signorina Baird, che pare sia un'amica del capitano Middleton. Aveva scattato altre foto selezionate per la mostra che ritraevano il capitano.»

«Capisco. Suppongo che la fotografia non sia più esposta al pubblico.»

«No, Maestà. La fanciulla l'ha rimossa prontamente. Sembrava assai turbata da quell'incidente.»

Il barone Nopsca ricordava il biglietto che aveva aperto con il vapore la settimana prima e strinse le nocche soddisfatto, ora che la situazione gli era chiara.

Sissi si voltò verso di lui.

«Barone, voglio che troviate il capitano Middleton. Ditegli che deve tornare non appena mio figlio sarà ripartito. Non credo sia saggio che i due si incontrino nuovamente.»

Gli uomini annuirono, esprimendo totale accordo con quella decisione.

«Ambasciatore, confido in voi affinché riportiate mio figlio a Londra non oltre domani. Dovete convincerlo voi, non voglio essere coinvolta nella decisione. Ma deve andarsene. Posso contare sul vostro aiuto?»

«Certamente. Ma il principe sa essere testardo, e non sempre è incline ad accettare consigli.»

«Mio figlio si annoia facilmente. Non credo troverà il soggiorno in questa casa molto divertente. Sono certa che saprete suscitare in lui qualche interesse che lo convinca a tornare a Londra.»

Karolyi si inchinò. Pensava fosse suo dovere tenere Rodolfo lontano da certe tentazioni, ma aveva capito perfettamente cosa le chiedeva l'imperatrice. Più il principe si fermava a Easton Neston, e dunque Bay ne restava bandito, maggiore sarebbe stato lo scandalo.

«Farò tutto il possibile, Maestà.»

Sissi fece un cenno ai due uomini. «Potete andare.»

Quando furono usciti, Sissi si rivolse alla contessa Festetics. «Sapevi qualcosa di questa signorina Baird, Festy?»

La donna sorrise. «Un uomo come il capitano Middleton avrà sempre amicizie tra il gentil sesso, Maestà. È un vero *Herzensbrecher.*»

«Non mi ha detto che sarebbe andato alla mostra.»

«Forse l'imbarazzava confessare di volersi vedere immortalato in fotografia.»

«Può darsi.» Sissi scosse la testa. «Sono davvero irritata con Rodolfo.»

«Maestà, è giovane e geloso. Lo sapete quanto vi ama.»

Sissi scrollò le spalle. «Se mi ama dovrebbe desiderare la mia felicità.»

La contessa sapeva che era inutile aggiungere altro.

# 38.

## La missione del barone Nopsca

Bay si svegliò con un forte mal di testa. Dopo l'opera si era portato a letto una bottiglia di brandy, e ora ne scontava le conseguenze. Si chiese che ora fosse. Incespicò fuori dal letto e guardò l'orologio sulla mensola del caminetto. Era mezzogiorno passato. Suonò il campanello e chiese al valletto di portargli il necessario per radersi e un bricco di caffè.

Quando si fu vestito e rasato, si sentì un po' meglio. Ma poi vide sullo scrittoio l'involucro di carta marrone contenente la fotografia.

La sera prima, quando era a metà della bottiglia di brandy, aveva deciso che sarebbe andato a Holland Park e avrebbe parlato con Charlotte. Da sobrio, tuttavia, capì che non poteva farlo. Lei non voleva vederlo: il messaggio che gli aveva lasciato insieme alla fotografia era piuttosto esplicito. Avrebbe potuto scriverle, ma non sapeva da dove cominciare. Non aveva spiegazioni per il suo comportamento. Lontano da Easton Neston, lontano dall'imperatrice, Bay faceva fatica anche a spiegarlo a se stesso.

Qualcuno bussò alla porta. Pensando fosse il valletto che passava a riprendersi gli strumenti per la rasatura, Bay disse: «Avanti.» Ma con sua grande sorpresa vide che era il barone Nopsca.

«Barone, cosa fate qui? Non vorrei sembrarvi scortese, ma come diamine avete fatto a trovarmi?»

«Oh, ci sono tanti modi. Ma non importa.» Tossì. «L'imperatrice mi ha chiesto di venire qui. Il principe ereditario è arrivato ieri a Easton Neston a farle visita.»

Bay fece un cenno al barone invitandolo ad accomodarsi nell'unica poltrona presente nella stanza d'albergo. Lui si sedette sull'ottomana ai piedi del letto.

«E così l'imperatrice sa cosa è successo ieri?» chiese Bay.

Nopsca annuì con aria mogia. «Sua Maestà è a conoscenza dell'incidente. È assai desolata per la condotta tenuta dal principe nei vostri confronti. Vorrebbe che tornaste a Easton Neston, ma sfortunatamente ciò non sarà possibile fino a che l'erede al trono non avrà lasciato la residenza.»

Bay si stava chiedendo come fare a spiegare al barone che in realtà lui non intendeva tornarci affatto, quando il cameriere arrivò con un bricco colmo di caffè. Sistemò il vassoio sul tavolo e versò due tazze. Bay cercò una moneta nei pantaloni del suo completo e gliela allungò.

Il barone aggiunse tre cucchiaini di zucchero al suo caffè, lo mescolò vigorosamente, bevve un sorso e fece una smorfia.

«Non lo chiameremmo neppure caffè, a Vienna.»

Bay lo assaggiò. «Non posso che darvi ragione. Dunque l'imperatrice vuole che mi tenga alla larga finché non riparte il principe?»

«Non la metterei in questi termini. La situazione non la rallegra, ma crede che sarebbe meglio che voi soggiornaste in altro luogo rispetto a quello in cui alloggia Sua Altezza.»

«Ma quando parte vorrebbe che io tornassi a farle da guida, come prima?»

Il barone annuì.

Bay si alzò in piedi. «L'imperatrice deve capire che ciò è impossibile.»

Nopsca s'inclinò col busto in avanti. «Eppure non è cambiato nulla, mio caro capitano. L'imperatrice è molto soddisfatta dei vostri servigi. Anzi, dipende da voi. Voi avete reso la sua visita in Inghilterra... molto gradevole» disse con un sorriso.

Bay trovò irritante quel sorriso. «Tuttavia suo figlio mi ha pubblicamente insultato. Ha dichiarato chiaramente che non mi reputa una compagnia adeguata a sua madre.»

Il barone percepì la collera nella voce di Bay. Si alzò, e gli mise una mano sulla spalla. «Dovete capire che il principe ereditario sa essere molto... irascibile. Non ha ancora imparato a pensare prima di parlare. Sono certo che si renderà conto del suo errore.»

«Eppure mi state dicendo che non devo venire a Easton Neston finché c'è lui.»

Il barone scrollò le spalle. «Il principe ereditario partirà probabilmente domani.»

«Mi dispiace, barone, ma non voglio partecipare a questo gioco. Potete riferire all'imperatrice che resterò in città.»

Il barone assunse un'aria costernata. «Non posso portarle un simile messaggio.»

Bay provò quasi dispiacere per lui. «Ditegli che avete fatto il possibile per convincermi, ma io sono un inglese ostinato. Non potrà dare a voi la colpa.»

«Mi avete frainteso. Non è per me che sono preoccupato, ma per l'imperatrice. Sono al suo servizio da molti anni, e la conosco bene. Ha sviluppato un certo attaccamento nei vostri confronti, capitano Middleton. Voi l'avete resa felice. La sua vita non è stata particolarmente gioiosa.»

Il barone si stava torcendo le mani, visibilmente angosciato. Bay capì che non si trattava della mera riluttanza di un cortigiano a portare cattive notizie alla sua padrona.

«Credete davvero che io l'abbia resa felice?»

Il barone annuì. «Non l'avete vista prima. Da quando vi ha incontrato ha ripreso a mangiare e a ridere. Io e la contessa sappiamo bene che il merito è tutto vostro. E poi, capitano Middleton, credo che anche voi siate felice accanto a lei.»

Bay si accostò alla finestra. Giù in strada c'era un suonatore di organetto, con una scimmietta che raccoglieva offerte in una sacca da parte della piccola folla che si era radunata lì intorno.

«È vero» ammise lui, «ma è una situazione impossibile. Non è solo per il principe. Ci sono anche Liechtenstein ed Esterházy. Mi disprezzano.»

«Può darsi, ma la loro opinione non vale niente. Vi prego, capitano Middleton, non lasciate che il vostro orgoglio renda infelice l'imperatrice.»

La scimmia s'era messa in spalla all'ambulante e agitava nell'aria il suo fez in miniatura.

Bay ripensò alla notte nelle stalle e alla capigliatura di Sissi tempestata di diamanti. L'aveva desiderata ardentemente. Nel momento in cui aveva capito che lei lo ricambiava, aveva provato un senso di trionfo.

«Non posso starmene qui in attesa che il principe riparta.»

Il barone rimase muto.

Lungo la strada un poliziotto si accostò al suonatore dicendogli di sloggiare. La scimmia cercò di strappargli un bottone dorato dalla divisa per mettterselo nella sacca.

Bay prese una decisione.

«Avete sentito parlare del Grand National?»

L'altro scrollò le spalle. «Suppongo si tratti di una corsa di cavalli.»

«È la più importante corsa a ostacoli dell'intero Paese, probabilmente del mondo. Qualunque fantino pratico di caccia a cavallo sogna di vincerlo. Stavo per prendervi parte cinque anni fa, ma persi il mio animale. Da quando ho comprato Tipsy ho in mente di parteciparvi, e ora mi sono deciso. La gara sarà il ventiquattro. La stagione di caccia è quasi finita, e non voglio che si spezzi una zampa prima del concorso. Se direte all'imperatrice che mi sto recando a Aintree per allenarmi per il Grand National, lei capirà.»

Il barone appariva perplesso. «Forse volete scriverle una lettera per spiegarglielo direttamente. So che Sua Maestà mi farebbe mille domande.»

Bay si sedette allo scrittoio e cominciò a scrivere, consapevole del fatto che il barone leggeva la lettera alle sue spalle.

*Maestà,*

*ho deciso di iscrivere Tipsy al Grand National. È la gara più prestigiosa del mondo e da tempo accarezzo il sogno di vincerla. Nopsca mi ha chiesto di tornare a Easton Neston, ma so che mi perdonerete se non obbedisco: devo passare i prossimi giorni ad allenarmi per la corsa. Sono certo che mi scuserete perché so che se vi foste trovata nella mia posizione non solo vi sareste iscritta al Grand National, ma lo*

*avreste senz'altro vinto, dal momento che in sella a un cavallo siete la*
*persona più abile che abbia mai conosciuto.*
  *Resterò sempre il vostro umile servo,*
  *Bay Middleton*

  Asciugò la lettera e la diede a Nopsca, senza sigillarla. Voleva
che Sissi sapesse che l'aveva scritta perché tutti potessero leg-
gerla.
  «Non siate preoccupato, Nopsca. L'imperatrice capirà.»
  «Lo spero, capitano.»

  Quando il barone se ne fu andato, Bay uscì a fare una passeggiata nel parco. Gli alberi erano ancora spogli ma il tempo stava
volgendo al bello, e di tanto in tanto il sole faceva capolino da
dietro le nuvole. Il viavai delle carrozze del pomeriggio era iniziato, e Bay rimase a guardare le signore che gli sfilavano davanti nei loro landò e nei calessi. Il traffico non era frenetico: la stagione stava appena cominciando. Ma c'erano alcune facce che
Bay riconobbe. Era strana la sensazione di camminare nel parco
anziché andare in carrozza, ma almeno a piedi non c'era pericolo di imbattersi in qualche conoscente. Non v'erano altri pedoni
oltre alle bambinaie che spingevano le carrozzine.
  Nell'aria fresca il suo umore migliorò. Il pensiero della gara
imminente gli procurò un senso di leggerezza, e quando arrivò
alla Serpentine si sentì come se volasse al di sopra di quel groviglio che era la sua vita. Partecipare alla corsa a ostacoli gli pareva
un'impresa semplicissima, quasi ridicola. Aveva il cavallo giusto.
Se solo la sua spalla avesse tenuto, di sicuro avrebbe avuto la
possibilità di vincere.
  Una donna in sella a una giumenta marrone gli passò accanto. Per un attimo Bay credette che fosse l'imperatrice, ma poi
vide che faceva qualche sobbalzo, come se non riuscisse a tenersi perfettamente in equilibrio. Bay pensò che nelle settimane che
aveva cavalcato con l'imperatrice, non l'aveva vista vacillare
neppure una volta.

# 39.

## Mayfair

«Alzate la testa, Lady Augusta. Un collo così lungo dovrebbe avere l'opportunità di sembrare quello di un cigno. E voltatela un attimo verso di me. Ecco, così è perfetto. Ora pensate di stare solcando il Canal Grande a bordo di una gondola.»

«Ma non sono mai stata a Venezia» obiettò Augusta.

Caspar sorrise. «Non è necessario esserci stata davvero, mia cara Lady Augusta. Siete una sposa alla vigilia delle nozze, e state pensando alla vita piacevole che vi attende. Oh, state arrossendo: è proprio ciò che volevo. Dunque non concentratevi soltanto sulla gondola, mentre scatto la fotografia.» Caspar Hewes sparì sotto il panno di velluto e premette il bottone dell'otturatore.

«Perfetto! Ora creerò qualche effetto con il vostro velo, così. I vostri occhi sono così profondi... Voglio che il merletto vi faccia da cornice. Sì, tenetelo su, così. È incantevole. Credo che voi abbiate un talento innato per posare come modella, Lady Augusta. In America la vostra immagine troneggerebbe sui cartelloni pubblicitari.»

«Che cosa terribile» disse Augusta, visibilmente compiaciuta.

Era in piedi su una piccola pedana in un angolo del salotto dei Crewe nella residenza di Portman Square. Dietro di lei c'era un fondale dipinto con un tempio greco, con un paio di cherubini nell'angolo sinistro che soffiavano nelle loro tube. Charlotte pensò che quello sfondo fosse molto volgare, ma Caspar si era imposto: «Donne come la vostra futura cognata» le aveva detto «non si sentono mai abbastanza lusingate. Lei troverà perfettamente appropriata l'idea di vedersi inserita in un contesto mitologico al pari di una divinità, credetemi.» E aveva avuto proprio ragione. Augusta era in solluchero.

Charlotte era ammirata dalla facilità con cui Caspar interagiva con Augusta. Pur essendo un americano privo di mezzi e di conoscenze, era riuscito a adulare e blandire la sua futura cognata fino al punto non solo di farsi considerare un suo pari rango, ma addirittura di convincerla della propria indispensabilità.

Tutto era cominciato dopo la mostra. Augusta era stata a casa di Lady Dunwoody per vedere Charlotte e per persuaderla a tornare a Melton, ma il suo vero obiettivo era punzecchiarla parlandole della relazione di Bay con l'imperatrice. «Il principe ereditario è stato davvero villano con il capitano Middleton. Tuttavia dev'essere stato provocato. Ti trovi davvero in una situazione scomoda, povera Charlotte. Ma se fossi rimasta a Melton, come io ti avevo consigliato, niente di tutto questo sarebbe accaduto.»

Con grande sollievo di Charlotte, Caspar aveva interrotto il torrente di malignità che sgorgava dalla bocca di Augusta, trasformandola senza alcuno sforzo nella sua creatura. Quando infatti quest'ultima aveva voltato la testa, lui le aveva detto: «Che profilo incantevole! Ha una purezza che oserei definire greca. Devo assolutamente fotografarvi, Lady Augusta. Sarebbe un crimine se una tale perfezione non trovasse un'adeguata testimonianza.»

Charlotte aveva pensato che Augusta si sarebbe offesa per una simile impudenza, e invece aveva ceduto immediatamente alla lusinga e l'aveva seguito nello studio, dove Caspar l'aveva fotografata mentre si rimirava in uno specchio che stringeva in una mano. Il giorno dopo aveva inviato la stampa a Melton, e Augusta era rimasta talmente contenta del risultato che quando Caspar l'aveva implorata di farsi fotografare con l'abito nuziale lei non solo aveva acconsentito, ma l'aveva anche ingaggiato per scattare le fotografie del matrimonio, e gli aveva mandato un invito personale.

Ora Augusta era in piedi, con il suo abito nuziale e la tiara sulla testa, col velo di pizzo sistemato ad arte da Caspar per nascondere la sua mascella sporgente, e dispensava a quell'americano sguardi più dolci di quelli che aveva mai riservato al suo promesso sposo.

«Il signor Hewes è bravissimo quando si tratta di mettere a proprio agio la persona che sta fotografando» aveva detto a Charlotte. «Non credevo che posare per una foto potesse essere un'esperienza così piacevole.» Charlotte aveva capito l'implicito rimprovero.

«Un ultimo scatto e vi lascio ai vostri preparativi per domani.» Poi, rivolgendosi a Charlotte, Caspar aggiunse: «Perché non vi sistemate alle spalle della sposa in modo da tenerle il velo?» Charlotte gli lanciò un'occhiataccia, ma obbedì.

«Che meraviglia. La sposa e la sua damigella. L'immagine sarebbe perfetta se voi, Charlotte, assumeste un'espressione un po' malinconica, come se steste vagheggiando il momento in cui anche voi potrete indossare l'abito nuziale.»

«Un giorno sarai tu, Charlotte, a portare il velo e la tiara. Ci vuole del tempo per trovare la persona giusta. Credo sia un errore sposare la prima persona che spunta all'orizzonte» disse Augusta.

«Proprio così» ribatté Charlotte. «Fred è stato fortunato, poiché hai saputo aspettare finché non è arrivato lui.»

Augusta le lanciò un'occhiata, ma Charlotte era troppo intenta a sistemare il velo per raccoglierla.

«Ecco, una composizione davvero deliziosa. Vorrei che entrambe pensaste alla giornata di domani. Perfetto. Potrei intitolare questo scatto "Quasi cognate".»

Charlotte lasciò cadere il velo, come se si fosse accorta che era intriso di veleno.

«Basta così, Caspar. Non potete sfinire Augusta.» Charlotte si spostò verso il tavolo su cui c'erano tutte le attrezzature fotografiche di Caspar e cominciò a metterle via.

«Molto bene» sospirò Caspar. «Avete ragione, Charlotte, ma faccio fatica a smettere quando vedo Augusta con un'espressione così incantevole.»

Lei guardò verso la futura sposa, chiedendosi se davvero potesse credere alle adulazioni di Caspar, e constatò che avrebbe potuto ascoltare le chiacchiere dell'americano per sempre.

\*

La carrozza stava aspettando davanti alla casa per riportare Charlotte in Charles Street. Si era trasferita da Holland Park una settimana prima, quando Lady Lisle era tornata da Melton. Avrebbe preferito restare a Holland Park, ma le dispiaceva lasciare sua zia da sola. Quando Fred e Augusta fossero tornati dalla luna di miele, Charlotte sarebbe andata a vivere con loro e la povera Lady Lisle avrebbe presto dovuto far ritorno alla piccola casa nel comprensorio della cattedrale.

Per Charlotte, tuttavia, era un sacrificio. In Charles Street non c'era niente che la distraesse. Lady Lisle aveva solo due argomenti di conversazione: l'imminente matrimonio o la tragedia avvenuta all'inaugurazione della mostra. Charlotte non riusciva a entusiasmarsi al primo, e voleva dimenticarsi al più presto il secondo.

Fred, che non vedeva perché mai l'evento avrebbe dovuto rovinargli la stagione di caccia, era arrivato solo quella mattina.

Caspar, ovviamente, non aveva una carrozza ad aspettarlo. Mentre era là sul marciapiede, con tutta la sua attrezzatura fotografica, sospirò al pensiero del lungo viaggio di ritorno che lo avrebbe ricondotto a Chelsea. Avrebbe dovuto prendere un calesse a noleggio o addirittura un omnibus. Charlotte sapeva che Caspar non amava servirsi dei mezzi pubblici. Preferiva camminare per chilometri, poiché trovava assai claustrofobici sia gli omnibus stipati di gente sia, peggio ancora, la ferrovia sotterranea. «All'Ovest si può procedere per giorni senza incontrare anima viva. È davvero difficile abituarsi ad avere qualcuno che t'infila il naso dentro il cappotto.»

Nonostante il brutto tiro che le aveva fatto, costringendola a posare con Augusta, Charlotte decise di invitarlo a cena a Charles Street. Dal giorno della mostra, da quando l'aveva riaccompagnata a Holland Park, Caspar era divenuto parte imprescindibile della sua vita. Finché era rimasta da Lady Dunwoody, era andato a trovarla tutti i giorni: dava una mano a organizzare il salotto del giovedì, stampava le lastre fotografiche, intratteneva le signore durante le visite del pomeriggio. Ma il fascino di Caspar non si esauriva tra le mura di Holland Park. Dopo la mostra fotografica era diventato anche l'idolo di Mayfair. Augusta era stata la sua prima conquista, poi aveva irretito Lady Crewe con la sua difesa appassionata delle funzioni religiose domenicali e aveva sedotto Lord Crewe scattandogli una fotografia in costume da Merlino. Caspar aveva trascorso un fine settimana a Melton, senza Charlotte, e aveva messo sotto assedio Fred implorandolo di posare nelle vesti di Lancillotto insieme alla sua Ginevra-Augusta. Charlotte aveva strabuzzato gli occhi incredula quando aveva visto la lastra, sviluppata nella camera oscura di Lady Dunwoody: Fred aveva effettivamente indossato un costume da cavaliere, preso a noleggio da Maskelyne, e si era messo in ginocchio davanti ad Augusta inghirlandata e con i capelli sciolti. Sembravano davvero irretiti l'uno dall'altra.

Una pioggia sottile aveva iniziato a cadere, e Caspar si stava abbottonando il soprabito a quadri. Raggiunto l'ultimo bottone, Charlotte gli aveva detto: «Caspar, non potete andarvene con questo tempaccio. Venite a Charles Street e restate a cena. Sono certa che la zia Adelaide sarà felicissima di vedervi. Potete lasciare qui la vostra macchina fotografica e così sarà più facile trasportarla al matrimonio.»

Caspar aveva smesso di vestirsi e aveva accennato un inchino.

«Premurosa come sempre, cara Carlotta. Ora che l'avete suggerita, è sicuramente la cosa migliore da farsi. Ma non vorrei imporre la mia presenza a vostro fratello proprio l'ultima sera da uomo libero.»

«Fred ne sarà felicissimo, ne sono certa.»

Quando la carrozza si avviò da casa Crewe in Portland Square e s'inoltrò in Mayfair, passando da Oxford Street, Caspar prese posto sul sedile di fronte a Charlotte, con le spalle ai cavalli, e ricominciò a conversare. Ma quando raggiunsero Grosvenor Square, lui inclinò il busto in avanti e disse: «Smetterò di parlare solo quando mi direte cosa c'è che non va. Anzi, lasciatemi indovinare. Sono capace di leggervi nel pensiero con la stessa facilità con cui sono riuscito a farmi invitare da Lady Augusta al suo matrimonio. Siete preoccupata perché temete che domani ci sia anche il capitano Middleton e non avete voglia di vederlo.» Caspar si portò un dito alla tempia.

«Anzi, non è vero» disse atteggiandosi a un esperto di mesmerismo. «Voi *volete* vederlo, ma allo stesso tempo non volete. Vi attrae e allo stesso tempo vi respinge. E ora siete in collera con me perché vi ho letto nel pensiero. Ma siete talmente trasparente, Charlotte. Non credo di aver mai visto un viso che esprime con tanta precisione quel che passa nella mente di chi lo possiede.»

Charlotte fece qualche movimento per assestarsi sul sedile della carrozza. «Nessuno mi aveva mai trovata di così facile decifrazione.

«Solo perché non erano interessati a voi come lo sono io. Se vi lasciaste fotografare da me, potrei mostrarvi cosa vedo sul vostro volto. Ma non me lo permettete, perché avete paura di ciò che potrei scoprire.»

«Non capisco di cosa stiate parlando.» Charlotte guardò fuori dal finestrino.

«Vedete, sono l'unica persona che ha capito quanto voi siate straordinaria.»

Charlotte si portò le mani davanti al viso. «Al momento mi sento tutt'altro che straordinaria» mormorò.

«Solo perché credevate che tra voi e il capitano Middleton ci fosse una certa intesa. O meglio, che lui fosse l'uomo che vi aveva compresa realmente. E sono certo che l'avesse fatto, o che lo faccia ancora. Ma non siete l'unica donna per cui prova interesse. E questo vi fa dubitare di tutte le cose che vi ha detto.»

Charlotte si tolse le mani dal volto. L'analisi di Caspar del suo stato mentale aveva messo in parole sensazioni che lei aveva sempre evitato di definire. Se solo non avesse mai scattato quella fotografia... Ma ora era impossibile far finta di niente. Bay non stava usando l'imperatrice solo per i suoi scopi, come aveva insinuato Chicken. La situazione era assai peggiore: era stato ridotto in schiavitù da lei.

Charlotte guardò Caspar. Il suo viso largo e lentigginoso, da ragazzo di campagna, contraddiceva la sua intelligenza. Si chiese se una fotografia avrebbe mai rivelato la sagacia che si nascondeva dietro la sua eccentricità. In un collage l'avrebbe trasformato in pavone, ma la testa piccola del volatile mal si addiceva all'intelligenza di Caspar. La sua stravaganza non era fine a se stessa, come quella di un pavone. Charlotte pensò che fosse un diversivo, o forse uno scudo. Non poteva fare a meno di ricordare la tristezza sul suo volto quando le aveva raccontato la breve vita di Abraham Acqua-Che-Scorre.

Ma Charlotte non voleva starsene ad ascoltare Caspar che parlava di Bay. Anche se sapeva che aveva ragione, in quel momento non sopportava di sentirselo dire. Gli si avvicinò e gli sfiorò un braccio.

«Raccontatemi qualcosa dell'America, Caspar. Vorrei che la mia mente trovasse un po' di distrazione rispetto alla mia situazione.»

Caspar si schiarì la gola e tese le mani davanti a sé, come se fosse un predicatore che parlava dal pulpito. «La prima cosa da sapere è questa: l'America è un Paese che non è ancora stato completamente immaginato. Qui ogni zolla di terra ha la sua storia, tutti i posti hanno le loro sottigliezze. Se nominate la Cornovaglia a un inglese, penserà ai contrabbandieri, a re Artù e alla pesca. Ma ci sono parti del mio Paese di cui gli stessi americani non sanno niente, e a cui attribuiscono solo un'immensa vastità. Certo, gli indiani che vi abitano conoscono lo spirito della loro terra, ma non è questo il punto. Non potete immaginare come sia azzurro il cielo all'Ovest, Charlotte. Uno spazio così immenso. È davvero un luogo selvaggio, non come il vostro Distretto dei Laghi con i suoi muretti di pietra. All'Ovest il paesaggio non è stato mai toccato dall'uomo. Ecco perché mi piace fotografarlo: certi paesaggi sono così strani che costituiscono una sfida per l'osservatore. Se avessi dipinto il Grand Canyon con le sue vere tinte, non mi avreste creduto. Ma con le mie fotografie vi ho mostrato la verità, e adesso sta a voi trovare il modo di immaginarvela. Anche le città come San Francisco stanno sviluppando una propria personalità. Nel giro di due anni, il suo carattere è cambiato completamente. Chissà se la riconoscerò, quando tornerò a casa. Qui siamo a Mayfair, diretti a Charles Street. Un indirizzo rispettabile e rispettato da secoli. Forse gli edifici si trasformano, ma una casa in Charles Street è un concetto che permane immutato. Noi non abbiamo una Charles Street all'Ovest. Non ancora. A San Francisco ci sono strade eleganti, ovviamente, ma cinque anni fa non erano ancora state costruite. Non c'è alcuna stratificazione: la pittura è ancora fresca. Non abbiamo proprio tempo per il passato, laggiù all'Ovest: siamo troppo impegnati a immaginare il nostro presente.»

Con tempismo impeccabile, Caspar portò a conclusione il suo discorso proprio mentre la carrozza accostava davanti alla casa di Charles Street.

«Eccoci arrivati» disse. «Sono riuscito a distrarvi con la visione della terra della libertà? Dovreste venire in America con la vostra macchina fotografica.»

«Oh, mi piacerebbe molto, ma come faccio? Non posso prendere una nave e salpare.»

«Perché no? Quando Fred e Augusta saranno partiti per il viaggio di nozze, non ci sarà nulla a impedirvi di partire, a parte vostra zia. Ma credo che si possa convincere.»

«Ma non posso andare in America da sola, Caspar. Non conosco nessuno laggiù.»

«Potete portare con voi una cameriera, magari quella che vi sa fare le belle acconciature. E poi, ovviamente, verrei io con voi.»

Se fosse arrivata da qualsiasi altro uomo quell'offerta avrebbe potuto sembrare una proposta, ma non da Caspar. Le stava offrendo qualcosa di più del matrimonio: le stava prospettando un'opportunità di fuggire.

Prima che potesse replicare, il valletto aprì la portiera della carrozza. Lady Lisle era sui gradini, ad attenderli.

«Cosa sai dell'America, Grace?» chiese quella sera Charlotte alla sua cameriera, mentre si stava cambiando per la cena. La domestica di Melton stava cercando di convincere i capelli di Charlotte a restare attaccati a un cuscinetto perché prendessero più volume.

«Non molto, signorina. Il figlio del fabbro ci è andato, e se la sta cavando a meraviglia. Ha mandato a sua madre una fotografia dove indossa un completo elegante. La signora Street ha fatto fatica a riconoscerlo.»

«Anch'io sto pensando di andare in America. A fare fotografie. Ti piacerebbe venire con me?»

«In America? Non saprei proprio, signorina. Non riesco neanche a immaginarlo. Già venire a Londra è stata un'avventura, ma almeno qui parlano tutti la mia lingua.»

«Oh, anche in America, sai?»

«Può darsi, ma si fa fatica a capire cosa dicono. Quando il signor Hewes comincia a parlare veloce non riesco a capire una parola di quello che dice.»

«Non credo che siano tante le persone che parlano alla velocità del signor Hewes» disse Charlotte sorridendo.

«Se ci andate, credo che mi piacerebbe venire con voi. Ma non per sempre, signorina Baird. Mi mancherebbe troppo la mamma.»

«No, non per sempre. Pensavo di andarci solo per una... visita.»

«Ma... scusate se ve lo chiedo, signorina. Che ne sarà del capitano Middleton?»

«In che senso?»

«Pensavo che tra voi e il capitano Middleton ci fosse... un'intesa.»

«A volte l'accordo si trasforma in disaccordo. Dubito che al capitano Middleton interessi se resto qui o me ne vado.»

«Oh, signorina Charlotte, credo che siate stata troppo dura con lui. È un uomo di buon cuore. Sempre molto amato nei quartieri della servitù. È gentile con tutti, e molto generoso, anche se non è ricco. Non aveva un valletto a Melton, ma a nessuno di noi dispiaceva lucidargli gli stivali o inamidargli i colletti. Non erano tutti così, laggiù. Non so cosa è successo tra voi, però il capitano è un brav'uomo. Si è sempre comportato da gentiluomo con quelli come me.»

Charlotte si chiese se Bay fosse stato semplicemente gentile con lei allo stesso modo in cui lo era istintivamente con i servitori, gli animali e i bambini. Non poteva credere che mirasse semplicemente al suo denaro. Charlotte riconosceva facilmente la cupidigia, mentre la gentilezza le era così poco familiare che forse l'aveva scambiata per amore. Non appena ebbe formulato quel pensiero, lo scacciò via. Non sopportava di pensare a lui. Caspar aveva ragione, aveva creduto che Bay l'avesse capita, e invece era lei che aveva frainteso lui.

Si costrinse fermamente a pensare ad altro. L'idea di andare in America cominciava a prendere forma nella sua mente. Se non avesse visto le fotografie avrebbe liquidato quel discorso sull'Ovest come una delle sue pacchiane esagerazioni. Ma le fotografie non mentivano.

Dall'altra parte di Piccadilly, Bay stava procedendo lungo St James diretto al suo club. Aveva preso il treno dal Cheshire, dove aveva messo in stalla Tipsy in preparazione del Grand National. Nella tasca aveva l'invito al matrimonio di Lady Augusta Crewe con l'egregio Frederick Baird. Non si aspettava di riceverlo, ma l'ambizione sociale di Augusta era sconfinata, per cui, nonostante le proteste di Fred, non vedeva la ragione per non invitare alle sue nozze l'uomo più chiacchierato di Londra. «Se non lo facciamo venire la gente penserà che abbia respinto Charlotte, ma siccome non sono mai stati ufficialmente fidanzati, il miglior modo per mettere a tacere le voci è invitarlo al matrimonio.» Fred si era arreso, sia pure con riluttanza, e Augusta s'era presa la soddisfazione di raccontare a Charlotte cosa aveva fatto. «Se viene, dovrai trattarlo come tutti gli altri. Quando vedranno che avete rapporti tranquilli e civili, smetteranno di far circolare voci sull'intera faccenda.»

Al club Bay si mise a giocare a carte e andò avanti fino a mezzanotte. Per lo più perse, cosa che lo espose allo scherno dei suoi compagni di gioco. «Sfortunato al gioco, eh, Middleton?» Due dei più ubriachi avevano cominciato a volteggiare per la stanza improvvisando un valzer viennese, ma Bay aveva sopportato tutto col sorriso sulle labbra. Sapeva come far fronte all'invidia malevola dei suoi coetanei.

Crombie, un maggiore che aveva concorso contro di lui in una gara di salto a ostacoli l'anno prima, lo avvicinò sulle scale. «Sarete troppo occupato a soddisfare l'imperatrice per partecipare al National, vero, Middleton?»

«Niente potrebbe impedirmelo, quest'anno. Anzi, sono appena stato a Aintree a provare il percorso di gara.»

«Vi presenterete con quella vostra giumenta? Quella che avete comprato in Irlanda?»

«Se Dio vuole sì. Credo che insieme avremo ottime possibilità di farcela.»

«Non ne dubito. Non credo siano già aperte le scommesse. Forse punterò su di voi. Vi avverto, però. Il percorso di gara è difficoltoso. Forse è troppo impegnativo per una giumenta.»

«Tipsy arriva sempre fino in fondo. Magari sarò io a non farcela, ma lei di sicuro arriverà al traguardo.»

Crombie annuì. «I cavalli irlandesi sono i migliori del mondo, no? Bene, non vedo l'ora di rincontrarvi a Aintree.»

«A presto, Crombie.»


Bay stava per uscire quando vide Hartopp che saliva gli scalini. Ne mancò uno, e sarebbe caduto rovinosamente al suolo se Bay non l'avesse afferrato subito prima che finisse con la faccia sul granito.

«Continuano a spostarli, questi maledetti scalini. Andrò a lamentarmi con la segreteria del club» grugnì Hartopp. «Oh, salute, Bay. Cosa ci fate qui? Pensavo foste troppo impegnato a inchinarvi e a ossequiare.»

«Sono venuto per il matrimonio di Fred.»

Chicken stava spazzolandosi via la polvere dal completo elegante, ma senza successo.

«Bene, fatemi un favore, vecchio mio. Tenetevi alla larga da Charlotte Baird. Ho una possibilità, e voi ormai siete uscito di scena. È da un anno che le ho messo gli occhi addosso. L'avrei già conquistata se non vi foste messo in mezzo. Dunque state lontano da lei domani, o dovrete risponderne a me personalmente.»

La minaccia insita nelle parole di Chicken strideva con la sua incapacità di mettere propriamente a fuoco, e così sembrava che avesse rivolto il suo discorso a qualcuno posizionato dietro l'orecchio destro di Bay.

«Non posso farvi questa promessa, Chicken. Ma vi dirò una cosa: se Charlotte vi rifiuterà, non sono io la causa.»

«È così che la mettete? Almeno io non l'ho illusa e poi abbandonata quando si è prospettata un'offerta migliore.»

Il pugno di Bay buttò Chicken riverso sui gradini. Si tirò in piedi e cercò di dare una spinta a Bay, ma questi scartò prontamente. Il naso di Chicken sanguinava copiosamente, macchiandogli la camicia. Bay era sempre costernato dai propri accessi di collera. Entrò nel club e chiamò il portiere.

«Il capitano Hartopp è scivolato dalle scale. Potete aiutarlo?» chiese infilando una mezza sovrana in mano all'usciere.

Il portiere si toccò il berretto. «Certamente, signore. Siamo abituati alle cadute del capitano Hartopp.»

Chicken puntò una mano contro Bay mentre questi si allontanava nella notte.

«Non la spunterete, stiatene certo.»

# 40.

## St George, Hanover Square

Le panche delle chiese non erano mai comode, ma quelle di St George in Hanover Square erano state realizzate da un falegname che non vedeva perché mai i fedeli, soprattutto se ricchi ed eleganti, dovessero starsene seduti confortevolmente nella casa del Signore. E così aveva fatto delle panche intenzionalmente due centimetri più strette di com'erano di solito, al punto che l'unico modo per non cadere era starsene appollaiati come su un trespolo. I pastori che vi officiavano funzioni solo occasionalmente restavano sempre colpiti da quanto fossero attente ai loro sermoni le platee di fedeli: non c'era mai nessuno che chiudeva gli occhi a St George, poiché una momentanea perdita di attenzione poteva concludersi con un inevitabile e imbarazzante capitombolo.

E così i convenuti che attendevano l'arrivo della sposa non vedevano con indulgenza il suo ritardo. Per essere un matrimonio dell'alta società, non era stato fissato nel pieno della stagione, e quindi molti invitati avevano raggiunto Londra dalle loro residenze di campagna soltanto per la giornata, risparmiandosi così di aprire le case di città troppo in anticipo rispetto all'inizio della stagione vera e propria. Gli ospiti che vivevano nei dintorni di Melton si chiesero come mai Crewe avesse voluto che il matrimonio fosse celebrato in città, quando aveva a disposizione quella cappella di cui andava tanto fiero. Ma le donne che avevano debuttato in società lo stesso anno in cui aveva fatto la sua comparsa Augusta sapevano bene perché avesse scelto St George: era un modo per mostrare al mondo che non era più una fanciulla che avvizziva anno dopo anno in attesa di sistemarsi, bensì una donna sposata di cui tener conto. Non era un acquisto favoloso per la figlia di un conte sposare un signorotto dei Border, ma celebrando il matrimonio in città Augusta voleva rendere manifesto il fatto che non intendeva essere tagliata fuori dall'alta società londinese.

Gli ospiti non avevano molto da fare, oltre che esaminarsi con cura l'un l'altro mentre l'organo attaccava una cantata di Bach dopo l'altra. L'occhio nero del capitano Hartopp suscitò infinite speculazioni. Qualcuno diceva che era stato atterrato da Bay Middleton, eppure oggi erano entrambi accanto allo sposo. Una caduta in stato di ubriachezza parve la spiegazione più credibile, dal momento che Chicken non era noto per essere un bevitore leggiadro. Gli ospiti che avevano sentito tanto parlare dell'incidente alla mostra fotografica erano curiosi di vedere il capitano Middleton. Possibile che le voci su di lui e l'imperatrice d'Austria fossero veritiere? Middleton era noto per essere un rubacuori, ma un ufficiale di cavalleria a mezza paga poteva mai diventare il favorito di una sovrana? Erano cose che avvenivano solo nei romanzi.

Il conte Spencer pareva particolarmente a disagio. La panca stretta reggeva a stento le sue cosce poderose. Era una bella giornata di primavera, ideale per uscire con la muta di Quorn in uno degli ultimi giorni della stagione di caccia. Ma Spencer conosceva i suoi doveri. Baird era stato uno dei suoi ufficiali in Irlanda, ma avrebbe anche potuto ignorare quel vincolo, se non fosse stato per Bay Middleton. Il conte provava, nei limiti del possibile, un certo rimorso per la situazione in cui si trovava quest'ultimo. Ecco perché quella mattina aveva indossato il suo completo elegante ed era andato a St George per starsene appollaiato sul suo trespolo. Nessuno avrebbe potuto offendere Bay se Spencer fosse stato al suo fianco.

Bay era sugli scalini davanti all'altare con Fred e Chicken. Quella mattina aveva stretto la mano a quest'ultimo, e benché nessuno dei due avesse perdonato l'altro, si trovavano ora fianco a fianco come affezionati commilitoni, nelle loro uniformi sgargianti. Hartopp s'era messo una benda sull'occhio, ma il gonfiore sottostante era tale che non riusciva a ricoprire l'intera area colpita. Considerato l'infortunio di Chicken, Fred aveva chiesto a Bay di tenere gli anelli. «Se Augusta lo vede combinato a quel modo, c'è rischio che svenga.»

E così Bay era in piedi accanto allo sposo e giocherellava con gli anelli nella tasca, mentre ascoltava il rantolo di Hartopp, che a ogni esalazione di respiro sembrava esprimere un lamento.

Alla fine l'organista smise di suonare, e tutti i presenti si alzarono in piedi mentre Augusta cominciò ad avanzare lungo il corridoio centrale al braccio di suo padre. Bay diede un'occhiata oltre la spalla alla composizione di pizzo, fiori d'arancio e diamanti che si stava avvicinando e, mosso a compassione, sospirò a Fred, che tremava dal nervosismo: «Siete un uomo fortunato, Baird.» Fred rimase stupito da quella frase, ma l'accettò con gratitudine.

La cerimonia si svolse senza incidenti, anche se tutti notarono che la sposa aveva pronunciato i suoi voti a voce più alta rispetto allo sposo. Quando fu il momento di tirar fuori gli anelli, Bay cercò di lanciare uno sguardo a Charlotte, che era in piedi accanto ad Augusta e le teneva il bouquet. Tuttavia, per caso o deliberatamente, il viso della ragazza era nascosto dietro le pieghe voluminose del velo della sposa. Ciò nonostante, Bay aveva pensato fosse buon segno che l'avessero invitato al matrimonio. Sperava che l'invito fosse arrivato su richiesta di Charlotte. Quando il corteo nuziale si era sistemato per incedere lungo la corsia dell'altare, Bay per un istante pensò di poter stringere il braccio di Charlotte, ma invece finì abbinato con Lady Crewe. Charlotte era dietro di lui con Chicken.

Appena furono fuori dalla chiesa, gli sposi passarono sotto il corridoio di spade allestito dai compagni di reggimento di Fred. Ci furono grida di auguri alla coppia felice, e tutti i presenti lanciarono con entusiasmo manciate di riso agli sposi mentre si allontanavano nella carrozza nuziale trainata da cavalli grigi.

Bay cercò di trovare un momento per parlare con Charlotte fuori dalla chiesa, ma non riuscì ad avvicinarsi a lei. La giovane se ne stava appiccicata a Chicken Hartopp, e poi scomparve nella carrozza che avrebbe condotto le damigelle al rinfresco nuziale in Portman Square.

Bay rimase in mezzo alla folla, sulla scalinata antistante, ad ascoltare il chiacchiericcio che lo circondava. In quel momento avrebbe desiderato trovarsi in sella a Tipsy, con i cani a fargli strada e il vento a sospingerlo alle spalle. Ebbe un istante di esitazione, chiedendosi se fosse il caso di partecipare al rinfresco, ma prima che potesse decidersi sentì la mano pesante di Spencer in mezzo alle spalle.

«Siete riuscito ad avere l'onore di custodire gli anelli.»

«Era il minimo che potessi fare» replicò Bay abbozzando un sorriso.

«Venite con me al rinfresco. Mia moglie è andata con Edith Crewe.»

Spencer non attese una risposta, sospingendo Bay davanti a lui finché non ebbero preso posto in carrozza.

«Ho visto l'imperatrice l'altra sera dall'ambasciatore. Il principe ereditario era là, e suppongo che per quella ragione voi non c'eravate.»

«Non ero stato invitato.»

«Ma era come se ci foste, visto che l'imperatrice non ha fatto che parlare di voi tutta la sera.»

«Il principe ereditario deve esserne stato entusiasta.»

«Aveva lo sguardo torvo, come un bambino imbronciato. Ma l'imperatrice non si è data per vinta: lo ha stuzzicato tutta la sera, finché alla fine lui non si è lasciato andare e ha smesso di tenere il broncio. Che tipo strano. La guarda in modo davvero incredibile. Non ho mai visto il Principe di Galles guardare a quel modo sua madre!» Spencer, come al solito, rise della sua stessa battuta. Ma Bay non lo imitò.

«L'imperatrice si lamentava del fatto che l'avete abbandonata per partecipare al National.»

«Il tempo stringe.»

«L'imperatrice intende presenziare al trofeo a Aintree, affinché gareggiate al vostro meglio.» Spencer si sistemò in una posizione più comoda e si tirò il panciotto. «Volevo chiedervi come intendete comportarvi adesso con la giovane Baird.»

«Non vorrà avere niente a che fare con me, oramai.»

«Che peccato. È una fanciulla graziosa, e anche molto ricca. Ma non potete tenere il piede in due staffe, suppongo. Le ragazze sanno essere parecchio permalose, in certe faccende. Da come la vedo io, vi conviene danzare sulla musica dell'imperatrice finché non si stanca di voi, cosa che succederà presto o tardi. E poi potrete tornare da Charlotte Baird e chiederle se vi vuole ancora. Ho idea che una volta che vi avrà tolto il broncio, tornerà tra le vostre braccia. Alle donne piacciono gli uomini contesi. Non credo che la contessa mi avrebbe mai accettato se non avesse pensato che sua sorella mi aveva messo gli occhi addosso. Ricordatevi le mie parole, quando arriverà il momento in cui l'imperatrice non avrà più bisogno dei vostri favori, avrete ancora una possibilità di accaparrarvi la fortuna dei Lennox. Credo che questa relazione nelle alte sfere non farà che incrementare il vostro fascino. E se non sarà lei, ce ne sono mille altre che impazziranno per un uomo come voi.»

«Charlotte Baird è l'unica ragazza che abbia mai pensato di sposare» disse Bay.

«È comprensibile. Non si trova tutti i giorni un'ereditiera par suo.»

«Le ragioni che mi avrebbero spinto a sposarla non erano di natura economica.»

«Certo che no. Vi piace perché è una giovinetta incantevole che adora la terra su cui posate il piede, ma sarebbe altrettanto incantevole se non avesse una rendita di sessantamila sterline l'anno? Difficile a dirsi. Uomini come voi sono destinati a innamorarsi di donne ricche. Come fareste altrimenti a conservare il vostro stile di vita?»

Bay batté le nocche sul tettuccio della carrozza per segnalare al cocchiere di fermarsi.

«Cosa diavolo fate, Middleton?» disse Spencer con tono sorpreso.

«Vorrei proseguire a piedi.»

«Ma perché?»

«Perché vorrei evitare di sferrarvi un pugno» disse Bay aprendo la portiera della carrozza.

Il barone Nopsca, che aveva seguito la carrozza del conte dal momento in cui Bay vi era salito, arretrò verso lo schienale per evitare di farsi scorgere. Ma quando vide la faccia di Bay capì che il capitano non era nella condizione di notare alcunché. Era ritto in piedi sul marciapiede, nella sua uniforme di gala, con l'elsa della spada che brillava sotto i raggi di un sole primaverile. Sembrava sul punto di estrarre l'arma dal fodero e lanciarsi contro i passanti squarciandoli in petto. Il barone ordinò al cocchiere di aspettare in una strada laterale. Consultò l'orologio da taschino e attese due minuti. Poi Bay si scosse dal suo torpore e cominciò a camminare verso Portman Square. Il barone aspettò finché non lo vide sparire nella dimora dei Crewe, poi disse al cocchiere di riportarlo all'hotel Claridge.

# 41.

## Il rinfresco matrimoniale

«Ora vorrei i novelli sposi qui al centro. Forse lo sposo potrebbe sorridere, appena un po'. So che il matrimonio è una cosa seria. Siete uniti nel sacro vincolo soltanto da un'ora.» Caspar aveva sistemato il gruppo dei parenti e amici più stretti sulla pedana dell'orchestra della sala da ballo di casa Crewe. Gli sposi erano in piedi giusto nel mezzo.

«Signorina Chambers e Lady Violet, potete spostarvi leggermente a sinistra? Voglio inquadrare bene i vostri abiti meravigliosi e le splendide donne che li indossano. Perfetto. Ora, Charlotte, potete avvicinarvi a vostro fratello? No, c'è qualcosa che non va con il drappeggio della gonna. Mi permettete?»

Caspar stava trafficando con le pieghe del tessuto quando il valletto aprì la porta e fece entrare Bay Middleton.

«Sono in ritardo?»

«Nient'affatto, capitano Middleton» disse Caspar in tono pacato. «Sto ancora sistemando il gruppo. Perché non v'inserite qui, tra Lady Violet e la signorina Chambers?»

«In qualità di testimone, credo mi spetti il posto accanto alla damigella d'onore.» Bay prese posto vicino a Charlotte, che non voltò neppure la testa.

Caspar si sforzò di sorridere. «Oh, questi inglesi... sempre ligi all'etichetta. Voi non vi preoccupate certo della composizione della fotografia, capitano Middleton. Cosa volete che sia una lieve asimmetria se vengono rispettate le ferree regole di precedenza?»

Tamburellando minacciosamente il ventaglio, Lady Crewe disse: «Dobbiamo sbrigarci, signor Hewes. *Tempus fugit.*»

«Proprio così, Lady Crewe. Sono praticamente pronto. Vi chiedo solo di guardare verso di me immaginando di trovarvi immersi fino alle caviglie in una pozzanghera di cioccolato fuso.»

L'immagine bizzarra suggerita dal fotografo ammorbidì la durezza dei loro lineamenti, e così la foto fu scattata.

«Ci siamo, è fatta» disse Caspar.

«Aspettate» disse Charlotte. «Posso scattare anch'io una fotografia? Caspar, vi dispiace mettervi qui? Sono certa che ad Augusta farà piacere se anche voi sarete immortalato.»

Ignorando il sospiro di Lady Crewe e lo sguardo terrorizzato di Caspar, Charlotte estrasse una lastra dalla custodia e la inserì nell'apparecchio.

«Ora guardate tutti verso di me. E immaginate che io stia per partire per un lungo viaggio in America dove scatterò innumerevoli fotografie. Ricordate di restare tutti immobili.»

Sparì sotto il panno, strizzò la lampada e scattò.

Quando riemerse, il gruppo si era disperso. Lady Crewe si era precipitata in salotto, seguita da Augusta, per controllare che fosse tutto pronto per il rinfresco.

Fred si allontanò dalla sua sposa per dire a Charlotte: «La faccenda del viaggio in America era un trucco per sbalordirci, come quello del cioccolato, vero?»

«Non esattamente.»

«Ma non puoi dire sul serio! Non avresti mai il mio consenso» disse Fred.

«Non preoccuparti, Fred. Comprendo le tue obiezioni» ribatté Charlotte estraendo la lastra dall'apparecchio e riponendola nell'astuccio, «ma io ci sto pensando seriamente.»

«È un'idea assurda. Non puoi andartene a zonzo per il mondo per conto tuo solo perché hai avuto una delusione.»

«Non ha nulla a che fare con la mia delusione. Se ci vado, è perché mi piacerebbe scattare fotografie più interessanti di quelle che faccio qui ai nostri amici, ai loro servi, alle loro case e ai loro animali.» Guardò Fred e gli sorrise. «Ma non ho alcuna intenzione di partire da sola. Sono certa che il signor Hewes verrà con me, se glielo chiedo.»

Fred rise. «Non dovresti prendermi in giro così, Fagottino. Per un istante avevo creduto che dicessi sul serio.»

Ma prima che Charlotte potesse replicare, fu convocato da un gridolino acuto di sua moglie: «Fred, ti sto aspettando!»

Quando furono usciti tutti dalla stanza, Charlotte rimase a conversare con Lady Violet Anson, l'altra damigella d'onore. Lady Violet non aveva mai dedicato molta attenzione a Charlotte nelle poche occasioni in cui si erano incontrate, ma adesso sembrava smaniosa di stringere amicizie.

«Charlotte, mia cara, non pensavo che fossi così esperta. Devi assolutamente insegnarmi come si fa. Mi piacerebbe moltissimo fare fotografie. Un'attività interessante da svolgere in società: tutti si mettono ai tuoi ordini.»

«Non direi affatto. Non si può garantire che il risultato piaccia a chi ha posato» disse Charlotte chiedendosi cosa sapesse Violet degli eventi verificatisi alla Royal Photographic Society. Ma quando vide che l'altra fanciulla rivolgeva rapide occhiate verso Bay, che stava parlando con Lady Crewe, capì che ovviamente doveva conoscerne ogni dettaglio.

«Dev'essere molto difficile. Ma se volessi scattarmi una fotografia, ne sarei onorata.»

«Se desideri un ritratto potresti posare per il signor Hewes. Tutti adorano le sue fotografie. Augusta ne è rimasta strabiliata. Vieni con me, te lo presento.»

Charlotte accompagnò Violet da Caspar, che stava riponendo il suo apparecchio. «Caspar, vorrei presentarvi Lady Violet Anson. Vorrebbe farsi scattare una foto, e io le ho detto che voi fareste un lavoro assai migliore di quello che potrei fare io.»

«Oh, dissento completamente, voi avete più talento di me. Ma non resisto alla tentazione di fotografare una bella fanciulla. Ne sarei onorato, Lady Violet.» Si mise da parte, studiandone i lineamenti.

«Con i vostri colori, mi piacerebbe immortalarvi nei panni di Ofelia.»

Lady Violet, che era pallida fino ad apparire spettrale nel suo abito da damigella, parve felicissima.

Charlotte li lasciò e raggiunse il gruppo che si era diretto verso il rinfresco. Mentre era in piedi nell'atrio ad aspettare che la calca degli ospiti sulle scale si diradasse, si sentì sfiorare un gomito.

«Non puoi continuare a ignorarmi per sempre» disse Bay.

«Ma non ho niente da dirti.»

«Non stai andandotene davvero in America.»

«Che strano, Fred mi ha detto esattamente la stessa cosa. Ma immagino che lui abbia buone ragioni per domandarmelo, essendo mio fratello. Tu, invece, non ne hai.» Fece per andarsene, ma Bay le si parò di fronte.

«Charlotte, ti prego, non essere sprezzante. Qualunque cosa tu pensi di me, non potrà mai essere peggiore dell'opinione che ho io stesso. Tu sei l'unica persona a cui tengo, eppure ti ho offesa. Non mi permetterai di spiegarti?»

Charlotte tentò di allontanarlo. «Non c'è niente da spiegare. Ho visto la fotografia, è fin troppo eloquente.»

Bay le sbarrò il passaggio, con la mano appoggiata sull'impugnatura della spada.

«Quella maledetta fotografia. C'è stato solo un attimo, un istante, in cui mi sono lasciato abbagliare dall'imperatrice. Ma non è un'immagine che rivela cosa c'è nel mio cuore.»

«Non sono sicura di crederti» disse Charlotte.

«Perché? Sono venuto qui solo per te. Fammi adesso una fotografia, e giudica tu stessa cosa vedi sul mio volto.»

«L'ho appena fatto. Ma qualunque cosa riveli, temo sia troppo tardi.»

Bay le si avvicinò e lei vide che i suoi pallidi occhi azzurri si erano riempiti di lacrime. «Davvero, Charlotte? Ne sei sicura?»

Lei scosse la testa. «No. Non sono sicura di niente. È proprio questo il punto. Devo essere sicura dell'uomo che vorrò sposare.»

Spinse via Bay e si avviò lungo una delle due diramazioni dello scalone.

Bay la seguì. «Non mi permetti semplicemente di parlare con te? Mi manchi.»

«Parlare con me?» disse Charlotte.

«Raccontarti qualche storia. Cercare di farti ridere. Ero bravo a farti ridere. Sarei addirittura disposto a dirti come mai Hartopp è stato soprannominato Chicken.»

Charlotte tentò di non reagire. Continuò a salire le scale, con la mano stretta sul corrimano come se temesse di cadere.

«Credi che sia così facile spuntarla con me?»

«Ammettilo. Ti stai rodendo dalla curiosità.»

«Non t'importa niente di tradire un amico?»

«Non credo che lui mi consideri un amico, al momento.»

Charlotte voltò la testa. «Sei stato tu a fargli l'occhio nero?»

«Temo di sì.»

«Ma perché?»

«Perché mi ha detto che dovevo lasciarti in pace dimodoché lui avrebbe avuto la sua possibilità di conquistarti. Io gli ho detto che non faceva alcuna differenza, poiché tu non avresti mai accettato la sua proposta.»

«Allora mi hai fatto un favore. Crede davvero che io possa cambiare idea su di lui così rapidamente?»

«Eppure hai cambiato idea su di me» disse Bay.

Erano in cima alle scale, dietro una folla di ospiti in attesa di disporsi lungo la fila dei saluti. Alcuni di loro, che stavano salendo dall'altra scalinata, lanciarono occhiate curiose nella loro direzione. Charlotte se ne accorse e cercò di separarsi da Bay, unendosi al gruppo più nutrito. Ma lui le rimase alle calcagna.

«Ci stanno guardando» disse Charlotte.

«Lascia che guardino» replicò lui.

«È facile per te parlare così, ma a me non piace che circolino altre voci sul mio conto. Ne sono già girate abbastanza, grazie a te. Ti prego, lasciami in pace.»

«Solo se mi prometti che ci vedremo ancora.»

«Non se ne parla neanche.»

«Allora dirò a Chicken che mi hai confessato il tuo desiderio incontenibile di diventare la signora Hartopp, e che dovrebbe farti immediatamente la proposta.»

Charlotte non poté resistere e si lasciò sfuggire un sorriso, ma si mise una mano davanti al volto, come per proteggersi.

«Non l'avrai vinta su di me, Bay Middleton.»

Bay stava per replicare, ma Caspar e Lady Violet erano saliti dall'altra scalinata ed erano al loro stesso livello.

«Capitano Middleton, che piacere incontrarvi di persona, finalmente, dopo avervi tanto ammirato in fotografia. È sempre interessante confrontare il ritratto con l'originale.» Caspar accennò un inchino.

«Temo di darvi una forte delusione» disse Bay.

«Non con quell'uniforme. Nel mio Paese vediamo di rado cose così splendide, almeno nell'ambito dei manufatti umani.»

«È un po' imbarazzante girare per la città in alta uniforme, anche se è rassicurante avere una spada al proprio fianco.» Bay appoggiò una mano sull'elsa.

Caspar rise. «All'Ovest girano tutti armati di pistola. Io mi sento quasi nudo, senza la mia arma.»

«Ma a Londra nessuno ha bisogno di girare armato!» esclamò Violet. «Qui non siamo selvaggi.»

«Neppure a San Francisco siamo selvaggi» replicò Caspar guardando Bay. «Ma ci piace l'idea di essere sempre pronti a tutto.»

Un trambusto generale si era diffuso in tutto il salotto, cosa che faceva intuire che stessero cominciando i discorsi. Charlotte si affrettò a entrare. Uno dei suoi doveri in quanto damigella d'onore era distribuire fiori dal bouquet della sposa a tutte le donne presenti. Augusta pensò che fosse una tradizione deliziosa, e aveva detto a Charlotte che quella distribuzione di fiori le avrebbe permesso di conoscere altra gente. «Non si hanno mai abbastanza conoscenti tra le signore. Con il patrimonio di cui disponi non ti mancheranno mai gli ammiratori, ma sono le donne a stabilire le regole.»

Prese il bouquet dal tavolo su cui erano disposti in bella mostra i doni nuziali. Il regalo di Charlotte alla sposa, una collana di perle e topazi, era esposto nella sua custodia di velluto rosso. Ma il vero regalo era stato l'averle prestato i diamanti dei Lennox. Charlotte si era presa la soddisfazione di non dirle esplicitamente che glieli avrebbe prestati fino al giorno prima delle nozze. Era stato divertente vedere in che modo la futura cognata combatteva tra la volontà irrefrenabile di maltrattarla e il desiderio di sfavillare, il giorno delle nozze, nella tiara dei Lennox.

Il regalo di Bay era una coppia di statuine Meissen con un pastore e una pastorella. Erano deliziose, e si distinguevano dall'accozzaglia di pesanti candelabri d'argento, coltelli da pesce con il manico di madreperla e cofanetti da toeletta con il coperchio di tartaruga che costituivano il grosso dei doni nuziali. Charlotte non si sarebbe mai aspettata che Bay scegliesse oggetti di porcellana Meissen. C'erano parecchie cose di Bay, pensò, che non sapeva.

Prese il bouquet e cominciò a girare tra le signore, distribuendo narcisi bianchi e gigli carnosi. Mentre passava tra tavoli e sedie, Lady Crewe stava facendo un discorso sulle gioie del matrimonio, traendo i suoi esempi interamente dalle leggende arturiane, cosa forse non del tutto appropriata, visto che Artù e Ginevra, Lancillotto ed Elaine e Sir Bedivere non erano noti per aver avuto matrimoni felici. Poi Fred si alzò in piedi e fece un discorso brevissimo, schiarendosi continuamente la gola e farfugliando prima e dopo, ma poiché pareva davvero contento di essersi sposato, la sua goffaggine fu perdonata, anche se Augusta lo guardava con occhietti perforanti.

Poi si alzò Bay. Hartopp aveva avuto il veto da Augusta, per via dell'occhio nero.

Bay cominciò congratulandosi con Fred per la fortuna capitatagli per essere stato accettato da una sposa eccezionale come Augusta. Charlotte cercò di restare seria quando sentì Bay usare quell'aggettivo. Poi continuò sciorinando dettagli lusinghieri della vita militare di Fred, soffermandosi sulla sua abilità in sella a un cavallo e sulla sua immensa competenza nel gioco del lancio degli anelli che praticavano alla mensa degli ufficiali usando portatovaglioli e candelieri. Bay aveva un'eloquenza naturale, e i suoi ascoltatori parvero rilassati e soddisfatti al pensiero che quel giorno non si sarebbe creato nessun imbarazzo né per loro e né per lui stesso. Raccontò un aneddoto sul soggiorno con Fred in Irlanda, quando durante le feste di corte gli toccava ballare con tutte le giovinette, al punto che si era dovuto far mandare da Londra una partita di scarpine da ballo perché quelle di cuoio si consumavano troppo in fretta.

Bay bevve un sorso di champagne e proseguì. «Siamo qui per festeggiare un matrimonio. Non c'è niente di più nobile delle parole che vengono pronunciate durante la cerimonia, con le quali ci si impegna reciprocamente a prendere e a dare per tutti i giorni della vita a venire. Auguro a Fred e Augusta ogni benedizione per la loro vita matrimoniale.» Qui fece una pausa, guardando direttamente Charlotte. «Posso solo pregare che mi venga concessa prima o poi la stessa possibilità di dedicarmi con tutto il cuore a rendere felice un'altra persona.»

Un mormorio si diffuse nella sala dinanzi a questa ovvia dichiarazione d'intenti. Charlotte, che stava cercando un fiore ancora intatto da donare alla contessa di Trent, arrossì suo malgrado. Quando tutti si alzarono in piedi per brindare alla salute degli sposi, riuscì a uscire per concedersi un momento di pace.

Era in piedi sul pianerottolo e si stava tenendo alla balaustra con una mano mentre con l'altra stringeva quel che restava del bouquet ormai smembrato. Guardò verso l'ingresso e vide che il valletto stava aprendo la porta. Fuori c'era un uomo con una splendida livrea, e i due servitori si scambiarono qualche parola sottovoce. Alla fine il valletto lo fece entrare e l'altro gli diede un biglietto da visita, che fu portato al piano di sopra su un vassoio d'argento. Charlotte vide che il cartoncino veniva consegnato a Lady Crewe, e vide anche che la donna sbiancò dalla sorpresa e annuì con forza. Si chinò per sussurrare qualcosa nell'orecchio di Augusta, e la sposa si agitò molto più di quanto non avesse fatto sin dal mattino. Il valletto fu rispedito di sotto.

Il servitore in livrea spalancò entrambe le porte della residenza Crewe.

Dal suo punto di vista soprelevato, Charlotte scorse per prima cosa i capelli: un intreccio tentacolare di trecce castano ramato che scendevano da un minuscolo cappello a cilindro profilato di piume di pavone.

Cercò di ritirarsi nel salotto, ma Lord e Lady Crewe stavano uscendo dalla stanza per andare a porgere il loro benvenuto all'imperatrice, e così Charlotte tornò sul pianerottolo, cercando di nascondersi dietro le porte.

L'imperatrice salì gli scalini di marmo con sorprendente velocità, mentre la contessa Festetics arrancava per starle dietro.

«Lady Crewe» disse Sissi. «Dovete perdonarmi se mi intrometto. Ma quando il capitano Middleton mi ha detto che sarebbe venuto alle nozze di vostra figlia, ho pensato che sarebbe stato interessante assistere a un matrimonio inglese. Nel mio Paese c'è l'usanza, da parte dei membri della famiglia reale, di benedire le nozze delle spose di buona famiglia, e così ho pensato di farvi visita. Mi piacerebbe molto porgere a vostra figlia le mie congratulazioni.»

Lady Crewe fece un po' di fatica a tornare eretta dopo la riverenza estremamente profonda a cui si era costretta.

«Per noi è un grande onore, Maestà. Augusta e Fred si sentiranno doppiamente benedetti. Vi prego, accomodatevi e lasciate che ve li presenti.»

Charlotte pensò che l'imperatrice, vista da vicino, era molto meno affascinante rispetto alla sua figura in controluce in sella a un cavallo. Da lontano era soltanto un'idea emozionante. A un metro di distanza si vedevano le rughe attorno ai suoi occhi, i solchi tra il naso e la bocca e le nocche arrossate delle sue mani. Era assai aggraziata, e l'imponente acconciatura era impeccabile. Si muoveva come se avesse delle rotelle al posto dei piedi. Ma l'imperatrice era una donna per la quale il desiderio era più uno sforzo della volontà che una verità evidente.

Quando entrò nella sala, tutti si profusero in inchini e riverenze. Augusta, rossa dall'eccitazione, offrì all'imperatrice la sua sedia come posto d'onore. Ma Sissi rifiutò e, accarezzandole le guance, disse: «No, cara ragazza, non vorrei mai usurpare il vostro posto in un giorno per voi così importante. Abbiamo portato un dono nuziale. Festy!»

La contessa aprì la sua borsetta e ne estrasse una piccola scatola di cuoio che l'imperatrice porse ad Augusta. Dentro c'era una spilla smaltata contenente un ritratto miniaturizzato di Sissi profilato di brillanti. Estraendola dalla scatola, l'imperatrice l'appuntò sul corpetto di raso bianco del vestito di Augusta. «Ora avete un ricordo della mia visita.» Per una volta, Augusta rimase senza parole.

Charlotte, che era rientrata nel salotto seguendo l'imperatrice, notò che tutti i presenti sembravano sovreccitati per l'ospite inattesa. Tutti tranne Bay. Lui aveva l'aria di aver ricevuto uno schiaffo in faccia. Chiaramente non si aspettava quella visita. Charlotte incrociò il suo sguardo e lui scosse la testa.

Nell'orecchio sentì la voce di Caspar che le sussurrava: «Sapete una cosa? Provo quasi compassione per il capitano Middleton. Non credo si aspettasse una visita imperiale.»

L'imperatrice stava passando in processione, con gli ospiti disposti lungo i lati. Quando il corteo arrivò davanti a Bay, Sissi si fermò e gli tese una mano per farsela baciare.

«Capitano Middleton, non mi avevate mai detto di quanto sono affascinanti i vostri amici, altrimenti avrei insistito per poterli conoscere prima.» Sissi si rivolse a Lady Crewe. «Easton Neston non dista molto dalla vostra residenza di campagna, non è vero?» Nel sorridere, l'imperatrice fece in modo di non mostrare i denti.

Lady Crewe fece una smorfia. «Il parco di Melton si estende fino al confine con Easton Neston. È una dimora incantevole. Spero che Sua Maestà l'abbia trovata sufficientemente confortevole.»

«Certo, ma non sono venuta in Inghilterra per stare comoda. Sono venuta per la caccia alla volpe. Dormirei volentieri sotto una tenda, se questo mi permettesse di correr dietro ai segugi fin nel Leicestershire.»

Lady Crewe fece una faccia terrorizzata. «Spero non ce ne sia alcun bisogno, Maestà.»

«Ah, ecco il mio grande amico, il conte Spencer. Ed ecco anche la cara contessa. Sono davvero felice di essere qui. A Vienna non potrei mai prender parte a un evento così informale, ma ciò che amo di più dell'Inghilterra è che per voi il cerimoniale non è mai fine a se stesso.»

«Dove ci siete di mezzo voi, Maestà» replicò il conte Spencer con goffa galanteria, «le regole consuete sono sempre destinate a subire modifiche.»

«Siete un vero cavaliere, ma ci sono regole che neppure io sono riuscita a infrangere. Come per esempio andare a caccia la domenica.»

«Dovete avere rispetto per la fede religiosa delle volpi, signora.» Sissi rise.

Venne portata nella sala una sedia adatta all'imperatrice, affinché potesse assumere una posizione di superiorità rispetto al resto degli invitati. Dopo essersi messa seduta, disse a Spencer: «Ditemi, dov'è la fanciulla che ha scattato quella fotografia che ha fatto tanto arrabbiare il mio Rudi? Immagino che sia qui presente.»

Il conte era visibilmente in imbarazzo. «Non sono sicuro di aver capito a chi vi riferite, Maestà. So che c'è stato un qualche malinteso alla mostra, ma io non c'ero.»

«Allora lo chiederò a Bay. Lui lo sa di sicuro.»

Ripensando alla strana scena con Bay nella carrozza, Spencer decise che sarebbe stato meglio se l'imperatrice non gli facesse domande su Charlotte. E così, sedendosi di fianco a Sissi, disse: «Immagino vi riferiate a Charlotte Baird. È la sorella dello sposo.»

«Potete indicarmela?»

Il conte si guardò attorno. Vide Charlotte ritta contro un muro, con in mano i resti del bouquet della sposa. Stava parlando con un uomo che indossava pantaloni dalla foggia assai stravagante. Individuò anche Bay, che era l'unica persona in sala che non stava guardando l'imperatrice ma invece fissava Charlotte così intensamente che pareva stesse tentando di memorizzare i lineamenti del suo viso.

«Se ho ben capito la signorina Baird è la fanciulla con il bouquet.»

«Sì, signora. Credo di sì.»

«Mi piacerebbe conoscerla. Potete chiederle di avvicinarsi?»

«Con grande piacere.»

Il conte raggiunse lentamente Charlotte, che stava ancora chiacchierando con Caspar.

«Signorina Baird, l'imperatrice vorrebbe conoscervi. Posso presentarvi?»

Charlotte lo guardò. «Potrei mai rifiutare, conte Spencer?»

Il conte non replicò, ma Caspar batté le mani. «Charlotte, sciocchina, tutte le ragazze qui presenti darebbero la vita per poter conoscere l'imperatrice. Suvvia, andate.»

Il conte guardò con aria sorpresa l'americano. «Conte Spencer, posso presentarvi Caspar Hewes? È un fotografo americano.»

Il conte fece un impercettibile cenno col capo.

«Volete seguire il consiglio del signor Hewes e consentirmi di presentarvi l'imperatrice?»

«Solo se il signor Hewes viene con me.»

Il conte annuì. «Vi avviso però che l'imperatrice non ama molto la fotografia.»

«Lo capisco. Ma spero che non abbia niente contro i fotografi.»

Mentre si svolgeva questa conversazione, Sissi si rivolse a Bay, con il quale non aveva ancora parlato direttamente, e gli fece cenno di avvicinarsi.

«È un evento davvero pittoresco. Sono felice di prendere parte a un autentico normale matrimonio inglese.»

«Non credo che la sposa lo definirebbe esattamente "normale", Maestà. Ma mi fa piacere che vi stiate divertendo.»

«Mi avevate descritto i Crewe come gente poco interessante, e invece mi paiono assai gradevoli. Mi rincresce non averli incontrati prima.»

«Avete avuto altro da fare.»

«È vero.» Sissi perlustrò la stanza con lo sguardo e vide Spencer che stava parlando con Charlotte. Quando furono abbastanza vicini da poter udire le sue parole, l'imperatrice disse a Bay: «Temo mi stia venendo una delle mie emicranie e ho lasciato le gocce nella carrozza.»

Bay esitò un istante, poi disse: «Permettetemi di andarvele a prendere, Maestà.»

«Vostra Maestà, vi presento la signorina Baird.» Charlotte fece una profonda riverenza e Caspar fece un passo in avanti, in modo da rendere impossibile a Spencer non presentare anche lui.

«... e il signor Hewes, un nostro ospite americano.» Caspar s'inchinò talmente in profondità che per poco non sfiorò la gonna dell'imperatrice con la fronte.

Sissi fece un cenno pregandoli di accomodarsi, e Caspar scostò due poltrone dorate con tappezzeria di velluto.

L'imperatrice fissò Charlotte, esaminandola accuratamente dalla testa ai piedi.

«Ho sentito parlare di voi, signorina Baird.»

Charlotte abbassò lo sguardo.

«Voi siete la giovane fotografa che ha mandato mio figlio su tutte le furie.»

«Sì... Maestà» ammise Charlotte dopo un momento di esitazione.

L'imperatrice rise. «Oh, state tranquilla. Non sono venuta qui a farvi la ramanzina. Anzi, vorrei scusarmi se Rudi vi ha recato offesa. Certe volte è davvero pervicace.»

Charlotte non restituì il sorriso. «Vostro figlio ha insultato solo il capitano Middleton. Di me non si è neppure accorto.»

Il conte Spencer, che stava ascoltando questo scambio, fissò gli occhi al pavimento.

Sissi continuò. «Povero Rudi, è sempre così protettivo nei miei confronti. Lo sa che non tollero di essere fotografata.»

«Come è possibile, Maestà?» s'intromise Caspar. «Una donna incantevole come voi dovrebbe essere fotografata in ogni istante della sua vita. In qualità di fotografo considero un crimine nascondere una simile bellezza allo sguardo del mondo.»

Sissi apparve stupita da quell'interruzione, ma il sorriso di Caspar non vacillò.

«Non mi piace essere esposta al pubblico in una fotografia. Detesto l'idea di essere ammirata sulle pagine di una rivista o esposta nella vetrina di un negozio. Sono una sovrana, non una modella.»

La contessa Festetics l'interruppe. «Maestà, avete la voce roca. Volete che vi porti dell'acqua?»

«No, no. Sto bene» rispose Sissi allontanandola con un gesto della mano.

Charlotte era sul punto di replicare, ma Caspar la anticipò.

«È davvero un peccato. La storia dell'arte sarebbe assai più povera senza i grandi ritratti delle famiglie reali eseguiti da Velázquez o Van Dyck. Credo che Sua Maestà sia stata immortalata da Winterhalter. Noi fotografi vorremmo ottenere lo stesso privilegio. Come possiamo farci rispettare se ci viene negato l'accesso ai grandi soggetti?»

«Un dipinto è tutt'altra cosa. È un prodotto di ore di pensiero e fatica. Un grande ritratto mostra l'anima di chi vi viene raffigurato: una fotografia non potrà mai raggiungere lo stesso risultato.»

Charlotte si sentì autorizzata a intervenire. «Mi permetto di dissentire, Maestà. Il ritratto d'un regnante è per sua stessa natura lusinghiero. La fotografia, al contrario, non può mentire.»

«Voi siete giovane, signorina Baird, e – perdonatemi – confusa. Non potete sapere cosa significa essere fotografati costantemente, e senza il proprio consenso. Le fotografie scattate in quelle circostanze non possono essere veritiere, per come la mettete voi. Si fondano sull'inganno.»

Charlotte si soffermò a riflettere. «Sono sinceramente pentita per avervi fotografata senza il vostro consenso. Ma la fotografia di per sé non è menzognera.»

Ci fu una pausa, poi Sissi sorrise.

«Ma voi siete giovane, e tutti noi abbiamo grandi convinzioni quando non è ancora sopraggiunta una sufficiente maturità. Credo che quando sarete un po' più matura vedrete le cose diversamente. Ecco il capitano Middleton. Voi conoscete già la signorina Baird, suppongo.»

«Certo, Maestà.»

«Abbiamo avuto un'interessante conversazione sul suo passatempo preferito.» Poi si voltò verso Charlotte. «Ditemi, mia cara, avete ancora quella fotografia che ha fatto tanto arrabbiare mio figlio?»

«No. Ho distrutto anche il negativo. Non dovete avere alcuna preoccupazione al riguardo.»

«Siete stata davvero scrupolosa. Quasi mi dispiace che avete dovuto distruggere la vostra opera.»

«Avevo ottime ragioni, Maestà» disse Charlotte lanciando una rapida occhiata a Bay.

L'imperatrice intercettò lo sguardo e fece un cenno alla contessa Festetics di prepararsi alla partenza. Dopo aver visto la giovane Baird, non era più preoccupata dell'effetto che avrebbe potuto avere su Bay. La ragazza era insignificante.

«Temo di non riuscire a combattere oltre contro il mio mal di testa. Dobbiamo andare. Una splendida occasione per incontrare nuovi amici, ma ora sono sfinita.»

L'imperatrice si alzò, e non appena i presenti se ne furono accorti, si alzarono tutti in piedi.

«Una festa deliziosa, Lady Crewe. E che sposa incantevole. Vi ringrazio di cuore.» L'imperatrice scivolò leggera verso la porta, seguita dalla contessa Festetics e da Lord Crewe. Giunta sulla soglia, si fermò e disse a voce alta: «Capitano Middleton, suppongo vogliate dire addio ai vostri amici.»

Bay, che non l'aveva seguita fino alla porta, rimase fermo in mezzo alla sala, con tutti gli occhi puntati addosso. Si voltò a Charlotte e le disse: «Ricordate la vostra promessa.»

Cercando di conservare un'aria calma e indifferente, lei replicò: «Se avrete tempo di farmi visita prima che parta per l'America, vi riceverò con piacere.»

«Partirete sul serio?»

«Prima non ne ero sicura, ma ora lo sono. Non vi soffermate oltre a parlare con me. La vostra padrona vi attende.»

Bay la guardò, col volto sformato dal rimpianto. Ma prima che potesse replicare alcunché, Augusta andò loro vicino e li separò. Aveva le guance ancora arrossate dall'emozione.

«Capitano Middleton» sibilò a voce bassa, «l'imperatrice vi sta aspettando.»

«Addio, Bay» disse Charlotte.

La sala sprofondò nel silenzio mentre lui si avviava verso la porta dove c'era Sissi ad attenderlo, col busto avvitato all'indietro, come una Diana che fuggisse da Atteone. Quando le si fu avvicinato abbastanza, l'imperatrice varcò la soglia e si avviò giù per le scale, lasciando che Bay la seguisse.

Lui si fermò sulla soglia e diede un'ultima occhiata a Charlotte, poi scomparve.

Caspar, che era in piedi accanto a Charlotte, osservò: «Pover'uomo. Non dev'essere facile fare da lacchè a un'imperatrice.»

«No, e lui non possiede neppure il vostro talento per l'adulazione. Dev'essere davvero dura» disse Charlotte, e distolse lo sguardo.

Quando Bay arrivò in fondo alle scale, la contessa Festetics spuntò dal nulla e lo prese sottobraccio.

«Capitano Middleton, sono lieta di vedervi.»

Bay le sorrise.

«Come state, Festy?»

«Sono preoccupata, caro capitano. Non è stato bello da parte vostra sparire così da un momento all'altro. Senza di voi la vita è assai triste. L'imperatrice ha smesso di sorridere da quando ve ne siete andato. È assolutamente necessario che torniate da noi.»

«Ma è stata l'imperatrice a dirmi di restare alla larga.»

«Per un giorno, forse. Quando il principe ereditario è venuto a farci visita. L'imperatrice non gradisce che si creino situazioni spiacevoli con suo figlio. Ma da allora non fa che attendere il vostro ritorno. Ecco perché siamo venuti fin qui oggi. Non per vedere il matrimonio, ma per vedere voi.»

Bay abbassò lo sguardo. Ma la contessa gli strinse il braccio costringendolo a guardarla.

«So bene che non amate la mia padrona, capitano, ma credo che teniate a lei. L'avete fatta felice, e ora la state rendendo infelice.»

«Avrei preferito non fosse venuta qui oggi» rispose lui lentamente.

«Anch'io. Ho tentato di fermarla, ma lei non ha voluto darmi retta. Ora, caro capitano, dovete andare: l'imperatrice vi sta aspettando.» La contessa lo spinse quasi fuori dalla porta.

Il cocchiere aspettava di aprire la portiera della carrozza. Quando Bay salì, vide che Sissi aveva preso posto nell'angolo opposto rispetto a dov'era lui, e aveva sollevato il ventaglio davanti al viso. Le tendine dei finestrini erano state tirate.

Quando il cocchiere chiuse la portiera, Bay disse: «Sissi?» ma lei non abbassò il ventaglio. Aspettò ancora un momento, poi, sedendosi dritto di fronte a lei, scostò delicatamente il ventaglio per scoprirle il viso.

L'imperatrice stava piangendo.

Bay notò che finanche le sue lacrime risultavano eleganti: le avevano lasciato gli occhi lucidi, ma senza arrossarle il naso.

Trovò un fazzoletto in tasca e cominciò ad asciugarle le guance.

Lei gli afferrò la mano e la tenne stretta tra le sue.

«Mi dispiace, Bay. Non sarei dovuta venire. Ma mi mancavi troppo.» Lo guardò attraverso le ciglia ancora umide.

Bay non poté resistere a quello sguardo, e benché sapesse di stare commettendo un errore, non riuscì a fermarsi. Le prese l'altra mano tra le sue e cominciò a baciarle via le lacrime, finché non arrivò alle labbra.

La carrozza partì.

«Non vale la pena piangere per me, mia cara Sissi.»

«Sono stata così felice qui con te in Inghilterra. Ma poi Rodolfo ha rovinato ogni cosa. Lui non capisce. Ti prego, dimmi che l'hai perdonato.»

«Non c'è niente da perdonare» disse Bay.

Asciugate ormai le lacrime, Sissi lo baciò.

«Oh, sono così contenta. Ma mi accerterò che i vostri sentieri non s'incrocino più. Poi potremo tornare a essere felici come prima. Andremo a caccia tutti i giorni e dimenticheremo le follie di mio figlio.»

L'odore dei suoi capelli, quel misto di brandy e acqua di colonia, diede a Bay un senso di stordimento. Avrebbe voluto aprire il finestrino.

«Non posso tornare a Easton Neston. Il National si corre sabato.»

«Il National? So che è una gara di equitazione. Ma è davvero così importante?»

«Il Grand National è la più importante corsa a ostacoli del Paese.» Vedendo che non capiva, continuò: «È come la più forsennata corsa a cavallo all'inseguimento dei cani che ti possa venire in mente, ma con un salto ogni minuto. Sette chilometri e sedici ostacoli, e vi partecipano i migliori cavallerizzi di tutta l'Inghilterra.»

«Ma sei tu il migliore.»

«Tra chi lo fa per passione, forse. Ma vi partecipano anche i fantini di professione. Ci sono degli irlandesi che corrono come diavoli. Li ho visti a Aintree. Non hanno paura di niente.»

Sissi gli mise un dito sulle labbra. «Neppure tu avrai paura. Perché sarò lì con te. Verrò a vederti vincere la gara.»

Ora l'imperatrice sorrideva. Aveva recuperato il suo buon umore.

«Dirò a Nopsca di organizzare i preparativi.»

La carrozza rallentò e Bay scostò le tendine. Riconobbe il cancello della Devonshire House. Uno sprazzo di luce illuminò l'interno della carrozza. Bay notò che si erano formate delle piccole increspature attorno alle labbra di Sissi.

«Oh, Bay. Sono così felice che non ci siano più malintesi tra noi» disse mettendogli una mano sul suo petto, come a volergli far sentire i battiti concitati del suo cuore.

Mentre era seduto nella carrozza, con la mano sul cuore dell'imperatrice e gli occhi di lei fissi nei suoi, Bay sentì uno strillone che annunciava i titoli del giornale della sera. Cosa avrebbe pensato il mondo del capitano Middleton che se ne andava in giro per Londra nella carrozza dell'imperatrice d'Austria con le tendine accostate? La maggior parte della gente avrebbe gridato allo scandalo. Altri, più aperti, avrebbero considerato quella condotta alquanto esibizionista. Ma tutti sarebbero stati d'accordo nel credere che lui, Bay Middleton, fosse l'amante ufficiale dell'imperatrice. Sissi gli stava sorridendo, con gli occhi lucidi e un viso raggiante sotto quel cappellino con le piume di pavone. Bay si chiese se l'imperatrice si rendesse conto di tutto ciò. Era stata lei ad accostare le tendine prima di mettersi a piangere? Se fosse stata una trappola, allora Bay c'era cascato in piena consapevolezza.

La carrozza si fermò. Bay guardò dal finestrino e vide che erano arrivati al Claridge.

L'imperatrice gli chiese: «Vuoi entrare?»

«Devo tornare a Aintree. Non mi fido che gli stallieri nutrano Tipsy come si deve.»

«A sabato, allora.» Sissi s'inclinò verso di lui e lo baciò.

«A sabato» ripeté Bay.

# 42.

## L'Adelphi

*Liverpool*

C*aro Fred,*

*spero che il vostro viaggio di nozze sia stato all'altezza dei vostri desideri e che Augusta abbia trovato l'Italia di suo gusto. Mi scuso in anticipo poiché non sarò qui ad accogliervi al vostro ritorno: quando leggerai questa lettera io sarò da qualche parte in Nordamerica. A seconda della durata del vostro viaggio, potrei essere a New York oppure sul fondo del Grand Canyon. A ogni modo non sarò in Charles Street.*

*Ho idea che la mia partenza vi rechi un forte turbamento. So che sarete in pena per la mia incolumità e che Augusta sarà delusa dal fatto che non potrà accompagnarmi a tutte le feste da ballo della stagione londinese. Ma vi prometto che sarò estremamente prudente. Il disappunto di Augusta potrà forse essere alleviato dal fatto che includo in questa lettera la chiave del mio scrigno dei gioielli. Ho lasciato i diamanti nella cassetta di sicurezza di Drummond, a eccezione della tiara, che ho dovuto impegnare per pagarmi il biglietto della nave. Vi sarei grata se poteste riscattarla al vostro ritorno. Suppongo che Augusta gradisca indossarla. Vi prego, non state in pena per me. Starò via solo pochi mesi. Ma se volete che faccia ritorno dovreste inviarmi del denaro a New York, poiché non credo che la tiara sia sufficiente a farmi attraversare l'Atlantico in entrambe le direzioni. Grace, la cameriera di Melton, è con me. Quindi non sono sola. E anche il signor Hewes viaggerà con me in nave, sulla* SS *Britannic. Mi ha promesso che mi farà da interprete, affinché io possa capire bene l'inglese che parlano gli americani.*

*Questa non è una fuga, caro Fred. Non sono fuggita col capitano*

*Middleton all'epoca in cui sarei stata felicissima di diventare sua moglie, e solo per non offendere te e i tuoi sentimenti. E dunque neppure adesso sto scappando.*

*Temo che tu possa andare su tutte le furie quando leggerai questa lettera, ma spero che la tua collera non duri in eterno. Sono certa che Augusta sarà splendida con indosso i diamanti dei Lennox.*

*Nonostante la mia temporanea assenza, resto sempre la tua affezionata sorella,*
*Charlotte*

Charlotte sigillò la lettera e suonò il campanello. Arrivò un paggio, che indossava la divisa rossa e oro dell'hotel Adelphi. Il ragazzo avrà avuto sui dodici anni ma era piccolo per la sua età e quindi la divisa gli stava larga.

Gli allungò la lettera, mostrandogli una mezza corona. «Vorrei che spedissi questa per me, e quando torni ti darò quest'altra.»

«Certo, signorina.» Il ragazzo prese la lettera e sparì di corsa.

Charlotte tornò allo scrittoio della sua camera d'albergo. La stanza emanava un forte odore di vernice e cuoio. Era un albergo nuovo di zecca. Caspar le aveva detto che l'avevano costruito in un anno, a partire da quando lui era sbarcato a Liverpool. Dalle sontuose tende di broccato rosso e oro, Charlotte vedeva nuvole minacciose che incombevano all'orizzonte, mentre la pioggia sferzava incessante contro i vetri della finestra, come un lungo e ininterrotto applauso.

La biblioteca era vuota, con suo grande sollievo. Il treno proveniente da Londra era stipato di appassionati di corse che si recavano nella cittadina portuale per assistere al Grand National, così come di viaggiatori in partenza per l'America. Perfino nella carrozza di prima classe, che Caspar aveva insistito che prendessero, poiché avrebbe voluto conservare un buon ricordo dell'Inghilterra, l'atmosfera era surriscaldata. Gli spettatori del trofeo equestre si erano imbottiti ben bene di brandy, mentre i passeggeri diretti in America si lasciavano prendere dall'ansia per le condizioni primitive che si aspettavano di trovare nel Nuovo Mondo. Caspar aveva tentato di rassicurare una signora particolarmente preoccupata dicendole che gli americani avevano smesso da tempo di indossare piume colorate tra i capelli e non cuocevano più i loro cibi su fuochi improvvisati, ma il suo vocabolario e il suo panciotto erano talmente ricercati che le ansie della donna crebbero anziché sopirsi.

Charlotte invece non era affatto preoccupata. La sua decisione di partire era stata improvvisa, ma non se n'era pentita neppure per un minuto. Qualunque cosa sarebbe stata più allettante di starsene seduta nel salotto di Charles Street ad aspettare che succedesse qualcosa. O peggio ancora, ad ascoltare Chicken Hartopp che le parlava di Bay e dell'imperatrice.

Prese la penna e si chiese se davvero se la sentiva di scrivere a Bay. Ma come le era già accaduto in precedenza, Charlotte dovette constatare che non riusciva a trovare le parole. Voleva scrivere una lettera che l'avrebbe liquidato per sempre e allo stesso tempo che l'avrebbe portato dalla sua parte. Era stato più facile preparare i suoi bauli, impegnarsi i diamanti e decidere di varcare l'oceano che non chiarire almeno con se stessa cosa voleva dirgli. Lui le aveva scritto dopo il matrimonio. Era un biglietto che sembrava fosse stato vergato al buio.

*Mia cara Charlotte,*
*ti chiamerò sempre così nella mia mente anche se non potrò mai più dirti queste parole. Mia cara Charlotte, la mia offerta di raccontarti come mai Hartopp sia stato soprannominato "Chicken" è sempre valida. Non ho altro da offrirti che il mio cuore e i servigi di Tipsy come modella fotografica.*

La lettera si interrompeva, come se Bay avesse avuto un ripensamento sulle facezie appena messe per iscritto. Poi ricominciava, con mano più irregolare.

*Vorrei poterti baciare ancora. Il mio ricordo è così nitido. Le tue labbra asciutte, le lentiggini sulle tue palpebre. Vorrei baciare una per una le tue lentiggini. Sto diventando audace, ma so che è troppo tardi. Devi sapere però quanto desidererei stringerti a me, e che ti adorerò per il resto dei miei giorni, anche se non ci vedremo mai più. Hai la mia fotografia, ma niente potrà mai essere più vivido dell'im-*

389

*magine di te che conservo nella mia mente. Una fotografia può esse-*
*re distrutta, ma il tuo volto impresso nel mio cuore resterà sempre*
*indelebile.*

Quell'ultima parola era stata sottolineata numerose volte.

*Resterò, ora e per sempre,*
*il tuo Bay Middleton*

Era la prima e unica lettera d'amore che avesse mai ricevuto. Era quella che aveva sognato di ricevere dopo il tafferuglio alla mostra. Ma dopotutto era solo una lettera. L'aveva letta così tante volte da averla mandata a memoria, e se l'era ripetuta più volte a voce bassa mentre faceva i bagagli che le sarebbero serviti per vivere in quel mondo che distava seimila chilometri da Bay.

La porta della biblioteca si aprì e Grace entrò. La tintura color magenta che aveva usato per ravvivare i nastri di seta della sua cuffia si era sciolta sotto la pioggia, e così la sua faccia era striata di chiazze color ametista.

«C'è un tempo tremendo, signorina. Ero andata a comprare delle forcine per capelli, ma me ne sono pentita amaramente. Per fortuna ho incontrato un signore con l'ombrello che mi ha riaccompagnata fino all'albergo. È qui per la corsa dei cavalli.»

Grace si vide riflessa nello specchio sul caminetto e lanciò un urletto. Cominciò a sfregarsi la faccia col fazzoletto, che era diventato tutto viola.

«Santo cielo! Scusatemi, signorina. Vado a rendermi presentabile. Il signore che andava alle corse non mi ha detto neppure una parola! Chissà quanto avrà dovuto trattenere le risate, mentre faceva finta di essere gentile e mi raccontava delle cose sul Grand National. Mi ha consigliato di puntare su Orso Danzante cinquanta a uno. È una puntata sicura, secondo lui.»

«Non dovresti accettare consigli sulle corse dei cavalli da sconosciuti» rispose Charlotte.

«Non preoccupatevi, non sono nata ieri! Gli ho detto che non avrei fatto in tempo a scommettere, neppure se la puntata era garantita, perché sarei salpata domani per l'America. Mi ha detto anche se gli lasciavo l'indirizzo mi avrebbe mandato i soldi della vincita. Avrà pensato che non fossi tutta a posto, visto che avevo la faccia tinta di viola.» Continuò a sfregarsi con il fazzoletto.

Charlotte andò verso l'angolo in cui c'erano i giornali infilati nei loro supporti di legno. Sul *Manchester Guardian* trovò la notizia che cercava. A metà della lista dei partecipanti c'era il nome Middleton J.M., che avrebbe concorso in sella a Tipsy. Ebbe un sussulto quando vide il suo nome stampato sul giornale, e si rese conto che non sapeva neppure per cosa stessero quelle iniziali. Lei l'aveva sempre sentito chiamare Bay.

«Ecco fatto, signorina...» Era il paggio. La sua livrea era inzuppata, e la pioggia gli aveva lavato tutta la faccia. Charlotte gli diede la mezza corona e vi aggiunse un altro scellino.

«Mi dispiace che tu ti sia bagnato tanto per causa mia. Avresti dovuto prendere un ombrello.»

«L'avevo, signorina, ma il vento me l'ha rigirato. Soffia proprio forte.»

Quando il ragazzo se ne fu andato per mettersi addosso qualcosa di asciutto, Charlotte tornò alla lettura del giornale. C'era un articolo sulla corsa che trovò praticamente incomprensibile. Riuscì solo a capire che al trofeo avrebbero partecipato quaranta cavalli. Cinque di essi erano irlandesi e due francesi. Soltanto dieci su quaranta erano giumente. Non vide né il nome di Bay né quello di Tipsy nelle liste dei favoriti. Le scommesse con minor margine di rischio erano quelle che davano vincente una cavalla di nome Governess, guidata da un certo Ned Beasley.

Charlotte era contenta, dopotutto, che Bay fosse riuscito a iscriversi alla corsa. Gli venne in mente di quella prima sera a Melton, quando lui le aveva confessato che vincere il Grand National era sempre stato il suo più grande desiderio. Questo significava che non era soltanto una creatura dell'imperatrice. Era strano pensare che proprio quella sera si sarebbero trovati a pochi chilometri di distanza. Aintree, il circuito dove si sarebbe disputata la gara, si trovava poco lontano da Liverpool, come aveva appreso sul treno, e tutti gli spettatori vi si sarebbero recati in carrozza. Ma l'indomani, quando Bay sarebbe stato pronto sulla linea di partenza, lei si sarebbe trovata già nel bel mezzo del Mare d'Irlanda.

Suonò il campanello per ordinare del tè. Caspar sarebbe rientrato di lì a poco. Un'altra notte, e poi si sarebbero imbarcati. Era un pensiero terribile e allo stesso tempo un grande sollievo che per qualche mese non sarebbe stata né l'ereditiera Lennox né la fanciulla scaricata da Bay Middleton. Sarebbe stata semplicemente Charlotte Baird, la fotografa. Se le cose fossero andate bene, non sarebbe tornata mai più. Pensò che Fred le avrebbe fornito il sostentamento necessario finché non fosse arrivata la maggiore età, se questo significava che Augusta avrebbe potuto scintillare per l'intera stagione ricoperta dai diamanti Lennox.

Certo, se non fosse tornata ci sarebbero state parecchie chiacchiere sulla sua partenza in compagnia di Caspar Hewes. Chi non conosceva Caspar avrebbe pensato che fossero fuggiti insieme. Questo avrebbe danneggiato più la reputazione di lui che non la sua. Il peggio che le poteva accadere era che avrebbero smesso di invitarla alle feste più eleganti. Ci sarebbero state duchesse che non l'avrebbero più considerata adeguata a sposare uno dei loro rampolli. Augusta non avrebbe mai superato l'umiliazione di essere imparentata con una reietta della società, ma erano tutte conseguenze che Charlotte si sentiva di poter sopportare.

Ma il successo di Caspar come fotografo dell'alta società si basava unicamente sulla sua abilità nell'adulare i soggetti, e nella capacità di convincerli del fatto che lui solo vedeva la loro vera bellezza. Se le signore che ritraeva avessero saputo che il suo affetto si rivolgeva a una persona così scialba e insignificante come Charlotte, probabilmente la sua retorica non sarebbe più bastata a realizzare quegli incantesimi che gli permettevano di trasformare in sublimi divinità le donne insipide e banali che posavano per lui.

La sera prima, mentre cenavano nella cavernosa sala da pranzo dell'Adelphi, Charlotte aveva detto: «È alquanto scandaloso mangiare da sola con voi in un ristorante. Se Augusta potesse vederci, morirebbe dalla mortificazione.»

«Ma cosa ci può essere di così scandaloso in un uomo e una donna che cenano insieme in pubblico? Sarebbe assai più increscioso se consumassero il loro pasto nella camera da letto» aveva detto Caspar.

«Le ragazze nubili non dovrebbero mai andarsene in giro non accompagnate. E tanto meno dovrebbero farsi vedere in compagnia di uomini non sposati.»

«Eppure non vi vedo molto preoccupata, Carlotta, quando siete insieme a me. Non temete che io possa attentare alla vostra virtù?»

Era stata una domanda posta a cuor leggero, ma Charlotte comprese che vi era qualcosa di serio nel tono in cui era stata formulata.

«No, non sono preoccupata. Dovrei esserlo?»

Caspar aveva sorriso e Charlotte aveva intravisto un guizzo di sollievo nello sguardo dell'americano. Lui aveva alzato il bicchiere per brindare.

«Siete l'unica donna al mondo a cui potrei mai pensare di fare una proposta di nozze, ma nell'improbabile ipotesi che voi la accettaste devo avvisarvi: non sono il tipo d'uomo compatibile con il matrimonio.»

«Neppure se c'è in gioco la fortuna dei Lennox?» aveva ribattuto Charlotte ridendo.

«La tentazione è fortissima, ma... no, neppure per la fortuna dei Lennox.»

In quel momento Charlotte aveva pensato che Caspar fosse quanto di più vicino avesse a un amico.

Un cameriere portò il tè.

«Apparecchio per due?»

«Sì, grazie.»

Caspar stava per tornare dall'ufficio passeggeri. Charlotte aveva comprato i loro biglietti a Londra, ma Caspar aveva insistito nel voler andare fino al porto per accertarsi che fossero state loro assegnate cabine decenti. Per Charlotte non si trattava di una ragione sufficiente a mandarlo fin laggiù sotto quel temporale, ma lui era stato inflessibile. «Non avete idea di quanto sia importante viaggiare bene. Credetemi, Carlotta, potrete sfidare le convenzioni andandovene fino in America, ma non vi conviene affatto finire in una cabina vicina ai motori.»

Stava mangiando la sua terza fetta di pane tostato con acciughe quando Caspar irruppe nella biblioteca, col soprabito grondante d'acqua. Diede le sue cose bagnate al cameriere, che si aggirava per la sala, e sprofondò nella sedia.

«Perdonatemi per avervi lasciata sola tutto questo tempo. Vi reco brutte notizie, purtroppo. Una nave che trasportava legname ha perso il carico per via del temporale e tutta l'area del canale è piena di tronchi galleggianti. Nessuna imbarcazione potrà lasciare il porto se prima non avranno sgombrato il Mersey dal legname. La banchina era affollata di uomini che si dannavano per tirarli fuori agganciandoli con delle catene, ma temo che l'operazione richieda parecchio tempo. Pertanto dovremmo divertirci a Liverpool almeno per un altro giorno.»

Charlotte gli porse una tazza di tè.

Lui la guardò.

«Temevo di darvi una grande delusione. Eppure mi sembrate piuttosto allegra. Avete forse cambiato idea?»

«No, nient'affatto. Ma se restiamo qui un altro giorno, ho già in mente cosa potremmo fare domani.»

«E sarebbe?»

«Potremmo andare al Grand National. La corsa di cavalli è a Aintree, basterà una carrozza per arrivarci.»

Caspar strabuzzò gli occhi. «Non sapevo affatto, Carlotta, che vi appassionasse lo sport dei re.»

Charlotte arrossì. Non voleva ammettere a Caspar e neppure a se stessa quale fosse la ragione per cui s'interessava di trofei di equitazione.

«È una corsa famosa. Sarà un'occasione fantastica per scattare qualche fotografia» disse. «E potremmo guadagnarci tutti i soldi del biglietto, se ci facciamo pagare per fotografare i concorrenti con i loro cavalli. Ci saranno quaranta partecipanti.»

«Siete straordinariamente ben informata, Carlotta.» Caspar sollevò un sopracciglio.

«Oh, è stata Grace a dirmi tutto» disse Charlotte, cercando di non lasciar trapelare la verità. «È davvero interessante. Il percorso è di sette chilometri e ci sono sedici ostacoli da saltare.»

«Sedici ostacoli?» ripeté Caspar. «Da non credersi!»

«Già, e di solito solo metà dei concorrenti arriva fino al traguardo. È un percorso tremendamente difficile.»

Caspar scosse la testa. «Mi sembra uno di quegli eventi talmente inglesi da risultare incomprensibili e poco interessanti ai non iniziati. Ma non potrà essere peggio di una partita di cricket, quindi possiamo anche andarci.» Poi guardò Charlotte negli occhi. «E poi, chissà in chi potremmo imbatterci?»

Charlotte non ebbe il coraggio di restituire lo sguardo.

# 43.

## Il Grand National

Il giorno del trofeo c'era stato un miglioramento delle condizioni atmosferiche. Il temporale era finito, lasciando il cielo terso e azzurro. C'era addirittura un pallido sole che lottava contro la brezza gelida dell'Atlantico. Quella schiarita era stata salutata con grandissimo sollievo dalle signore che avrebbero assistito alla corsa, dal momento che per l'occasione avevano comprato nuovi nastri per i loro cappelli. E gli appassionati incalliti venuti fin da Londra avevano visto in quel raggio di sole un presagio favorevole, poiché sapevano per esperienza che le tribune di Aintree non erano adeguatamente riparate. Il Principe di Galles era contento perché avrebbe indossato il suo nuovo cappello di feltro e la sua visuale non sarebbe stata ostruita dagli ombrelli, che considerava assai volgari. L'imperatrice d'Austria, che viaggiava con lui nel treno reale, pensava che il bel tempo fosse in sintonia con la sua disposizione d'animo, quel giorno particolarmente allegra: era sempre indispettita quando il suo umore non trovava riscontro nelle condizioni meteorologiche. La contessa Festetics era felice perché la sua padrona sorrideva. Per lei le uniche nubi degne d'interesse erano quelle che velavano lo sguardo di Sissi.

Solo Bay, che quel mattino stava controllando il percorso di gara, era indifferente al cielo sereno. Per lui il danno era già stato fatto. Il terreno, dopo due giorni di pioggia, era fangoso; e così aveva portato Tipsy nelle vicinanze degli ostacoli perché si rendesse conto delle insidie rappresentate dagli avvallamenti e dalle buche che di lì a poco avrebbero dovuto affrontare. Nonostante il tepore della primavera incipiente, Bay sentì un freddo brivi-

do di paura attraversargli le membra. Era stato un inverno geli-
do, e il terreno era stato durissimo per mesi, ma adesso improvvisamente era molle e acquitrinoso. Dopo il primo giro di corsa,
il circuito di Aintree si sarebbe trasformato in un vero pantano.
Bay detestava il terreno molle: i cavalli erano sbilanciati dal fango, e gli schizzi delle pozzanghere offuscavano la visuale. I cavalli sarebbero inciampati nell'erba intrisa d'acqua, e anche se avessero caricato il salto alla giusta distanza, non era garantito che
l'atterraggio sarebbe stato privo di rischi.

Bay sentì una fitta alla spalla infortunata quando passò l'ostacolo Becher, che aveva preso il nome dall'uomo che vi era caduto nel
1856. Pensò al suo medico, che era stato perentorio circa i rischi di
un'ulteriore caduta. Sapeva che sarebbe stato saggio farsi fascia-
re la spalla prima della gara, ma questo gli avrebbe limitato l'uso
di una mano e del frustino. Valeva la pena mettere a repentaglio
il suo futuro solo per vincere quest'unica gara? C'era una sola
risposta possibile. Per Bay in quel momento la vittoria del Grand
National era l'unica cosa per cui valesse la pena vivere. Era l'unica cosa su cui sentiva di poter ancora esercitare il suo controllo.

Un coniglio attraversò la corsia di gara e Tipsy nitrì allarmata.
Quando l'ebbe calmata, Bay pensò che la sua giumenta era l'unica femmina della sua vita con la quale si sentiva in perfetta sintonia. Ci sapeva ancora fare con i cavalli, anche se aveva perso il
suo tocco magico con le donne. Tipsy gli sfregò il muso contro
l'orecchio e Bay cercò di non pensare a Charlotte. L'aveva quasi
riconquistata al matrimonio, ma poi era arrivata l'imperatrice e
aveva dichiarato pubblicamente il suo interesse nei suoi confronti. Lui non provava più per Sissi quel desiderio che l'aveva
infiammato all'inizio, ma quell'attrazione dei primi tempi era
stata soppiantata da qualcosa di più insidioso. Il fatto che la donna più bella d'Europa dichiarasse apertamente di aver bisogno
dei suoi favori non lo lasciava indifferente. Ma più che la vanità,
era la compassione nei suoi confronti a scuoterlo nel profondo.
Sapeva di possedere il potere di renderla felice.

«Buon giorno, Middleton!» Bay riconobbe il maggiore Crombie, che frequentava il suo stesso club. «Che ne pensate del terreno di gara?»

«Troppo soffice per i miei gusti. Se solo non ci fosse stato quel temporale» disse Bay.

«Gli irlandesi saranno favoriti. A loro piace quando c'è fango.»

«Quanto quotano Tipsy?»

«Venticinque a uno. Le giumente sudano più dei maschi, e poi un grigio non ha mai vinto il National.»

Bay non replicò.

Crombie rise. «Personalmente mi fa piacere che la quotazione sia sfavorevole. Vi ho visto cavalcare Tipsy alla corsa a ostacoli dell'anno scorso. Non ho mai visto un fantino più abile di voi. La mia puntata andrà al vostro cavallo. I cavalli irlandesi vi daranno filo da torcere, ma nessuno dei fantini possiede la vostra classe. Quindi, non tradite la mia fiducia.»

«Farò del mio meglio.»

«La tribuna reale sarà al completo, in ogni caso. Ci saranno il Principe di Galles e la sua signora, nonché l'imperatrice d'Austria. Credo che metà degli spettatori saranno troppo impegnati a guardare i reali per seguire con attenzione la competizione. Basta che non si lascino distrarre i concorrenti, eh, Middleton?»

Crombie salutò Bay con la mano e tornò verso gli spalti, che cominciavano già a riempirsi anche se mancavano circa sei ore all'inizio della gara.

Quando rientrò alle stalle, i garzoni stavano consumando la loro colazione per prepararsi alla gara: porridge, uova, pancetta, prosciutto, rognone piccante. Bay l'aveva ordinata dalla taverna locale la sera prima, ma ora sentiva di non riuscire a buttarne giù neppure un boccone.

Si sedette su uno dei supporti usati dai fantini per montare in sella ed estrasse dalla tasca il suo portasigarette. Forse una sigaretta speziata l'avrebbe aiutato a distendere i nervi. Ciò che desiderava in realtà era un goccio di brandy, ma neppure i fantini irlandesi bevevano mai prima di una gara. Mentre giocherellava con i fiammiferi, sentì una voce familiare.

«Siete un po' scombussolato, eh?» Era Hartopp.

«Chicken! Che bella sorpresa.» Bay gli lanciò un'occhiata diffidente.

«Non preoccupatevi, vecchio mio. Non sono qui per prendermi la mia vendetta. In ogni caso l'uccellino è volato via. Sono passato da Charles Street ieri e ho scoperto che la signorina Baird è partita per l'America. A fare fotografie, se la cosa v'interessa. Lady Lisle era alquanto turbata. Non ne sapeva niente. Lo ha saputo leggendo un biglietto che Charlotte le aveva lasciato sul tavolo della colazione.»

«È andata in America?» Bay alla fine si accese la sigaretta.

«Una scelta estrema, mi pare. Quel suo amico fotografo con cui si accompagnava è partito con lei.»

Bay inalò una boccata profonda. «Sono fuggiti via insieme?»

«Lady L dice di no. Ma se così fosse, lo ammetterebbe mai?»

«Già.» Bay si alzò in piedi. «Mi dispiace, Chicken, ma ho delle faccende da sbrigare prima della gara.» Prima che Chicken potesse aggiungere altro, Bay se ne andò. Sul retro delle stalle, fu assalito da un conato violentissimo e vomitò su una balla di fieno.

Quando i treni speciali arrivati da Londra si vuotarono riversando torme di passeggeri in Lime Street, sembrava che l'intera capitale fosse emigrata nel Nord-ovest del Paese. Tutti i mezzi di trasporto erano stati messi a disposizione dei viaggiatori, e la strada era stipata di carrozze, omnibus e mezzi governativi. C'era anche un carro della nettezza urbana che fungeva da trasporto passeggeri. Caspar era riuscito a trovare dei posti in uno degli omnibus speciali predisposti in occasione della gara. Charlotte e Grace erano sedute all'interno. Lui era abbarbicato al piano superiore, sul ponte scoperto. Ci volle gran parte della mattinata per percorrere i dieci chilometri di distanza dal circuito di Aintree, visto che la strada era sterrata e i cavalli e le carrozze continuavano a incagliarsi nei solchi.

Il fango, a quanto pareva, metteva tutti nella stessa condizione. Persino la carrozza che trasportava i reali trovava difficoltoso il cammino verso la meta, e per poco non restò intrappolata in una buca nascosta. Per fortuna il Principe di Galles si era seduto sul lato opposto della carrozza, e così, con la sua mole considerevole, aveva fatto da contrappeso impedendo al veicolo di ribaltarsi. Quando la carrozza reale fu raddrizzata e rimessa in marcia, si sollevò un diffuso mormorio di gioia tra gli astanti: «Dio benedica il Principe di Galles!» gridavano alcuni, mentre altri, a voce più bassa, dicevano: «Forza, dài, vecchio Panciottone!»

Dopo due ore che se ne stava intrappolata come una sardina tra Grace da una parte e una signora profumata di acqua di colonia con in testa un cappello dalle piume arancioni dall'altra, Charlotte era pronta per scendere e proseguire a piedi. Ma almeno i cancelli dell'ippodromo erano visibili e l'esodo di massa era iniziato.

Charlotte si sentì sopraffare dalla calca quando giunse finalmente all'entrata. Non era mai stata a una corsa prima di allora, e non era preparata a quel tumulto. La gente si muoveva in gruppi compatti, non come singoli individui. C'erano intere famiglie, di almeno tre generazioni, agghindate col vestito della domenica, che avevano deciso che la folla dava loro sicurezza, e così si muovevano come un unico grumo compatto. E poi c'erano gli irlandesi, che erano arrivati in traghetto e si erano assiepati in prima fila per cercare di vedere Glasnevin, il favorito della loro terra. Charlotte rimase colpita dalla molteplicità variopinta di quella folla, dopo aver visto le tinte monocrome delle strade londinesi. La sua vicina di posto sull'omnibus, con le piume arancioni sul cappello, non era l'unica spettatrice che aveva deciso di indossare colori vivaci come le divise dei fantini. Le modiste del Nord-ovest dovevano aver avuto un gran daffare, in vista del grande evento. Charlotte vide una donna il cui cappello consisteva in un fagiano nel nido con i pulcini che facevano capolino oltre la tesa. Chiunque avesse potuto permetterselo si era fatto fare un vestito nuovo da esibire alla corsa, e il susseguirsi di sete color malva e color verde limetta era abbagliante. Persino gli uomini esibivano abiti e accessori dai colori sgargianti: fazzoletti di seta a pallini, panciotti scarlatti, completi a scacchi color senape. Charlotte, che indossava un vestito da viaggio fulvo il cui pregio principale era quello di tenere bene la polvere, si sentiva come uno scricciolo in un recinto di pavoni.

Caspar, da parte sua, era perfettamente in sintonia con il resto degli spettatori. Il suo soprabito a scacchi verde e arancione, che a Londra faceva voltare innumerevoli teste, qui a Aintree era del tutto adeguato. Aveva tirato fuori la sua macchina fotografica e la stava sistemando nella tribuna dei proprietari dei cavalli. Mentre armeggiava con l'apparecchio, la folla gli si parava tutt'intorno. Quando Sholto Douglas, il celebre proprietario scozzese, gli chiese di fotografare la sua giumenta Governess, un mormorio di eccitazione si diffuse tra la folla.

Governess era un fascio di nervi: Douglas e il fantino dovettero sistemarsi sui due fianchi dell'animale per cercare di calmarlo. Ma il talento di Caspar con le signore dell'alta società pareva funzionare anche con i cavalli di razza: accarezzò il purosangue sul muso e cominciò a imbottirlo di chiacchiere suadenti, quasi ipnotizzandolo. Poi sparì sotto il panno e strizzò la lampada.

Douglas si offrì di pagare per la stampa, ma Caspar rispose: «È stato per me un privilegio poter fotografare un sì splendido animale. Non chiedo denaro. Ma vi sarei infinitamente grato se mi aiutaste a trovare un buon posto da cui la mia amica, la signorina Baird, possa assistere alla competizione.»

Douglas guardò Charlotte, che stava osservando i cavalli che raggiungevano le postazioni di partenza accompagnati dai garzoni di stalla, e scosse la testa. «Avrete tutti e due un lasciapassare per la tribuna dei proprietari. Questa zona del circuito non è la più adatta a una signora.»

Caspar fece un cenno col capo. «Vi ringrazio, signore. Sono americano, e ci sono molte cose che non so del vostro Paese. Peraltro credo che la signorina Baird non abbia mai assistito a una corsa di cavalli prima d'ora.»

«Chiunque dovrebbe vedere il Grand National almeno una volta nella vita. È la gara più bella del mondo. E mi raccomando, piazzate una scommessa. Non potrete entrare nello spirito della gara se non avete puntato dei soldi su uno dei cavalli. Le puntate su Governess sono ancora convenienti, ed è pressoché certo che vincerà il trofeo.»

Douglas chiamò uno degli assistenti di gara e gli chiese di accompagnare Caspar e i suoi amici nei posti di tribuna a lui riservati. Charlotte provò un certo sollievo al pensiero di allontanarsi dalla calca. Il suo unico scopo, ed era un desiderio che faticava ad ammettere anche a se stessa, era riuscire a scorgere anche solo per un istante Bay. Ma era troppo minuta per vedere qualcosa dietro quella folla compatta sormontata di cappelli di feltro. Tuttavia, quando furono accompagnati dalla ressa del parterre alla calma relativa delle tribune, Charlotte provò un improvviso disagio. Le piume arancioni lasciavano qui spazio a visoni e zibellini; i chiassosi completi a scacchi, a delicate sfumature di tweed sui toni del grigio. Il che significava che avrebbe potuto incontrare qualche conoscente.

A riprova dei suoi timori, uno spettatore in completo di tweed seduto davanti a lei si voltò per salutare un amico e Charlotte intravide l'inconfondibile profilo di Chicken Hartopp, con tanto di basettoni. Si bloccò, stringendosi forte al braccio di Caspar e tirandolo via, ma era troppo tardi: Chicken l'aveva vista, e la stava salutando a gran voce. Benché fosse a una certa distanza da lui, non poté fare a meno di sentire il tanfo alcolico che esalava dal suo fiato.

«Charlotte! Ehm... signorina Baird! Cosa diamine ci fate qui? Insomma, è una bella sorpresa... vedervi» incespicò sulle parole, frenato dall'espressione dipinta sul volto di lei.

«Buon giorno, capitano Hartopp. Immagino conosciate già il signor Hewes.»

Chicken squadrò Caspar in lungo e in largo con un'espressione che rasentava l'insolenza. «Ma certo.»

Charlotte intuì che Chicken stava per esplodere dalla curiosità. Per anticipare qualunque sua domanda, gli disse: «È per puro caso che siamo qui. Avremmo dovuto salpare per l'America oggi stesso, ma c'è stato un ritardo. E dal momento che eravamo a Liverpool nel giorno del National abbiamo pensato bene di venire a Aintree.»

Caspar le venne in soccorso, aggiungendo: «Un luogo davvero promettente per noi fotografi, capitano Hartopp. Mi piacerebbe moltissimo fotografare il vincitore. Ho sempre desiderato catturare un istante di pura gioia.»

Hartopp guardò Caspar sbalordito. Non capiva come potesse andarsene in giro con Charlotte Baird senza provare neppure il minimo imbarazzo. Di sicuro se avessero avuto in mente di fuggire non si sarebbero fatti vedere in un luogo così affollato.

«Lord Sholto si è offerto di presentarmi il maggiore Topham, proprietario del circuito» disse Caspar. «Charlotte, vi dispiace se vi lascio per un attimo insieme al capitano Hartopp? Voglio assicurarmi una postazione davanti al podio del vincitore.»

Charlotte non era affatto contenta, ma capì che Caspar era determinato a conquistarsi la sua fotografia. Si rivolse a Chicken.

«Capitano Hartopp, vi sarei grata se mi aiutaste a compilare la scheda di gara. Sono un po' confusa, ma mi piacerebbe piazzare una scommessa.» Gli sorrise con un'espressione che lo fece arrossire sotto i basettoni. «Grace, la mia cameriera, mi ha detto che dovrei puntare su un cavallo che si chiama Orso Danzante.»

«La vostra cameriera è qui presente?»

«Certamente. Credete che sarei mai venuta fin qua senza un'accompagnatrice?» replicò Charlotte ostentando un'aria scandalizzata.

Chicken abbassò lo sguardo.

«Perdonatemi, signorina Baird. Ma non sapevo cosa pensare. Sono passato a trovare vostra zia a Londra e mi ha detto che eravate partita per l'America con quel tale. Era in uno stato terribile. Tutta la capitale parla di voi. Corre voce che siate fuggita con l'americano. Ma al diavolo tutti quanti, voi non potreste mai sposare un uomo come quello! Non posso crederlo.»

Charlotte si sfilò il guanto di capretto che indossava sulla mano sinistra e lasciò che Chicken ispezionasse accuratamente le sue dita.

«Vedete? Non c'è nessun anello. Il signor Hewes è solo il mio compagno di viaggio e collega fotografo, niente di più. Io sto andando in America esclusivamente per scattare fotografie, e lui ha gentilmente acconsentito a farmi da guida. Dunque potete dire a tutta Londra che non c'è alcuno scandalo, oltre al fatto che una ragazza ha preso da sola una decisione che riguarda la sua vita. Forse questa spiegazione non risulterà soddisfacente, ma è la pura verità. La mia cameriera è con me, e sebbene il signor Hewes non sia catalogato dalla vostra mente come un gentiluomo, nei miei confronti non ha dimostrato altro che squisita cortesia.»

Chicken Hartopp non osò incrociare il suo sguardo. Si tirò

così forte le punte dei baffi che Charlotte temette potessero venir via dei ciuffi.

«Ma se ve ne state andando in America, come mai siete venuta qui? Non sapete che Bay partecipa alla corsa?»

Charlotte cercò di assumere un'aria composta. «Sì. Ma venire qui non era nei miei programmi. Avrei dovuto trovarmi nel bel mezzo del Mare d'Irlanda, a quest'ora. Quando però seppi che la traversata era stata posposta e che c'era proprio oggi la gara, ho deciso di venire.»

«Diamine, non vi capisco. Quell'uomo vi ha trattata in modo mostruoso. Vi ha umiliata pubblicamente. Comportarsi con l'imperatrice a quel modo... Mi sorprende che riusciate anche solo a guardarlo in faccia.»

Charlotte si rimise il guanto, lisciando con cura la pelle sulle dita tremanti.

«Forse avete ragione a stupirvi, capitano Hartopp. Ma non mi considero umiliata, al di là di quel che pensa il mondo intero. Adesso volete essere così gentile da spiegarmi come compilare questo cartoncino, o devo chiederlo a qualcun altro?»

Ma Chicken non si lasciò mettere a tacere, adesso che aveva trovato il coraggio di dire tutto quello che pensava.

«Charlotte... signorina Baird, lo sapevate che anche l'imperatrice è qui? È nella tribuna reale insieme al Principe di Galles. Se venite qui davanti riuscirete a vederla molto chiaramente.»

Si voltò e indicò la tribuna reale, che distava circa sei metri. Charlotte ebbe un momento di esitazione. Nella sua decisione impulsiva di venire a Aintree non l'aveva sfiorata l'idea che anche l'imperatrice avesse avuto la stessa idea. In un primo momento decise che non avrebbe guardato in quella direzione, ma poi un'ondata di curiosità mista a gelosia spazzò via la sua riluttanza. Seguì la direzione indicata da Hartopp e vide la figura corpulenta del Principe di Galles con il cappello di feltro e un sigaro tra i denti. Era circondato da due donne. Quella più vicina era la Principessa di Galles. Dall'altra parte c'era l'imperatrice. Indossava un abito blu scuro, semplice come un completo da equitazione. Ma l'austerità del vestito era stemperata dalla stola di zibellino drappeggiata attorno alle spalle, che anche a quella distanza Charlotte intuì che dovesse essere un miracolo di morbidezza. L'imperatrice era lievemente inclinata in avanti e aveva in mano un binocolo, con cui fissava il percorso di gara. Il Principe di Galles le si era avvicinato e le aveva detto qualcosa. L'imperatrice aveva sorriso, senza staccare gli occhi dal circuito dove si stavano sistemando cavalli e concorrenti.

Hartopp tornò a voltarsi verso Charlotte, esibendo un sorriso di trionfo.

Cercando di assumere un tono allegro e leggero, Charlotte disse: «Capitano, l'imperatrice possiede un magnifico binocolo. Credo che sia esattamente ciò che mi occorre. Sapete dirmi dove potrei procurarmene uno?»

«Un binocolo?» Chicken parve non capire.

«Sì... come quelli che si usano per guardare l'Opera, ma più potente. Anche Fred ne possiede.»

Chicken scosse la testa e riprese a tirarsi i baffi, con aria cogitabonda. Mentre lui ruminava, Charlotte rimase in silenzio. Alla fine disse: «Fred sa che siete qui?»

«Certo che no. Lui e Augusta sono su una nave, diretti verso il Golfo di Napoli. Dunque non irromperà qui stamane, se è quel che vi preoccupa. Ora, mi aiuterete a trovare un binocolo? Laggiù sta succedendo qualcosa e mi piacerebbe vedere bene la gara.» Charlotte stava battendo un piede.

«Bay non ha molte possibilità, sapete. Lui cavalca bene, ma Tipsy non ce la farà mai. È da più di vent'anni che una giumenta non vince a Aintree.»

«Una ragione per procurarmi un binocolo, affinché io abbia l'occasione di vederlo perdere» disse Charlotte con aria beffarda.

Il capitano Hartopp stava per protestare nuovamente, ma un'occhiata di Charlotte lo fermò. Lui borbottò che avrebbe cercato di procurarsene uno in prestito da un tale che conosceva, e si allontanò.

La tribuna si stava riempiendo e Charlotte fece cenno a Grace di starle vicino per proteggere il suo punto d'osservazione privilegiato. Si chiese se Caspar avrebbe fotografato Bay sulla pista di gara. Sperava che lui non disapprovasse troppo la sua decisione di assistere alla corsa. Dopotutto era una pura coincidenza che si trovassero a Liverpool il giorno del Grand National. Non c'era niente di umiliante nel venire a vedere Bay correre la gara della sua vita. Lui non sapeva neppure che lo stava guardando. Benché ripetesse continuamente tra sé e sé quei discorsi, Charlotte lottava per ignorare la corrente sotterranea che l'aveva trascinata proprio lì quel giorno. Secondo un ragionamento che non riusciva neanche ad articolare, sentiva che era stato il destino a disperdere quei tronchi nel Mersey, e lo stesso destino aveva fatto sì che Grace incontrasse quello sconosciuto appassionato di gare ippiche. Era destino che si trovasse lì, ecco tutto.

Negli spogliatoi dei fantini Bay salì sulla bilancia per farsi pesare. Con suo grande sollievo, ottenne il più leggero degli handicap. Consultò l'orologio. La gara sarebbe cominciata di lì a un'ora. Era tempo di indossare la divisa. Quando correva, portava sempre i colori del suo reggimento, il rosso e l'oro.

Mentre tirava fuori dalla borsa la sua giubba ormai lievemente sbiadita, sentì un colpo di tosse che gli risultò familiare. Si voltò e vide Nopsca che gli porgeva una scatola piatta di cartone. Lui l'accettò e la mise sulla panca degli stivali. Il barone si frugò nelle tasche e ne estrasse una lettera. A Bay non fu necessario vedere lo stemma crestato per capire che la mandava Sissi.

«La Kaiserin mi ha chiesto di darvela prima della gara.»

«Vi ringrazio, barone.» Bay abbassò la voce, dal momento che gli altri fantini presenti nello spogliatoio lo stavano guardando incuriositi. Nopsca, che indossava marsina e ghette e profumava di acqua di rose, era una figura incongrua in quel vestibolo di cavallerizzi, tappezzato di accessori dismessi e fragrante di cuoio, alcol per le frizioni e sudore.

Bay aprì prima la lettera:

*Mio caro Bay,*
*ti prego, indossali per me quando sarai sul podio.*
*La tua Sissi*

Slacciando lo spago che chiudeva la scatola, vide una divisa da fantino nei colori nero e oro. Prendendoli in mano vide non solo che era della taglia giusta, ma che sul retro della giubba esibiva il ricamo con lo stemma degli Asburgo.

L'orrore che gli si dipinse in viso doveva essere piuttosto evidente, poiché il barone si strinse nelle spalle, come a volersi scusare. «A Vienna è usanza comune per i corridori indossare le insegne dei loro padroni.»

Bay distolse lo sguardo, e il barone aggiunse rapidamente. «Forse mi sono espresso male. Intendevo dire le insegne dei loro sostenitori.»

Il capitano Middleton ripose le insegne dell'imperatrice nella scatola. Fece un profondo respiro per calmare le proprie emozioni, ma non riuscì a cancellare completamente l'irritazione dal tono della sua voce. «Ditele che non è una mancanza di rispetto, ma non posso indossarli. Tipsy è il mio cavallo e io non sono un cavaliere medievale che porta i colori della sua signora.»

Nopsca tese le mani, con l'intento di implorare Bay, ma quando vide l'espressione che aveva in volto si zittì, con la bocca aperta paralizzata nel suo sorriso rassicurante. Fece cadere le braccia, riprese le insegne imperiali e le rimise nella scatola.

«Mi pare di capire che non c'è verso di farvi indossare queste decorazioni. Dunque, non vi ho trovato. Mi è stato impossibile, in tutta questa folla.»

Fece un rigido inchino e batté i tacchi, alla maniera austriaca. «Da parte mia, capitano Middleton, vi auguro buona fortuna.»

## 44.

### La scommessa reale

Nel palco reale il pranzo stava per essere servito. Sul treno avevano già fatto una abbondante colazione, ma il Principe di Galles non vedeva il motivo di rinunciare a un sontuoso banchetto come quelli a cui era abituato quando usciva in battuta. C'erano ben quattro tipi di sformati in crosta, insalata di carne e acciughe, pollo in gelatina e un pasticcio di animelle al tartufo, seguivano poi fagiano farcito al foie gras e una terrina di lepre alla salsefrica. Da bere c'era champagne, vino bianco del Reno, borgogna e un giovane chiaretto di Bordeaux per il quale la Principessa di Galles aveva una particolare predilezione.

Sissi, come di consueto, giocherellava soltanto col cibo che aveva nel piatto. Sapeva che se avesse alzato gli occhi, avrebbe visto Festy che la fissava nell'intento di convincerla a mangiare qualcosa, e anche se di tanto in tanto dava un morso, il boccone, prima o poi, ritornava sempre intatto nel piatto. Quel pranzo per lei si stava protraendo decisamente troppo. Non vedeva l'ora che la gara iniziasse.

La tavola era stata allestita sul fondo della tribuna reale. Accanto a lei sedevano il Principe di Galles da un lato e il conte Spencer dall'altro. La Principessa di Galles sedeva all'altro capo del tavolo impassibile a ogni conversazione avvenisse attorno a lei, visto che era quasi completamente sorda.

Il principe era di buon umore, il pasto era stato abbondante e in orario, ed era estasiato all'idea di avere come ospite l'imperatrice. Conosceva ogni dettaglio della visita di Elisabetta d'Austria a Windsor e non poteva fare a meno di ammirare la donna che aveva osato sfidare sua madre. *Non è neppure lontanamente para-gonabile per bellezza alla cara Alix, e dopo aver fatto tutta quella strada, non si è nemmeno fermata per pranzo.*

Pensava che fosse bellissima, ed era cosa rara per il Principe di Galles riconoscere quella qualità in una donna di pari rango. E poi non era prussiana, il che era un sollievo. Sapeva che l'imperatrice condivideva con lui il disprezzo per la casa dei Bismarck. Avevano avuto una piacevole conversazione su quanto fosse noiosa la corte prussiana e quanto terribile fosse il cibo di Potsdam. Il principe ebbe un certo sussulto quando l'imperatrice, sottolineando con enfasi l'aspetto poco curato delle dame del casato di Hohenzollern, gli sfiorò inavvertitamente una mano. Poi si guardò subito attorno per vedere se Alix avesse notato la scena, ma lei sorrideva beata al dignitario che le stava accanto. Aveva imparato molto tempo prima che non era il caso di osservare il marito troppo da vicino.

Alle tre meno un quarto il maggiore Topham, proprietario del circuito di Aintree, fece il suo ingresso per annunciare ai reali che i partecipanti alla gara stavano per iniziare la sfilata. Il Principe di Galles applaudì e rivolgendosi agli astanti disse: «C'è qualcuno che vuole fare una puntata prima che la gara inizi? Questa è l'ultima occasione.» L'imperatrice lo guardò con la coda dell'occhio. «Credo di voler fare io una puntata.»

«Splendido, splendido. Se ne occuperà Topham.»

Topham si inchinò un po' riluttante; aveva molte cose di cui occuparsi e fare l'allibratore ai reali non era davvero una di queste.

Sissi fece un cenno a Festy, che se ne stava in angolo. «Ho bisogno di denaro.»

Festy annuì. «Quanto vi occorre, Maestà?»

«Vediamo, direi cinquecento ghinee.»

Il Principe di Galles fece un bel respiro. «Una scommessa coraggiosa, direi. Su che cavallo?»

«Il nome del cavallo è Tipsy. Ma non sto dimostrando molto coraggio, mio caro principe, Tipsy sarà cavalcata dal capitano Middleton.» E gli sorrise.

Il principe, che ovviamente era al corrente di tutti i pettegolezzi che erano circolati sull'imperatrice e la sua guida di caccia, ricambiò il sorriso.

«In questo caso, imperatrice, mi toccherà eguagliare la vostra scommessa.»

Edoardo fece cenno al suo scudiero di consegnare una nota a Topham, che apparve molto sorpreso.

«Credo che Tipsy sia quotata venti a uno, signore.»

«Eccellente, meglio affrettarsi allora, prima che si abbassino le quote.»

Non appena il seguito del principe ebbe preso posto nella tribuna, la folla iniziò a esultare. Edoardo si sfiorò il cappello, e la principessa salutò con la mano, che era avvolta da un guanto di sottilissima pelle di vitello. Sissi fece un piccolo inchino, quasi automaticamente, come era abituata a fare quando la folla la acclamava in pubblico, e, come i suoi amici reali, strinse i denti per simulare quello che lei pensava fosse il suo "sorriso pubblico". Si augurò che tra la folla non fossero presenti dei fotografi.

I cavalli iniziarono a sfilare lungo il percorso. Sissi afferrò il binocolo per dare un'occhiata più da vicino. Il conte Spencer, che le stava accanto, era intento a controllare i numeri dei cavalli sulla sua guida di gara.

«Ventitré, questo è Glasnevin, il cavallo di Leinster, le quote lo favoriscono con Sir William. Sentite la folla, sembra che metà degli abitanti di Dublino siano accorsi qui per vederlo gareggiare.»

Sissi prese la sua guida per cercare il numero di Bay. Le sarebbe piaciuto scendere ai bordi del circuito per parlare con lui prima della gara, ma non le sarebbe stato possibile muoversi senza i reali inglesi, e il principe Edoardo non sembrava voler abbandonare la comodità del suo palco. Ma non era un grosso problema, l'avrebbe comunque visto al termine della corsa. Rodolfo era finalmente rientrato nella sua residenza, non c'era motivo, quindi, per cui Bay non potesse tornare a Easton Neston, anche se la stagione di caccia andava ormai concludendosi. Forse era tempo di spostarsi a Gödöllő. La residenza ungherese era sempre bellissima in primavera, quando i ciliegi erano in piena fioritura. Era il luogo ideale per allevare cavalli. Sarebbe stato bello avere una propria scuderia.

Bay era il numero trentotto. Questo le diede un piccolo brivido, era proprio il numero dei suoi anni. Doveva essere un buon presagio. Che emozione avrebbe provato a vederlo indossare i suoi colori. Attraverso il binocolo, cercava di trovare in pista il numero trentotto. Ma i partecipanti erano quaranta, e nonostante il circuito fosse pieno di cavalli, non vi era traccia di Bay.

Anche Spencer lo stava cercando. «Ancora nessuna traccia di Middleton. Mi chiedo dove sia finito, probabilmente a cercare un po' di coraggio nel brandy. Gli ostacoli sembrano diventare più alti ogni anno che passa. L'anno scorso abbiamo avuto sei cavalli a terra e due fantini con le braccia rotte. Nel sessantanove un tizio morì schiacciato dal suo stesso cavallo. Questo rende la gara ancora più interessante, non sai mai chi riuscirà a finirla.»

La contessa Festetics non aveva capito molto di quanto stesse dicendo quel Lord inglese, ma intuì dall'espressione della sua padrona che quelle parole la stavano turbando. «Conte Spencer, mi sapete dire chi è quell'uomo laggiù che agita le braccia come un... perdonatemi, non conosco la parola in inglese.»

Sissi finì la frase. «Burattino.»

«Chi è dunque quell'uomo? Per la verità ce ne sono molti. Chi sono tutti quei burattini?»

Spencer rise. «Oh, vi riferite agli allibratori.»

«Allibratori?» disse Sissi. «Non conosco questa parola.»

«Sono quelli che prendono le scommesse e fissano le quote. Agitano le braccia in aria per dirsi come stanno andando le puntate. Dopo che Topham sarà andato giù da loro a piazzare la vostra, inizieranno ad agitarsi come matti, aspettate e vedrete.»

Ma Sissi non lo stava più ad ascoltare: aveva finalmente visto il magico trentotto attraverso le lenti del suo binocolo. Tirò un sospiro di sollievo non appena Bay fece il suo ingresso sulla pista cavalcando Tipsy, l'unico grigione in gara. Ma il capitano non aveva un bell'aspetto, non quello che lei si aspettava. Le ci volle un minuto per capire: non stava indossando i colori nero e oro degli Asburgo.

Oltre la recinzione di legno e ferro che separava il palco reale dagli altri, anche Charlotte stava guardando il numero trentotto.

A seguito delle sue pressanti richieste Hartopp, con la coda tra le gambe, era andato a procurarle un binocolo, così che potesse vedere ogni dettaglio dei fantini e dei cavalli in gara mentre sfilavano attorno al circuito. All'improvviso riconobbe Tipsy. Mentre scrutava il profilo familiare di Bay attraverso quelle lenti di ingrandimento, si sentì strana al pensiero che probabilmente lui non immaginava che lei fosse tra il pubblico. Certamente sapeva della presenza dell'imperatrice: Charlotte controllava attentamente se Bay stesse rivolgendo i suoi sguardi verso il palco reale. E con sua grande soddisfazione, fino a quel momento non era accaduto.

«Grande gara oggi» disse Chicken. «Quaranta sfidanti. Dovranno essere molto rapidi alla partenza, altrimenti si ritroveranno tutti accalcati sotto quegli ostacoli. Ricordo che nel settantatré, sei cavalli andarono giù all'ostacolo Becher. Solo cinque arrivarono in fondo alla gara. Quella fu proprio una buona annata per gli allibratori.» Charlotte lo interruppe. «Quanto manca all'inizio della gara, capitano Hartopp?»

Chicken buttò un occhio al suo orologio da taschino. «Oh, non molto ormai. Si avvicineranno a minuti alla linea di partenza.»

Charlotte si domandò cosa fosse accaduto a Caspar; non sopportava l'idea di seguire l'intera gara con il capitano Hartopp. Pensò anche di andare a cercarlo, ma ormai le tribune erano gremite di uomini in tweed e donne urlanti e lei non aveva intenzione di perdere il posto di favore che occupava. Guardare la corsa da lì, anche in compagnia di Hartopp, era pur sempre meglio che perdersi tra la folla.

L'inserviente che li aveva condotti alla loro tribuna si avvicinò di nuovo a Charlotte per consegnarle un biglietto.

«Signorina Baird? Il gentiluomo americano mi chiede di consegnarvi questo.»

Era la ricevuta per una scommessa da cinquanta sterline su Tipsy, fissata ancora sulla quota di venti a uno.

Charlotte ripiegò la ricevuta con attenzione e la mise in tasca. Capì che quella ricevuta era in realtà un messaggio. Caspar voleva farle sapere che era perfettamente al corrente del motivo per cui si trovavano lì e che sapeva a quale uomo aveva giurato fedeltà.

L'orchestra iniziò a suonare *God save the Queen* e la folla prese a cantare l'inno nazionale. Charlotte puntò il suo binocolo verso il palco reale e vide che mentre il Principe e la Principessa del Galles cantavano l'inno, o perlomeno muovevano le labbra, Sissi teneva gli occhi puntati sui cavalieri con aria rapita. Charlotte, anche a quella distanza, si rese conto che il volto dell'imperatrice sarebbe stato un soggetto perfetto per una fotografia. La sua espressione era piena di sentimento. Stava osservando Bay, ovviamente, e Charlotte riconobbe quello sguardo. Non aveva mai pensato, o perlomeno non si era mai concessa di farlo, che l'imperatrice nutrisse un interesse profondo per Bay. Era più facile pensare a lei come la Regina di Neve, quella delle favole. Una donna con il cuore di ghiaccio. Ma l'imperatrice avvolta nello zibellino non era senza cuore. E amava Bay.

Questa non era certo una piacevole scoperta. Charlotte voleva avere il monopolio di quel sentimento. L'idea che l'imperatrice fosse innamorata di Bay quanto lo era lei era dura da sopportare. Il pensiero che l'aveva consolata mentre si preparava a partire per l'America era che Bay sarebbe stato infelice. Ma se l'imperatrice ricambiava quel sentimento, allora l'infelicità di Bay non era garantita. Tanta ingiustizia l'aveva sconvolta, e per un istante, Charlotte pensò di essere sul punto di piangere.

Sulle ultime note di *God save the Queen*, la folla in attesa iniziò a rumoreggiare. I cavalli si stavano posizionando sulla linea di partenza. Scalpitavano per guadagnarsi spazio, mentre i concorrenti tiravano le briglie per contenere la loro foga. Bay si era sistemato sul bordo esterno del circuito. Non era il piazzamento migliore, ma nelle corse a ostacoli di lungo percorso non si poteva correre il rischio di ritrovarsi tutti accalcati. Aveva quindi deciso che l'unico modo per riuscire a vincere il National fosse tenersi sul lato più esterno del circuito. Accanto a lui correva uno dei fratelli Beasley, Ned, in sella a Governess. Ned lo salutò con un cenno. Anche i suoi fratelli minori, Jack e Tom, partecipavano alla gara. Bay si sentì rassicurato dal fatto che pure Ned, esperto fantino, avesse scelto una posizione esterna. Ora che stava per affrontare la gara, Middleton si rammaricò di non aver bevuto un ultimo sorso dalla sua fiaschetta. Il giudice di gara iniziò ad annunciare i nomi di cavalli e fantini. Ogni concorrente rispondeva alzando il frustino in aria. Vi fu un grosso boato all'annuncio di Glasnevin, il cavallo irlandese, che al momento era il favorito. Quando il giudice di gara, seguendo l'ordine di posizionamento, arrivò ad annunciare Bay, questi levò tremante il suo frustino.

Sapeva che Sissi lo stava osservando dal palco reale in attesa di un cenno di saluto, ma lui continuò a tenere lo sguardo dritto innanzi a sé.

Si udì lo sparo dello starter e i cavalli si buttarono in avanti, con Glasnevin in testa al centro della pista. Bay sentì la tensione allentarsi non appena il suo cavallo prese l'andatura. Il suo più grande desiderio si era realizzato: stava concorrendo al Grand National in sella alla sua Tipsy.

La giumenta superò facilmente il primo ostacolo, ma con la coda dell'occhio Bay vide un cavallo inciampare e il suo fantino rovinare a terra. Glasnevin era ancora in testa. Bay sentiva Tipsy forzare l'andatura, cercando di portarsi nelle prime posizioni, ma lui tentò di trattenerla: non aveva intenzione di giocarsi le sue carte prima del secondo giro. All'ostacolo Becher due cavalli si rifiutarono di saltare, altri caddero all'imbocco della stretta curva a sinistra, nel punto in cui il circuito costeggiava le tribune. Il pubblico lanciò un urlo di disappunto quando il fantino che montava il favorito Glasnevin cadde a terra all'altezza della curva a destra che precedeva il rettilineo.

Bay si voltò verso destra per controllare la posizione di Beasley su Governess. Il possente cavallo nero procedeva con andatura sicura e il suo fantino sembrava pericolosamente sereno. Si udì il pubblico esultare quando i cavalli giunsero in prossimità del rettilineo, ridotto a due terzi rispetto alla lunghezza originale. Il secondo giro si fece decisamente più difficile; gli zoccoli avevano trasformato il già molle terreno di gara in una scivolosa fanghiglia. Tipsy superò il secondo ostacolo, ma Bay sentì che l'atterraggio era incerto, e per un istante temette di essere sbalzato a terra. Tutto ciò in cui poteva sperare era di rompersi il collo e morire sul colpo – ma Tipsy riuscì a ritrovare l'equilibrio con le zampe posteriori e a riprendere l'andatura con Bay aggrappato alle briglie e alla criniera.

«Grazie, mia adorata Tipsy» le urlò nell'orecchio, commosso dal fatto di essere ancora in gara.

Erano di nuovo al Becher, e stavolta ben sei cavalli caddero a terra nel tentativo di saltare l'ostacolo e superare la pericolosa curva a gomito. Bay sollevò lo sguardo e vide che, nonostante vi fossero ancora dodici cavalli in gara, solo otto avevano ancora il fantino in sella. Glasnevin correva da solo, ancora in testa alla gara. Ma mentre lo stallone continuava a dominare la gara, gli scommettitori che avevano puntato su di lui strappavano delusi le ricevute di gioco: i cavalli rimasti senza fantino venivano squalificati.

Nel palco reale Sissi ebbe un sussulto quando i cavalli le passarono davanti per il secondo giro. Dov'era Bay? Si portò il binocolo agli occhi ma le mani le tremavano a tal punto che non riusciva a tenerlo fermo. Sentì il Principe di Galles esclamare: «Dove è finito il nostro cavallo, imperatrice? Speriamo che non sia caduto al primo giro. Che numero aveva?»

«Trentotto» rispose Sissi.

«Ah, non lo vedo. Peccato!»

Sissi si sforzò di rimanere impassibile ma già vedeva Bay disteso a terra con il collo rotto. Sentì una mano sulla spalla, era Festy che cercava di darle un po' di conforto.

Il conte Spencer esultò urlando: «Ecco Middleton! Lo vedo! Il cavallo è talmente ricoperto di fango che a malapena si distingue il suo manto grigio. Coraggio Bay, è arrivato il momento di mollare le redini!»

Sissi prese nuovamente il binocolo e lo regolò finché non riuscì a vedere il numero trentotto. Spencer aveva ragione. Cavallo e fantino erano così inzaccherati da essere quasi irriconoscibili. Continuò a seguire Bay con lo sguardo fino a quando superò la curva. Tipsy, notò, aveva ancora un'andatura decisa e il capitano era saldo sulla sella come sempre.

«Imperatrice, il nostro cavallo è ancora in gara» disse il Principe di Galles. «Mio Dio, la gara è stata un vero massacro, sono rimasti in pista solo una decina di cavalli. Il vostro uomo è in gamba, non c'è dubbio.»

«Non è solo in gamba, è il migliore» sussurrò l'imperatrice.

Charlotte si coprì gli occhi con le mani per la tensione e mancò Bay al secondo giro. Appena prima infatti le era capitato di vedere, attraverso il binocolo, un cavallo che cadeva e il fantino che, sbalzato al lato del circuito, si raggomitolava come un riccio per proteggersi dagli altri concorrenti che gli passavano sopra. Il fantino non era Bay ma la violenza della scena l'aveva comunque turbata. Non riusciva a scacciare dalla mente l'immagine del corpo senza vita di sua madre che veniva trasportato per i campi, adagiato su assi di una staccionata.

Chicken le diede un colpetto sul gomito. «Eccoli, passano di nuovo. Per Giove, Bay è ancora in gara. Glasnevin ha perso il fantino. Ma c'è ancora Governess.»

Charlotte scostò leggermente le dita e vide i cavalli sfilare via. Il cuore le batteva così forte che sentiva pulsare il sangue nelle tempie. Non resisteva più. Si voltò per farsi largo tra la folla e scappare, da un'altra parte, ovunque, ma erano così tante le persone che si accalcavano sulla recinzione del circuito ora che i cavalli erano vicini al tratto finale, che le fu impossibile muoversi.

«Middleton sta per arrivare al rettilineo. Ora lo aspetta una bella cavalcata» fece Chicken a denti stretti.

Intanto Charlotte offriva ogni tipo di promessa al Signore, a cui peraltro pensava raramente, rendendosi disponibile a rinunciare a qualsiasi cosa purché Bay le fosse riconsegnato sano e salvo.

Bay si dirigeva verso l'ultimo ostacolo. Davanti a lui c'erano tre cavalli, incluso Governess. Era arrivato il momento di spingere l'andatura al massimo. Sollevò il frustino per spronare il cavallo ma si rese conto che non riusciva a muovere il braccio. Una fitta di dolore lancinante gli attraversò la spalla e la vista gli si annebbiò. Allora, tenendosi saldo in sella solo con le gambe, si passò il frustino nell'altra mano e colpì Tipsy sul fianco.

Superarono l'ostacolo, e un altro cavallo rimase a terra. Ne restavano solo due davanti a lui sulla dirittura d'arrivo. Bay si morse il labbro fino a sentire in bocca il sapore del sangue, si chinò in avanti e premette con i tacchi sui fianchi di Tipsy per lanciarla nella corsa. Il cavallo rispose immediatamente e superò il baio: ora c'era soltanto Governess tra loro e la linea del traguardo. Bay usò il frustino con la mano sinistra e sentì Tipsy spingersi in avanti con tutte le sue forze per passare in testa. Ma benché entrambi, cavallo e fantino, usassero ogni muscolo del corpo per superarlo, lo stallone nero restava in testa. Il boato della folla cresceva a mano a mano che si avvicinavano al traguardo. Bay scorse il segnale che indicava gli ultimi quattrocento metri e capì che la vittoria gli stava per sfuggire di un soffio. Intanto la distanza tra Governess e Tipsy aumentava: lo stallone aveva una falcata più ampia. Bay pensò che era giusto così. Era la meritata punizione per i suoi peccati: avere dinanzi a sé l'oggetto dei propri desideri e poi vederselo portare via in un baleno.

Chino sul dorso del suo cavallo, Bay non notò che Glasnevin si stava inserendo tra lui e Governess. Allora Tipsy, spaventata, accelerò l'andatura. Glasnevin stava per riguadagnare la prima posizione, ma mentre si spingeva in avanti scartò leggermente di lato e andò a scontrarsi con Governess. L'ultimo suono distinto che Bay udì fu l'urlo di Ned Beasley quando il cavallo senza fantino andò addosso al suo, spezzandogli una gamba. Da allora in poi fu un susseguirsi di visi e grida indistinte mentre Tipsy per prima oltrepassava la linea del traguardo.

# 45.

## Il premio

Il Principe di Galles prese la mano di Sissi e la baciò.

«Abbiamo vinto, imperatrice! Abbiamo vinto. Dobbiamo brindare con lo champagne.»

«In realtà ha vinto il capitano Middleton» precisò Sissi.

«Certo, ma noi due abbiamo vinto diecimila sterline ciascuno. Non una somma da re, ma per un erede al trono è un bel gruzzolo.» Il principe era raggiante. Quella vincita significava nuovi cavalli per la sua scuderia e numerosi braccialetti di diamanti per le sue amanti.

Alzò il bicchiere per un brindisi. «All'imperatrice, che oggi ha fatto di me un uomo fortunato. Una donna tanto bella quanto esperta di cavalli.»

Sissi restituì il sorriso. «E al capitano Middleton, il miglior fantino d'Inghilterra.»

Bevvero ancora champagne, e poi arrivò il maggiore Topham.

«Topham! Venti a uno, eh? Devo ringraziare la qui presente imperatrice. Siamo alla premiazione?»

«Sì, signore.»

«Bene, date le circostanze credo sia il caso di concedere all'imperatrice il privilegio di premiare il vincitore. Sei d'accordo, Alix?» disse rivolto alla moglie, che annuì distrattamente. Poi tornò a rivolgersi a Sissi. «Fareste al maggiore Topham l'onore di offrire la coppa al vincitore?»

«Nulla al mondo mi darebbe un piacere maggiore!»

Il principe offrì a Sissi il suo braccio, e il corteo reale cominciò a fendere la folla festosa per raggiungere il vincitore. La banda aveva intonato *God Bless the Prince of Wales*.

Le dita di Charlotte si erano irrigidite da quanto le aveva tenute premute contro la faccia, e lo stesso valeva per i pollici, schiacciati contro le orecchie. Aveva visto Bay e Tipsy raggiungere il rettilineo finale ma via via che le grida attorno a lei si facevano più alte e i cavalli più vicini capì che non avrebbe sopportato di guardare oltre. Se Bay vinceva o perdeva, non faceva alcuna differenza per lei. Era sano e salvo, e non le importava nient'altro. Quando il frastuono si attutì Charlotte pensò che la gara fosse finita. Abbassò le mani che aveva usato come scudo e guardò Chicken. La sua espressione era eloquente. Appariva afflosciato e lucido in volto per i numerosi sorsi che aveva preso dalla sua fiaschetta.

«Ce l'ha fatta! Dannazione, ce l'ha fatta! Glasnevin è arrivato al galoppo e ha fatto fuori quell'altro, ma poi l'ha spuntata Bay. È sempre stato un tipo fortunato.» Scosse la testa. «Magari avessi scommesso su di lui. Lo sapevo che in sella era un demonio, ma non credevo che quella giumenta fosse all'altezza. Avrei dovuto pensarci... Bay è un tipo che ottiene sempre quello che vuole.»

Guardò Charlotte con occhi allusivi e annebbiati dall'alcol.

Ma Charlotte non rispose. Stava ancora guardando la folla che si ritirava come una marea mentre il corteo reale passava per raggiungere il podio. Il cappello del Principe di Galles procedeva affiancato dalla stola di zibellino che avvolgeva l'imperatrice. Il podio era costituito da una pedana ricoperta di bandierine, con delle sedie e un banchetto su cui era appoggiato il trofeo d'argento. Il corteo salì sulla pedana, con il principe e l'imperatrice in posizione centrale.

Quando Bay e Tipsy tornarono sulla pista si sentì un boato di acclamazioni. La gente si sporgeva il più possibile per poter toccare cavallo e fantino. Qualcuno stringeva tra le mani la ricevuta della scommessa e intanto la baciava.

Charlotte rimase a guardare mentre Bay e Tipsy salivano sulla pedana e il principe passava il trofeo all'imperatrice. Bay intanto era smontato da cavallo e veniva portato a spalla dalla folla verso colei che l'avrebbe premiato. Ma non intendeva guardare il resto della scena. Si voltò verso la cameriera e disse che voleva andarsene.

Grace la assecondò con riluttanza. Mentre le due donne cominciavano a sgomitare per lasciare la tribuna, Hartopp toccò Charlotte su una spalla.

«Stavate andando via senza salutare?»

Lei, senza fermarsi, disse: «Addio, capitano Hartopp. Vi ringrazio per il binocolo.» E glielo restituì lanciandoglielo al volo.

«Aspettate! Potreste aver bisogno del mio aiuto. C'è una gran bolgia laggiù.»

Charlotte proseguì la sua avanzata, ma gli rispose voltandosi appena oltre la spalla. «Devo tornare all'hotel. Se volete accompagnarci a cercare una carrozza, apprezzeremmo l'aiuto.» Grazie alla stazza di Hartopp che sgombrava loro il passaggio, non ebbero difficoltà a guadagnare l'uscita.

«Che ne è del vostro amico americano? Volete che ve lo trovi?» chiese Hartopp quando raggiunsero i cancelli.

Charlotte scosse la testa. Non voleva restare lì un minuto di più. C'era una fila di carrozze in attesa lungo la strada pronte per tornare a Liverpool. Fece un cenno alla prima della fila e quella si avvicinò per prenderle a bordo.

Quando Hartopp richiuse la portiera, si ricordò della puntata, la cui ricevuta era ancora nella sua tasca. «Vi sarei grata, capitano Hartopp, se poteste dare questa al signor Hewes, quando lo trovate.»

Lui la guardò. «Per giove, ne sarà ben felice. Venti a uno... così fanno mille sterline!»

Charlotte tentò di sorridere. «Allora promettete che gliela darete.»

Hartopp vide che Charlotte aveva il volto tirato. «Avete la mia parola. E che mi dite di Middleton? Avete un messaggio per lui?»

Charlotte abbassò il mento. «Fategli le mie congratulazioni, capitano Hartopp. Le mie più sincere congratulazioni.» Poi si coprì il volto con le mani per evitare che lui la vedesse piangere.

Chicken, per la prima volta nella sua sgarbata esistenza, dimostrò sensibilità nei suoi confronti, chiuse la portiera e disse al cocchiere di partire.

Ciò che più sorprese Bay, a mano a mano che prendeva coscienza della vittoria, era la sua assoluta mancanza di gioia. Tutto ciò a cui riusciva a pensare era l'ultima parte della gara, quando aveva piena consapevolezza del fatto che avrebbe perso, e che la sconfitta sarebbe stata meritata. Il dolore alla spalla si era fatto più intenso, ma ancora più dolorosa era la certezza che neppure la più grande vittoria della sua vita riusciva più a renderlo felice. Quando raggiunse la pedana per la premiazione vide Sissi in piedi ad attenderlo, col viso raggiante di gioia. Ma non riuscì a trovare in se stesso un'emozione che potesse far fronte all'esultanza dell'imperatrice.

Salì sul podio, spinto dalle mani festanti dei suoi sostenitori, e Sissi lo accolse con la coppa d'argento stretta tra le braccia.

«Una splendida vittoria, capitano Middleton» tuonò il Principe di Galles.

Bay si ricompose. «Sono stato fortunato, Altezza.»

«Sciocchezze, sciocchezze. Siete un fantino eccezionale. Ora l'imperatrice procederà con la premiazione.»

Sissi sollevò la pesante coppa con entrambe le mani. «È con immenso piacere che vi conferisco questo trofeo, capitano Middleton.» Il suo sorriso era talmente sincero che tutti i denti erano visibili.

Istintivamente Bay tese le mani per prendere il premio, ma poi si rese conto di non riuscire a muovere il braccio destro. Afferrò goffamente la coppa con la mano sinistra, ma il peso inaspettato dell'oggetto lo fece vacillare. Sissi vide la sua smorfia di dolore e gridò il suo nome mentre gli dava il braccio per evitare che cadesse.

Per gli spettatori, quella scena era la prova – se ce ne fosse stato ancora bisogno – del fatto che l'imperatrice e la sua guida, l'uomo che aveva appena vinto il Grand National, erano piuttosto affiatati. Persino la Principessa di Galles, che generalmente restava indifferente al fluire della vita intorno a lei spalancò gli occhioni azzurri e mormorò tra sé e sé: «Attenzione...»

Bay recuperò l'equilibrio e si trovò a guardare dritto negli occhi scuri di Sissi.

«Mio caro» disse lei sottovoce.

Per un attimo Bay pensò di poter essere ancora felice.

Il Principe di Galles prese la parola. «Ci avete tenuti sulle spine fino all'ultimo, Middleton. L'imperatrice e io non sapevamo dove guardare. Avevamo scommesso tutto su di voi. Alla fine ci avete riempiti d'orgoglio.»

Sissi sorrise. «Peccato che non abbiate ricevuto in tempo la divisa con i miei colori. L'avevo fatta fare appositamente a Londra. Sarebbe stato assai più facile individuarvi sul percorso di gara.»

Bay rabbrividì senza volerlo. «Può darsi, ma quando gareggio preferisco indossare sempre la stessa uniforme.»

Il principe lo guardò con un'aria compunta e disse: «I colori dell'Undicesimo Ussari, vero? Anch'io sono fiero di indossarli in quanto vostro Colonnello in Capo.»

«Sì, signore.»

«Un ufficiale corre sempre con i colori del suo reggimento, a meno che non stia cavalcando il cavallo di qualcun altro» spiegò il principe a Sissi.

L'imperatrice rise. «Voi inglesi, con tutte queste regole... Allora comprerò il vostro cavallo, capitano Middleton, e la prossima volta che vincerete il Grand National esibirete le mie insegne.»

«Non venderei mai Tipsy» replicò Bay.

«Neppure a me?»

Prima che Bay potesse rispondere, il maggiore Topham era salito sulla pedana.

«Capitano Middleton, mi chiedo se accettereste di farvi fotografare con il vostro cavallo. Mi dispiace interrompere le vostre celebrazioni, ma mi hanno detto che la luce sta scemando e che se vogliamo fare questa fotografia bisogna sbrigarsi.»

L'imperatrice guardò il maggiore con aria seccata. «Credo che il capitano Middleton abbia altri impegni.»

Ma Bay sollevò la mano buona e disse. «A dire il vero, signora, se volete scusarmi, avrei piacere di farmi fotografare in questa occasione. Non sono eventi che si verificano spesso. Ma dovrete tenermi la coppa, maggiore. Il mio braccio è malandato.»

Prima che Sissi potesse protestare ulteriormente, Bay seguì il maggiore e raggiunsero Tipsy. Appoggiandosi al fianco del suo cavallo, Bay chiuse gli occhi nel tentativo di rimettere ordine nella sua mente. Per un solo istante si era sentito ancora una volta soggiogato dall'incantesimo di Sissi, e avrebbe ceduto se non fosse stato per il pensiero delle insegne imperiali che gli aveva chiesto di indossare. Era una divisa fantastica, ma lui non aveva voluto metterla.

Quando Bay riaprì gli occhi, vide Caspar davanti a sé.

«Posso unirmi anch'io alle congratulazioni che tutti i convenuti vi hanno già fatto? È stata una vittoria emozionante, capitano Middleton. Quando siete pronto, permettetemi di scattare una vostra fotografia. Forse vorrete montare in sella al vostro magnifico cavallo.»

Bay lo guardò sbalordito. «Cosa diavolo ci fate voi qui?»

«Scatto fotografie, capitano. È la mia vocazione.»

«Ma come avete fatto ad arrivare quaggiù? E come potete pensare di scattarmi una fotografia?»

Caspar sorrise. «Me lo ha chiesto il buon maggior Topham per poter immortalare degnamente il vostro trionfo.»

Il maggiore si avvicinò per aiutare Bay a montare in sella. «Conoscete già il capitano Middleton, signor Hewes? Che felice coincidenza.»

Caspar prese l'apparecchio e il treppiede e li sistemò a un'angolazione di quarantacinque gradi rispetto al soggetto da inquadrare. «Il capitano e io ci siamo conosciuti a Londra. La sua immagine mi è assai familiare.» Armeggiò con la macchina. «Ora per favore voltate la testa verso di me. Non è necessario che sorridiate, a meno che ovviamente non siate voi a volerlo.»

«Preferisco di no» disse Bay.

Il maggiore rise nervosamente. «Ma almeno potreste assumere un'aria un po' più felice. Avete appena vinto il National!»

Bay guardò ancora Caspar, con occhi di fuoco.

«Perfetto. Siete un magnifico soggetto fotografico, capitano Middleton. Potete restare immobile per un momento?»

Caspar sparì sotto il panno di velluto, poi strizzò la pompetta della lampada. «Eccellente. Ve lo prometto, sarà una splendida fotografia.»

Bay scese di sella, si avvicinò all'americano e usando il braccio buono gli strattonò una spalla. «Dov'è Charlotte? Cosa le avete fatto?»

Caspar, che era almeno cinque centimetri più alto di Bay, non vacillò minimamente. «Charlotte si trova esattamente dove desidera essere.»

Bay fece per caricare un pugno, ma Caspar fu più lesto e glielo bloccò. «Avete vinto il vostro premio, capitano Middleton. Non dimenticatelo.»

Il maggiore Topham, che stava assistendo preoccupato a quello scambio, si precipitò verso di loro. «Capitano, vi prego, venite con me. C'è un rinfresco che vi aspetta nella saletta d'onore. Dopo tutta la fatica che avete fatto, sono sicuro che vi occorra qualcosa da bere.»

Bay si sentì pervadere da una profonda stanchezza, e così permise al maggiore di condurlo in una stanza piena di sconosciuti festosi che gli davano pacche sulla spalla infortunata e gli versavano un bicchiere dopo l'altro di champagne. Poiché non aveva mangiato niente quel giorno, Bay si ubriacò immediatamente.

Era seduto tra il maggiore Crombie e Lord Sholto Douglas, il primo che festeggiava la sua vincita enorme, l'altro che annegava i suoi dispiaceri nel bicchiere, quando gli apparve alla vista Chicken Hartopp.

«Ben fatto, Bay. Peccato che non abbia scommesso su di voi. Non capisco perché non l'abbia fatto. Siete sempre stato un tipo fortunato.»

Bay strizzò gli occhi, come a volerlo mettere meglio a fuoco.

«Sì, proprio così. Anch'io sono ricco, ora. Ho puntato cento ghinee su me stesso, e adesso sono dannatamente ricco e dannatamente fortunato.»

L'aspetto di Bay, tuttavia, tradiva una tale infelicità che lo stesso Chicken provò più curiosità che invidia.

«Che succede, vecchio mio? Non c'è nessuna ragione perché abbiate questo muso lungo. Dovreste sentirvi al settimo cielo. Cos'altro volete di più dalla vita?»

Bay si guardò gli stivali.

Sholto Douglas gli fece un cenno d'assenso. «Tiratevi su, Middleton, avete vinto il dannato Grand National e l'imperatrice della dannata Austria non riesce a tenere le sue dannate mani lontane da voi!»

Bay gli si rivoltò contro, tirando su i pugni, ma Sholto schivò facilmente il colpo.

«Calmatevi, vi stavo solo facendo un complimento.»

Bay si ricompose. «Scusatemi, Sholto. Non volevo.»

Sholto si alzò. «Vogliate scusarmi, devo andare a tirare il collo al fantino di Glasnevin.»

Hartopp prese posto accanto a Bay. «Lo sapete con chi ho guardato la corsa?»

«Non saprei. Con la regina Vittoria?»

Chicken si sporse verso di lui e gli sussurrò all'orecchio: «Charlotte Baird.»

Bay lo allontanò da sé. «Sì, ne sono sicuro.»

«Dico sul serio, vecchio mio. Mi ha pregato di farvi le sue congratulazioni. Le sue sincere congratulazioni.»

«Ha detto così?»

«Sì, sono le sue esatte parole: sincere congratulazioni. Che strana cosa, però. Era venuta qui per vedervi correre ma alla fine si è messa le mani davanti al viso. Non credo che abbia visto un bel niente, dell'arrivo.»

«Forse pensava a sua madre» disse Bay.

«Sua madre?»

«Si è spezzata il collo durante una battuta di caccia. Ecco perché lei non va a cavallo.»

«Oh, è questa dunque la ragione?»

«Già.»

Ci fu un momento di silenzio. Poi Bay disse. «È ancora qui?»

«No, se n'è andata subito dopo la corsa. È tornata a Liverpool. La sua nave salpa domani.»

«Per l'America?»

«Sì.»

«Insieme a quell'americano?»

«Be', parte anche lui, ma solo come compagno di viaggio. È stata piuttosto chiara al riguardo. Dice che va laggiù per scattare fotografie e lui l'aiuterà.»

«Allora non stanno fuggendo via insieme?»

«Lei dice di no. Niente anello, mi ha mostrato la mano. Niente anello.»

Bay riprese a contemplarsi gli stivali. «E perché mai vi ha detto tutte queste cose, secondo voi?» domandò a Chicken.

«Non voleva che credessi che l'avrebbe sposato. Non fa alcuna differenza, comunque. La ragazza è spacciata. Neppure la fortuna dei Lennox servirà a salvarla. Nessuno la sposerà mai.»

«Lo credete sul serio?»

«Sì, ne sono convinto.»

«Dunque voi non la sposereste, ammesso che lei vi accettasse?»

«No, non più. Non è più una ragazza rispettabile. Non so cosa diranno Fred e Augusta quando torneranno dalla luna di miele. Sarà un duro colpo. Una coppia di novelli sposi che deve mettere su casa con uno scandalo del genere sullo sfondo. Era meglio se fosse fuggita con l'americano, in fin dei conti.» Hartopp cominciò a tirarsi i baffi. «Almeno adesso sarebbe sposata. Tutte queste sciocchezze sulle fotografie... il guaio di Charlotte è che sono stati tutti troppo indulgenti con lei.» Si tirò entrambi i baffi contemporaneamente. Sembrava un merluzzo triste.

«Lady Dunwoody dovrà risponderne personalmente, visto che è stata lei a riempirle la testa di sciocchezze. La fotografia non è certo un'arte. Non ci vuole alcun talento, basta avere l'attrezzatura.»

Bay fece per consultare l'orologio ma si accorse che indossava ancora la divisa da fantino, mentre l'orologio era nei suoi abiti di ricambio.

«Allora vorrei che chiarissimo fino in fondo la faccenda, Chicken, tanto per non lasciare spazio al dubbio. Non c'è alcuna circostanza che vi porterebbe ad accettare di sposare Charlotte Baird?»

«Nessuna. Non la sposerei per nessuna ragione al mondo.»

«Allora, caro Chicken, siete un individuo assai più stupido di quanto credessi.»

Bay si alzò, e tenendosi la spalla infortunata per proteggerla dalle pacche di congratulazione, si avviò verso lo spogliatoio dei fantini. Sentiva il bisogno di mettersi in abiti civili.

Il corteo reale era quasi pronto per lasciare Aintree. Il principe stava dando un ultimo tiro al suo sigaro mentre osservava il circuito di gara, certo del fatto che il treno reale non sarebbe potuto partire senza di lui. Sua moglie fingeva di ascoltare il maggiore Topham che le parlava del progetto di portare la linea ferroviaria fino al suo circolo ippico. Sissi stava parlando con il conte Spencer della sua residenza ungherese di Gödöllő. «Dovete assolutamente venire a stare da me in estate, non voglio che Bay si senta troppo solo tra tutti quei magiari.»

«Ne sarei felicissimo, Maestà. Dunque assumerete Bay per dirigere le vostre stalle? Una splendida opportunità per lui.»

«E d'inverno torneremo qui per la stagione di caccia. È perfetto, no? Devo dire, conte Spencer, che vi sono infinitamente grata per avermi concesso una guida di così grande talento. È stato davvero impareggiabile.»

Il conte evitò il suo sguardo. La passione dell'imperatrice per Middleton stava diventando sconveniente.

«A proposito, dov'è il capitano? Da quando quel tale l'ha portato via per la fotografia se ne sono perse le tracce. Come mai non è ancora tornato?»

«Non può certo venire qui senza un invito, Maestà.»

«Allora lo invito io!»

Spencer tossì. «Credo sia meglio che consultiate il principe. Dopotutto, siamo suoi ospiti.»

Sissi sorrise. «Ma certo. Non devo dimenticare che questo non è il mio Paese.»

Si rivolse al Principe di Galles. «Mi piacerebbe vedere il capitano Middleton prima di partire. Sarebbe possibile invitarlo qui?»

Edoardo esalò un perfetto anello di fumo dal suo sigaro. «Senz'altro, imperatrice. Al vincitore le spoglie, vero, Spencer?»

Fece un cenno allo sventurato maggiore Topham. «Potete chiedere al capitano Middleton di raggiungerci qui?»

Mentre Topham partì per eseguire gli ordini dell'erede al trono, la contessa Festetics gli andò dietro lungo il percorso di gara. «Se non vi dispiace vorrei venire con voi. Il capitano è mio amico.»

Il maggiore scrollò le spalle. I reali erano utili se c'era qualche affare da discutere, ma ne aveva avuto abbastanza di fare il fattorino per loro conto.

Attraversarono il circuito, che era pieno di cartoncini di scommessa buttati via e bucce di castagne. Ora che la corsa era finita, la fiumana di folla si stava riversando verso i cancelli e la strada per Liverpool. La maggior parte della gente stava in silenzio, smaniosa solo di tornarsene a casa, ma ogni tanto si sollevava qualche tumulto qua e là. Qualcuno si metteva a cantare, qualcun altro singhiozzava. I più rumorosi erano due uomini in grembiule bianco che fendevano la folla dirigendosi verso il circuito: uno dei due portava una barella, l'altro una sega. Una donna con le piume arancioni ormai appassite sul cappello e la faccia lustra di gin gli gridò dietro. «Macellai!»

Topham camminava rapido e la contessa doveva quasi correre per stargli al passo. Andarono prima nella saletta del circolo, ma Bay non c'era, e nessuno era abbastanza sobrio da sapere dove fosse andato. Anche lo spogliatoio dei fantini era deserto. Il maggiore Topham fece aspettare fuori la contessa mentre perlustrava l'interno, ma vide solo che Bay aveva recuperato le sue cose.

Uscì e scosse la testa. «Non ho idea di dove sia finito.»

La contessa azzardò: «Non potrebbe forse essere con il suo cavallo?»

«Tutto è possibile.» Topham si avviò a passo spedito verso le stalle, ma la contessa lo afferrò per un braccio.

«Le stalle sono laggiù, giusto? Dovete avere molte cose da fare, maggiore. Credo che siate troppo occupato per stare dietro ai capricci della mia padrona, dunque lasciate che vi aiuti: andrò io a cercare il capitano.»

«Ammesso che ci sia.»

«Credo di sì.»

Il maggiore rimase in sospeso per un istante, ma poi disse: «Se proprio insistete, accetterò il vostro aiuto. Grazie.»

La contessa si avviò verso le stalle. Nopsca le aveva detto cosa era accaduto quando aveva consegnato a Bay le insegne imperiali, e così era preoccupata.

Lo trovò con le braccia attorno al collo di Tipsy. Si era cambiato d'abito. La contessa notò che il panciotto era abbottonato male, e che aveva gli occhi iniettati di sangue e il volto arrossato.

Stava cantando qualcosa nell'orecchio del suo cavallo, e Tipsy si stava strusciando contro la stoffa di tweed della sua giacca. La contessa aspettò che si accorgesse di lei. Quando la vide, le lanciò un'occhiata diffidente.

«Salve, Festy. Siete venuta a prendermi?»

«Nel mio Paese vi avremmo dato delle foglie da mettere in testa, se aveste vinto un trofeo.»

«Foglie? Una corona d'alloro? Credo che Tipsy la distruggerebbe in men che non si dica. E farebbe bene, visto che il grosso del lavoro l'ha fatto lei.»

La contessa vide che Bay non era sobrio, anche se non gli sembrava completamente ubriaco. Era in quel pericoloso stato d'ebbrezza che spinge chi vi si trova a dire la verità senza l'impedimento dell'imbarazzo o della vergogna. Stava per andarsene. La contessa sperò d'essere arrivata in tempo.

Stava riflettendo su come avrebbe potuto convincerlo a seguirla, quando Bay disse: «Voi la adorate, vero, Festy?»

La contessa annuì. «È tutto per me.»

«Capisco come vi sentiate. Sissi può dare... intossicazione. Ma io non posso servirla come fate voi, Festy. Sapevate delle insegne di gara?»

La contessa Festetics annuì.

«Come ha potuto pensare che avrei usato quegli indumenti? Io non sono una sua creatura.»

«Cercava di darvi qualcosa in cambio di tutto quello che le avete dato voi. Un po' di felicità. Non c'è molto altro, per lei.»

Bay si sedette su una balla di fieno, tenendosi la testa con la mano buona. Festy gli si sedette accanto.

«Perché siete venuta, Festy? Sarebbe stato più semplice mandare Nopsca.»

La contessa gli accarezzò la testa. «Sono venuta per farvi capire cosa dovete fare.»

Bay restò in silenzio per un istante, mentre le dita della nobildonna gli scorrevano tra i capelli come a volerlo liberare di tutta la sua infelicità.

«Io non posso vivere come voi, per sempre alla sua ombra, in attesa di un sorriso. Io voglio qualcos'altro.»

«La renderete molto triste, capitano Middleton.»

«Forse per un po', finché non troverà un'altra distrazione. Ha sempre la sua scimmietta.»

La mano della contessa Festetics smise di accarezzarlo. «Lasciatela pure, se credete. Ma non fate finta che questo non crei alcun problema all'imperatrice.»

Gli occhi di Bay si riempirono di lacrime. «Mi dispiace, Festy.»

La contessa gli diede un buffetto e si alzò in piedi. «Dovete dispiacervi per me, capitano, visto che sarò io a dare alla Kaiserin la notizia che ve ne andrete. Sarà furiosa con me, non con voi, perché penserà che io non ho usato le parole giuste. Pensava che voi vi sareste lasciato convincere a seguirmi come un cavallo con uno zuccherino.»

Bay la guardò e sorrise. «Il vostro inglese migliora sempre più, Festy.»

La contessa schioccò le dita. «Tutte le lingue sono facili per noi ungheresi. Immagino che ora andrete a cercare la ragazza con la macchina fotografica.»

«Farò un tentativo. Sebbene non credo che lei voglia essere trovata.»

«È sufficiente, a mio avviso, che siate voi a voler trovare lei.»

«Forse.» Bay si alzò e baciò la contessa sulla guancia. «Dite all'imperatrice che non dimenticherò mai le cavalcate che abbiamo fatto insieme. Vi prego, ricordatevene.»

La contessa gli sfiorò la guancia. «Non preoccupatevi, capitano. Non me ne dimenticherò.» Avviandosi verso la tribuna reale, mormorò tra sé e sé: «E di sicuro neanche Sissi lo farà mai.»

# 46.

## Verso ovest

Charlotte era seduta sul suo baule. Grace le aveva detto che se ci restava sopra per dieci minuti, il contenuto del bagaglio si sarebbe pressato meglio e così sarebbe riuscita a chiuderlo. Avevano trovato un messaggio dalla White Star Line quando erano rientrate in albergo. Tutte le valigie in partenza con il *Britannic* dovevano essere inviate quella sera, affinché il transatlantico potesse partire con la marea del primo mattino.

Rimase seduta nell'attesa che gli oggetti stipati nel bagaglio smettessero di opporre resistenza, permettendole di chiudere il coperchio. Ma le sue cose si ostinavano a non lasciarsi comprimere. Sarebbe stato sufficiente tirar via qualcosa, ma per qualche ragione Charlotte non voleva rassegnarsi a rinunciare a qualcuno dei suoi effetti personali.

Era accaduto tutto così in fretta. Dopo il matrimonio di Fred e Augusta non aveva avuto più dubbi su ciò che voleva fare. Continuava a pensare alle fotografie del deserto che le aveva mostrato Caspar. A quelle vaste distese di vuoto. Una volta immaginata la sua nuova vita, il resto era stato facile. Non era molto difficile sentirsi liberi se possedevi dei diamanti e se potevi contare su Caspar. Lui aveva capito subito. Lo aveva anche detto a Lady Dunwoody, visto che Charlotte non era riuscita a farlo lei stessa. La madrina avrebbe approvato la sua decisione – del resto era stata lei a incoraggiarla – ma Charlotte sapeva anche che, nonostante le sue frequentazioni bohémien, la pensava in modo del tutto convenzionale sul comportamento conveniente che le ragazze non sposate dovevano osservare. Lady

Lisle poteva essere convinta, ma lei non avrebbe mai cambiato idea. Charlotte aveva temuto che la sua decisione potesse vacillare se fosse stata disapprovata dalla sua madrina. Era contenta del fatto che Fred e Augusta avrebbero ricevuto la notizia per lettera, ma sapeva che Lady D non l'avrebbe mai perdonata se non fosse stata consultata in anticipo. E così aveva mandato Caspar, che era abilissimo a cavarsela in qualunque situazione, se c'erano da usare le parole.

Prima, alla corsa, Charlotte aveva capito a quanto rinunciava Caspar per venire via con lei. Era impressionante con quanta facilità era riuscito a inserirsi nel cuore degli eventi. Era riuscito a trovare il suo posto al centro del mondo, e ora lei lo riportava verso la sua estrema periferia.

Bussarono alla porta. Era Caspar, con il suo soprabito a scacchi e un fascio di banconote in mano.

«Ecco la mia vincita. Mille sterline. Il capitano Middleton ha portato più fortuna a me che a voi.» Stava voltandosi per chiudere la porta, ma Charlotte lo fermò.

«Non chiudete la porta. Non dovreste essere qui da solo con me se Grace non è presente.»

«Avete ragione: devo proteggere a tutti costi la mia reputazione. Perché siete seduta sul baule?»

«Perché non vuole chiudersi, e bisogna mandarlo giù al porto stasera.»

«Volete che mi ci sieda anch'io?»

Charlotte annuì. Ma neppure in due riuscirono a chiudere il coperchio.

«Restiamo seduti per un po', forse qualcosa cederà.»

«Se credete.»

Charlotte guardò il denaro che Caspar stringeva ancora tra le mani. «Mille sterline!»

«Ho piazzato la scommessa per voi, ovviamente.»

«Lo so.»

«È stata una giornata molto proficua. Ho scattato delle splendide fotografie, compresa quella del vincitore.»

Il movimento improvviso di Charlotte provocò uno scricchiolio nel coperchio, che si allineò e fece uno scatto.

«Avete visto Bay? Gli avete detto che ero lì?»

Caspar si alzò. «Credo che il nostro lavoro con il baule sia terminato.» Andò verso la porta. «No, Carlotta. Non ho detto al capitano Middleton che lo avevate visto gareggiare. Non ho voluto dargli quella soddisfazione. Ho pensato che aveva avuto fin troppe vittorie, per un solo giorno.»

Charlotte rimase in silenzio.

«Ora siete in collera con me. Ma l'ho fatto per il vostro bene, e forse anche un po' per mia soddisfazione personale. Era davvero furioso. Ha addirittura cercato di colpirmi. Per fortuna s'era fatto male al braccio, e quindi non mi sono vendicato. Un vero peccato. Confesso che non mi sarebbe dispiaciuto.»

«Il braccio? Cosa c'era che non andava nel suo braccio?» Poi aggiunse: «E perché mai voleva prendervi a pugni?»

«Perché non gli ho detto dove eravate, e perché forse pensa che noi due stiamo fuggendo insieme.»

Charlotte distolse lo sguardo.

«Oh, Charlotte. Volevate davvero che gli dicessi che avevamo passato l'intera giornata al circolo ippico per poterlo anche solo intravedere? Meglio lasciargli credere che stessimo scappando insieme, e che non vi importasse più niente di lui. Sarà più facile per tutti e due. Voi avrete la vostra gloriosa carriera in America, e lui si godrà il trofeo e l'imperatrice. È l'unico lieto fine possibile.»

Charlotte si morse un labbro. Alla fine disse: «Come fate a sapere qual è il lieto fine per me? O per Bay?»

Caspar la prese per le spalle e le diede una scrollata, delicata ma decisa. «Lo so perché so bene cosa significa perdere una persona amata. Quando è morto Abraham, ho pensato che non sarei mai più stato felice. E che non avrei mai più scattato una fotografia. Ma poi sono venuto qui e ho trovato conforto. Ecco perché ho acconsentito a tornare in America con voi: perché avete trovato il coraggio di ricominciare daccapo. E il coraggio non vi è passato, qualunque cosa stiate pensando in questo momento.»

Charlotte guardò il tappeto, decorato con una cornucopia di fiori e frutti. Toccò un melograno con la punta dello stivaletto.

«Ora mettetevi il cappello e facciamo una passeggiata fino al porto per controllare che i nostri bauli siano imbarcati sul *Britannic*. Non c'è niente di peggio che scoprire che i propri averi siano stati mandati per sbaglio in Argentina. Allora andate a chiamare Grace, così le leggi del decoro saranno rispettate.»

Fuori stava calando la temperatura, e Caspar chiamò una carrozza che li portasse al porto. Mentre aiutava Charlotte a salire, disse: «Grazie al capitano galante, posso permettermi addirittura una carrozza.»

Charlotte e Grace presero posto sul sedile di fronte a quello di Caspar. Le strade si stavano svuotando, ma ogni tanto s'incontrava un gruppetto di persone che ovviamente stavano tornando dalla corsa. I loro vestiti buoni erano tutti sgualciti, con le piume penzolanti e le cravatte flosce, ma tutti procedevano compatti, con la sensazione di aver condiviso un grande momento. Qualcuno fra loro esibiva le ricevute delle vincite come un talismano, a riprova del fatto che almeno per un giorno era stato baciato dalla fortuna. Agli angoli delle strade gli strilloni, nella speranza di vendere l'ultima edizione ai pochi abitanti di Liverpool che non avevano trascorso la giornata a Aintree, stavano ancora annunciando a gran voce i titoli dei giornali, dove si sottolineava che Bay aveva vinto senza essere il favorito e si acclamava il nome di Tipsy. A mano a mano che si avvicinavano al porto, le taverne si facevano sempre più numerose, ed erano tutte stipate di spettatori del National che avevano voglia di godersi quella giornata fino in fondo. Vicino al Mersey, il Queen Adelaide rigurgitava di avventori irlandesi che aspettavano il *Dún Laoghaire*, la nave che li avrebbe ricondotti in patria. Si rammaricavano per la sconfitta di Glasnevin, e i loro canti erano diventati quasi una litania funebre.

Quando giunsero alla banchina, Caspar andò all'ufficio partenze per sapere quando il loro bagaglio sarebbe stato imbarcato. «Gli dirò che voglio vedere ognuno dei nostri bauli che viene portato sulla passerella di carico. È l'unico modo per essere sicuri.» Charlotte notò che Caspar aveva un'aria insolitamente allegra, come se avesse in serbo qualche splendido segreto. Ma poi pensò che quella gioia doveva derivare dalla vincita delle mille sterline.

Le due donne rimasero qualche minuto sedute in carrozza, ma poi Charlotte volle scendere. Si mise in piedi sull'acciottolato della banchina. Era quasi completamente buio, ma le grandi vaporiere erano illuminate dalle lanterne. Sembravano immensi alberi di Natale alla luce del tramonto, con le lampade che tremolavano ogni volta che si muoveva l'acqua per il passaggio di un rimorchiatore. C'era gente dappertutto. Una nutrita folla si era riunita lungo una banchina per salutare una nave in partenza per il Canada. A sinistra di dov'era, Charlotte vide un equipaggio cinese, ognuno con la sua treccina che scendeva sulle spalle, che scaricava delle casse da un battello a vapore e le portava in un magazzino, passandosele di mano in mano a mo' di catena umana. Le strade attorno all'albergo erano già parzialmente entrate nello spirito sonnacchioso della domenica, mentre al porto l'attività era frenetica. Era una scena incredibilmente esotica per Charlotte. Che strano, pensò, fare tutta quella strada per andare in America quando negli ultimi due giorni aveva visto a Liverpool cose molto più insolite di quelle che le era capitato di vedere in tutti i suoi vent'anni di vita.

Un marinaio di colore stava venendo verso di lei con un pappagallo in gabbia, e Charlotte pensò che ne avrebbe potuto ricavare una bellissima fotografia. Quanto era più interessante scattare fotografie dal vero anziché ricreare scenari nello studio di Lady Dunwoody. In un istante tutto il malumore che l'aveva pervasa da quando era tornata da Aintree si dissipò, e Charlotte ricominciò a pensare a tutte le possibilità che la nuova vita le avrebbe offerto. Immortalare il mondo in tutta la sua stranezza e bellezza, quella sì che era un'aspirazione. Era una meta che poteva raggiungere. Documentare l'inatteso e lo straordinario, affinché altre ragazze come lei, magari meno fortunate, potessero sapere che c'era molto di più oltre i confini del loro salotto o della loro cucina. Ritta in piedi sulla banchina, col vento freddo che soffiava dal mare portando in giro l'odore di verdura marcia e luppolo da birra, Charlotte si sentì improvvisamente e inaspettatamente felice.

Stava sorridendo quando sentì il rumore che arrivava dalla parte opposta del pontile. La folla riunita per dire addio alla nave canadese stava lanciando cappelli in aria acclamando a gran voce. Erano tutti assiepati attorno a qualcosa, ma era troppo buio per vedere di cosa si trattasse. Ma poi la calca si spaccò in due e Charlotte vide che si trattava di un uomo a cavallo. Il cavallo era d'una tinta perlata.

Tutti i presenti seguivano quel cavallo e intanto cantavano. Il motivo non era noto a Charlotte, e comunque era troppo concentrata a scrutare nel buio la sagoma del cavaliere per riconoscerne le note. Grace, udendo quel coro, scese dalla carrozza e raggiunse Charlotte.

«Guardate, signorina» disse. «È il capitano Middleton.»

Rimase immobile quando Bay le si fermò di fronte, mentre cento mani si protendevano per aiutare il vincitore del National a scendere di sella e occuparsi del suo splendido animale.

La raggiunse, e dopo un istante di esitazione le prese la mano e gliela baciò. Gli tornò in mente la prima volta che aveva baciato quella mano, la sera del ballo degli Spencer.

Ci fu un boato di approvazione dalla folla che lo seguiva.

«Stai sorridendo, Charlotte. Significa che sei felice di vedermi?» Bay aveva un'aria talmente preoccupata che Charlotte sarebbe potuta scoppiare a ridere.

«Sono felice che tu abbia vinto il National. So quanto ci tenevi.»

«Sei venuta a guardarmi?»

«Sì.»

Ci fu un attimo di silenzio. Charlotte notò che Bay, sotto il soprabito, aveva un braccio fasciato.

«Cosa ti è capitato?»

«La mia spalla è distrutta. L'articolazione si è allentata. Dovevo farmela fissare al collo, ma ho avuto da fare.»

Charlotte lo guardò negli occhi. «Prendo una nave domattina per New York. Parto con il signor Hewes.» Dietro di lei la sua cameriera tossì. «E con Grace.»

Grace sorrise a Bay. «Buona sera, signore, e congratulazioni per la vittoria. Ho guadagnato un po' di soldi grazie a voi, e ve ne sono grata. Che finale di gara! Non credevo che ce l'avreste fatta, ma poi quel cavallo è spuntato fuori dal nulla e voi eravate lì pronto a tagliare il traguardo.»

«Neppure io credevo di farcela, Grace. Ma certe volte le cose vanno diversamente da come ci si aspetta che vadano. Governess era un cavallo più veloce, ma io sono stato fortunato, e a Tipsy non piace arrivare seconda.»

Charlotte non poté attendere oltre. «Perché sei venuto qui, Bay?»

«Per vederti, ovviamente. Sapevo che eri da queste parti. Me lo ha detto Chicken.»

«Chicken?»

«Il nostro comune amico. Mi ha detto che stavi andando in America, ma mi ha anche detto che non eri ancora sposata con Hewes. Per me è stato un sollievo, perché vorrei essere io a sposarti, se c'è qualche minima possibilità che tu mi voglia ancora.»

Un mormorio si diffondeva intanto tra la folla, poiché i più vicini sentivano le parole di Bay e le riferivano a chi stava in posizione meno privilegiata. Un burlone gridò: «Avanti, non lasciatelo soffrire così, Charlotte!»

Charlotte cercò di allontanarsi da lui, ma non riusciva a muovere un passo. «Io parto per l'America domani, vado a fare fotografie» disse lentamente senza incrociare il suo sguardo.

«Alle donne sposate è consentito scattare fotografie?» chiese Bay.

Lei lo guardò. «Non saprei.»

«Charlotte, ora sono ricco. Non ricco come te, ma ho abbastanza denaro per mantenerci per qualche anno. Puoi anche regalare la tua eredità a Fred se vuoi, e ce la faremmo ugualmente.»

«E lei?»

«Ti prometto che non la vedrò mai più. No, se dico così sembra che io stia rinunciando a qualcosa a cui tengo molto. Io non voglio vederla mai più.»

«Povera imperatrice» disse Charlotte pensando alle rughe attorno alle sue labbra.

«Ero caduto vittima di un incantesimo, ma me ne sono liberato. Potrai mai perdonarmi?»

Si levarono altre grida dalla folla: «Suvvia, dolcezza! Fa freddo qui fuori!»

«Ma io domani parto per l'America.»

«Voglio venire con te. Potrei aiutarti a trasportare l'attrezzatura.»

«Con un braccio al collo dubito che ce la faresti.»

«Ma a parte quello, prenderai in considerazione la mia proposta?»

Qualcuno dalla folla cominciò a cantare una canzoncina che incitava una fanciulla a dare la risposta al suo innamorato, e il chiasso salì alle stelle perché tutti si unirono al coro.

Charlotte mise una mano sul braccio buono, e visto che non riusciva ad articolare parola, annuì col capo.

«Davvero, Charlotte?»

Lei annuì ancora, poi chiuse gli occhi. Bay la cinse alla vita e la baciò.

Le acclamazioni della folla erano talmente concitate che Charlotte non sentì Caspar che la chiamava, finché non le fu vicino e le batté la spalla.

Lei sollevò lo sguardo, senza staccarsi da Bay.

Caspar inclinò la testa da un lato per guardare la coppia, poi si rivolse a Charlotte. «Mi sembra di capire che ci sia un cambiamento di programma.»

Fu Bay a rispondere. «Charlotte ha promesso di sposarmi.»

«Non sono le promesse di Charlotte a preoccuparmi, ma le vostre, capitano Middleton. Manterrete la parola stavolta?»

Bay inclinò il mento rivolgendosi a Caspar. «Immagino di meritare la vostra diffidenza. Tutto quel che posso dire è che se Charlotte mi vorrà ancora ci sposeremo domani in nave.»

La folla era in visibilio.

Caspar si rivolse allora a Charlotte. «Pensate di poterlo perdonare?»

«Credo di sì. È venuto fin qua, dopotutto.»

«Ma volete veramente sposarvi?»

«Lui dice che mi aiuterà a portare l'attrezzatura fotografica.»

Caspar la guardò per un momento, poi rise e levò le mani al cielo in un gesto scherzoso che mimava una formula augurale. «Allora non mi resta che darvi la mia benedizione.»

*

Era tardi quando tornarono all'Adelphi. Caspar aveva insistito per poter montare in sella a Tipsy. «Preferisco di gran lunga cavalcare la vincitrice del Grand National che fare il terzo incomodo.»

Nella hall dell'albergo, lievemente a disagio per la novità della situazione, Bay disse: «Devo prendere una stanza per la notte e sistemare Tipsy nelle stalle. Scusatemi un momento» e andò a parlare con il direttore.

Caspar sospirò. «Spero sappiate cosa state facendo, Carlotta.»

«Lui ha scelto me, e credo che saremo felici.»

«Non sarà solo perché preferisce voi a un'imperatrice?»

«Io lo amavo già prima.»

«Allora mi arrendo. E vi auguro ogni gioia, sul serio. Sono certo che conquisterete l'America.»

«Voi non venite?»

«No, Carlotta. Non vi occorrono più i miei servigi, e qui ho tante duchesse da fotografare. Quando tornerò a Londra con tutti i dettagli sulla scandalosa fuga dell'ereditiera Lennox, chi mai potrà resistermi? Non preoccupatevi, farò il possibile per consolare Augusta durante la vostra assenza.»

Charlotte rise, e lo baciò sulle guance. Poi le venne in mente una cosa. «Il vostro bagaglio... Dovete chiedere di riportarvelo a terra.»

Caspar ammiccò. «Ma per chi mi avete preso, Carlotta? Il mio baule non ha mai lasciato l'albergo.»

Il cielo era ancora rosa quando Charlotte e Bay si sistemarono sul ponte del *Britannic,* in attesa che il transatlantico salpasse.

Erano sul ponte panoramico, e guardavano la città.

Charlotte mise la mano su quella di Bay. «Ora che stiamo per sposarci, dovrai dirmelo.»

«Dirti cosa?»

«L'origine del soprannome di Hartopp...»

Bay rise e la baciò. «Mia cara Charlotte, temo che dovrò deluderti. Sai, se non fosse stato per lui, non avrei mai saputo che non stavi per sposare il tuo amico americano. Devo a lui la mia felicità, e quindi non posso tradirlo rivelandoti il suo più intimo, più profondo e più oscuro segreto.»

Charlotte gli strinse la mano.

«Inoltre se te lo dico non ci sarà più niente che ti farà ardere dalla curiosità.»

Charlotte sorrise.

«Oh, mi farò venire in mente qualcos'altro.»

# Nota dell'autrice

Il mio interesse nei confronti di Sissi risale a quand'ero solo una ragazzina. Mi regalarono un puzzle del celebre ritratto di Winterhalter, quello in cui l'imperatrice ha le stelle di diamanti nei capelli. Molti anni dopo, mentre riflettevo su possibili soggetti su cui basare un romanzo, mi tornò in mente lei, e più cose scoprivo della sua straordinaria esistenza, fulgida di splendore ma allo stesso tempo punteggiata di amarezza, più mi veniva voglia di dedicarle un libro. Questo romanzo si basa su eventi realmente accaduti, come pure reale è il cast dei personaggi: Sissi, Bay, Charlotte, il conte Spencer e addirittura Chicken Hartopp sono tutti veri, anche se i loro pensieri e i loro sentimenti li ho inventati io. Sissi andò in Inghilterra per trascorrervi l'intera stagione di caccia tra il 1875 e il 1876, e Bay Middleton le fece da guida. I capelli dell'imperatrice erano lunghi fino ai piedi, e faceva uso di vitello crudo per le sue maschere di bellezza. Tuttavia, pur essendo fondato su fatti reali, *L'amante inglese di Sissi* rimane un romanzo, per cui non mi sono attenuta scrupolosamente alla cronologia degli eventi se la trama mi richiedeva di discostarmene.

Elisabetta d'Austria era la principessa Diana dell'Europa del diciannovesimo secolo: la sua bellezza era famosa in tutto il mondo, ma il suo matrimonio con Franz Joseph non fu un'unione felice: Sissi trascorse gran parte della sua vita a caccia di una felicità che non riusciva mai a raggiungere. I primi anni di matrimonio furono dominati dalla figura opprimente della suocera, che cercò di plasmare Sissi fino a fare di lei una perfetta sovrana asburgica. Ma la giovane imperatrice detestava la rigida forma-

441

lità della corte austriaca, dove ogni dignitario doveva provenire da almeno quattro generazioni di aristocratici. Sissi era politicamente progressista, e sosteneva le aspirazioni degli ungheresi, che si erano ribellati al dominio asburgico nel 1848. Per queste ragioni Franz Joseph non era poi così contrariato dal fatto che la consorte trascorresse molto tempo all'estero, viaggiando per l'Europa a bordo del suo treno privato oppure stabilendosi nella villa di Corfù che raggiungeva con il suo panfilo imperiale. Sissi adorava la caccia per due ragioni: da un lato per la scarica di adrenalina che ne riceveva, dall'altro perché era magnifica quando indossava i suoi completi da equitazione.

La seconda parte della vita matrimoniale di Sissi fu segnata da numerose disgrazie. Il suo unico figlio maschio, Rodolfo, finì i suoi giorni con un omicidio/suicidio insieme alla sua giovanissima amante nel casino di caccia di Mayerling nel 1889. Elisabetta portò il lutto fino alla morte, che sopraggiunse nel 1898: fu pugnalata a morte da un anarchico italiano mentre saliva a bordo di una barca sul Lago di Ginevra. L'anarchico in realtà pensava di stare assassinando un membro della famiglia reale russa. Franz Joseph sopravvisse alla moglie fino al 1916. L'assassinio di suo nipote l'arciduca Ferdinando, due anni prima, fu l'evento che provocò lo scoppio della Prima guerra mondiale.

Bay Middleton (un lontanissimo parente della consorte dell'attuale erede al trono d'Inghilterra) era famoso per essere "il più abile cavallerizzo del Regno". Il suo soprannome derivava dal nome del vincitore di una corsa Derby. Trascorse cinque anni con Sissi facendole da guida per le stagioni di caccia in Inghilterra e in Irlanda. La loro relazione fu chiacchieratissima, e di sicuro suscitò la gelosia del figlio Rodolfo. Nell'interpretazione datane da Kenneth McMillan nel suo balletto *Mayerling*, fu proprio quella relazione che spinse l'erede al trono Rodolfo sull'orlo della follia fino a condurlo al suicidio.

Si sa invece pochissimo di Charlotte Baird, oltre al fatto che sposò Bay Middleton. Io le ho attribuito un interesse nei confronti della fotografia, una forma d'arte assai popolare tra le giovani donne istruite dell'epoca.

# Ringraziamenti

Non avrei mai potuto scrivere questo libro senza l'aiuto e il supporto delle seguenti persone.

Le mie straordinarie editor, Imogen Taylor e Hope Dellon; la mia agente Caroline Michel, tanto brava quanto bella; Georgina Moore e la sua squadra di collaboratori alla Headline; Dori Weintraub e la sua squadra alla Smp; Emma Holtz e Silissa Kennedy per il sapiente lavoro sul campo; Rachel Street, splendida copy-editor nonché assistente superlativa; Penny Mortimer per il supporto nelle parti incentrate sulla caccia; Janet Reibstein per aver saputo dare rilievo agli eventi più importanti; Sam Lawrence, perché mi è stato vicino in un anno difficile; Andrea Wong, per il suo entusiasmo e la gentilezza; i miei amici Shane Watson ed Emma Fearnhamm, per la loro pazienza; Jason Goodwin per la revisione del testo; le mie sorelle Tabitha, Chloe e Sabine per il loro sostegno; Richard Goodwin per l'entusiasmo provato alla lettura della mia prima stesura; le mie figlie Ottilie e Lydia, per essere le mie più fervide sostenitrici ma anche le critiche più spietate; e mio marito Marcus, per essere la roccia su cui è costruito il mio fragile edificio.

Stampato da
Grafica Veneta S.p.A., Trebaseleghe (Padova)
per conto di Sonzogno di Marsilio Editori® in Venezia

Edizione                                                                                    Anno

10  9  8  7  6  5  4  3  2  1                    2014  2015  2016  2017  2018